JN270738

アメリカ人なら だれでも知っている

英語フレーズ 4000

The American Phrase Dictionary

山田 詩津夫 著
David Thayne 監修

小学館

アメリカ人ならだれでも知っている
英語フレーズ4000

著　　者	山田詩津夫
監　　修	David Thayne
英文作成	David Thayne
	Adam Hammick
	Edward Demling
	James DeVos
	Julie Rousseau
	Richard Powell
	Theodore Holst

電子編集 & DTP組版
　　　　　　有限会社　ワード・ワークス

装丁 & 紙面デザイン
　　　　　　岡崎健二

本文イラスト	伊藤　典
制　　作	直居裕子
資　　材	市村浩一
制作企画	岩重正文
販　　売	栗原　弘
宣　　伝	下河原哲夫
編　　集	三谷博也

まえがき

　日常のことばをよく観察すると，意外に多くの定型表現（フレーズ）が使われていることがわかります．「おはよう」「ありがとう」「すみません」などがすぐに思い浮かびますが，そればかりではありません．家に遊びに来たお客さんが帰るときに言う「これにこりずにまた来てください」なども定型表現でしょう．「なんとかはかぜを引かないって言うからね」などという皮肉が通じるのも「ばかはかぜを引かない」という言い回しが定型表現として日本人の常識となっているからです．

　同じことは英語についても言えます．たとえば，相手が愚痴をこぼしたような場合に Tell someone who cares. とよく言います．「そういうことはだれか親身に聞いてくれる人に言いなさい．私は聞きたくないから」と突き放した言い方です．同じ意味で Call someone who cares. も使われます．このような言い回しは定型表現として知っていないと理解しにくいでしょう．また，定型表現の応用例が使われることもあります．アメリカのテレビコメディーを見ていたら，Somebody's pants are on fire.（だれかさんのズボンに火がついている）という表現が出てきて，観客から笑い声が起こりました．もちろん，実際にズボンに火がついているわけではありません．これは「だれかさん，うそを言っているね」という意味なのです．子どもが「この大うそつきめ」という意味で相手をけなすときに，Liar, liar, pants on fire, hanging on a telephone wire.（うそつき，うそつき，ズボンに火がついて，電話線からぶらさがっている）というはやしことばを使います．これはアメリカ人にとっては常識ですから，Somebody's pants are on fire. のような応用例を聞いてもすぐに理解できるわけです．（ちなみに，ジム・キャリーのコメディー映画『ライアーライアー』の原題 *Liar Liar* もこのはやしことばから採られています）

　このような定型表現（フレーズ）には，①慣用的な会話表現，②ことわざ・格言，③聖書その他からの引用句，テレビ・映画の有名なせりふ，歌の文句，④特に子どもがよく使うはやしことば，迷信，ジョークなどがあります．しかし，こうした定型表現は辞書に拾われていないことが多いようです．上に挙げた「これにこりずにまた来てください」「ばかはかぜを引かない」は国語辞典に載っていませんし，Tell someone who cares. や Liar, liar, pants on fire, hanging on a telephone wire. も英和辞典や英英辞典に見当たりません．日本語を学ぶ外国人や英語を学ぶ日本人にはそうしたフレーズをまとめた参考書があれば便利でしょう．そのような考えから本書が企画されました．

　私は以前から自分の勉強のために見聞きした英語の用例をノートにとっていたのですが，20年ほど前に英語辞典編集の仕事に携わるようになってからは，仕事に生かすためと楽しみを兼ねて，主にアメリカのテレビドラマを英語で聞いて用例を採集するようにしてきました．そして，そこに使われている単語や表現が英和辞典や英英辞典にあるかどうかを確かめ，ない場合にはそれが一般的なものかどうかをネイティブの人に聞いて確認するように努めました．こうして，英和大辞典や英英辞典にもない生きたフレーズが数多く集まりました．このデータを基礎として，英和辞典や英英辞典，その他の参考文献にも目を通しながら，重要なものが抜け落ちないように留意して本書を執筆しました．また，純粋な定型表現という枠を超えて，よく使われる表現を幅広くとらえて収録してあります．ここに収めた表現はアメリカ人ならだれでも知っているはずのものがほとんどですが，一口にアメリカ人といっても地域や年齢などによって語彙に差異があり

ますから，文字どおりにアメリカ人がみな知っているというわけではないことはお断りしておきます．

　本書の構成は次のようになっています．
1．見出し語
　普通の英和辞典と同じように1つの見出し語のもとに，その語が使われているフレーズを示しました．ただし，同じ形であれば語源が異なる語でも同じ見出し語として扱っています．また，スペースを節約するため，派生語など意味の近い2つの見出し語をまとめた場合もあります．
2．フレーズ
　フレーズの最初にくる語を基準としてアルファベット順に並べてあります．2つ (以上) の語やフレーズが同じように使われる場合はスラッシュ (/) で区切って並べました．また，Off course. と Off course not. のように意味が正反対になるフレーズの対は ←→ の印をつけて並べてあります．
3．訳語など
　フレーズの訳語はかっこに入れて示し，必要に応じてその後に説明をつけました．英文を理解するのに英和辞典の訳語を当てはめただけではどうもピンと来ないという経験はよくありますが，なるべくそのようなことがないようにと心がけました．説明の後に 類似 として，似たような意味や用法の表現を示しました．特に会話表現では訳語と説明だけではわかりにくいことが多いので，そのような場合には用例もつけました．さらに，適宜 補足 欄を設けて，その表現の応用例や，よりよく理解するための背景的知識，雑学的な情報などを入れました．なお，訳語や用例の訳は男女のことばがなるべく交互になるようにしましたが，それが男ことばまたは女ことばであるというわけではありません．
4．和英索引
　巻末に和英索引を設け，日本語から検索できるようにしました．ただし，本文に収録した英語フレーズが日本語表現とうまく対応するものに限ってあります．日本語見出しは概念分類的要素も取り入れ，「来る」の項には「お越しください」，「注文」の項には「何になさいますか」という文なども含めてあります．また，日本人にはなじみの薄い聖書，英国国教会祈禱書，シェークスピアの引用句も後ろにまとめました．

　この本が，英語の参考図書として読者のみなさまのお役に立てれば幸いです．著者として精一杯努力しましたが，個人の力には限界があり，英語は所詮外国語ですから，思わぬ勘違いや不勉強などの点があるかと思います．みなさまからご指摘，ご意見を寄せていただき，著者と読者の相互協力によってさらに充実した本格的な辞書へと育てていくことができたらと願っています．
　最後に，これまで私の質問に答えてくださった数多くのネイティブの先生方，本書の用例を作ってくださったインフォーマントの方々，そして用例作成のほかに監修者として本書全体に目を通してくださった David Thayne さんに心より感謝申し上げます．

　　2005年8月

　　　　　　　　　　　　　　　　　　　　　　　　　　　　　　　　　　　山田詩津夫

A, a

aboard (船・飛行機・列車・バスなどに)乗って

All aboard.
「みなさん，**乗船[乗車]**願います；乗船[乗車]完了」➤全乗客に対して船や列車に乗り込むようにと乗務員がアナウンスするときにいう．また，全乗客が乗り込んだことを乗務員同士で確認するときにも使われる．

Welcome aboard.
「**ご搭乗[ご乗車]ありがとうございます**；ようこそわが社[チーム，劇団など]に；よろしく」➤飛行機や列車の乗客に対する乗務員のあいさつ．また，一般に新しく会社やチームなどに加わった人に対する歓迎のあいさつとしても使う．

Ex. So this is your first day at Global Trading? Welcome aboard!
グローバルトレーディング社にはきょうが初出勤なんですか．ようこそわが社へ．

about …について；…の周りに；およそ…で；方向を変えて

That's about it.
「**そんなところだね**；そういうことになるわね」➤相手のことばを大筋で肯定したり，自分の説明を締めくくるときなどにいう．That's about the size of it. もほぼ同じ．

Ex. That's about it for now. Do you have any questions?
いまはこれくらいにしておきましょう．何か質問はありますか．

What about it?
「**それがどうしたの**；それが何だっていうの」➤それについて何が問題なのか，何か文句があるのか，どういうことを知りたいのか，などというときに使う．

Ex. Yes, I did know the new department head is a woman. What about it? 今度の部長が女性だということは知っていたよ．それがどうしたの．

What's it all about?
「**いったいそれはどういうもの[こと]なのですか**；それ[あれ，これ]は何なのだろう」

Ex. I just don't understand the negative reaction to the new policy. What's it all about?
私には新方針に否定的な反応があるのが理解できないわ．どういうことかな．

absence ない[いない]こと；不在；欠席；欠勤
absent ない；いない；不在[欠席，欠勤]の

Absence makes the heart grow fonder.

「**離れ離れになると恋しさが募る**」➤愛する人（など）がいなくなると余計に恋しくなるということわざ．人だけでなく場所やものについても用いる．

Long absent, soon forgotten.
「**去る者は日々に疎し**」➤Out of sight, out of mind. とほぼ同じ．

absolutely 絶対に；絶対的に

Absolutely.↔Absolutely not.
「**もちろん；当然↔絶対にだめよ；とんでもない**」➤相手のことばを強く肯定または否定する表現．Absolutely, positively.↔Absolutely, positively not. という，ややこっけいな強調した言い方もある．

Ex. Do I agree with his appointment? Absolutely.
彼の任命に賛成かって？ 大賛成だよ．

Ex. Sorry, but there is no way I will do what you are asking. Absolutely not. 悪いけどあなたの頼みは聞き入れられないわ．絶対にね．

accident 偶発的なこと；偶然（のできごと）；事故

Accidents (will/can) happen.
「**事故はしかたがないね；わざとやったわけじゃないから；事故っていうことはいつでもあるんだぞ**」➤事故は起きるものだという事実の表明として，またうっかり物を壊してしまった人に「そういうことはあるよ」と慰めるときなどにいう．さらに，「事故に見せかけて殺すこともできるぞ」という脅し文句としても使われる．

Ex. Don't worry about it. Accidents will happen.
心配することないよ．事故だから．

There are no accidents.
「**偶然というものはない**」➤物事が起こるのにはそれなりの必然性があるということ．

Ex. Don't you think it's strange that someone who went to the same school as the boss got that job? There are no accidents, you know. 社長の学校友だちがその仕事をもらったというのは変だとは思わないかい．偶然なんてことはないよ．

acquaintance 知り合い；知人

I'm glad/delighted to make your acquaintance.
「**お会いできてうれしいです；お近づきになれて光栄です**」➤初対面のときのあいさつ．I'm happy to meet you. とほぼ同じ．省略表現で Glad/Delighted to make your acquaintance. ともいう．

Should auld acquaintance be forgot
「**古い知人は忘れ去られるべきなのか**」➤日本で「蛍の光」として知られるスコットランド民謡 "Auld Lang Syne"（発音は /ɔ́ːld læŋ záin/ で "Old Long Past" の意）の出だしの文句．古くから伝わる民謡をスコットランドの詩人ロバート・バーンズ (Robert Burns) が採録したもの．

[補足] 英米では，おおみそかの夜のパーティーで新年を迎える直前にこの歌を歌う．

action 行動；行い；ふるまい

Actions, not words.
「ことばでなく行動で示せ；不言実行」➤人は何を言うかではなく何をするかが重要だということわざ．Deeds, not words. ともいう．

Actions speak louder than words.
「行動はことばよりも雄弁だ；ことばでなく行いで示しなさい；論より証拠」➤人は何を言うかではなく，何をするかでその人となりがわかるということわざ．また，ことばでなく行動で示したほうがよくわかる，という場合にも使われる．

afraid 怖がって；恐れて；心配して；残念で

I'm afraid not.
「残念ながらそうではない [そうではなさそうだ]」➤相手の期待に添えない，あるいは期待するようにはならないだろうという場合に用いる．くだけた言い方では Afraid not. さらには 'Fraid not. となる．

Ex. A: Could you stay late this evening to help me finish this report? 今晩は残業してこの報告書を仕上げるのを手伝ってもらえませんか．
B: I'm afraid not. I have a meeting in Hokkaido tomorrow, so I'm leaving early. ちょっと無理ですね．あしたは北海道で打ち合わせがあってきょうは早く帰るんです．

I'm afraid so.
「残念ながらそうだ [そのようだ]」➤相手の心配するとおりだ，あるいはそうなりそうだという場合に用いる．くだけた言い方では Afraid so. さらには 'Fraid so. となる．

Ex. A: Do you mean we can't take a vacation this summer? この夏は休暇を取れないというの？
B: I'm afraid so. 残念ながらそういうことのようだね．

Who's afraid of ...?
「だれが…なんて怖いものか」➤そんなもの怖くも何ともない，という意味の反語表現．会話のほか，本や映画のタイトルにも多く使われている．

[補足] 有名なタイトルとしては，アメリカの劇作家エドワード・オールビー (Edward Albee) の戯曲 (1962)，またその映画化作品 (1966) の *Who's Afraid of Virginia Woolf?*（『バージニア・ウルフなんか怖くない』）やディズニー映画 *Three Little Pigs*（『三匹の子ぶた』）の挿入歌 "Who's Afraid of the Big Bad Wolf?"（「狼なんてこわくない」）などがある．

after …の後に [後で]；…の後ろに [後ろで]

After you.
「お先にどうぞ」➤ドアのところで相手に譲るときなどに用いる．[類似] Age before beauty.

afternoon 午後

Good afternoon.
「こんにちは；さようなら」➤午後に人と出合ったとき，また別れるときにするあいさつ．くだけた会話では単に Afternoon. ともいう．

again 再び；もう1度；また

Never again.
「2度とごめんだ」➤同じことは2度としない［したくない］というときに用いる．

Ex. That's the last time I'm helping her. She didn't even say thank you. Never again!
彼女の頼みを聞くのはあれが最後だよ．彼女ったら，ありがとうの一言もないんだからね．2度と助けてやるもんか．

Not again.
「**またかだわ**（いやになるわ）；またかよ；いい加減に勘弁してよ」➤もうこれ以上同じことはしないで［やらせないで］ほしい，というときに使う．うんざりした感じで，2語をゆっくり強く発音する．

Ex. A: Apparently, your son has been fighting with some other children. どうもお子さんはだれかとけんかしていたようですね．
B: Oh no, not again. またなの，もういやになるわ．

against …に反対して；…に逆らって

He that is not with me is against me.
「わたしに味方しない者はわたしに敵対している」➤聖書（Bible）の「ルカによる福音書」(Luke 11:23) に出てくるイエス・キリスト（Jesus Christ）のことば．悪魔の力を借りて悪霊を追い出しているのだと非難されたイエスが，それに反論して言ったもの．悪魔が悪霊を追い出すとしたら内部抗争となって共倒れになってしまう．自分が悪霊を追い出しているのは私がその仲間でないことの証拠だ，という文脈で語られている．

[補足]「マルコによる福音書」(Mark 9:40) には，この反対に he that is not against us is on our part（わたしたちに逆らわない者は，わたしたちの味方なのである）というイエスのことばがある．

If you're not with us, you're against us.
「私たちの味方でないならば私たちの敵だ」➤私たちの側につくか，さもなければ敵対勢力とみなすぞという脅しとして使われることが多い．

[補足] ブッシュ大統領（George W. Bush）が2001年9月20日に対テロ戦争を宣言したときに言ったことば Either you are with us, or you are with the terrorists.（私たちの味方でなければテロリストの味方だ）はこの句のバリエーション．

age 年齢；歳；年代；（agesで）長期間

Act your age. / Be your age.
「**年相応にふるまいなさい；年をわきまえなさい；おとなげないことをするな**」➤子どもじみたふるまいをしている人に対して用いる．[類似] Grow up!

Age before beauty.
「**年配の方からどうぞ；先輩からどうぞ**」➤典型的には，女性が年配の人にドアを先に通るように譲るときなどにいうもの．しばしば，おどけてあるいは皮肉を込めて男性も用いる．[類似] After you.

Age is nothing but a number.
「**年齢はただの数字にすぎない**」➤年齢について大騒ぎすることはない，という意味．

It's been ages.
「**久しぶりね；ごぶさたしてました；しばらくぶりだ**」➤久しぶりに人に会ったときや，しばらくぶりに何かをするという場合に使う口語表現．[類似] Long time no see.

What's your age?
「**歳はいくつですか**」➤相手の年齢を尋ねる表現．How old are you? に同じ．
[補足] 特に女性に対して年齢を聞くのは失礼とされる．

---

agree 賛成する；同意する

Agreed?
「**いいかい；賛成するかい**」➤Is it agreed? の省略表現．

I couldn't agree more.
「**まったくそのとおり；もろ手を上げて大賛成**」➤相手のことばに強く賛同するときに用いる．I couldn't agree with you more. ともいう．I could hardly agree more. もほぼ同じ．

Let's agree to disagree.
「**ここはお互いに違う意見だということで議論を収めよう；見解の相違ということにしておきましょう**」➤意見の対立があるときに，見解の相違があるということをお互いに認めてこれ以上言い争うのはやめよう，という場合に用いる．

---

ah あー

Say ah.
「**はいアーンして**」➤親や医者などが子どもに口を大きく開けさせるときにいう．

---

aim ねらう；目指す；ねらい；目標

Aim high.
「**目標を高くもて**」[類似] Hitch your wagon to a star.
[補足] クリント・イーストウッド (Clint Eastwood) 主演の映画『ザ・シークレット・サービス』(*In the Line of Fire*, 1993) のラスト近くで，主人公の大統領護衛官がエレベーターで暗殺犯と2人だけになり，仲間との無線連絡を通じて Aim high. と言う場面があるが，これは暗殺犯に悟られないように，「高い位置をねらって撃て」という文字どおりの意味を込めたもの．

Ex. Aim high and try your best. 目標を高くもって最善を尽くしなさい.

alive 生きて;元気で

Look alive!
「しゃきっとして;元気を出して」➤生気のない人などにかけることば.
Ex. Look alive! There's work to be done!
気を引き締めてやってくれよ. まだやらなくちゃいけない仕事があるんだから.

all すべての(人;もの);すっかり;まったく

All for one and one for all.
「みんなは一人のために,一人はみんなのために」➤グループとその成員はそれぞれが支え合う関係にあることを表したことわざ.
[補足] フランスの作家アレクサンドル・デュマ(Alexandre Dumas)の『三銃士』(*The Three Musketeers*)の主人公たちのモットーとして有名.

All's well that ends well.
「終わりよければすべてよし;結果オーライだ」
[補足] シェークスピア(Shakespeare)の喜劇の題名にも使われている.

It's all or nothing.
「オール・オア・ナッシングだ」➤全面的な勝利や成功か,さもなければゼロかの二者択一の状況をいう.

Not at all.
「**全然**(そんなことはない);ちっとも;どういたしまして」➤相手の質問に対して「まったくそんなことはない」と否定するときにいう. またお礼のことばに対する返答としても用いる. [類似] You're welcome.

That's all (there is to it).
「それで**全部**です;(ただ)それだけです」➤ほかに言うべきことや理由などがあるわけではない,と話の最後に用いる. おどけて That's all she wrote. ともいう.
Ex. There's no special reason I didn't attend the meeting. I just didn't feel like it. That's all. 特にわけがあって会議に出なかったんじゃないよ. ちょっと気が進まなくてね. ただそれだけさ.

That's all folks!

「これでおしまい!」➤ワーナー・ブラザーズ (Warner Brothers) のアニメシリーズ「ルーニーテューンズ」(Looney Tunes) の最後でキャラクターのポーキー・ピッグ (Porky Pig) が言う有名なせりふ．
[補足] このロゴを入れたネクタイやマグカップなどが多数商品化されている．

That's all she wrote.
「**それだけさ**」➤That's all (there is to it). の意味のおどけた言い方．
[補足] インターネットの Word Detective com. によれば，戦地にいる兵士が故国の恋人から縁切り状 (Dear John letter) をもらったとき，仲間に何が書いてあったかと聞かれて，Dear John. That's all she wrote. (拝啓，彼女が書いたのはそれだけさ) と答えるというジョークが元になっているという．

Will that be all?
「**以上でよろしいでしょうか**」➤ファーストフード店などで，店員が客に注文はそれで全部かと尋ねる質問．Anything else? / Is that everything? もほぼ同じ．

---

alligator アリゲーター (★ワニの一種)

See you later, alligator.
「**さいなら; バイなら**」➤こっけいな別れのあいさつ．See you later. に later と脚韻を踏む alligator を加えたもの．Later, alligator. ともいう．こう言われた相手は In/After a while, crocodile. または After while, crocodile. と返す．

---

allow 許す; 許可する

Allow me.
「**ちょっと失礼; 私がしましょう; 私にさせてください**」➤自分から進んで相手の人を助けようとするときなどに用いる．Permit me. ともいう．

---

alone 一人で; 単独で

Leave me alone. / Let me alone.
「**ほっといてよ; 一人にしてよ**」[類似] Go away!
[補足] だれかほかの人について「ほっておきなさい」という場合には Leave her/him alone. という．また，I'll leave you two alone. (2人だけにしておいてあげるわね) というようにも用いる．

You're not alone.
「**私も同感よ; それはきみ一人じゃない**」➤相手のことばに対して，「自分も同じ気持ちだ」あるいは「ほかにも同じように思っている人はいる」というときに用いる．[類似] That makes two of us.

Ex. A: I don't trust this guy. この男は信用できないね．
B: You're not alone. 同感だ．

---

alpha アルファ (★ギリシャ語アルファベットの最初の文字)

I am Alpha and Omega, the first and the last.

「わたしはアルファであり、オメガである」▶新約聖書 (New Testament) の「ヨハネの黙示録」(Revelation) に出てくる神のことば (1:8, 21:6, 22:13). 神は宇宙あるいは存在そのものの最初であり、最後であるという意味. Omega はギリシャ語アルファベットの最後の文字.

amaze 驚かせる

You never cease to amaze me.

「あなたには驚くことばかりね」▶あなたには感心させられっぱなしだ、ということ.

America アメリカ

Don't/Never sell America short.

「アメリカの力をみくびるな」▶経済その他の面でアメリカの力にかげりが見えているように思えても、アメリカはまたきっと盛り返すということ. 成句の sell *something* short はもともとは株式の値下がりを見越して所有してない銘柄を売る「空売りする」ことを指し、それが「見限る;見くびる」という意味でも使われるようになった.

God bless America.

「神よ、アメリカを祝福したまえ」▶アメリカの愛国歌の題名、またその出だしの文句. 一般に、チャンスを与えてくれたアメリカに感謝する表現として使われる.

amount 合計;額;(結果的に)なる

You'll never amount to anything.

「おまえなんか一生大したものにはなれないよ」▶ことばによる虐待 (verbal abuse) として親が子どもにいう表現. You'll never amount to much. ともいう.

angel 天使

Be an angel and ...

「お願いだから…してちょうだい;すみませんが…してもらえませんか」▶天使のように優しい心で願いを聞き入れてほしいということから. [類似] Be a buddy and ...

Ex. Be an angel and get me something to drink.
申し訳ありませんが、何か飲み物を持ってきてもらえませんか.

Sleep with the angels.

「天使たちと眠りたまえ;安らかに眠りたまえ」▶死者へのとむらいのことば. 墓碑銘にも使われる. [類似] May he/she rest in peace.

You're an angel.

「あなたってほんとうに親切ね [優しいのね];神様みたいな人だね」▶しばしば、お礼のことばの後につけて感謝の意を強調する.

Ex. Thanks. You're an angel. ありがとう. 助かるわ.

another もう一つの(もの)

If it's not one thing, it's another.
「踏んだり蹴ったりだよ;もうしっちゃかめっちゃかだ;てんてこ舞いだ」▶困った事態が次々に生じる場合などにいう.「ある一つのことが問題の原因でないならば,原因はほかのことだ」が原義.

Ex. I spent all yesterday fixing my laptop, and today the printer won't work! Computers! If it's not one thing, it's another.
きのうは1日かかってラップトップを直したのに,きょうはプリンターが動かない.このコンピューター機器ってやつには,ほとほと手を焼かされるよ.

anticipation 期待;予想

(The) anticipation is half the fun.
「期待感が楽しみの半分を占める」▶旅行の計画を立てているときのように,物事はその実現や到来を待ち望む間が楽しいということ.

anything 何か;何でも

Anything else?
「ほかに何かありますか;ほかにご注文はございますか」▶相手の注文を聞くときなどに用いる.店で買い物をするときなどによくこう聞かれる. Is there anything else? または Will there be anything else? の省略表現. Is that everything? / Will that be all? もほぼ同じ.

Anything goes.
「何でもありだ;無礼講だ」▶禁止事項や制限がいっさいない状況についていう.

Ex. Have you seen what they wear to school now? It looks like anything goes.
いまの子どもたちが学校へ行くときの格好を知っていますか.まるで何でもありっていう感じですね.

Anything going on?
「何かおもしろいものやっている?」▶テレビやラジオ,映画,町の催し物などについて何か興味深いものはあるかと尋ねる表現. Is anything going on? の省略表現.

Anything you say.
「あなたのご要望とあらば;いいですよ」▶相手がものを頼んだときなどに,あなたの言うことなら何でも聞きますという意味で用いる.

anytime いつも;いつでも (= any time)

Anytime.
「いつでも結構です;どういたしまして;お安い御用です」▶相手の依頼などに快く承諾する場合や,相手がお礼を述べたときの返事. 類似 You're welcome.

apologize 謝る；謝罪する   apology 謝罪；陳謝；弁明

A thousand apologies.
「深くお詫びします」➤丁寧な，またはやや大げさな謝罪のことば．

All my apologies.
「誠に申し訳ありません；深くお詫びします」➤丁寧な謝罪のことばで My apologies. を強調した言い方．

(An) apology is not enough.
「謝って済む問題ではない」➤相手が I apologize. などと謝罪したときに，それだけでは不十分だという場合に用いる．[類似] It's a little late for apologies.

Apology/Apologies accepted.
「謝ってもらえればいいんです」➤相手の謝罪を受け入れる場合に用いる．Your apology is accepted. / Your apologies are accepted. の省略表現．

I apologize.
「謝ります；すみませんでした」➤謝罪するときの一般的な言い方．

I owe you an apology.
「謝らなくてはいけません」➤謝罪のことばで I apologize. とほぼ同じ．

It takes a big man/person to apologize.
「謝るのは勇気のいることだ；潔く謝るとはりっぱね」➤潔く謝罪した相手を評価する場合などに用いる．

It's a little late for apologies.
「いまさら謝ってもらっても遅いね」➤相手の謝罪を拒否する場合にいう．It's a little late for an apology. ともいう．[類似] (An) apology is not enough.

My apologies.
「すみません；お詫びします」➤謝罪のことばで I apologize. とほぼ同じ．

Please accept my apology/apologies.
「どうかお許しください」➤丁寧な謝罪の表現．

appear 現れる；見える
appearance 見かけ；外観；容姿；出現

Appearances can be deceiving/deceptive.
「見かけは当てにならない；人は見かけによらぬもの」➤Appearances are deceiving/deceptive. また Looks are deceiving/deceptive. ともいう．

Never judge from/by appearances.
「見かけで判断するな」➤Judge not according to appearances. ともいう．

apple リンゴ

A is for Apple.
「りはリンゴのり」➤アルファベットの最初の文字 A を子どもに教えるときなどにいう．

An apple a day keeps the doctor away.
「1日にリンゴ1個で医者いらず」➤リンゴは健康によいということわざ．

[補足] day と away が韻を踏んでいる.

Don't upset the apple cart.
「リンゴの屋台をひっくり返すな；波風を立てるな」➤リンゴの屋台をひっくり返せば，リンゴが方々に散らばって収拾がつかなくなる．そのような混乱状態になるようなことはするな，特に人のじゃまをするな，ということわざ．

How do you like them apples?
「それは気に入ったかい；そういうのはどう？；なんならそうするか」➤自分が述べたことについて，それをどう思うかと嫌味っぽく問う表現．「それらのリンゴをどう思うか」が原義．

Ex. Not only am I not going to pay you for your poor work, but I'm going to make a complaint to your boss. How do you like them apples? そんないいかげんな仕事にはお金を払わないどころか，会社の上の人に苦情を言ってやるつもりだ．どうだ，わかったか．

[補足] 映画『グッド・ウィル・ハンティング』(*Good Will Hunting*, 1997) で，マット・デーモン (Matt Damon) 演じる主人公のウィルが自分と同じ女性に関心をもつ高慢なハーバード大学生に対して，I got her number. How do you like them apples? (ぼくは彼女の電話番号を教えてもらったよ．どうだい) と言ってやり込める場面がある．

It's like comparing apples and oranges.
「それは比べようがない；それは別の問題だよ」➤2つのものの比較について，それらはリンゴとオレンジのようにまったく別種のものなので比べても意味がないということ．It's (like) apples and oranges. / Apples and oranges. ともいう.

One bad apple spoils the whole bunch. / One bad apple can spoil the whole bunch.
「腐ったリンゴが1個あると全部がだめになる；朱に交われば赤くなる」➤ことわざ．One rotten/bad apple spoils the barrel. / The rotten apple injures its neighbors. ともいう．

The/An apple doesn't fall far from the tree.
「親子は似るもの；蛙の子は蛙；親を見れば子がわかる」➤教師と生徒の関係などについても用いる. The apple never falls far from the tree. ともいう. [類似] Like father, like son. / Like mother, like daughter.

---

appreciate　感謝する；正しく評価する

I appreciate it.
「感謝します；ありがとうございます」➤感謝するときの一般的な表現．
Ex. You were a big help today. I appreciate it.
きょうは大助かりでした．ありがとう．

I would appreciate it if you could/would ...
「…していただけるとありがたいのですが；申し訳ありませんが…していただけないでしょうか」➤何かを依頼するときの非常に丁寧な言い方．
Ex. I would appreciate it if you would try to be a little quieter after 11 p.m. 午後11時過ぎにはもう少しお静かに願いたいのですが．

April 4月

April fool!
「エイプリルフール」 ➤4月1日のエイプリルフールの日に一杯食わされた人にいう.

April is the cruelest month.
「4月はもっとも過酷な月だ」 ➤英国の詩人T・S・エリオット (T. S. Eliot) の『荒地』(*The Waste Land*) の中に出てくることば. 原典では April is the cruellest month. とつづられている.

April showers bring May flowers.
「四月の雨が五月の花をもたらす; 雨降って地固まる」 ➤好ましくないと思われることがよい結果をもたらすことがある, ということわざ.
[補足] showers と flowers が韻を踏んでいる.

argue 議論する; 論じる　　argument 議論

I can't argue with that.
「それはそのとおり; まさしく」 ➤そのとおりだという場合や, あまりにもばかばかしくて言い返す気にもならないという場合に用いる. Can't argue with that. ともいう. No argument. もほぼ同じ.
Ex. She says it's pointless discussing the matter until we have more details. I can't argue with that. 彼女はもっと詳しいことがわからないと議論しても意味がないと言っているけど, まさしくそのとおりだね.

No argument.
「まさしくそのとおり」 ➤それは議論の余地がない (There is no argument here.) という意味で使う.
Ex. I feel just the same as you there. No argument.
その点はきみにまったく同感だね. ほんと.

army 軍隊; 陸軍

An army marches/travels on its stomach.
「軍隊は腹で行進する; 腹が減っては戦はできぬ」 ➤兵隊には十分な食糧を与えることが必要だという意味のことわざ. ナポレオン (Napoléon) のことばとされる.

You and what/whose army?
「(へっ) おまえがか; おまえになんかできるものか; 片腹痛いとはこのことだ」 ➤相手が「おまえなんかやっつけてやる」などと言ったときに, 「おまえ一人ではとても太刀打ちできないから, ほかにどの軍隊を連れてくるつもりなのか」という意味で言い返すことば. You and who else? ともいう.

art 芸術; 人工

Art imitates life.
「芸術は人生 [現実] を模倣する」 ➤芸術など人間の作ったものは, 自然のもの,

実際に起こった事件などを模して作られるという意味.

Art is long, life is short.
「**芸術は長く，人生は短い**」➤医学の祖といわれるヒポクラテス (Hippocrates) のことばで，「医術の習得には長い時間がかかるが，人生は短い」というのが原義. いまでは art は技術や芸術, またその産物など広く人間の作ったもの全般を指して使われる. 順序を逆にして Life is short, art is long. ともいう.

Life imitates art.
「**人生[自然]は芸術を模倣する**」➤芸術作品をなぞったように実際の事件が起きる場合などをいう.

You can't rush art.
「**芸術をあせらせることはできない; 芸術には手間ひまがかかる; 芸術には忍耐が必要だ**」➤芸術の創造には時間がかかることを述べた表現.

---

ash 灰; 遺灰; 遺骨

ashes to ashes
「**灰は灰に**」➤キリスト教会の埋葬時に使われる祈りのことばで，英国国教会 (Anglican Church) の祈禱書 (*Book of Common Prayers*) にある. ⇨ earth to earth

---

ashamed 恥ずかしい

You should be ashamed of yourself.
「**(そんなことをして)まったく恥ずかしくないの; 恥を知りなさい**」➤恥さらしなことをした人をたしなめる表現. 類似 Shame on you. / Shame, shame, shame.

---

ask 尋ねる，聞く; 頼む

Are/Aren't you sorry you asked?
「**聞かなかったほうがよかったんじゃないの; 聞くんじゃなかったって思っているんじゃない?**」➤相手にとって好ましくない返答をした場合などに用いる. 単に Sorry you asked? ともいう.

Ex. So as you see, it's all very complicated. Sorry you asked?
というように，非常に複雑なわけですよ. 聞かないほうがよかったですか.

Ask, and it shall be given you.
「**求めなさい. そうすれば，与えられる**」➤新約聖書 (New Testament) の「マタイによる福音書」(Matthew 7:7) ほかに出てくるイエス・キリスト (Jesus Christ) のことば. どんなものも求め続ければ得ることができる，という意味.

[補足] 山上の説教 (Sermon on the Mount) の一つで, この部分は次のとおり.
Ask, and it shall be given you; seek, and ye shall find; knock, and it shall be opened unto you.
探しなさい. そうすれば，見つかる. 門をたたきなさい. そうすれば，開かれる.

Ask not what your country can do for you; ask what

you can do for your country.
「国が自分に何をしてくれるかと問うのではなく、国に対して自分に何ができるのかを問いなさい」➤第35代大統領ジョン・F・ケネディ (John F. Kennedy) が1961年に大統領就任演説 (inaugural address) で言ったことば.

Don't ask.
「(何も) 聞かないで」➤自分にとって恥ずかしかったり、都合が悪かったりすることについて質問しないように頼むときに用いる.

Don't ask. Don't tell.
「聞くな、言うな」➤同性愛者問題に対する米軍の態度を表したことば. 同性愛者だとわかると解雇しなくてはいけないので、軍当局は兵士に同性愛については聞かないし、兵士もまた自分から名乗り出るな、ということ.

Don't ask me.
「私に聞かないでよ；私に聞かれても困る；そんなこと知らないわよ」➤通例 Don't ask ME. と me を強く発音する.

Ex. A: Why would she want to marry someone like that?
どうして彼女はあんな人と結婚したいんだろう.
B: Don't ask me. 私に聞かれても知らないわよ.

Funny you should ask.
「そんなこと聞くなんて奇遇ね」➤ちょうど自分が話そうと思っていたことを相手が先に聞いた場合などにいう. It is funny that you should ask. (あなたが (それを) 聞くとは奇妙だ) の省略表現. この should は話者の驚きや意外な気持ちを表す.

I ask you!
「信じられないでしょう；まったくあきれた話だよ」➤非常識なことがあって憤まんやるかたないというような場合に用いる.

Ex. He asked me to lend him 100,000 yen. I ask you!
彼ったら、10万円貸してくれって言うんだよ. 信じられないね.

I couldn't ask for more.
「文句のつけようがない；言うことなしだ」➤これ以上を望めないという場合に用いる.

Ex. My new secretary works really hard and is always cheerful. I couldn't ask for more.
今度の秘書はほんとうに仕事熱心だし、いつも明るいし、言うことなしね.

I couldn't ask you to do that.
「そんなことしていただいては申し訳ありません；それは悪いわ」

Ex. A: Let me do the cooking. You must be exhausted.
料理は私にさせてください. お疲れでしょうから.
B: Oh, I couldn't possibly ask you to do that. You're my guest.
そんなことしていただくわけにはいきませんよ. お客様なのに.

If you ask me, ...
「私に言わせてもらえば；こう言ってはなんだけど」➤やや差し出がましいと思われる意見を言うときに用いる.

Ex. If you ask me, they'll be getting divorced before long.
私の見るところ、あの2人はそのうち離婚するわよ.

Is that too much to ask?

「私は**無理なことを言っていますか**; それくらいしてくれてもいいでしょう; それは高望みというものでしょうか」➤自分の思うようにしてくれない相手をなじる場合や, 自分の望みどおりにならない現実を嘆く場合などに使う.

Ex. I'd like you to at least consider my opinion. Is that too much to ask? あなたにはせめて私の意見を検討してもらいたいのです. 無理な注文を出しているわけではないでしょう.

It never hurts to ask. / It doesn't hurt to ask.

「**聞くだけ聞いてみたら**; 別に聞いても悪いことはないでしょう」➤質問して損したり困ったりすることはない, という意味. 相手に質問するように促す場合と, 自分が質問するのを弁解して言う場合がある. Never hurts to ask. / Doesn't hurt to ask. ともいう.

Ex. I doubt he will be able to help you, but it never hurts to ask.
彼には助けてもらえないだろうと思うけど, 聞くだけ聞いてみたら.

I won't ask you again.

「**もう2度と頼まないから**; これが最後だから; 次は実力行使するぞ」➤あなたにお願いするのはこれが最後だから頼みを聞き入れてほしい, というときに用いる. また, 次には頼むのではなく実力行使に踏み切るぞ, という脅し文句としても使われる.

Just asking.

「**ただ聞いてみただけ**」➤相手がどうしてそんなことを聞くのかと言ったときに使う. No reason. もほぼ同じ.

Ex. A: Why do you want to know? どうして知りたいの.
　　　B: Just asking. 別に. ただ聞いてみただけ.

Thank you for asking. / Thanks for asking.

「**尋ねてくれてありがとう**; ご心配くださってありがとうございます」➤相手が自分や身内のことを気遣う質問をしたときに返すお礼のことば.

Ex. I'm fully recovered now, but thanks for asking.
おかげさまで, もう全快しました.

That's all I ask.

「**それさえしてもらえればいいのよ**」➤自分がしてほしいことを述べた後で, それさえしてもらえれば十分というときに用いる. 特に相手に対しては That's all I ask of you. (あなたに望むのはそれだけです) という.

Ex. Just give me five minutes to explain my idea. That's all I ask.
私のアイデアを説明する時間を5分ください. それだけで結構ですから.

That's as much as I can ask (for).

「**それで十分**; そうなれば御の字だ; それ以上は高望みしない」➤現実問題として自分に望めるのはそこまでだ, というときに使う.

What more could I ask for?

「**申し分ない**; これ以上欲を言ったら罰が当たるよ」➤これ以上は望めないという場合に用いる反語表現. Who could ask for more? ともいう.

Ex. He says he will have it repaired by tomorrow morning. What more could I ask for? 彼はあしたの朝までに修理してくれると言っています. そうしてもらえれば十分ですよ.

Who asked you?

「**あなたの意見など聞いてないよ**；だれもそんなこと聞いてない」➤相手が余計なことを言ったときに用いる．通例 Who asked YOU? と you を強く発音する．
- **Ex.** A: I agree with your mother. You really ought to stop smoking.
  お母さんの言うとおりだよ．ほんとうにタバコはやめたほうがいいよ．
  B: And who asked you? おまえの意見なんか聞いてないよ．

You asked for it.
「**自分で招いたことだよ**；自分が悪いのよ；自業自得だね」[類似] You're asking for it.
- **Ex.** You asked for it, lending money to someone like him. You should have known you'd never get it back.
  彼のような人に金を貸すなんて貸すほうが悪いよ．返してもらえっこないのに．

You don't have to ask me twice.
「**1度言えばわかるよ**；承知した」➤人にものを頼まれたときなどに，承知したから何度も念を押さなくてもいいという意味で用いる．Don't ask me twice. ともいう．
[類似] Consider it done.
- **Ex.** Of course I'll join you for dinner. You don't have to ask me twice.
  もちろん食事にはいっしょに行くよ．わかってるってば．

You'll be sorry you asked.
「**きっと聞かなきゃよかったって思うよ**；変なこと聞いて損したって言っても知らないよ」
➤質問者が後悔するようなことを答えなくてはいけないときなどに用いる．

You're asking for it.
「**後で大変なことになるよ**」➤無分別なふるまいをすると困ったことになるよ，と忠告する場合などに用いる．この it は問題やめんどうを指す．[類似] You asked for it.
- **Ex.** You know it's bad for your eyes to spend so many hours in front of the computer. You're asking for it!
  コンピューターの前でそんなに長時間いたら目に悪いのはわかっているでしょ．このままだと大変なことになるわよ．

---

ass　けつ，しり（★非常に下品な俗語）

Kiss my ass! / Bite my ass!
「**ふざけるな**；うるさい；ほざけ；何を抜かすか」➤相手の言ったことに強く反発するときに用いる．You can bite my ass. / You can kiss my ass. ともいう．より下品でない言い方は Kiss my butt! / You can kiss my butt.

My ass!
「**うそつけ**；何が；どこが」➤相手のことばなどに対する強い不信を表すときに用いる．より下品でない言い方は My butt! で，My eye! / My foot! ともいう．
- **Ex.** You're telling me you took my wallet by accident? My ass you did! たまたま私の財布を取ってしまっただって？ 何がたまたまなもんか．

Shut your ass (up).
「**黙れ**；うるさい」➤Shut up.の意味の強い俗語表現．

Watch your ass.
「**(くれぐれも) 気をつけろ**」➤身の危険があるような場合に用いる．You watch

your ass. ともいう. より下品でない言い方は Watch your butt. / You watch your butt.

Your ass is grass.
「痛い目にあわせるよ；しめてやるからね；ただじゃおかないぞ」➤暴力や体罰を加えるぞという脅し文句. Your ass is grass and I'm the lawnmower. (おまえのしりは芝で私は芝刈り機だ)という言い回しの後半を省略したもの. つまり, 芝刈り機に刈られる芝と同じような思いをさせてやる, という意味. 後半部分は I'm gonna mow it. というバリエーションもある.

attaboy / attagirl よし; いいぞ

Attaboy. / Attagirl.
「よし；いいぞ；そういい子だ」➤男の子や雄犬, または女の子や雌犬をほめるときのことば. That's the boy. / That's the girl. から.
Ex. Great goal! Attaboy. ナイスゴールだ. よくやった.

attack 攻撃 (する)

Attack is the best defense.
「攻撃は最大の防御」➤Attack is the best form of defense. ともいう.

attention 注意; 気をつけること

Attention!
「気をつけ」➤号令. /ətènʃʌn/ と発音する.「休め」は At ease. / Rest.

Attention, please.
「すみません, 私の話を聞いてください；皆様に申し上げます」➤その場にいる人たちの注意を自分のほうに向けさせるときに用いる.

Pay no attention.
「気にしないで；無視していなさい」➤だれかにからかわれている人などに対して, あんなのは無視しなさいと助言するときに用いる.

attitude 態度; 姿勢

Attitude determines altitude.
「ものは見よう (聞きよう)；要は気の持ちよう」➤心の持ち方次第でものの見方が違ってくるという意味のことわざ.「姿勢が高さを決める」が原義.

Drop the attitude.
「そういう態度はやめなよ」➤態度の悪い相手をたしなめるときなどに用いる.

That's the attitude.
「そうその意気だ；そうこなくちゃ；そういう前向きな [すなおな] 態度でいればいいのよ」
Ex. That's the attitude. Keep working like this and we'll finish in no time. そう, その態度だね. この調子で働けばすぐに終わるよ.

B, b

baby 赤ん坊; かわい子ちゃん

Don't be a baby. / Don't be such a baby.
「そんな子どもみたいなことを言わないで; 何だだっ子みたいなことを言っているんだ」
➤聞き分けのないことを言っている人などに対して用いる. Grow up. とほぼ同じ.

Don't throw the baby out with the bathwater.
「角を矯めて牛を殺すようなことはするな; 元も子もなくすようなことをするな」➤ことわざ.「ふろの水といっしょに赤ん坊まで捨てるな」が原義. Don't throw out the baby with the bathwater. の語順でも用いる.

Oh, baby!
「あれまあ; わっ; おーっと」➤非常に驚いたときなどに発することば.
Ex. Oh, baby! What a beautiful dress! まあ, すごくきれいなドレスね.

back 背中; 後ろ; 支持する; 下がる; 後ろへ; 戻って; 返して

Back at you. / Right back at you.
「あなたもね; そちらこそ; それはおまえのほうだ」➤相手が自分に対して言ったあいさつや愛情表現, 侮辱などのことばをそっくり相手に返すときに用いる.「(同じことばを)あなたに返します」が原義. ふつう Back at ya. または Back a'cha. のように発音する. [類似] Same to you. / Ditto.
Ex. A: Thanks for helping out. You're the best.
　　　手伝ってくれてありがとう. ほんとうに頼りになる人だね.
　　B: Right back at you, buddy. なあに, それはお互いさまだよ.

Back off.
「下がって; 引っ込んでろ; うるさいな」➤実際に後ろへ下がるように命じる場合や, 余計な口出しをせずに引き下がっていなさい, という場合に用いる.

Get off my back!
「うるさい; 人のことはほっておけ; あっちへ行け」➤うるさく干渉してくる相手に対して, いらだちを込めて用いる.「背中から降りろ」が原義. [類似] Leave me alone.
Ex. I'll do it tomorrow, so get off my back, will you?
　　　それはあしたやるから, うるさく言うのはやめてくれないか.

I'll be back.
「また来るよ; また戻ってくるから」➤一般に使われる表現だが, 特に映画『ターミネーター』(*The Terminator*, 1984) で主演のアーノルド・シュワルツェネッガー (Arnold Schwarzenegger) が言うせりふとして有名. ちょっと席を外すようなと

きには I'll be right back. (すぐに戻ります) という.

I'm back.
「戻ったよ; また来たよ; (電話で) はいお待たせ」 ▶外出などから戻ったときや, 再びやって来たときに用いる. ほかの電話に出ていて相手を待たせたときなどにも用いる.
[補足] 電話で相手を待たせたような場合には Thanks for waiting. のほうが丁寧.

I've got your back.
「私がついている; 私が見守っているから」 ▶あなたに危険が及ばないよう私が見ているから安心しなさい, ということ.「あなたの背後は私がしっかり守っている」が原義.
Ex. Just give it a try. I've got your back. やってみて. 私がついてるから.

Mind your back.
「後ろに注意してね; くれぐれも気をつけて」 ▶「背後に気をつけて」という場合や, 自分の身の安全を図りなさいという場合に用いる. [類似] Watch your back.
Ex. Mind your back—you can't trust anyone here.
気をつけてね. ここじゃだれも信用できないから.

Put your back into it.
「身を入れてやれ; しっかりやれ; 気合を入れてやれ」 ▶意味としても発想としても日本語の「本腰を入れてかかれ」に近い.

Scratch my back and I'll scratch yours.
「お互いに助け合おうじゃないか; 相身互いというじゃないか; 魚心あれば水心」 ▶ことわざ.「私の背中をかいてくれればあなたの背中もかいてあげます」が原義. If you scratch my back, I'll scratch yours. ともいう. [類似] One good turn deserves another. / One hand washes the other.
[補足] エルビス・プレスリー (Elvis Presley) の歌 "Scratch My Back" (「かゆい背中をかき合おう」) はこのことわざをモチーフにしたもの.

Watch your back.
「(ねらわれているから) 気をつけてね; 覚えてろよ (いつかお前をやってやるからな); 月夜の晩ばかりじゃないぞ」 ▶身に危険が迫っていると注意を促したり, すきあらばやっつけるぞと脅す場合に用いる. Watch your ass/butt. ともいう.

Welcome back.
「お帰りなさい; 復帰おめでとう」 ▶再び戻ってきた人を歓迎するときに用いる.

backyard 裏庭

Not in my backyard.
「私の裏庭ではいやだ」 ▶ごみ焼却施設など社会にとって必要なのはわかるが, 自分のすぐ裏手に造られるのはいやだという住民エゴを表すことば.
[補足] この文句はよく使われるので NIMBY (発音は /nímbi/) と略され, 名詞や形容詞としても用いられる.

bacon ベーコン

I smell bacon, I smell pork.
「ぷんぷんにおうはポリ公か; あそこに見えるはオマワリか」 ▶特に不良少年や犯罪者

などが警察官を見かけたときに用いる．原義は「ベーコンのにおいがする．豚肉のにおいがする」で，警察官のことを俗語で pig (豚) ということから，baconとpork でそれを遠回しに表現したもの．

bad 悪い；ひどい

My bad.
「**私が悪かったね**」➤落ち度は自分のほうにあるという意味の俗語表現．形容詞の bad を名詞として使ったもので，正しい用法とは認められていない．標準的な言い方は My fault. / My mistake. など．

Not bad.
「**悪くないね；なかなかだね；いい線いっているね**」➤ It's not bad. の省略表現．Not half bad. / Not so bad. もほぼ同じ．

Ex. A: So what do you think about my new car? 私の新車はどう？
B: Hmm, not bad. Not bad at all. 悪くないね．いや，なかなかのものだよ．

Nothing is all bad.
「**まったくだめなものなど存在しない；何にでもどこかしらいいところはあるものだ**」

Ex. Come on, cheer up. Nothing is all bad.
さあ，元気を出しなよ．そんなに悲観したものでもないよ．

Nothing is as bad as it seems.
「**何事も思うほど悪くはないものよ**」➤どんなに悪く見える場合でも，実際にはそれほどひどいことはないという意味で用いる．

That can't be bad.
「**それはいいことだよね**」➤ある状況などについて述べた後で，「それは悪いはずがない」という意味で用いる．

[補足] ビートルズ (Beatles) の歌「シー・ラヴズ・ユー」("She Loves You") にもこの文句が出てくる．

That's too bad. / Too bad.
「**それはお気の毒に；それはいけませんね；それは残念ね**」➤相手がちょっと体調を崩していると言ったり，こちらの誘いを断ったりしたときに，相手に同情を示して用いる．

Ex. That's too bad about your brother. I hope he gets better soon.
弟さんはお気の毒でしたね．すぐによくなるといいですね．

ball ボール；玉；球；舞踏会；楽しいひととき

Balls!
「**でたらめ言いおって；何を言うか**」➤相手のことばなどに対する強い不信や反感を表す俗語表現．Bull! の言い換え．

Have a ball!
「**楽しんで (来てね)；お楽しみください**」➤ Have fun. とほぼ同じ．

That's the way the ball bounces.
「**世の中そんなものだよ；仕方ないわよ**」➤相手が不満を口にしたときなどに，えてしてそういうものだよと諭すように言う．「ボールはそのように弾むものだ」が原義．

That's the way the cookie crumbles. ともいう. [類似] That's life.

The ball is in your court.
「後はあなたの決断次第です」➤交渉で条件を示して「どうするかはあなた次第だ」という意味で用いる. ボールはあなたのコートにあるから, それを打ち返すかどうかはあなたにかかっているということ.

ball game　野球の試合

It's a (whole) new/different ball game.
「これで試合がわからなくなりました；こうなってはまったく話が違います」➤それまで大差をつけられていたチームが, 激しく追い上げてきたようなときに用いる. また一般に, 状況が一変した場合にも用いる.
Ex. Now that you've told me that, it's a whole new ball game.
そういう事情だとわかったからには, 話はまったく違ってきますね.

banana　バナナ

Tough bananas.
「それは大変だね；お気の毒さま」➤相手の不運に同情するときに用いる. Tough luck. と同じ.
Ex. A: Can I get an extension on my homework deadline?
宿題の締め切りを延ばしてもらえませんか.
B: Tough bananas. お気の毒さま.

bang　バン, ズドン, バキューン (★銃声などの音)

Bang, bang! You're dead.
「バン, バン. お前は死んだ」➤子どもがカウボーイごっこなどで言うことば.
[補足] これをそのままタイトルにした映画 *Bang Bang You're Dead* (2002) はいじめを受けている高校生を扱ったもので, 邦題は『ダイナマイト・グラフィティ』.

Someone/Something **goes out with a bang.**
「華々しく散る；壮絶な死に方をする」➤人やできごとなどが, はでな終わりを迎えることを表す.

bark ほえること；ほえ声；ほえる

His/Her bark is worse than his/her bite.
「**口は悪いけど根は悪い人ではない；怒っても手を出したりはしないから**」➤短気ですぐどなったりしたとしても暴力を振るうようなことはない，という意味の表現.

You're barking up the wrong tree.
「**お門違いですよ**」➤相手が見当違いで人を非難しているときなどに用いる．犬が何もいない木の上に向かってほえているということから．

barn 納屋

Were you born in a barn?
「**ドアの閉め方も知らないの?；開けっぱなしじゃ寒いでしょ**」➤寒い日に外から入って来た人がドアを開け放したままにしておいたときに言う．特に母親が子どもに注意するときによく用いる．「おまえは納屋で生まれたのか」が原義．

basic 基本（の）；基礎（的な）

Back to the basics.
「**基本に帰れ；原点に戻れ**」➤ Get/Go back to the basics. の省略表現．

be いる；ある；である

Be with you in a minute.
「**すぐに行きます；すぐに戻ります**」➤文頭の I'll が省略されたもの．

Don't be.
「**そんなことないよ；そんな必要ないよ**」➤相手が I'm sorry. などと be 動詞を用いた表現を使ったときに，「そうであるのはやめなさい」という意味で用いる．

Ex. A: I'm so sorry you broke up with your boyfriend.
　　　恋人と別れたんですって? つらいわね．
　　B: Don't be. It's probably for the best.
　　　いいのよ．たぶんこうなってよかったのよ．

To be or not to be.
「**生きるべきか，死ぬべきか**」➤シェークスピア (Shakespeare) の『ハムレット』(*Hamlet*) に出てくるハムレットのことば．"To be, or not to be: that is the question." (生きるべきか，死ぬべきか．それが問題だ) と続く．

[補足] To ... or not to ... (that is the question) のパターンを使ったさまざまな応用表現がある：To eat or not to eat: that is the question. (食べるべきか食べざるべきか．それが問題だ)．

beam 光線；ビーム；（光線などを）発する

Beam me up.

「転送してくれ」➤SFテレビドラマの『スタートレック』(*Star Trek*)(初放映時の邦題は『宇宙大作戦』)で，惑星などに降りた乗組員がビームで宇宙船まで転送するように頼むときに用いる表現．初期のシリーズで転送を担当していたのがスコッティという人物だったため，Beam me up, Scotty! (スコッティ，転送してくれ) というせりふがよく使われた．また，惑星などに降りるときは Beam me down. と言う．これらのフレーズは一般によく知られて頻繁に引用される．

[補足] 『スタートレック』で使われる有名なせりふとしてはほかに Live long and prosper. (長寿と繁栄を) がある．

bear 支える；耐える；我慢する；熊

Bear with me.

「**まあ我慢して聞いてくれ；少し辛抱して付き合ってよ**」➤相手を少し待たせたり，自分の話などに付き合ってもらうときに用いる．「私に我慢してください」が原義．

Ex. Please bear with me while I try to explain how this whole problem started. この問題全体がどうやって起こったのか説明しますから，どうかしばらく辛抱して聞いてください．

Does a bear shit in the woods?

「**当たり前だろ；聞くだけやぼよ**」➤おまえがそんな当たり前のことを聞くならこっちも「熊は森でくそをするか」と聞き返そうということ．[類似] Is the Pope Catholic?

beat 打つ；殴る；やっつける；負かす

Beat it!

「**出て行け；うせろ；あっちへ行け；もう帰りなよ**」➤相手に立ち去るように命じるときに用いる．[類似] Get lost!

[補足] マイケル・ジャクソン (Michael Jackson) の歌のタイトルにもなっている．

Beats me.

「**わからないわ；さあね；知らん**」➤質問されて答えられないときに用いる．It beats me. の省略表現．「それは私を負かす→その質問は私には太刀打ちできない」ということから．It's got me beat. ともいう．[類似] I don't know.

Ex. A: How come an intelligent woman like her married such a boring guy? 彼女のように知的な人がどうしてあんなつまらない男と結婚したんだろう．

B: Beats me. さあね．

Beat that.

「**これよりすごいのを出せるかい；降参するかい；こんなことってあるかい**」➤互いに競い合っていて，自分がかなりいい点を出したときなどに，「これを上回ることができるかい」という意味でいう挑発的なことば．また，一般常識では考えられないようなことだよね，と念を押すような場合にも用いる．Top that. もほぼ同じ．「これを負かせ」が原義．[類似] You can't beat that.

Ex. And then he asks me to lend him $500. Beat that! それから彼ったら500ドル貸せなんて言ったんだぜ．こんなことってあるかい．

I can't beat that.
「こっちのはそれほどでもない (けど)；負けた」 ▶交渉で条件を提示する場合やジョークなどを言い合う場合に, 私のはそれほどよい (おもしろい) 話ではないが, という場合に用いる. Can't beat that. ともいう. I can't top that. もほぼ同じ.

If that don't/doesn't beat all!
「すごいね；たまげたね；あいた口がふさがらないとはこのことね」 ▶「もしそれがすべてのことよりもすごい (あきれた, など) ことでないとしたら」が原義. しばしば Well/Now, that don't beat all! として用いる. That beats everything! ともいう.

If you can't beat them, join them.
「**勝てない相手なら仲間になれ**；長い物には巻かれろ」 ▶強いものには逆らわないほうが得策だという意味のことわざ. 最近ではこの後に ..., then beat them! (それから打ち負かせ) と続けることも多い.

Stop beating around the bush.
「**持って回った言い方はやめなさい**」 ▶さっさと用件を言ってくれという場合に用いる.
[類似] Get to the point. / Cut to the chase.

You can't beat that.
「これにはかなわないだろう；こんなのどこにもないよ」 ▶「あなたにこれ以上のものはできない [見つからない] だろう」というように, すごい話などをしたときに言う. You can't top that. とほぼ同じ. [類似] Beat that.
Ex. Four courses, including wine, for $20? You can't beat that.
4品料理のコースにワインつきで20ドル? そんなのほかにどこ探してもないよ.

You got me beat.
「**参った；わからない；さあね**」 ▶相手に負けを認めるとき, あるいは相手の質問に答えられないときに言う.「あなたは私を負かした」が原義. [類似] Beats me.

beauty 美

A thing of beauty is a joy forever.
「美しいものは永遠の喜びだ」 ▶英国の詩人ジョン・キーツ (John Keats) の詩「エンディミオン」("Endymion") の最初の文句.

Beauty is in the eye of the beholder.
「**美は見る人次第**；美 [美醜] は人それぞれ」

Beauty is only/just skin deep.
「**美は皮一枚**」 ▶外面的な美しさは内面的な美しさを意味しない, あるいは, 内面的な美しさほど重要ではないということわざ. 女性にも男性にも用いる.

Beauty is truth, truth beauty
「美は真実なり, 真実は美なり」 ▶英国の詩人ジョン・キーツ (John Keats) の詩「ギリシャの古壺によせて」("Ode on a Grecian Urn") の中のことば.

That's the beauty of it.
「それがこれのいいところだ；そこがみそだよ」
Ex. That's the beauty of it—if you don't like the product you can get a 100% refund. それがこれのいいところでね. 製品が気に入らなかったら全額返金してもらえるんだ.

because なぜなら, だから

Because!
「**どうしても**」➤どうしてかと理由を尋ねてくる相手に, 強引に自分の言い分を押し通すときに用いる. [類似] Because I said so!
Ex. A: Why do I have to go to school?
どうして学校に行かなくてはいけないの?
B: Because! どうしてもよ.

Because I said so!
「**私がそう決めたからよ; どうしてもだ**」➤どうしてかと理由を尋ねてくる相手に, 自分の権威を振りかざしていうことば. 特に親が子どもに, また上司が部下によく言う.

bed ベッド; 寝床

As you make your bed, so you must lie on it.
「**自業自得; 身から出たさび**」➤ことわざ.「自分でベッドを整えたからにはそれに寝なくてはいけない」が原義.

No jumping on the bed!
「**ベッドの上で飛び跳ねちゃだめだよ**」➤子どもはクッションのきいたベッドをトランポリン代わりにして遊ぶのが大好きなので, 親などがこう言って注意する.

You've made your bed, now lie in it.
「**自分の始末は自分でしなさい; 自業自得だ; 身から出たさびだ**」➤ことわざ.

bedbug, bed bug トコジラミ; ナンキンムシ

Don't let the bedbugs bite.
「**トコジラミに食われないでね**」➤「ゆっくりお休み」という意味で特に親が子どもにお休みなさいをするときに言うことば. ⇨ **Night night**.

beef ビーフ; 牛肉; 不平; 不満

Where's the beef?
「**どこにビーフがあるのか**」➤ 1980年代半ばに流れたウェンディーズ (Wendy's) の

テレビコマーシャルで使われたせりふ．よそのハンバーガー店に来ていた老婦人が大きなパンの上に小さなハンバーグが載っているのを見てこう言う．ここから，中身はどこにあるのかなどという場合に広く使われるようになった．

What's your beef?
「何を怒っているのよ; 何が気に入らないんだ」
- **Ex.** Everyone at the office knows you're furious with me. What's your beef? あなたが私にひどく腹を立てていることを会社のみんなが知っているけど，いったい何を怒っているのよ?

been　beの過去分詞

Been there, done that. / Done that, been there.
「そんなのとっくにやっているよ; そんなの先刻承知さ」▶相手の提案や質問などに，それはもう経験済みだというときに用いる．I have been there, I have done that. (そこへは行ったし，それはやった)の省略表現．
- **Ex.** A: Do you want to go to India with me? いっしょにインドに行かない?
  B: Been there, done that. インドはもう行っちゃってるわ．

beg　懇願する; 請う　　beggar　物ごい

Beg.
「ちんちんしなさい」▶犬に対する命令．[類似] Stay. / Sit. / Heel. / Fetch. / Roll over.

Beggars can't be choosers.
「もらう立場で文句は言えない」▶もらう立場ではえり好みはできない，あるいは，人に依存していて注文をつけることはできない，ということわざ．

Don't make me beg.
「お願いだから」▶こちらの頼みをすんなり聞いてくれない相手に「私を懇願しなくてはならないところまで追い込まないで，どうか頼みを聞き入れて」という意味で用いる．
- **Ex.** You know how much I want you to come with me. Don't make me beg. あなたにもいっしょに来てほしいと私がどれだけ思っているか，知っているでしょう．だから，お願いよ．

I'll have to beg off.
「残念ながらご辞退しなくてはいけません」▶申し出などを丁寧に断る表現．

I'm begging you.
「お願いだから」▶ぜひ頼みを聞き入れてほしいというときに用いる．
- **Ex.** Please don't tell her what I said. I'm begging you.
  私が言ったことを彼女に言わないでね．お願いよ．

begin　始まる; 始める

So it begins.
「そんなふうに始まるんだね; これが始まりか」▶こんなふうにして新しい展開が始まる

のか，というときに用いる．しばしば And so it begins. という形で用いる．

Ex. Teenagers get curious when they see older kids taking drugs. And so it begins.
十代の子は年上の子どもたちが麻薬をやっているのを見てどんなものか知りたくなるんだね．そうやってどんどん深みにはまり込んじゃうんだね．

Well begun is half done.
「出だしがよければ半分うまくいったようなものだ」▶ことわざ．

beginning 出だし; 始まり; 最初

A good beginning is half the battle.
「出だしがよければ戦いは半分勝ったも同然だ」▶ことわざ．

A good beginning makes a good ending.
「初めよければ終わりよし；最初が肝心だ」▶出だしがよければ終わりもよいということわざ．

In the beginning God created the heavens and the Earth.
「初めに，神は天地を創造された」▶旧約聖書 (Old Testament) の「創世記」(Genesis 1:1) の最初のことば．聖書はこのことばから始まっている．

This is only the beginning.
「これはほんの始まりに過ぎない；これはほんの序の口だ；これからが本番だ；これからが大変だ」▶まだこれからもっとすごい [ひどい] ことになるという場合に用いる．

behave ふるまう; 行動する   behavior ふるまい; 行動

Be on your best behavior.
「行儀よくしていなさい」▶特に親が子どもによく言う．

Ex. A: My girlfriend is introducing me to her parents Sunday.
日曜日にガールフレンドの両親に紹介してもらうんだよ．
B: Better be on you best behaviour then!
じゃあ，行儀よくしないといけないな．

Behave yourself.
「行儀よくしなさい」▶特に親が子どもに言う．

behind 後ろに; 後に

Right behind you. / Behind you.
「私もすぐ行くわ；私も行こう」▶I'm right behind you. の省略表現で，人が先に行くときに，自分もすぐ後に続いて行くというときに用いる．また，It's right behind you. などの省略表現で，探し物などについて「すぐ後ろだよ」という意味でも用いる．

Ex. A: It's 5:00. I'm out of here. 5時ね．私，もう帰るわ．
B: I'm right behind you. 私も．

[補足] I'm right behind you. は「私がすぐそばについている」という意味もある.

B | believe 信じる;思う;信用する

Believe me. / Believe you me.
「私の言うことを信じなさい;本当だよ;悪いことは言わないから」➤Believe you me. は Believe me. を強調した言い方. アドバイスするときなどによく使われる.
[類似] Trust me.
- **Ex.** The new government will be no better than the last one, believe you me.
  新しい政権は前のよりもひどいよ. 間違いないね.

Don't believe everything you hear.
「人の話をうのみにしてはいけない」➤人から聞いたことを何でも信じてはいけないと諭す表現. Never believe everything you hear. ともいう.

Don't believe everything you read.
「(新聞・雑誌・本などに) 書かれていることを何でも信じてはいけない」➤ Never believe everything you read. ともいう.

Don't you believe it!
「そんなことはない;それは違う;それはうそね」➤相手のことばなどを強く否定するときに用いる.「それを信じてはいけない」が原義.
- **Ex.** Some people say that computers have made our lives easier. Don't you believe it!
  コンピュータで生活が便利になったって言う人もいるけど, そんなことはないね.

Do you expect me to believe that?
「私にそれを信じろと言うの;私がそんなことを信じるとでも思っているのではないでしょうね;その手は通用しないよ」➤相手が見え透いた言い訳をしたときなどに用いる. You can't/don't expect me to believe that. ともいう.
- **Ex.** A: The cat must have broken it.
  猫が壊したんじゃない, きっと.
  B: Do you expect me to believe that?
  そんな言い訳が通用するとでも思っているの?

I believe so.
「そう思います」➤I think so. よりも強く確信しているときに用いる.

I don't believe it/this!
「信じられないわ;うそでしょう;何かの間違いだろ」➤I can't believe it/this! ともいう.
- **Ex.** I don't believe it! He's lost his keys again.
  まったく信じられないわよ. 彼ったら, またキーをなくしたんですって.

I don't believe so. / I believe not.
「そうではないと思います」➤ I don't think so. / I think not. より強く確信しているときに用いる.
- **Ex.** A: And did she say anything about wanting to change jobs?
  で, 彼女, 転職したいっていうようなことは言わなかったの?

B: I don't believe so. うん，言わなかったと思うよ．

Would you believe!
「信じられますか」➤これは驚くべきことだ，と言う場合に用いる．

Ex. He quit college to join a rock band, would you believe!
彼はロックバンドに入るんで大学をやめちゃったんだよ．信じられるかい．

Would you believe it?
「ねえこんなの信じられる？；驚くなかれ」➤相手が信じてくれそうもないような驚くべきことを言うときに用いる．

Ex. Would you believe it? It rained every day of our holiday except the day we came back.
ねえ，こんなの信じられる？ 休暇中，私たちが帰る日以外は毎日雨だったの．

You('d) better believe it.
「これは本当よ；間違いないよ」➤相手が「信じられない」と言ったときなどに，それは事実だから信じたほうがいいよ，というように用いる．

You're not going to believe this.
「大ニュースよ；ねえ，聞いて聞いて」➤相手が信じてくれそうもないことを話すときの前置き．しばしば，You're not gonna believe this. と発音される．

Ex. You're not gonna believe this—we came back from 5-0 down to win the game.
ねえ，聞いてよ．ぼくたち5対0から逆転勝ちしたんだ．

---

bell ベル；鐘；ベルを鳴らす

Clear as a bell.
「非常にはっきりしている；きわめて明瞭だ」➤画像や音声が鮮明だ，あるいは明瞭で誤解の余地がないという場合などに用いる．

Ex. A: How is this cell phone connection? この携帯の音はどう？
B: Clear as a bell. すごくよく聞こえるわよ．

Does it ring a bell?
「何か思い当たることはありませんか」

Ex. The name Sam Blake or Sammy Blake—does it ring a bell?
サム・ブレイクあるいはサミー・ブレイクという名前に聞き覚えはありませんか．

Hell's bells (and buckets of blood)!
「こいつは驚いた；ありゃまあ」➤非常に驚いたときに言う表現． 類似 Holy cow!

There's the bell.
「ドアのチャイムの音だ；お客さんだ」➤チャイムなどが鳴ったことを知らせる表現．

You can't unring a/the bell.
「起こってしまったことはどうしようもない；いまさら取り返しはつかない；覆水盆に返らず」➤ことわざ．「鳴らした鐘を鳴らす前に戻すことはできない」が原義． 類似 You can't unscramble an egg.

補足 トム・ウェイツ (Tom Waits) の歌 "You Can't Unring A Bell" はコッポラ (Francis Ford Coppola) 監督の映画『ワン・フロム・ザ・ハート』(*One from the Heart*, 1982) の中に使われている．

best 最高の；最高で；最高のもの

All the best.
「**幸運を祈っています**」➤特に乾杯のことばや手紙の結びとしてよく用いられる．

Give my best to ... / All the best to ...
「**…によろしく**」➤ Give my regards to ... ともいう．

> **Ex.** Give my best to your parents when you see them.
> ご両親に会われたらよろしくお伝えください．

I gave you the best years of my life.
「**私は私の最良の年月をあなたにあげたのよ**」➤別れ話のときによく使われる表現．

I'm doing the best I can.
「**これでも精いっぱいやっているんだよ**」➤過大な期待や激励でプレッシャーを受けているときなどに用いる．

It's (all) for the best. / This is (all) for the best.
「**こうするのがいちばんなのよ；結局これでよかったんだよ**」➤夫婦が離婚を決意するなど，つらい決断を迫られた場合によく使われる．all が入ったほうが意味が強い．

It's the best of both worlds.
「**いいとこ取りだね；願ったりかなったりね**」➤両立するのが難しい2つの仕事や状況などのいいところだけを合わせたような状況についていう．

> **Ex.** A house by the sea but near enough the mountains to go skiing—it's the best of both worlds. 家のすぐそばに海があって，山にも近くてスキーに行けるなんて，願ったりかなったりよね．

You're the best.
「**あなたは最高の人よ**」➤プレゼントをもらったり，願いを聞いてもらったときなどに用いる．You're the greatest. ともいう．

> **Ex.** Thanks so much for taking care of the kids while I was at the hospital. You're the best. 病院に行っている間，子どもたちのめんどうを見てくれて本当にありがとう．大助かりです．

bet 賭(か)ける；確信する；賭け

Do you want to bet? / Do you want a bet?
「**さあそれはどうかしらね；なんなら賭けるかい**」➤相手のことばに対して「本当にそう思うか．じゃあ賭けるか」という意味を込めた，やや挑発的な文句．「勝つのは私だよ」ということを暗にほのめかしている．しばしば Want to bet? や Want a bet? あるいは Wanna bet? という．

> **Ex.** A: This movie's sure to have a happy ending.
> この映画はきっとハッピーエンドで終わるよ．
> B: Do you want to bet? 本当にそうかどうか賭けるかい．

Don't bet on it.
「**さあそれは怪しいものだね；あまり期待しないほうがいいよ**」➤相手のことばに対して，そう思い込まないほうがいいと忠告するような場合に用いる．「それに賭けないほうがいいよ．負けるだろうから」ということ．I wouldn't bet on it. もほぼ同じ．

I bet. / I'll bet.

「**確かにそうでしょうね**」➤相手のことばに賛同を表すときに用いる.

Ex. A: With this bad weather, the train is going to be delayed.
この悪天候だと，電車は遅れるでしょうね.
B: Yeah. I bet. ああ，間違いないね.

[補足] 「きっと…でしょう」という場合にはI bet ... という文型を用いる.

Ex. I bet you're feeling hungry. きっとおなかがすいているのでしょう.

It's a bet. / You got yourself a bet.

「**よし，賭けよう**」➤相手の賭けに応じるときに用いる.

Ex. A: Fifty dollars says they'll be married before the end of the year. あの2人が今年じゅうに結婚するほうに50ドル賭けよう.
B: It's a bet. よし，その賭けに乗った.

It's a safe bet.

「**そうしておけばいいだろうね；まあそう考えて間違いないね**」➤相手のことばに対して同意を示すときに用いる.「それは安全な賭けだ」が原義.「…と思って間違いない」という場合は It's a safe bet (that) ... の文型を用いる.

Ex. After that party it's a safe bet he'll be late for work tomorrow.
あのパーティーの後では彼はあした遅刻すると思って間違いないね.

I wouldn't bet on it.

「**さあそれは怪しいものだね；あまり期待しないほうがいいよ**」➤相手に対して，そう決め付けないほうがいいという場合に用いる.「私ならそれに賭けない.負けるから」ということ. Don't bet on it. もほぼ同じ. Wouldn't bet on it. ともいう.

You bet.

「**確かに；そのとおり；いいとも；どういたしまして**」➤相手のことばに強く同意するときに用いる. また, Thank you. などのお礼のことばに対して, You're welcome. の意味のくだけた返答としても用いる. こうした用法は Sure. とよく似ている.

Ex. A: Thanks for the lift home. 家まで車で送ってくれてありがとう.
B: You bet. なあに，お安い御用さ.

You bet you.

「**そのとおり；まさしく；まったく**」➤You bet. を強調した言い方. しばしば You bet ya. / You betcha. のように発音される. You (can) bet your ass/boots/bottom dollar/buns/butt/life. などともいう.

---

better よりよい；よりよく

Could be better.

「**いまいちね；もうひとつだね；ちょっと物足りないわね**」➤調子はどうかなどと聞かれたときに，あまり満足ではないという意味で用いる. I/It/Things could be better. の省略表現で，「もっとよりよくできる[なれる]はずだ」が原義.

Ex. A: How's the new job going? 新しい仕事はどうだい.
B: Well, could be better. どうもいまいちってとこね.

Couldn't be better.

「**もう最高；絶好調**」➤調子はどうかなどと聞かれたときに，大満足だという意味で

用いる．I/It/Things couldn't be better. などの省略表現で, 「もっとよくなりようがない」が原義．

Ex. A: How are things going with the new job? 新しい仕事のほうはどう?
　　　B: Couldn't be better. もう最高ですよ.

I've had better.
「もっといいこともあった；いまいちだ；あんまり大したことはない」▶感想を聞かれたときの答え．「もっといいものを経験した」が原義． [類似] I've seen better.

Ex. A: How was the sushi at that new Japanese restaurant?
　　　　あの新しい日本食レストランのすしはどうだった?
　　　B: I've had better. いまいちだったわね．

I've never been/felt better.
「もう最高；絶好調」▶調子はどうかなどと聞かれたときの返事．しばしば Never been/felt better. と省略していう．「いま以上だったことはない」が原義．

I've seen better.
「いまいちだ；大したことないわね」▶感想を聞かれたときの答えで, 「もっといいものを見たことがある」というのが原義．しばしば Seen better. と省略する． [類似] I've had better.

Ex. A: How was the movie? 映画はどうだった?
　　　B: I've seen better. いまいちだったわね．

That's better.
「そうそれでいいのよ；そうその調子；よしよし」▶相手がすなおさや落ち着きなどを取り戻したとき, そのような態度がふさわしいという意味で用いる．

Ex. A: O.K. I won't give up. I'll try it one more time.
　　　　わかった．あきらめずにもう1回やってみるよ．
　　　B: That's better. That's the spirit. そう, そうこなくちゃ. その意気だよ.

You better.
「そうしたほうがいいね；ぜひそうしなさいよ」

Ex. A: I'll call your mom and dad and apologize for being rude last night. きみのお父さんとお母さんに電話して, ゆうべの失礼を謝るよ．
　　　B: You better! そうしたほうがいいわね．

---

beware　注意する；気をつける

Beware of Greeks bearing gifts.
「**敵の贈り物には気をつけろ**」▶ことわざ．「贈り物を持っているギリシャ人に注意せよ」が原義．トロイ戦争で, ギリシャ人が残していった木馬 (トロイの木馬 Trojan horse) を市内に入れようとする市民に反対して神官のラオコーン (Laocoon) が言ったことばに由来する．

Beware the ides of March.
「**三月のイデスの日** (15日) **に注意せよ**」▶シェークスピア (Shakespeare) の戯曲『ジュリアス・シーザー』(*Julius Caesar*) で, シーザーが占い師に言われたことば．後にシーザーは3月15日に暗殺される．
[補足] ides は古代ローマ暦の3, 5, 7, 10月の15日, 他の月の13日を指す．

beyond …の向こうに; …を超えて; …の及ばない

It's beyond me.
「私にはわかりません」➤私の理解を超えているということから. 類似 Beats me.

Ex. A: Why did that wealthy entrepreneur risk everything by cheating on her taxes?
どうして裕福な起業家の彼女が脱税なんかして何もかもふいにする危険を冒したのかしら.
B: It's beyond me. わからないわね.

big 大きい

Be a bigger person.
「もっと心を広く持ちなさい; おとなになれ」➤特に男性の場合には Be a bigger man. ともいう.

Ex. I know he made a mistake, but be a bigger man and pretend it never happened.
彼が過ちを犯したのはわかっているけど, でも心を広く持って何もなかったことにしたらどうだい.

The bigger, the better.
「大きければ大きいほどよい; 大きいことはいいことだ」

The bigger they are/come, the harder they fall.
「体が大きければその分, 倒れたときの衝撃も大きい」➤ことわざ. 体の小さい人が大きな人と戦うときに闘志をむき出しにして言う. また,「地位や名声などが高くなればなるほど, 転落したときの痛手も大きい」という場合にも用いる.

biggie, biggy 重要なもの; 大事なこと

No biggie.
「大したことじゃないよ; どうってことないね」➤大きな問題ではない (= No big deal.) という意味のくだけた口語表現.

Ex. A: Thanks for lending me $20.00 to pay for lunch.
お昼代の20ドルを貸してくれてありがとう.
B: No biggie. どうってことないわよ.

bike 自転車 (= bicycle)

It's like riding a bike.
「自転車に乗るようなものだ; 体が覚えている; 昔とった杵柄」➤あることを習得するのは自転車に乗るのと同じで, 最初は難しくても, だれにでもでき, また, いったん習得したら失われることはない, という意味で使われる.

Ex. Of course I haven't forgotten how to cook. It's like riding a bike.
もちろん料理の仕方を忘れてなんかいないよ. 体が覚えているからね.

bill 勘定書き；手形；紙幣

May/Could I have the bill(, please)?
「お勘定をお願いします」▶レストランなどで用いる表現．May/Could I have the check(, please)? ともいう．

Let me pay the bill.
「ここは私に払わせてください」▶ Let me take care of the bill. あるいは My treat. ともいう．

Let's split the bill.
「割り勘にしよう」▶ Let's go Dutch. と同じ．

---

bingo ビンゴ（ゲーム）；そのとおり；やった

Bingo!
「正解；ご名答；やった；よし」

Ex. I was looking for an old friend's number when bingo, she phoned me up. 昔の友だちの電話番号を探していたら，本当にグッドタイミングで彼女から電話がかかってきたんだよ．

---

bird 鳥

A bird in the hand is worth two in the bush.
「明日の百より今日の五十」▶将来に予想される大きな利益よりも，現時点で確定している小さな利益のほうがよい，という意味のことわざ．「手中の1羽の鳥は茂みの中の2羽の価値がある」が原義．

A little bird told me.
「うわさで聞いた（のだけど）；ちょっと小耳に挟んだのだけど」▶だれから聞いた話なのかをぼかして言うときに用いる．[類似] I heard it through the grapevine.

Ex. A: Where did you get that information?
どこからその情報を聞き込んだの．
B: A little bird told me. ちょっとうわさでね．

Birds of a feather flock together.
「類は友を呼ぶ」▶似たもの同士は群れ集まるという意味のことわざ．現在ではふつう否定的な意味合いで用いられる．「同じ1つの（色の）羽根の鳥は群れる」が原義．

It's a bird ... It's a plane ... It's Superman!
「鳥だ．飛行機だ．スーパーマンだ」▶アメリカのテレビドラマ『スーパーマン』(*The Adventures of Superman*, 1953–57) の冒頭に流れたナレーション．
[補足] 最初に使われたのは1940年に始まったラジオドラマの中．この It's a bird. It's a plane. It's ... の形式はさまざまな表現に応用されている．

Kill two birds with one stone.
「一石二鳥；一挙両得」▶ことわざ．

That's for the birds.
「くだらない；ばかばかしい；あほくさ」▶相手の話などを一蹴(いっしゅう)するときに用いる．

「それは鳥のえさだ」が原義.

The bird has flown.
「いなくなっちゃったよ；どこかへ行っちゃった」➤探していた人などがどこかへ行ってしまったという場合に用いる.「鳥は逃げた」が原義.

The early bird catches/gets the worm.
「早起きは三文の得」➤早起きや早期の始動をする人がチャンスをつかむということわざ.「早い鳥が虫を捕らえる」が原義. It's the early bird that gets the worm. ともいう.

birthday 誕生日

Happy birthday (to you)!
「誕生日おめでとう」➤誕生日を祝うことば. [類似] Many happy returns!
[補足] 誕生日に歌われる "Happy Birthday to You" は英語で最もよく知られた歌で,『タイム』(*Time*) 誌によれば, この歌に "Auld Lang Syne" と "For He's a Jolly Good Fellow" を加えた3つが最も人気のある英語の歌ベストスリーであるという. この歌の版権は現在 Warner Communications が所有しており, テレビや映画などでこの歌が歌われるたびに同社に使用料が支払われている. もとは教師が教室で生徒に歌う歌として米国の教育者姉妹 Mildred J. Hill と Patty Smith Hill が作ったもので, "Good Morning to All" という題名だった.

bit 少し；わずか

In a bit.
「はい, ただいま」➤「すぐに行きます [やります, など]」と言う場合に用いる. In a second/minute. と同じ.
Ex. A: When will you be off the phone? いつになったら電話を切るの?
B: In a bit. すぐ切るわよ.

Not a bit.
「**全然**；ちっとも；とんでもない」➤Not at all. と同じ.

Quite a bit.
「**かなりね**；相当；割と」➤Very much. / A lot. ほどではないが Some. / Somewhat. / Sometimes. よりも多いことを表す.
Ex. A: Did you manage to travel much while you were living in Africa? アフリカに住んでいたときに旅行はたくさんしましたか.
B: Yes, quite a bit. ええ, かなりしましたね.

bitch いやな女；ふしだらな女；雌犬；文句を言う

Bitch, bitch, bitch.
「うるさいな；ぶーたれるな」➤文句ばっかり言いやがって, という意味で用いる非常に下品なタブー表現. 一般には Stop whining. (文句を言うな) や Tell someone who cares. (おまえの文句なんか聞きたくない) などの言い回しを用いる.

[補足] 映画『明日に向かって撃て!』(*Butch Cassidy and the Sundance Kid*, 1969) の中でも使われている. ボリビアに逃亡したブッチ (ポール・ニューマン Paul Newman) とサンダンス (ロバート・レッドフォード Robert Redford) だが, いざ来てみるとブッチの話とは大違いの田舎だった. サンダンスがそのことについて食事の席でブツブツ文句を並べたときにブッチがこう言っている.

The bitch is back.
「またいやな女が戻ってきた」

[補足] エルトン・ジョン (Elton John) の歌のタイトルにも使われている.

What a bitch!
「それはひどいね;大変だね」➤非常に不運だ, あるいは困難な状況・問題だという場合に用いる俗語表現. 文字どおりの「ひどい女だ」という意味もある.

Ex. A: Someone broke my car window, and I got a parking ticket.
車の窓を割られた上に駐車違反の切符まで切られちゃったよ.
B: What a bitch! 踏んだり蹴ったりだね.

bite かむ (こと)

Bite me!
「くそくらえだ;うるさい;何言ってるの」➤相手のことばに強く反発するときに用いる俗語表現. Kiss my ass/butt.と同じ. Bite my ass/butt!ともいう.

Ex. You want me to come and meet you in this rain? Bite me!
あなたに会うためにこの雨の中を出て来いですって? ばか言わないでよ.

Don't bite off more than you can chew.
「無理しないで;背伸びをするな;身の丈にあったことをしなさい」➤ことわざ.「かみこなせる以上のものをかみとるな」が原義.

Don't bite the hand that feeds you.
「恩人を裏切るな;恩をあだで返すようなことはするな」➤ことわざ.「えさをくれる手をかむな」が原義. Never bite the hand that feeds you. ともいう.

Someone won't bite (you).
「かみつきはしないよ」➤怖がることはない, 近づいてもだいじょうぶだ, という場合に用いる.

Ex. There's no need to sit in the back row of the classroom. The new teacher won't bite. 教室の後ろの席に座ることはないわよ. 新しい

先生はかみつきはしないから．

bitter 苦い; つらい; 憤慨した; 苦いもの; 苦しみ

Take the bitter with the sweet.
「人生楽あれば苦あり」➤人生の苦楽をともに受け入れなさい，ということわざ．
[補足] ダイアナ・ロス (Diana Ross) の歌のタイトルにもなっている．

black 黒い; 黒

Black is beautiful.
「黒は美しい」➤1960-70年代の黒人運動のスローガン． [類似] Small is beautiful.

blame 責任を負わせる; せいにする; 責める

Don't blame it on me.
「人のせいにしないで; 八つ当たりしないでよ」
Don't blame yourself.
「自分を責めないで; あなたが悪いわけじゃない」
I don't blame you.
「無理もないよ; 仕方ないよ」➤相手が何か失敗したような場合に「それはあなたが悪いわけではない」と慰めるようにして言う．
Ex. I don't blame you personally for this. The whole corporate structure is to blame.
このことはあなた個人の責任じゃないわ．会社全体の構造的問題よ．
Who is to blame?
「だれのせいでこうなったのか; だれが悪いのか」➤事故などの責任の所在を問う表現．

blank 白紙の; 無表情の

I went blank. / My mind went blank. / My head went blank.
「頭の中が真っ白になった」➤驚きなどで何も考えられなくなった状況を表す． My mind drew a blank. ともいう．
Ex. When she asked me where I had bought it, I just went blank.
それをどこで買ったのかと彼女に聞かれて，頭の中が真っ白になった．

bless 祝福する   blessed 祝福された; 恵まれた; 幸運な

Blessed are the poor in spirit.
「心の貧しい人々は，幸いである」➤新約聖書 (New Testament) の「マタイによる福音書」(Mathew 5:3) に出てくるイエス・キリスト (Jesus Christ) のことば．
God bless us every one.

「私たちみんなに神様の祝福がありますように」➤ディッケンズ (Charles Dickens) の小説『クリスマス・キャロル』(*A Christmas Carol*) からの引用句. 主人公のスクルージ (Scrooge) の使用人ボブ・クラチット (Bob Cratchit) の末っ子のティム坊や (Tiny Tim) が言うせりふ.

God bless you. / Bless you.

「**神様の祝福がありますように**」➤相手の無事や成功などを祈ったり, 感謝の気持ちを述べるもの. くしゃみをした人に「お大事に」という意味でも用いる.

[補足] くしゃみをした人には Gesundheit. (発音は /gəzúnthait/) ともいう. このように言われたほうは Thank you. / Thanks. と礼を述べる. 一説には, 中世のヨーロッパで疫病 (ペスト) が流行した時代に, くしゃみをした人が疫病にならないようにという祈りのことばとしてこう言う習慣が始まったという.

blessing (神の)恩恵; 恵み; 祝福

Count your blessings.

「**自分がどれだけ恵まれているか数え上げてみなさい**」➤落ち込んでいる人などへの励ましとして用いる.

It's a blessing in disguise.

「**災い転じて福となす**; けがの功名」➤好ましくないと思えるものが実際にはよい結果をもたらすものであるという場合に用いる.「それは変装した恵みだ」が原義.

blind 目が見えない; 盲目の

Are you blind?

「**どこに目をつけているんだ**; 目が悪いんじゃないの」➤こんなにはっきり見えるのにあなたには見えないのか (わからないのか), という意味で用いる.

> **Ex.** Can't you see that this kind of behavior will get you into trouble? Or are you blind? こんなふるまいをしていたら大変なことになるのがわからないのか. どうかしちゃったのか?

the blind leading the blind

「**盲人が盲人を導く**」➤事情を知らない者が同じような人を指導する状況を表す. 出典は「マタイによる福音書」(Matthew 15:14) の中にあるイエス・キリスト (Jesus Christ) のことば.

There are none so blind as those who will not see.

「**かたくなに拒む人ほど扱いにくいものはない**」➤ことわざ.「見ようとしない人がいちばん見えないものだ」が原義.

blood 血; 血液; 血縁

Blood is thicker than water.

「**血は水よりも濃い**」➤家族の絆のほうが友人や夫婦の絆などよりも強いこと, あるいは, 就職などで血縁者が優遇される傾向にあることを表すことわざ.

Blood will have blood.

「流血はさらなる流血をもたらす；血は血を呼ぶ」➤暴力によっては問題を解決できず，暴力の応酬に発展するだけだという意味のことわざ．

Blood will tell.
「血は争えない」➤親から子へと受け継がれる遺伝的性質などは隠せないという意味．
[補足] プレイステーション2のゲーム「どろろ」の英語版はこれがタイトルになっている．

Fee, fie, foe, fum, I smell the blood of an Englishman!
「フィー，ファイ，フォー，ファン．イギリス人の血の臭いがするぞ」➤童話「ジャックと豆の木」("Jack and the Beanstalk")に登場する巨人が言うせりふ．
[補足] アイルランド人一家4人がアメリカに移住する話を描いた映画『イン・アメリカ』(*In America*, 2003)の中で，父親が追いかけっこの鬼になったとき，Fee, fie, foe, fum, I smell the blood of an Irishwoman. と言って2人の娘を追いかける場面があるが，それはこのことばをもじったもの．

You can't get blood from/out of a stone.
「石から血を絞り取ることはできない；ないところから取ることはできない；ない袖を振らせることはできない」➤金などを持っていない者から取り立てようとしても無理だという意味のことわざ．You can't squeeze blood from a turnip. ともいう．

---

blow 吹く；吹いて動かす；殴打

Blow me away/down.
「こいつは驚いた；たまげたね」➤非常に驚いたときに言う．しばしば Well, blow me away/down. として用いる．(That) blows me away/down. ともいう．Blow me over. もほぼ同じ．

Ex. Blow me down. There's Naomi. Haven't seen her in over ten years. 驚いたねえ．ナオミがいるよ．彼女とは10年以上会ってなかったね．

[補足] (Well,) blow me down. はマンガのポパイ (Popeye) がよく言うせりふ．

---

boat 船；ボート

Don't miss the boat.
「チャンスを逃すな」➤一定期限内に手を打てば好機をものにできるのだから，それをみすみすふいにするなという場合に用いる．特に宣伝文句によく使われる．「船に乗り遅れるな」が原義．[類似] Don't miss the bus.

Don't rock the boat.
「波風を立てないで；和を乱すようなことはしないで」➤ことわざ．「わざわざ船を揺らすようなことはするな」が原義．

We're (all) in the same boat.
「運命共同体なんだから；私も同じよ」➤自分たちは同じ船の乗客のように運命を共にしている，という意味の表現．しばしばチーム一丸となってがんばろう，というような場合に用いるが，私もあなたと同じような境遇にいる，という意味でも使われる．

Whatever floats your boat.
「何でもあなたの好きなものでいいよ；お好きなように；好みは人それぞれ」➤相手に何でも自分の気に入ったものを選べばよいと言う場合や，それは私の好みではないがそう

いうのを好きな人がいてもとやかく言うつもりはない，という場合などに用いる．原義は「何でもあなたの船を浮かばせるものでよい」だが，由来は不明らしい．

body 体；死体

Over my dead body!
「そんなことは絶対に許さない；絶対だめだ」➤相手のことばに対して「絶対にそうはさせない」という意味で用いる．「(それをするというのなら) 私の死体を乗り越えて行け；私は命をかけてそれを阻止するぞ」ということから．

Ex. Marry my daughter? Over my dead body you will!
うちの娘と結婚するだと？ そんなこと絶対に許さないぞ．

[補足] 言い回しとしては「私の目の黒いうちは絶対に許さない」によく似ているが，もっとせっぱ詰まったような場合に使われることが多い．

boo ブーという声を表す擬音語

Boo.
「ブー」➤非難などをこめて発するブーイングの声．また，幽霊（お化け）が発する声で，日本語の「うらめしや」に相当する．

boohoo 泣き声を表す擬音語

Boohoo (hoo).
「うえーん；わーん」➤長く泣くようすを表すときは Boo hoo hoo hoo ... と hoo の部分を繰り返す．

book 本

Don't judge a book by its cover.
「見た目で判断するな；外見に惑わされるな」➤うわべの印象で評価するのを戒めたことわざ．You can't judge a book by its cover. とほぼ同じ．

I'm in the book.
「私の電話番号は電話帳に載っているから（電話してね）」➤この book は phone book の意味．

Ex. Call me. I'm in the book. 電話してね．電話帳で番号はわかるから．

Not in my book.
「(ほかの人はどう思っているか知らないが) 私はそうは思わない」

Ex. Maybe he's considered a great singer by some people, but not in my book. 彼を名歌手だと思う人もいるだろうけど，私はそうは思わない．

Someone wrote the book on it.
「その分野については権威だ [何でも知っている]」

You can't judge a book by its cover.
「見た目ではわからない；外見に惑わされるな」➤外観から中身をうかがい知ることは

You can't put the book down.
「(その本はおもしろくて)読み出したらやめられない」➤日本語の「巻置くあたわず」とまったく同じ表現方法.

You should write a book.
「いっぱしの権威じゃないの」➤本が書けるほど詳しいね,という場合に用いる.
Ex. Is there anything you don't know about jazz? You should write a book.
あなた,ジャズについて知らないことなんてあるの? ジャズ通よね.

boot 長靴；ブーツ

The boot is on the other foot/leg.
「すっかり**風向きが変わった**；立場が逆転した；攻守交替だ」➤状況がすっかり逆の方向に変わったことを表す. The shoe is on the other foot. ともいう.
Ex. She used to look down on the poorer people in her street, but now that she has lost her job and run out of money the boot is on the other foot.
彼女は以前は同じ通りに住む貧しい人たちを見下していたけど,いまじゃ失業してお金も使い果たしてしまって,すっかり立場が入れ替わってしまった.

born 生まれた

I wasn't born yesterday.
「**私は何も知らないばかじゃないわよ**；甘く見てもらっちゃ困るよ；ばかにしてもらっては困る」➤私は昨日今日生まれた人間とは違い,知識も経験もちゃんと備わっている,という意味.相手に対して「けつの青いがきじゃあるまいし,それくらいわかるだろう」などと言う場合には You weren't born yesterday. を用いる.

There's one born every minute.
「**世の中にはだまされやすい人が多い**」➤「毎分1人が生まれている」が原義で,生まれたばかりの赤ん坊のような人が世の中にはいっぱいいるものだということ. There's a sucker born every minute. ともいう.

borrower 借りる人；借り手

Neither a borrower, nor a lender be.
「**借り手にも貸し手にもなるな**」➤友情関係が壊れるから貸し借りはするな,という戒め.シェークスピア (Shakespeare) の『ハムレット』(*Hamlet*) でポローニアス (Polonius) が息子に Neither a borrower, nor a lender be; For loan oft loses both itself and friend. (貸し借りはするな.貸せば金も友も失うのが落ち) と忠告するせりふから.

boss 長 (★社長, 監督, 親方, 上司など)

Be your own boss.
「**自分自身の管理者になりなさい**」➤一国一城の主になれという場合や, 自分の行動は自分で判断して決める人間になりなさい, という場合に用いる.

You're not the boss of me!
「**おまえの言うことを聞く義務はない**；あなたは私の上司ではない」➤あなたの指図は受けないという意味の表現. 特に子ども同士が言い争うときなどによく使われる.

You're the boss.
「**はいはい, わかりました**；上司は絶対です」➤上司に何か頼まれたときなどに「ボスはあなたですからそれに従います」という感じで用いる.

Ex. If that's how you want it, I'll do it. You're the boss.
そうしてほしいというのならそうしますよ. こちらは命令に従う立場ですから.

bother わずらわせる；わざわざする；めんどうなこと

Don't bother.
「**それには及ばないよ**；おかまいなく；そんなことはすることない」➤相手が何かしてあげようかと言ったときに「わざわざしなくていいですよ」という意味で用いる. より丁寧には Please don't bother. と please をつける. また,「そんなことわざわざしないほうがいいよ」という忠告としても用いる.

Ex. A: Can I get you some coffee while you're waiting?
　　　　お待ちになっている間にコーヒーでも入れましょうか.
　　　B: Oh no, please don't bother. いえ, おかまいなく.

[補足]「わざわざ…するには及びません」という場合には to 不定詞を続ける.

Ex. Please don't bother to walk me to the station—I know the way.
わざわざ駅まで送っていただかなくても結構です. 道はわかりますから.

Don't bother me.
「**私をわずらわせないで**」

Ex. Don't bother me now. I'm on the phone.
いまはだめよ. 電話しているところなんだから.

Don't let it/that bother you.
「**気にしないで**」➤不愉快なことがあったと相手が言ったときなどに,「そんなことに気をわずらわされないで」という意味で用いる.

It doesn't bother me at all.
「**お安い御用です**；平気平気」➤相手が, そんなことしてもらっては悪い, と言ったときに,「これくらい何でもありません」という場合に用いる. また,「そんなことは気にならない」という意味でも用いる. It doesn't bother me any. ともいう. くだけた非標準的な言い方では It don't bother me none. となる.

It's no bother at all.
「**めんどうなことなんてありません**；お安い御用です」➤It doesn't bother me at all. と同じ.

Ex. A: There's no need to call me a taxi, you know.

わざわざタクシーを呼んでくれなくてもいいわよ．
B: That's quite all right. It's no bother at all.
なあに，だいじょうぶ．これくらいお安い御用ですから．

What's bothering you?
「**どうしたの；何か悩み事でもあるの**」➤浮かない顔をしている人にかけることば．

Why bother?
「**どうしてわざわざそうすることがあるだろうか；わざわざそんなことするまでもない；するだけむだだ**」➤ Why should I bother to do it/so? と同じ．

bottom 底；最低部

Bottoms up.
「**乾杯！**」➤乾杯するときのほか，「残さずに全部飲んじゃって (Drink up.)」という場合にも用いる．「グラスの底を上にしなさい」が原義．

The bottom line is ...
「**肝心なのは…だ；要は…だ；結論は…だ**」

- **Ex.** The bottom line is that you go to the meeting on Saturday, or you're fired. 土曜日の会議には出席するということで話は決まりだ．それがいやなら首だ．

[補足] bottom line の本来の意味は決算表の最終行，つまり最終的な損益のこと．

boy 少年；男の子

Boy! / Boy, oh boy!
「**あれまあ；いやはや；なんとまあ；おやおや**」➤驚いたときなどに発することば．[類似] Wow! / Oh man! / Man, oh man! / Holy cow!

- **Ex.** Boy, did I enjoy that! いやあ，あれは楽しかった．
- **Ex.** Boy, oh boy! You have grown so tall. You must be over six feet tall now. あれまあ，ずいぶん大きくなっちゃって．もう180cm以上はあるね．

Boy howdy!
「**あれまあ；何ですって；これはまた**」➤しばしば皮肉を込めて使われる．

Boys don't cry.
「**男の子は泣かないものよ**」➤泣いている男の子に親などがいうことば．Big boys don't cry. (もうおっきい子でしょ，泣かないのよ) ともいう．

[補足] 同性愛者の悲劇を描いた映画『ボーイズ・ドント・クライ』(1999) のタイトルにも使われている．

Boys will be boys.
「**男の子はみなやんちゃなところがある；男はいくつになっても子どもっぽいところがある**」

- **Ex.** A: Look. I bought a new gadget. 見て，新しい装置を買ったよ．
  B: Boys will be boys. まったく男はいくつになっても子どもね．

[補足] 女の子の場合には Girls will be girls. といい，男女を問わず「子どもは子ども」という場合は Children are children. / Kids are kids. という．

That's my boy.
「それでこそ私の子だ；よくやった；偉いぞ」➤親が息子をほめることば．That's the boy. とほぼ同じ．娘をほめるときには That's my girl. という．

That's the boy. / That's a boy. / That a boy.
「よし；いいぞ；そういい子だ」➤特に親が男の子をほめることば．オス犬に対しても使われる．しばしば Attaboy. と発音される．[類似] Way to go.

Ex. That's the boy. What a great hit. Just keep your eye on home plate. よーし．いいヒットだった．ホームベースから目を離すんじゃないぞ．

[補足] 女の子の場合には That's the girl. などという．

The boy is father to the man.
「男子は成人男性の父である；三つ子の魂百まで；子どもは未来のおとな」➤子どものころの性質はおとなになっても変わらない，あるいは，子どもの時期に一個人としての基礎が築かれる，という意味のことわざ．

[補足] 女性の場合には The girl is mother to the woman. という．

brace 支える；心構えをさせる

Brace yourself.
「しっかり立ってなさい；身構えていたほうがいいわよ；ショックを受けるなよ」➤衝撃を受けとめる準備をしておきなさい，という意味で用いる．物理的な力が体に加わる場合にも，また，衝撃的な知らせで精神的にショックを受けるような場合にも用いる．

Ex. Brace yourself. I've got some bad news.
ショックを受けないでよ．ちょっと悪い知らせがあるんだけど．

brain 脳；頭

Use your brain.
「頭を使え；少しは考えろ」➤勘違いや甘い考えをしている相手に「それくらいは自分で考えればわかるだろう」と言うときに用いる．Use your brains. ともいう．

Where's your brain?
「何を考えているんだ；何というばかなことを言っているの」➤相手がばかげたことを言ったりしたときなどに「ちゃんと頭を使って考えているのか」という意味で用いる．

brave 勇敢な

Don't be brave.
「そんな強がり言わないで；無理しないで」➤本当はつらいのに無理をして平気そうにふるまっている人などに対して用いる．[類似] Don't be a hero.

Ex. Don't be brave. Just tell them it's too soon after your accident to go back to work.
無理しないで．事故からまだ日が浅いから仕事には戻れないって言いなさいよ．

Fortune favors the brave.
「運命は勇者に味方する」➤勇気をもって事に当たる者に幸運が訪れるという意味

のことわざ．ローマの詩人ベルギリウス (Virgil) の『アエネイス』(*Aeneid*) から．

bread パン

Cast thy bread upon the waters
「あなたのパンを水に投げ入れなさい」▶旧約聖書 (Old Testament) の「コヘレトの言葉」(Ecclesiastes 11:1) からの引用句．無償の善行はいずれ自分の利益となって返ってくるという意味で使われる．「情けは人のためならず」に相当する．
[補足] 聖書ではこの後に次のように続く．
> Cast thy bread upon the waters: for thou shalt find it after many days. あなたのパンを水に浮かべて流すがよい．月日がたってから，それを見いだすだろう．

break 壊す；破壊；休息

Break it up!
「ブレーク；離れて」▶取っ組み合いをしている人などに離れるように命じる表現．ボクシングでクリンチになった場合にもレフリーがこう言う．また，いちゃついている人などに対して使われることもある．

Give me a break.
「ばか言わないでよ；冗談じゃない；冗談きついよ；お手柔らかに」 ▶ 相手が無理な注文を押し付けてきたときなどに反発して言う．また，「少し手加減してほしい」という意味でも用いる．「一息つかせてくれ」が原義．Gimme a break. ともいう．

Ex. I haven't played golf in five years, so please give me a break.
ゴルフはもう5年もやっていないので，お手柔らかに頼みますよ．

Ex. You want me to believe that a child wrote this essay without any help. Gimme a break! 子どもがこのエッセーを1人で書いたというんですか．冗談もいい加減にしてくださいよ．

[補足] だれかほかの人に対して「少し手加減してあげなさい」という意味で用いる場合には Give him/her a break. などと言う．

breakfast 朝食；朝ごはん

Breakfast is getting cold.
「朝ごはんが冷めちゃうよ」▶朝ごはんができた (Breakfast is ready.) と知らせてもなかなか食べに来ない子どもなどに対して用いる．「あなたの分が冷めてしまう」ということで，しばしば Your breakfast is getting cold. という．

Breakfast is ready.
「朝ごはんができたわよ」▶家庭で特に親が子どもに対してよく用いる．Your breakfast is ready. ともいう．

Breakfast is the most important meal of the day.
「朝食は一日のうちで最も重要な食事だ」▶朝食を抜く人などに対してよく使われる．
[補足] 一般的にも医学的にもこれが常識のようになっているが，これは誤りだとする意

見や研究もある．

Don't/Never skip breakfast.
「朝食を抜いてはいけない」➤健康によくないという意味でよく使われる．

What's for breakfast?
「きょうの朝ごはんは何？」➤朝食の献立を尋ねる表現．

breath 息；呼吸

Don't hold your breath.
「期待してもむだだよ；あまり期待しないほうがいいわよ；期待薄だよ」➤期待しているようにはならないから息をこらして待つのはやめなさい，ということから．

Ex. A: Maybe she'll be on time today.
もしかしたら，彼女，きょうは時間どおりに来るかもしれないわね．
B: Don't hold your breath. 期待しないほうがいいわよ．

Don't waste your breath. / Save your breath.
「言うだけむだだよ」➤「息をむだにするな/息をとっておきなさい」が原義．

Ex. I've made up my mind so don't waste your breath.
もうどうするか決めてあるんだから，いくら言ってもむだだよ．

I'm holding my breath.
「かたずをのんで待っているところです；楽しみに待っているよ」➤「息をこらしている」が原義．

Ex. A: Your date should be here any minute.
あなたのデートの相手がもう来るころよ．
B: I'm holding my breath until he arrives.
彼が現れるまでもうわくわくしどおしよ．

I'll hold my breath until I turn blue.
「顔が青くなるまで息を止めてるからね」➤子どもがだだをこねるときに用いる脅し文句．I'll hold my breath until I turn blue and then you'll be really sorry.（顔が青くなるまで息を止めてるからね．そうしたらお母さん［お父さん］はすごく後悔するよ）などと続ける．

Take a breath.
「まあ落ち着いて；落ち着けよ；少しは黙れ」➤「一息つけ」が原義．
Ex. Hey, take it easy there, OK? Take a breath.

まあ，そう興奮しないで．少し落ち着いて．
Take a deep breath.
「まあ落ち着いて」➤興奮した相手を落ち着かせるときに言う．「深呼吸して」が原義．
You're wasting your breath.
「いくら言ってもむだだよ」➤「あなたは息をむだにしている」が原義．

breathe 息をする；呼吸する

Breathe in, breathe out.
「息を吸って，息を吐いて」➤体操などでインストラクターが言う．
I don't have time to breathe.
「息つく暇もない」➤非常に忙しいという意味で，日本語と同じ発想の表現．

brevity 短さ；簡潔さ

Brevity is the soul of wit.
「簡潔は機知の精髄」➤シェークスピア (Shakespeare) の『ハムレット』(*Hamlet*) からの引用句．スピーチや文章を発表するときには簡潔さを心がけよ，という意味で使われる．「簡潔さが肝心；下手の長談義」に相当する．[類似] Be brief and to the point. / Keep it short and simple.

brick れんが

You can't make bricks without straw.
「わらがなくてはれんがは作れない」➤必要な材料がなければできないという意味のことわざ．同じ意味の俗語表現に You can't make chicken salad out of chicken shit. (鳥のくそからチキンサラダはできない) がある．

bride 花嫁

Here comes the bride
「花嫁がやってきた」➤結婚式で花嫁が登場したときに演奏される曲につけられた歌詞の出だしの文句，およびその歌の題名．
[補足] この曲はワーグナー (Richard Wagner) のオペラ『ローエングリン』("Lohengrin") の中でローエングリンとエルザ (Elsa) の結婚式の場面に使われている「婚礼の合唱」("Bridal Chorus")．この曲に合わせて Here comes the bride, all dressed in white. という歌詞がつけられて一般に広まっている．その後に続く歌詞はおそらく存在せず，さまざまな創作バージョンが作られている．

bridesmaid ブライズメイド (★結婚式で花嫁に付き添う若い女性)

Always the bridesmaid, never the bride.
「いつも二番手の立場だ；いつも引き立て役だ；万年補佐だ」➤常にだれかほかの人

の引き立て役に回って主役として脚光を浴びることがない，という状況を表す.「いつもブライズメイドで決して花嫁にはなれない」が原義.

Ex. A: I see Jo's been appointed as deputy director again.
ジョーはまた次長になったんだね.
B: Yes, always the bridesmaid, never the bride. 万年補佐だね.

[補足] ブライズメイドは通例，花嫁の友人数人がなり，新郎新婦が祭壇中央で結婚の誓いを述べるときに，新婦の左側のほうに並んで立つ.

bridge 橋

Don't burn your bridges behind you.
「**退路を断つな**；逃げ道を用意しておけ；いつでも撤退できるようにしておけ」 ▶ことわざ.「自分の後ろにある橋を燃やすな」が原義. Don't burn bridges. ともいう.

Ex. I think you should try to stay on friendly terms with your former employers. Don't burn your bridges behind you.
前の雇い主たちとは友好関係を保っておいたほうがいいと思うよ. いつでも戻れる可能性は残しておくべきだからね.

Let's cross that bridge when we come to it.
「**そのときが来たら考えることにしよう**」 ▶将来のことをいまから心配するのはよそう，という意味で用いる.「橋に着いてから渡ろう」が原義. I'll cross that bridge when I come to it. (その時が来たら考えよう)や, Don't cross the/a bridge till you come to it. (取り越し苦労はするな)などの表現も使われる.

brief 短時間の；簡潔な

Be brief and to the point.
「**簡潔にして要を得たものにしなさい**」 ▶報告する際などに心がけるべき注意点.
[類似] Brevity is the soul of wit. / Keep it short and simple.

Make it brief.
「**手短にね**；じゃあ簡単にね」 [類似] Make it short. / Make it quick.

brighten 明るくする；照らす；明るくなる；元気を出す

Brighten up.
「**元気を出して**」 ▶落ち込んだ人などを励ますときに用いる. [類似] Cheer up.

Ex. Do brighten up. Things can't be that bad.
元気を出しなさいよ. そんなに深刻になるほどのことじゃないよ.

bring 持ってくる；連れてくる

Bring it on. / Bring it.
「**よし受けて立とうじゃないか**；じゃあ勝負だ；いつでもかかってこい；やって見せてもらおうか」 ▶相手が「自分のほうが力が上だ」などと言ったときに,「おもしろい. それ

(＝実力のほど)を見せてもらおうじゃないか(私は負けないけどね)」という意味で用いる.「それを持ってこい」が原義. [類似] Give me your best shot.

Ex. If you want to have a debate about my political qualifications, bring it on. 私の政治的資質について討論したいというのなら、やってもらおうじゃないか.

[補足] この表現はライバル関係にある2つのチアリーダー・チームを描いた青春映画『チアーズ』(2000)の原題に使われている.

★2003年7月2日、ブッシュ大統領はイラク戦争終結後に打ち続くゲリラ活動について，There are some who feel that the conditions are such that they can attack us there. My answer is: Bring them on. We have the force necessary to deal with the situation. (武装勢力がイラクの地でわれわれを襲撃できる状況にあると感じている人もいる．私の答えは「かかって来い」だ．われわれにはこの状況に対処できる十分な兵力がある) と述べた.

Just bring yourself.
「**手ぶらで来てください**」➤パーティーなどに招待したときに、手土産などは何も持ってこなくていいからという場合に用いる.「自分だけを持ってきて」が原義.

What brings you here?
「**どうしてここに来たのですか**」➤どんな用件があって来たのですか、というニュアンスがある．Why did you come here? とほぼ同じだが、こちらのほうは「なんでここに来たの」というニュアンスがある.

broke 文無しの

Go for broke.
「**だめもとでやってみろ；当たって砕けろだ；猪突(ちょとつ)猛進あるのみ**」➤「有り金全部を賭(か)けて大勝負しなさい」ということから.

Ex. A: What will my boss say if I ask for a raise?
社長に昇給の話をしたら何て言われるかな.
B: Who knows? Go for broke! さあ．だめもとで言うだけ言ってみたら.

broom ほうき

A new broom sweeps clean.
「**新しいほうきはよく掃ける；新任者は熱心に仕事する**」➤新任の長が改革に乗り出したり、新入社員が意欲的に仕事に取り組む場合などに用いることわざ.

brother 兄；弟；兄弟

Am I my brother's keeper?
「**わたしは弟の番人でしょうか**」➤聖書(Bible)の「創世記」(Genesis 4:9)に出てくることば．弟のアベル(Abel)を殺したカイン(Cain)は神から弟の居場所を聞かれて，I know not; am I my brother's keeper? (知りません．わたしは弟の番人でしょうか) と答えた．ここから、自分の家族や仲間に対する思いやりのなさを

象徴することばとして使われる.

[補足] brother's keeper の語は「ほかの人のことを気遣う人」という意味で使われる. また上の句は I'm not my brother's keeper. として使われることもある.

Big Brother is watching you.

「ビッグブラザーがあなたを見ている」➤ジョージ・オーウェル (George Orwell) の小説『1984年』(*Nineteen Eighty-Four*) で, 独裁国オセアニアの至るところに張られたポスターに書かれている文句.

[補足] Big Brother という語は「独裁者；専制者；独裁主義国家」の意味で用いられる. 小文字の big brother は「兄；お兄さん」(older brother) の意.

buck バック (★ポーカーで, 次に親になる人の前に置く印)

Don't pass the buck.

「**責任をほかに押し付けるな；責任転嫁するな**」➤ポーカーの親はゲームの進行役であり責任者でもあることから, その立場を示すバックをほかの人に回すようなことはするなという意味.

The buck stops here.

「最終的な責任は私がとる」

[補足] 第33代大統領のトルーマン (Harry S. Truman) はこのことばを座右の銘として机の上に置いていた.

buckle 留め金；バックル；留め金で締める

Buckle up. / Buckle your seat belt.

「シートベルトを締めなさい」➤ Fasten your seat belt. に同じ.

buddy 仲間；友だち；相棒

Be a buddy and ...

「**お願いだから…してよ；ちょっと…してくれないか**」➤人にものを頼むときに用いるくだけた表現.「友だちになって…してよ」が原義. [類似] Be an angel and ...

Ex. Be a buddy and drive me home, will you? My car's being repaired. 悪いけど, 車で家まで送ってくれないか. ぼくのは修理中なんでね.

bug 虫；悩ませる

Stop bugging me.
「うるさいな；ほっといてくれ」➤Stop nagging me. とほぼ同じ.
  Ex. I already told you I'll fix it as soon as I have time, so stop bugging me. 手があいたら修理するって言ったろ. そううるさくせっつくな.

What's bugging you?
「何か悩みでもあるの？；何か困ったことでもあるのかい」➤What's bothering you? とほぼ同じ.

bull 雄牛；でたらめ (★この意味では bullshit の婉曲語)

Bull!
「ばか言っちゃ困る；何言ってんだよ；どこが」➤相手の発言に「それはでたらめだ」と強く反発するときに用いる (★ Bullshit!の婉曲表現).

Take the bull by the horns.
「腹を決めてやりなさい；思い切ってやってみなさい」➤覚悟を決めて正面から問題に取り組みなさい，と助言するときに用いる.「牛の角をつかめ」が原義.
  Ex. I know it's difficult to approach him, but just take the bull by the horns and tell him what you think. 彼に近づきにくいのはわかるけど，ここは思い切って自分の考えていることを彼に言うべきよ.

bullet 弾丸；銃弾

Bite the bullet.
「歯を食いしばってがんばれ；覚悟を決めてやってみなさい」➤つらいだろうけれど我慢してやりなさい，という場合に用いる. しばしば Bite the bullet and ... の形で用いる. 相手を励ます場合だけでなく，自分の覚悟を述べるときにも用いる.
  [補足] 麻酔なしで手術するときに，患者に弾丸をかませて痛みをこらえさせたことから.

bully いじめっ子；ごろつき；すばらしい；りっぱな；おみごと

Bully for you!
「へーえ，すごいね；大したものね；ついてやがるな」➤相手の幸運などをよかったねと喜ぶ表現だが，通例，皮肉を込めて用いる. [類似] Good for you.
  Ex. A: I was voted best salesman of the month!
  ぼくは月間最優秀セールスマンに選ばれたんだ.
  B: Well bully for you! それはよござんしたね.

bus バス

Don't miss the bus.
「バスに乗り遅れるな」➤文字どおりの意味でも，「ほかの人たちがうまくやろうとして

いるときにチャンスを逃すな」という比喩的な意味でも使われる. [類似] Don't miss the boat.

Ex. I think you should apply for that new job in accounting. Don't miss the bus. 経理のあの新しい仕事に応募したらどう? バスに乗り遅れるなって言うでしょ.

business 事業; ビジネス; 仕事; 用事

Business before pleasure.
「やるべきことをやってから楽しむ; 仕事をしてから遊びなさい」➤ことわざ. Business comes before pleasure. ともいう.

Ex. Refreshments will be served after the meeting: business before pleasure. 飲食物は会議の後です. 楽しみよりも仕事が先ですから.

Don't mix business with pleasure.
「仕事と遊びをいっしょにするな; 仕事と趣味は区別しなさい」➤仕事は仕事と割り切り, 個人的な趣味などを入り込ませてはいけない, という戒め.

Everybody's business is nobody's business.
「共同責任は無責任」➤ことわざ.「みんなの仕事はだれの仕事でもない」が原義.

How's business?
「景気はどうだい; もうかりまっか」➤あいさつの一種. [類似] How are you?

Ex. A: So how's business, John? ジョン, 景気はどうだい.
B: Oh, can't complain, Harry. まずまずってとこだね, ハリー.

I'm just minding my own business.
「自分のことをしているだけだ」➤何をしているのかと聞かれたときの返事に用いる.「余計な干渉をするな」というニュアンスがある. 省略して Minding my own business. ともいう.

It was a pleasure doing business with you.
「いっしょに**仕事ができてよかったです**; いっしょに仕事ができて光栄です」➤共同で仕事をしたり, 取引がまとまったときに用いる. It's been a pleasure doing business with you. / Pleasure doing business with you. ともいう.

[補足] 現在時制の It's a pleasure doing business with you. や, 未来時制の It will be a pleasure doing business with you. なども用いられる.

It's none of my business.
「私の知ったことではない; そんなこと知るか」➤That's none of my business. ともいう.

Ex. A: Why do you suppose he asked Sally to go with him on that business trip? どうして彼はサリーといっしょに出張に行ったんだと思う?
B: I don't know. It's really none of my business.
知らないわよ. 私がとやかく言うことじゃないわ.

It's none of your business. / It's no business of yours.
「それはあなたの知ったことではない; あなたには関係ないことでしょ」➤ None of your business. あるいは That's none of your business. ともいう.

Just taking care of business.
「自分のやるべきことをやっているだけだ」
Ex. A: Why did you invite their company chairman for lunch?
どうして向こうの会社の会長を昼食に誘ったんだい.
B: Oh, just taking care of business, that's all.
なに, ただ自分の仕事としてやっただけだよ.

Let's get down to business.
「さっそく**本題に入りましょう**」➤交渉などで用いる.

Mind your own business.
「**余計な口出しはしないで**; 人のことはほっておけ; 余計なおせっかいだよ」➤人のことはいいから自分のことだけやっていなさい, という意味で用いる. より丁寧には I'll thank you to mind your own business.という. Keep your nose out of my business. もほぼ同じ.
Ex. A: How much did your house sell for? 家はいくらで売れたの?
B: Mind your own business. 余計なお世話よ.

Nothing personal, just business.
「**個人的にどうこうっていうわけじゃないんだよ. ビジネスだからね**」➤取引をやめたり昇進を見送ったりするなど, 相手が失望するような決定をしたときに, ビジネス優先の結果だからねという言い訳に用いる. Not personal, just business. ともいう.

The business of America is business.
「**アメリカのビジネスはビジネスだ**」➤アメリカの経済状況に対する過信, また経済第一主義のアメリカの姿勢を表す表現.
[補足] 第30代大統領クーリッジ (Calvin Coolidge) のことばとして引用されるが, これは正確ではない. 彼は「自由政府のもとにおける報道」("The Press under a Free Government")と題した演説で, 情報の提供と営利という新聞社がもつ2つの役割は矛盾しないかという問題があるが, この2つは矛盾しないと考えると述べた後で, After all, the chief business of the American people is business. (つまるところ, アメリカ国民の主な関心事はビジネスなのだから) と言ったにすぎない.

bust 壊す; 逮捕する

Busted.
「**ばれたか**; 見つかっちゃった; ばれてるよ」➤いたずらや隠し事が見つかってしまったとき, また, 相手がそのようなことをしているのを見つけたときにいう. I'm/We're/You're busted. の省略表現.
Ex. Busted! I saw you buying doughnuts when you said you were on a diet! ばれてるわよ. ダイエットしてるって言ってたのに, ドーナツを買うところをしっかり見ちゃったもの.

busy 忙しい

Get busy.

「さっさと始めなさい；ぼやっとしてないで；ごろごろしてないで」➤のんびり構えていないで仕事に取りかかりなさい，という場合に用いる．

Have you been keeping busy?
「**忙しくしていましたか**」➤久しぶりに会ったときなどのあいさつで用いる．省略して You been keeping busy? ともいう．類似 How have you been?
  Ex. A: Have you been keeping busy? 忙しくしていたかい？
   B: Oh yes, not much idle time on my hands these days.
    ええ，最近はほとんど暇なしよ．

I'm keeping busy. / I'm keeping myself busy.
「**忙しくしているよ**」➤ How are you? と聞かれたときなどの返事．略して Keeping busy. あるいは Just keeping busy. ともいう．
  Ex. A: You are looking well. 元気そうね．
   B: Thank you. I'm keeping busy. ありがとう．忙しくしているのよ．

I've been keeping busy.
「**忙しくしていたよ；忙しくてね**」➤ How have you been?（どうしていたの）などと聞かれたときの返事．略して Been keeping busy. や Keeping busy. また Just keeping busy. ともいう．I've been keeping myself busy. もほぼ同じ．

---

but しかし；だけど；「しかし；でも」ということば

I hear/sense a big but coming.
「**でも，って言うんじゃないの；いまひとつ乗り気でないみたいね**」➤相手が何か言ったとき，その口振りから「でもね」と否定的なことばが続きそうな場合に用いる．
  Ex. A: Some of the ideas in your proposal are excellent ...
    きみの提案のアイデアのいくつかはすばらしい…
   B: Oh dear, I sense a big but coming.
    おっと，その後のことばが怖いですね．

No buts (about it).
「**でももへちまもない；つべこべ言わない；文句を言ってもだめ**」➤相手がすなおに言うことを聞かずに「でも」などと反論してきたときや，これは絶対的な命令で四の五の言わせない，というときに用いる．I will have no buts. または There are no buts. の省略表現．No ifs ands or buts. ともいう．
  Ex. We're leaving now, no buts about it. もう出かけるったら出かけるよ．

---

butt 端；おしり；頭で突く；ぶつかる

Butt out.
「**余計な口出しするな；引っ込んでいなさい**」➤干渉する相手に怒って言う．
  Ex. Butt out! This conversation's between me and your father!
    引っ込んでいなさい．私とお父さんとで話していることなんだから．

Get/Take your butt out of my face.
「**あっちへ行け；うせろ**」➤私の見えないところへ行け，という意味．「おまえのおしりを私の顔から出せ」が原義．類似 Beat it. / Get lost.

Shut your butt!
「黙れ; うるさい」 ➤ Shut up. に同じ.

buy 買う; おごる

Buy low, sell high. / Buy low and sell high.
「安く買って高く売れ」 ➤投資や商売の鉄則.

Buy now, pay later. / Buy now and pay later.
「いま買ってお支払いは後で」 ➤よく使われる宣伝文句.

Buy one, get one free. / Buy one and get one free.
「1つ買ったらもう1つはただ」 ➤1個買うと同じ物をもう1個サービスするというときの宣伝文句.

buzz ブンブンうなる; 行く; ブンブンうなる音; うわさ

Buzz off.
「出て行け; うせろ」 ➤ Beat it. や Get lost. とほぼ同じ.

The buzz on the street is that ...
「街のうわさでは…; ちまたでは…ともっぱらのうわさだ」 ➤一般市民の間ではそのように言われているという場合に用いる.

Ex. The buzz on the street is that the singer is guilty of the crime.
あの歌手は有罪だというのが一般の人たちの意見だ.

[補足] What's the buzz on the street? (一般の人たちはどう思っているのかしら) のようにも用いる.

bye, bye-bye さようなら

Bye. / Bye-bye.
「さようなら; じゃあね; バイバイ; 行ってきます; 行ってらっしゃい」 ➤別れのあいさつ. 家などから出かける人とそれを見送る人の両方ともが用いる. Bye. は Goodbye. の省略表現. Bye-bye. はおとなも用いるが, 子どもが, あるいは子どもに対して用いることのほうが多い.

Ex. A: Bye, Mom. お母さん, 行って来ます.
B: Bye, honey. Take care. 行ってらっしゃい. 気をつけてね.

bygone 過去の; 昔の; 過去のこと

Let bygones be bygones.
「過ぎたことは忘れよう; 済んだことは水に流そう; 昔のことを蒸し返すのはやめよう」 ➤過去の不和や争いは忘れなさいという場合に用いる. 単に Bygones. ともいう.

[補足] 省略表現の Bygones. はテレビドラマ『アリー・my ラブ』(*Ally McBeal*) のリチャード・フィッシュ (Richard Fish) がよく用いる.

C, c

Caesar カエサル; 皇帝; ジュリアス・シーザー, ユリウス・カエサル

Great Caesar's Ghost!

「**あれまあ；なんてことだ**」➤非常に驚いたりしたときの発声．[類似] Holy cow!
[補足] アメリカのテレビドラマ『スーパーマン』(*The Adventures of Superman*, 1953–57) で，クラーク・ケント (Clark Kent) が勤める新聞社デイリー・プラネット (Daily Planet) の編集長ペリー・ホワイト (Perry White) がよく使う．

Render unto Caesar the things which are Caesar's.

「**皇帝のものは皇帝に返しなさい**」➤新約聖書 (New Testament) の「マタイによる福音書」(Matthew 22:21) ほかにあるイエス・キリスト (Jesus Christ) のことばの前半部分．全体では Render unto Caesar the things which are Caesar's, and unto God the things that are God's. (皇帝のものは皇帝に，神のものは神に返しなさい) となっている．一般には，政治と宗教とを分けるべきだというように解釈されている．

cake ケーキ

It's a piece of cake.

「**朝飯前だ；楽勝だ；ちょろいものだ**」➤ケーキを食べることは (特にそれを作ることに比べて) 簡単なことからとされる．That's a piece of cake. や，省略表現の A piece of cake. / Piece of cake. も用いられる．

Let them eat cake.

「**彼らにケーキを食べさせなさい**」➤フランス革命 (French Revolution) の前，パンがないと庶民が騒いでいると聞いた王妃マリー・アントワネット (Marie Antoinette) が言ったとされることばの英訳．人の窮状など知ったことかという場合に引用される．「パンがなければケーキをお食べ」が日本語の定訳のようになっている．

That takes the cake!

「**あれはすごい；そりゃひどい；あきれたね**」➤それは表彰ものだ，それくらいすばらしいという場合や，逆に，それはどうしようもなく悪いという場合に用いる．

> **Ex.** First you run off with my girl friend, and now you want to borrow money from me to buy her a new pair of shoes. That takes the cake!
> 最初にぼくの恋人を奪っておいて、今度は彼女に新しい靴を買うためのお金を貸してくれだなんて．まったくあきれてものも言えないよ．

[補足] アメリカ南部のプランテーションで行われていたケーキウォーク (cakewalk) とい

うダンス (コンテスト) で勝者に賞品としてケーキが贈られたことからという.

You can't have your cake and eat it too.
「**両方いいとこ取りはできない；あちらもこちらも立てようというのは虫がよすぎる**」➤ケーキは食べればなくなってしまうもので，食べてしまった後でもなおそれを持っていることはできない. このように，並び立たないものを両方望むのは無理だという場合に用いる. You can't eat your cake and have it too. ともいう.

Ex. A: I want to quit my job, but I want the money.
仕事を辞めたいんだけど，給料はほしいね.
B: You can't have your cake and eat it too. それは虫がよすぎるよ.

[補足] このことわざは，文字どおりには「ケーキを持っていてそれをまた食べることはできない」という意味になる. ケーキを持っていればそれを食べることができるので，この英語は論理的におかしいと感じる人も多く，上に挙げた You can't eat your cake and have it too. の形が正しいとする意見がある.

call 呼ぶ (こと)；電話する (こと)；判定 (する)

Call me Ishmael.
「**イシュマエルと呼んでくれ**」➤アメリカの作家メルビル (Herman Melville) の小説『白鯨』(*Moby Dick*) の冒頭に出てくることば.「私は根なし草だ」というような意味で，またはほんとうの名前を名乗りたくないときなどによく引用される.

[補足] イシュマエルは旧約聖書 (Old Testament) の「創世記」(Genesis) に出てくる人物で，アブラハム (Abraham) とエジプト人の女奴隷ハガル (Hagar) の間に生まれた男の子.

Don't call us. We'll call you.
「**電話での問い合わせはご遠慮ください．こちらから電話をしますから**」➤採用面接時に面接官が応募者に言う. 採用を見合わせる場合によく使われる.

Give me a call. / Call me.
「**電話してね**」➤Phone me. ともいう.

I'll call back later.
「**後でまたかけ直します；折り返し電話します**」➤自分のほうから電話をかけた場合にも，相手からかかってきた場合にも用いる.

It's anyone's/anybody's call.
「**さあね；まったくわからないね**」➤それについてはだれにもよくわからない，というときに用いる. この call は野球のアウト・セーフの判定などを意味し,「それはだれでも判定できる」つまり「だれがどう判定してもよいような不確かな状況だ」ということから. It's anyone's/anybody's guess. とほぼ同じ.

Ex. A: Who do you think will win the next election?
次の選挙ではだれが勝つと思う?
B: It's anyone's call. まったくわからないね.

It's your call.
「**それはきみが決める [決めた] ことだよ**」➤call の意味については上の句を参照.

Ex. A: Do you want to go first or second?
先手がいい, それとも後手かい.

B: It's your call. I chose last time.
あなたが決めてよ. この前は私が選んだから.

May I ask who's calling?
「失礼ですが, どちらさまでしょうか」➤電話をかけてきた相手の名前を尋ねる丁寧な表現. Can I ask who's calling? ともいう. Who's calling, please? よりも丁寧な言い方.

Shall I have him/her call you back?
「後で電話させましょうか」➤電話があって, 本人が不在のときに用いる. Can I have him/her call you back? などともいう.

Thank you for calling.
「電話ありがとう」➤電話をかけてきてくれた相手に対して, 話の最後にいうお礼.

Thank you for returning my call.
「わざわざお電話をくださりありがとうございます」➤こちらから電話したときには話ができず, 後で相手が電話をよこしてくれた場合にお礼としていう.

What number are you calling?
「どちらの番号におかけですか」➤間違い電話への返答. What number are you dialing? ともいう. [類似] You have the wrong number.

Who shall I say is calling?
「失礼ですが, どちらさまでしょうか」➤特に, 電話交換手や秘書など本人以外が電話を受けて, 電話してきた相手の名前を尋ねるときに用いる.

calm 静かな; 落ち着いた; 静けさ; 落ち着き; 静める; 静まる

Calm down.
「落ち着いて」➤興奮・動揺した相手をなだめるときに使う一般的な言い方. Settle down. とほぼ同じ. Keep your calm. ともいう.

camera カメラ

The camera adds ten pounds.
「カメラは10ポンド (約4.5kg) を増やす」➤写真やビデオなどで人を撮ると実際よりも少し太って見えるということ. 特に, テレビや映画に出る人たちについて使われることが多い. TV adds ten pounds. ともいう.

can …できる; 金属製容器; 缶; 缶に詰める; やめる

Can it!
「うるさい; 黙れ; やめろ」➤「それを缶に詰めろ」が原義.

I can do it blindfold.
「そんなのは目をつぶっていてもできる」➤私にとってそれは非常に簡単だという意味の誇張表現.「目隠ししていてもできる」が原義. blindfold の代わりに standing on my head (頭倒立をしていても) や with my hands tied behind my back (両手を後ろ手に縛られていても) も用いられる.

candle ろうそく

Don't burn the candle at both ends.
「**ろうそくを両端から燃やすな**」▶例えば、朝早くから夜遅くまで仕事をした後で飲み歩くような、体に無理を強いる生活はするなということ．

It's better to light a candle than curse the darkness.
「**暗やみをのろうより，ろうそくをつけたほうがよい**」▶愚痴をこぼすよりも，状況を少しでもよくする努力をしたほうがよい，という意味のことわざ．

candy キャンディー

It's like taking candy from a baby.
「**赤ん坊からキャンディーを取り上げるようなものだ；赤子の手をひねるようなものだ**」▶相手が非力なので，あるいは課題が簡単なので楽にできるという場合に用いる．

canoe カヌー

Paddle your own canoe.
「**自力でやりなさい；独立独歩**」▶人を頼らず，自分の力で道を切り開くなり，問題を解決するなりしなさい，という意味のことわざ．

capeesh, coppish わかる (★イタリア語 capisci から)

Capeesh?
「**わかったかい**」▶Do you understand? の意味の俗語表現．相手は Capeesh.（わかった）または No capeesh.（わからない）と答える．

Ex. A: I will be here by 9:00 every morning. Capeesh?
　　　私は毎朝9時までにはここに来ているよ．わかったかい．
　　B: Capeesh. わかった．

captain 長；船長

O Captain! My Captain!
「**おお船長，私の船長よ**」▶アメリカの詩人ウォルト・ホイットマン（Walt Whitman）の詩の題名およびその出だしの文句．南北再統一を終えて暗殺者の凶弾に倒れたリンカーン（Lincoln）の悲報に接して作られたもの．

[補足] 恐ろしい航海を無事に乗り切り，港に着こうとしている船の船長の死を嘆く内容だが，船長はリンカーン，船は米国，恐ろしい航海は南北戦争の暗喩(あんゆ)．

car 車

Don't make me stop this car.
「**この車を止めなくてはいけないようにさせるな**」▶車に乗っていて子どもたちが悪ふざ

けをいつまでもやめないような場合に父親や母親などが言う脅し文句.

Would you buy a used car from this man?
「この男から中古車を買いますか」➤この男は信用できるか, ということ.

[補足] 1960年の大統領選挙で, 共和党の候補リチャード・ニクソン (Richard Nixon) に対して, ケネディ (Kennedy) を支持する民主党員がニクソンの似顔絵にこの文句をつけたプラカードを大量に掲げて以来, ニクソンとの連想が強い.

card カード; トランプ

Pick a card, any card.
「どれでもいいから1枚引いて」➤トランプの手品をしてみせるときに言う.

Play the cards you're dealt.
「配られた札で勝負しなさい; ないものねだりをせずに, あるものでやっていきなさい」➤あれこれ文句を言わずに与えられた環境で最善を尽くしなさい, という意味.

care 世話 (する); 看護 (する); 心配 (する); 気遣い; 気遣う

Call someone who cares.
「そんなこと私の知ったことではない; ほかの人に言いなよ」➤Tell someone who cares. と同じ. 「そういう話に関心をもってくれる人に電話しなさい」が原義. Here's a quarter. Call someone who cares. (ほら, 25セント硬貨をやるから, そういう話を聞いてくれる人に電話するんだね) ともいう.

Care killed the cat.
「**心配は身の毒**; 気軽ければ病軽し」➤心配しすぎるのはよくないという意味のことわざ. 「心配が猫を殺した」が原義. [類似] Curiosity killed the cat.

I couldn't care less.
「どうでもいいわよ; どうしようとこっちは痛くもかゆくもない」➤そんなことはまったく構わないという場合に用いる. 「これ以上少なく気にかけることはできない＝まったく気にかけない」が原義.

[補足] 同じ意味で I could care less. が使われることがあるが, これは文字どおりには「これ以上少なく気にかけることができる＝少しは気になる」という意味なので, 正用法とはみなされていない.

I don't care.
「私は気にしない; そんなことは構わない」

Like I care.
「そんなことはどうだっていい; そんなことは知ったことではない」➤Do I look like I care? (私がそれを気にしているように見えるか) の省略表現で, Like I care? と疑問符をつけることもある. As if I care. ともいう.

Ex. A: John and Jane are getting married in June.
ジョンとジェーンが6月に結婚することになったわよ.
B: Like I care. どうでもいいさ.

See if I care.
「そんなことはどうだっていい; そんなことは知ったことではない」➤Like I care. とほ

ぼ同じ.「私が気にしているかどうか見なさい」が原義.

Take care.
「**気をつけて；じゃあね**」➤相手に注意を促すほか，軽い別れのあいさつにも使う.
Ex. Take care. See you later. じゃあ気をつけて．また後でね．

Take care of yourself.
「**お大事に；気をつけてね**」➤自分の体をいたわってくださいという意味で，病気の人に対してよく用いる．Take care. と同じく，別れのあいさつとしても使う．

Tell someone who cares.
「**そういうのはほかの人に聞いてもらってよ**」➤相手が愚痴をこぼしたときなどに，そんなの私は聞きたくないという意味で用いる．「(そういう話に)関心をもってくれる人に言いなさい」が原義．And I care because ...? (で，どういう理由があって私がそれに関心を持たなくてはいけないのかな) / Why don't you ask me if I care? (私がそれに関心を持っているかどうか聞いたらどうだ) などともいう．
Ex. A: I'm really disappointed with my bonus.
   今度のボーナスにはほんとうにがっくりだよ．
   B: Tell someone who cares. その手の話には興味ないね．

Thank you for caring.
「**心配してくれてありがとう；お気遣いありがとうございます**」➤相手が自分や家族の心配をしてくれたり，親身に話を聞いてくれたりするときに用いる．[類似] Thank you for your concern.
Ex. I got the get-well-soon card you sent. Thank you for caring.
   お見舞いのカードを受け取りました．お気遣いありがとうございます．

That's been taken care of.
「**それはもう手配[処理]済みです**」➤何か問題があったときに「それについてはもう処置がとられた」という場合などに用いる．レストランなどでの支払いについて「もう済んでいます」という意味でもよく使われる．It's been taken care of. ともいう．

What do you care?
「**そんなことはどうでもいいでしょ；そんなことどうでもいいくせに**」➤「(それについて)何を気にすることがあるのか；何も(あなたが)気にすることはないじゃないか」という反語表現で，相手を安心させる場合や，相手に反発して言う場合などがある．通例 you を強く発音する．
Ex. A: Are you really going to wear pink shoes with a green skirt?
   ほんとうにそのグリーンのスカートにピンクの靴をはいて行くのかい．
   B: What do you care? あなたにはどうでもいいことでしょ．

Who cares?
「**構いやしないさ；構うもんか**」➤だれがそんなことを気にするか(そんなことは気にする必要はない)という意味の反語表現．[類似] So what?

careful 注意深い；注意する

Be careful.
「**気をつけてね**」➤注意を促すときに使う一般的表現．

If you can't be good, be careful.

「**悪さをするんだったらこっそりやることだね；あんまりはめを外さないようにね**」➤通例 Be good. If you can't be good, be careful. (いい子にしているのよ．いい子にしていられないのなら，ばれないように気をつけてやるのよ) というセット表現で，おどけた別れのあいさつとして使う．

Ex. A: I'm going away for the weekend with Mark.
週末はマークといっしょに旅行に行くのよ．
B: If you can't be good, be careful. あんまりはめを外さないようにね．

You can't be too careful.

「**用心するに越したことはないからね；念には念を入れてね**」➤十分すぎるくらいの注意を払うほうがよいということ．「いくら気をつけても気をつけすぎることはない」が原義．

carpe diem　この日をとらえよ (★ラテン語)

Carpe diem.

「**この日をとらえよ；いまを生きよ**」➤現在というこの時間をフル活用しなさいということわざ．/káːrpi díːem/ と発音する．英語訳の Seize the day. も用いる．
[類似] Seize the moment.
[補足] 映画『いまを生きる』(*Dead Poets Society*, 1989) で，ロビン・ウィリアムズ (Robin Williams) 演じる名門進学校 (prep school) の新任英語教師が生徒にこのことばを説く．

carry　運ぶ；持っていく

Carry on.

「**どうぞ続けて；がんばって**」➤相手に仕事などをそのまま続けるように促す場合や，その調子で頑張りなさいという場合に用いる．

Ex. I'm showing Mr. Suzuki around the factory. Please don't take any notice of us. Just carry on with what you're doing.
鈴木さんを工場見学に案内しますが，どうか私たちには構わずに仕事をしてください．

cart　荷車；荷馬車

Don't put the cart before the horse.

「**馬の前に荷車をつけるな；本末を転倒するな**」➤順序を正しく踏んで行動しなさいということわざ．ほかに解決すべき先決問題がある，というような場合に使われる．

case　事件；事例；ケース

Case closed.

「**それでこの話は終わり；話はそれで決まり；これにて一件落着**」➤相手の反論などは受け付けないというときに使う．また，問題が解決したという場合にも用いられる．警察や裁判所で使われる「これで事件は捜査終了；これで審理は終了」が原義．

Ex. You have to go to the meeting. Case closed.
会議には出なくてはいけないよ．四の五の言わせないからね．

Get off my case!
「うるさいな；あっちへ行け；人のことはほっておけ」 [類似] Get off my back!

I rest my case.
「これ以上私が言うこともないわね；ほら私の言ったとおりでしょう」 ➤議論などをしていて，「この主張にはあなたは反論できないでしょう，私の勝ちね」というような場合に用いることが多い．法廷で弁護側が（無罪獲得に必要な）証拠提出と弁論をすべて終えたことを宣言することばから．

Ex. I've told you everything I know, there's nothing more I want to say. I rest my case. 私の知っていることはみんな話して，これ以上言うことはないわ．私の話はもうおしまいよ．

cat 猫

A cat has nine lives.
「猫は九生」 ➤猫はなかなか死なないという意味のことわざ．ここから運のよい人，悪運の強い人などについて使われる．「猫は9つの命を持っている」が原義．[補足] 何度も命拾いをしているような人について He's like a cat with nine lives. (彼はほんとうに悪運が強い) という表現も使われる．

A cat in gloves catches no mice.
「手袋をした猫はネズミをとらない；慎重すぎては目的は達せない」 ➤過剰な用心深さを戒めることわざ．また，手袋を外すなどして実際に手を使わないといけない，という場合にも用いる．The cat in gloves catches no mice. ともいう．

A cat may look at a king.
「猫でも王様を見ることは許される；見るくらいいいでしょう，減るもんじゃなし」 ➤身分などが不相応でも見るくらいのことはしてよいはずだ，という意味のことわざ．

Ex. A: I know Lady Julia is beautiful, but stop staring at her.
ジュリア妃が美人なのはわかるけど，じろじろ見るのはやめなさいよ．
B: Well, even a cat may look at a king.
別に見るくらいは構わないだろ．

All cats are gray in the dark.
「どの猫も暗やみでは灰色だ；やみ(夜)に烏」 ➤暗いところでは見分けがつきにくいという意味のことわざ．比喩(ゆ)的にさまざまな意味で用いられる．

Ex. John seems like a nice guy, but all cats are gray in the dark.
ジョンはいい人みたいだけど，まだよく知らないからそう見えるだけかもね．

Cat got your tongue?
「何を押し黙っているの」 ➤特に，いたずらをした子どもが親の質問に答えられずに黙っているときに親がよく言う．Has the cat got your tongue? の省略表現で「猫に舌を取られたのか」が原義．

Cats are smarter than dogs.
「猫は犬よりも頭がいい」 ➤猫派の人がよく言う．

Fraidy cat, fraidy cat.

「やーい，この**弱虫**め」➤子どもが相手を弱虫だとはやすときに言う．しばしば Fraidy cat, fraidy cat. *Kenny* is a fraidy cat. のように節をつけてはやす（ここで Kenny とある部分に相手の名前を入れる）．メロディーは童謡の "Ring-a-ring o' roses" と同じ．Fraidy は afraid の頭の a をとり語尾に y をつけたもの．

[補足] fraidy-cat は「弱虫；臆病(おくびょう)者」という意味の単語になっている．

Look what/who the cat dragged in.

「これはまただれかと思ったら；これはどうした風の吹き回しかしら」➤珍しい人がやって来たような場合に用いる．「猫が引きずってきたものを見てみなさい」が原義．[類似] Look who's here.

Ex. Talking about Jim, look who the cat dragged in.
ジムと言えば，さっそくご当人の登場だよ．

Someone looks like something the cat dragged in.

「ひどい**格好**をしている」➤自分についても，相手または第三者についても用いられる．「猫がくわえてきたもののような姿だ」が原義．

No room to swing a cat.

「猫の額ほどだ；非常に狭苦しい」➤There is no room to swing a cat. の省略表現．一説には，イギリス海軍で使われていたむちを cat と呼んでいたことから．

The cat is out of the bag.

「もうばれている；ネタは上がっているんだよ」

Ex. You shouldn't have mentioned that you saw Mary on a date with Peter. But it's too late now, the cat's out of the bag.
メアリーがピーターとデートしているのを見たなんて言わなければよかったのに．もっともいまさら言っても遅いけどね．もう知られちゃったんだから．

[補足] 由来は，商人が袋の中に入れた猫を子豚だと偽って売ろうとしていたときに，袋の猫が出てきてしまったことからという．

When the cat is away, the mice/mouse will play.

「鬼のいぬ間の洗濯」➤お目付け役（上司や親など）がいないと下の者（部下や子もなど）は羽を伸ばすという意味のことわざ．While the cat is away, the mice/mouse will play. ともいう．「猫がいないとネズミが遊ぶ」が原義．

---

catch つかまえる（こと）；わな

Catch me later. / Catch me some other time.

「後にしてよ；また後で来てね」

Ex. A: Can you help me with my homework? 宿題を手伝ってくれる？
B: I'm a bit busy just now. Catch me later.
いまはちょっと忙しいから後にしてよ．

Catch you later. / I'll catch you later.

「じゃあまた後で」➤別れるときのくだけたあいさつ．See you later. と同じ．

Ex. I've got to go now. Catch you later. もう行かなくちゃ．じゃあまた後で．

I'll try to catch you later.

「後で行くよ；後で連絡するわ」➤later の代わりに some other time も用いる．

Ex. I have to go back to work now, but I'll try to catch you later.

もう仕事に戻らなくちゃ. でも, 後でまた連絡するよ.

Now you're catching on.
「**やっとわかってきたようだね**」➤相手がこちらの話や事情を理解してきたときに使う.

Ex. A: You mean if we go on Tuesday instead, we can get a discount and a free drink?
火曜日だと割引サービスに無料ドリンクもつくっていうのかい?
B: Now you're catching on. やっと飲み込めたようね.

There has to be a catch. / There must be a catch.
「**きっと何か裏があるのよ**」➤これは話がうますぎるという場合に用いる.

There's a catch to it.
「**この話には裏がある；訳ありだ**」➤うまい話だけれども注意すべき点があるという場合に用いる.

Ex. We can buy tickets for half price, but there's a catch to it. They are only valid on Tuesday. チケットが半額で買えるのよ. でもちょっと訳ありでね. 火曜日しか使えないのよ.

There's no catch.
「**(この話には) 裏なんかないよ**」➤What's the catch? の用例参照.

We have a lot of catching up to do.
「**私たちには追いつかなければならない部分がたくさんある；積もる話があるからね**」➤仕事や競争で遅れていて, 大きく挽回しなければならないという場合や, 久しぶりに会った友人に, お互いの近況についてゆっくり話をしようという場合などに用いる.

What's the catch?
「**何か裏があるんじゃないの**」➤相手の話などがいかにもうますぎるというときに用いる.

Ex. A: What's the catch? 何か裏があるんじゃないでしょうね.
B: There's no catch. 裏なんか何もないよ.

caution 注意；警戒；警告

Don't throw caution to the wind.
「**むちゃなことはするな**」➤後々のこともよく考えて無謀な行動は慎みなさい, ということ.「注意を風に投げ捨てるな」が原義.

Let's throw caution to the wind.
「**大胆になりましょう；えいやっとやってしまおう**」➤後の心配などをせずに思い切っていこう, という場合に用いる. しばしば Let's throw caution to the wind and ... の形で用いる.「注意は風に投げ捨てよう」が原義.

Ex. Let's throw caution to the wind and buy one of every color!
ここは思い切って全部の色を1つずつ買っちゃいましょう.

ceremony 儀式

Don't stand on ceremony.
「**楽にしてよ；勝手にやってね**」➤訪問客などに対して, くつろいで自由に飲食してください, という場合に用いる.

Ex. This is an informal party. Please don't stand on ceremony.
これは気の置けないパーティーなので,どうか気楽にやってください.

certain 確かな;確実な

Are you certain?
「それは確かですか;本気ですか」➤Are you sure? と同じ.
Don't be so certain.
「そう決めつけないほうがいい」➤Don't be so sure. と同じ.
　Ex. A: Sam and Joanne will definitely get married soon.
　　　　サムとジョアンは絶対に近く結婚するね.
　　　B: Don't be so certain. あんまり決めてかからないほうがいいわよ.
Nothing is certain but death and taxes.
「死と税金以外に確かなものはない」➤ベンジャミン・フランクリン (Benjamin Franklin) のことば. 正確には In this world nothing is certain but death and taxes. (この世には死と税金以外に確かなものはない).

certainly 確かに;きっと

Certainly.↔Certainly not.
「もちろん;そうですとも;かしこまりました↔もちろん違う;絶対にだめよ;とんでもない」➤相手のことばを強く肯定または否定するときに使う. 依頼や命令に対する承諾または拒絶の返事としても用いる.
　Ex. A: May I sit here? ここに座ってもいいですか.
　　　B: Certainly. ええ,どうぞ.
　Ex. A: Can I borrow your new camera, Dad?
　　　　お父さん,お父さんの新しいカメラ借りてもいい?
　　　B: Certainly not! だめに決まっているだろ.

c'est la vie それが人生だ (★that's life の意味のフランス語)

C'est la vie.
「それが人生というものだ;世の中そんなものだよ;人生ままならない」➤うまくいかないことがあって落ち込んでいる相手を慰めるときなどに用いる. That's life. / Such is life. と同じ. 発音は /sɛ la vi/.
　Ex. Ah, we lost another softball game. C'est la vie.
　　　あー,またソフトボールで負けた. 人生ままならないね.

chain 鎖;チェーン

A chain is only as strong as its weakest link.
「鎖はいちばん弱い輪の強さしかない」➤組織活動や構造物などは最も弱い部分がだめになれば全体がだめになる,ということわざ. A chain is no stronger than its

chair　いす

Grab a chair. / Pull up a chair.
「いすを持ってきなさいよ；さあかけて」➤いすに座るように勧める表現.

chance　偶然；確率；運；チャンス；機会；見込み

Chance would be a fine thing.
「そうできたらいいのだけれど；まず無理だね」➤残念ながらそういう可能性はまずない，ということ.「(そういうことが起こるなら)確率はすばらしいものだろう」が原義.

　Ex. A: Are you going to the party with Mary?
　　　　　パーティーにはメアリーと行くのかい.
　　　　B: Chance would be a fine thing. だったらいいんだけどね.

Don't let this chance go by.
「こんなチャンスはまたとないから逃すな」

Don't take any chances.
「不確実なことはするな；危険を冒すな」

　Ex. A: I was going to drive home, but I drank a couple of glasses of wine. 車で家に帰るところだったんだけど，ワインを軽く引っかけちゃった.
　　　　B: Then don't take any chances. Take a taxi.
　　　　　じゃあ安全を期してタクシーに乗ることね.

Everybody deserves a second chance.
「だれでももう1回はチャンスを与えてあげないといけない」➤1度失敗した人には名誉挽回のチャンスを与えるべきだということ.

Fat chance.
「そういうことはまずない；無理だ」➤No chance. / Not a chance. に同じ.

　Ex. You think you can make money by playing pachinko? Fat chance! パチンコで金もうけができると思っているのかい? 甘いね.

Give me a chance.
「チャンスをください」

　Ex. A: Have you finished that report yet? もう報告書はできたかね.
　　　　B: Give me a chance. I only just arrived in the office.
　　　　　もう少し時間をいただけませんか. いま会社に着いたばかりなものですから.

No chance. / Not a chance. / There's no chance.
「それは**無理だね**；だめだね」➤Fat chance. と同じ. 意味を強めた俗語表現に No chance in hell. / Not a chance in hell. などがある.

　Ex. A: We still have 100 km to drive. Do you think we'll arrive by mid-day? まだ100キロ走らなくちゃいけないけど，正午までに着くかな?
　　　　B: In this rain? Not a chance. この雨の中を? そんなの無理よ.

Nothing happens by chance.
「何事も偶然には起こらない；この世に偶然はない」➤There is no accident. と

同じ.

Take a/your chance.
「だめもとでやってみたら；一か八かやってみなさい」
> **Ex.** Five people applied for the job, but take your chance. You might get it. その仕事には5人が応募しているけど，だめもとでやってみたら．採用されるかもしれないわよ．

change　変える；変わる；変化；釣り銭；小銭

A change is as good as a rest.
「**変化は休息と同じくらいよい；たまには目先を変えるのもいいものだ**」➤ずっと同じことを続けているときに何か違ったことをすると気分一新できる，ということわざ．

Do you have change?
「**小銭はありますか；小銭にくずせますか**」
> **Ex.** The ticket machine only takes coins. Do you have change for 100 dollars? 切符の自動販売機は硬貨しか使えないので，100ドル紙幣をくずしてもらえますか．

Exact change, please.
「**釣り銭のないようにお願いします**」➤店員などが精算する客に言う．レジなどの掲示にも用いられる．原義は「ぴったりの小銭でお願いします」．

Here's your change.
「**はい，お釣りです**」➤店員などが釣り銭を渡すときに用いる．

It's time for a change.
「**変化の時だ；そろそろ変わらなきゃ**」➤いまや刷新や改革を行うべきだという意味でいう．Time for a change. という省略表現も用いられる．

Keep the change.
「**釣りはとっておいていいよ**」➤タクシーから降りる場合などに用いる．

Nothing ever changes.
「**何ひとつ変わらない；旧態依然だ**」
> **Ex.** He always says he'll come home early from work, but nothing ever changes.
> 彼は仕事から早く帰るっていつも言っているけど，何も変わってないわ．

People can change.
「**人は変われるもの**」➤人は欠点を改めて変わることができるから見放したりしないでほしい，というような場合に用いる．

Some things never change.
「**いつまでも変わらないものもあるんだね；昔と少しも変わらないわね；十年一日**」➤久しぶりに会った人や訪れた町などについて，昔と同じだという場合に用いる．

That's a change.
「**これは珍しい；変わったことがあればあるものだ**」 [類似] That's a first.
> **Ex.** He arrived early? That's a change. 彼が早く来たって? 珍しいね．

The more things change, the more they stay the same.

「ものごとは変われば変わるほど同じままだ」➤社会のルールや仕組みなどが変わっても，本質的な問題はまったく解決されずに残っている，というような場合に用いる．

Things change.
「ものごとは変わるのよ；世の中変わっているんだよ」➤相手が以前はこうだったじゃないか，などと言ってきたときによく用いる．

Ex. A: She said she would always love me.
彼女はずっとぼくを愛し続けるって言ったのに．
B: Well, things change. Now she loves me.
まあ，世の中動いているからね．で，いま彼女が愛しているのはぼくなのさ．

character 性格

Character is destiny.
「**性格は宿命である**」➤自分の性格が自分の運命を決定するということ．古代ギリシャの哲学者ヘラクレイトス (Heraclitus) のことばとされる．

charity 慈善；施し；慈悲；隣人愛

Charity begins at home.
「**慈悲は家庭から始まる**；人助けは身の回りから」➤人を助けようという気持ちがあるなら，まず家族や身近な人を助けることから始めなさい，ということわざ．この charity はキリスト教的な慈悲・隣人愛のこと．

Ex. A: Why are you giving money to the Niigata earthquake victims?
どうして新潟地震の被災者に義援金を送るの？
B: Charity begins at home. 人ごとじゃあないからね．

Charity covers a multitude of sins.
「**慈悲は多くの罪を隠す**」➤慈悲深くあれば罪も許されるということわざ．出典は新約聖書 (New Testament) の「ペトロの手紙一」(1 Peter 4:8) にあることば And above all things have fervent charity among yourselves: for charity shall cover the multitude of sins. (何よりもまず，心を込めて愛し合いなさい．愛は多くの罪を覆うからです)．

I don't need charity.
「**施しはいらない**；お情けはいらない」➤恩着せがましい申し出などを断るときに用いる．

charm 魅力；魔力；お守り；魅了する；魔法にかける
charmed 魔法をかけられた；魅了された

Charmed, I'm sure.
「(お目にかかれて) **うれしゅうございます**」➤人を紹介されたときや誘いを受けたときに言う表現で，皮肉を込めて，あるいは おどけて用いることが多い．単に Charmed. ともいう．「私は魅了されました，それは確かです」が原義．

Ex. A: Would you walk to church with me?

教会までごいっしょしませんか.
B: Charmed, I'm sure. それはうれしゅうございますね.

[補足] 映画『タイタニック』(*Titanic*, 1997)で，ローズ (Rose) が母親のルース (Ruth) にジャック (Jack) を紹介したときに，ルースがこのことばをいう場面がある.

The third time is the/a charm.

「3度目の正直だ; 3度目の正直になるといいね」➤日本語と同じ発想の表現で,「3度目は魅力的なものだ」が原義. 定冠詞を省略して Third time is the/a charm. ともいう. イギリス英語では (The) third time lucky. という.

Ex. A: I asked her out twice, but she turned me down.
2度彼女をデートに誘ったのに断られちゃった.
B: The third time is a charm. 3度目の正直にすればいいじゃない.

chase 追いかける; 追跡

Cut to the chase.

「さっさと肝心なことを話してよ; はっきり言ってよ」➤持って回った言い方をする相手に言う. Get to the point. と同じ.「(さっそく) 本題に入りましょう; ずばり用件を話しましょう」と提案する場合は Let's cut to the chase. を用いる.

[補足] 由来は「カットして追跡場面につなげる」という映画用語から. カーチェースなどの追跡場面はサスペンス映画のハイライトシーンであるが，それに至るまでの時間が長すぎる場合にその前の部分をカットして早く追跡場面につなげるように指示されることが多かった. その表現が「本題に入る」という意味で広く使われるようになった.

cheat ごまかす; カンニングする; ごまかし (をする人); ペテン師
cheater ごまかしをする人; ペテン師; 浮気者

Cheaters never prosper.

「いんちきするようなやつは絶対に成功しない」➤ずるをしてゲームに勝とうとしたり，試験でカンニングしたりする子どもに対して親や教師がよくいう. Cheats never prosper. ともいう.

Cheating is a sin.

「ごまかしは罪だ」➤ゲームなどでの不正行為は犯罪ではないにしても，道徳的・宗教的によくないという意味で用いる.

Once a cheater, always a cheater.

「前に**不正行為**をしたようなやつはずっと**不正行為**をする; ずるい人間の根性は変わらない; 浮気癖は直らない」 [類似] Once a crook, always a crook.

[補足] この Once a ..., always a ... という文型は Once a liar, always a liar. (うそつきは死ぬまでうそつきだ) などさまざまなバリエーションで用いられる.

check (途中で) 止める (こと); チェック (する); 小切手; 勘定書き

Check.

「オーケー; それは済んだ」➤相手の出す一連の指示に従うときや，買い物や荷物の

リストを点検するときなどに言う.

Ex. A: Gas? ガソリンは?　　B: Check. オーケー.
A: Oil? オイルは?　　B: Check. オーケー.
A: Water? 水は?　　B: Check. オーケー.
A: OK, let's go. よし，じゃあ行こう.

Check, please.
「**お勘定をお願いします**」▶レストランなどで用いる表現. より丁寧には May/Could I have the check, please? などと言う.

Check it out.
「**それを調べてみなさい；どんなものか確かめてみなさい**」

Ex. I hear they serve good Italian food at that restaurant. If you're free this evening, shall we check it out? あのレストランのイタリア料理はおいしいんですって. もし今晩ひまだったら，いっしょに行ってみない?

Just checking.
「**ただ確かめただけです**」▶「どうしてそんなことを聞くの」などと言われたときの答え.

Ex. A: Have you bought the tickets yet? もう切符は買ったの?
B: Yes, why? 買ったよ. どうして?
A: Just checking. ただ確認しただけよ.

Separate checks, please.
「**お勘定は別々でお願いします**」▶数人でレストランで食事したときなどに，ウエートレスやレジ係などに用いる表現.

The check is in the mail.
「**小切手は郵送しましたから**」▶支払い期限を過ぎてもまだお金を払っていない人が電話で催促されたときに使う言い訳.

cheek　ほお；生意気；無礼

Enough of your cheek.
「**ずうずうしいにもほどがある；生意気言うな；何をこしゃくな**」▶I've had enough of your cheek. または That's enough of your cheek. の省略表現.

Ex. You want me to write your report for you? Enough of your cheek. Get on and write it yourself. 報告書を代わりに書いてくれないかだって? 厚かましいこと言ってないで，さっさと自分で書きなさい.

None of your cheek.
「**生意気言うな；何をこしゃくな**」

Ex. None of your cheek. You should speak to your teacher with respect. 何を生意気な. 先生には敬意を払った口のきき方をしなさい.

The cheek of it. / What a cheek!
「**厚かましいにも程がある；いい神経しているよ；まったく非常識よね**」

Ex. He wanted me to tell him the answers to the homework assignment. The cheek of it.
彼は宿題の答えを教えてくれっていうんだ. まったく厚かましいやつだ.

Turn the other cheek.

「もう一方のほおも出しなさい」➤侮辱や攻撃を加えられても仕返しせずに，それを甘受しなさいという意味で用いる．新約聖書 (New Testament) に出てくるイエス・キリスト (Jesus Christ) のことばから．

[補足] 聖書に出てくる山上の説教 (Sermon on the Mount) でイエスが語ったことばは次のとおり．

> Ye have heard that it hath been said, "An eye for an eye, and a tooth for a tooth"; but I say unto you, that ye resist not evil: but whosoever shall smite thee on thy right cheek, turn to him the other also. (Matthew 5:38−39)

あなたがたも聞いているとおり，『目には目を，歯には歯を』と命じられている．しかし，わたしは言っておく．悪人に手向かってはならない．だれかがあなたの右の頬を打つなら，左の頬をも向けなさい．

cheer 喝采(かっさい); 励まし; 喝采する; 励ます; 元気づく

Cheers.
「乾杯; さようなら」➤Bottoms up. / Down the hatch. / Drink up. / Here's to you. と同じ．イギリス英語では Goodbye. と同じ別れのあいさつ．

Cheer up.
「元気を出して」➤落ち込んでいる人などを励ますときに用いる．

cheese チーズ

Say cheese.
「はい，チーズ」➤写真を撮るときに被写体に対して言う．
[補足] cheese と発音するときには口が横に開くので笑顔になることから．

Who cut the cheese?
「だれだい，おならをしたのは」➤おならのにおいがしたときにいう俗語表現．おならのにおいをチーズに例えたもので，cut the cheese で「おならをする」という意味．

chef シェフ; コック長

My compliments to the chef.
「料理長においしかったと伝えておいてください; おいしゅうございました」➤Please give my compliments to the chef. などの省略表現で，レストランなどの料理がおいしかった場合にウェイターなどに言う．また，おいしい料理を食べさせてくれた人に対して用いることもある．My compliments to the cook. ともいう．

Never trust a skinny chef.
「やせたシェフを信用するな」➤Never trust a skinny cook. に同じ．

chest 胸

Chest out.

chew かむ

Chew well before swallowing.
「よくかんでから食べるのよ」➤食事のときに親が子どもによく用いる．Chew 20 times before swallowing. (飲み込む前に20回かみなさい) などともいうが，回数については特に決まっていない．単に Chew well. ともいう．

chicken 鶏；ひよこ；鶏肉

A chicken in every pot and a car in every garage.
「どの鍋にも鶏1羽を，どのガレージにも車1台を」➤1928年の大統領選挙戦で共和党 (Republican Party) 候補のハーバート・フーバー (Herbert Hoover) 陣営が用いたスローガン．経済的繁栄を国民全員が享受できる社会にするというもの．

Don't count your chickens before/until they hatch.
「まだかえっていないひなの数を数えるな；とらぬ狸の皮算用はするな」➤they hatch の部分は they're hatched / they've hatched という形も用いられる．

The chickens come home to roost.
「自業自得；身から出たさび；人をのろわば穴2つ」➤自分の行為の結果は自分に跳ね返ってくるという意味のことわざ．一般的な真理として述べる場合は come と現在形を用いるが，特定の事例について「自分の行いが悪いからそうなったのだ」という場合は The chickens came home to roost. / The chickens have come home to roost. のように過去形や現在完了形も使われる．「鶏はねぐらに帰る」が原義．Curses, like chickens, come home to roost. ともいう．

Which/What came first, the chicken or the egg?
「卵が先か鶏が先か」➤堂々巡りになって答えの出ない問題の典型．

Why did the chicken cross the road?
「鶏はどうして道路を渡ったのか」➤有名なジョークまたはなぞなぞ (riddle)．一般的な答えは To get to the other side. (向こう側へ行くため)．

[補足] これは light bulb joke や knock-knock joke と同様に1つのジョークのカテゴリーとなっていて，さまざまなバリエーションの答えが創作されている．

You can't make chicken salad out of chicken shit.
「鶏のふんからチキンサラダを作ることはできない；材料が悪いとどうしようもない」➤適切な材料・人材などがなければ望む結果は得られない，という意味の下品なことわざ．一般には You can't make bricks without straw. という．

chief 長；かしら

Hail to the Chief
「最高司令官，万歳」➤アメリカの軍最高司令官 (Commander in Chief) である大統領が入場するときに演奏される歌の題名，およびその出だしの文句．

child 子ども

Children should be seen and not heard.
「**子どもは見られるべきで，聞かれるべきではない**」➤子どものしつけとして，食事のときやおとな同士が話をしているときには子どもは口を出してはいけない，という表現. Children should be seen but not heard. ともいう.

Children should come first.
「**子どもを第一に考えるべきです**」➤社会問題や交通安全，家庭内の問題などで子どもを優先した対策や処置をとるべきだという意味で用いる. Your children should come first. ともいう.

It's child's play.
「**そんなの子どもの遊びだ；そんなのわけない**」➤ひどく簡単だという意味で，日本語の「児戯に等しい」と同じ発想.

Ex. It was child's play to teach her English. She was very intelligent and understood quickly. 彼女に英語を教えるのは簡単だった．彼女はとても頭がよくて飲み込みが早かったから．

Never work with children or animals.
「**子どもや動物といっしょに仕事をするな**」➤ショービジネスの世界でよく用いられる表現．子どもと動物はかわいいので，共演すると人気をさらわれてしまうことから．

Stop acting like a child.
「**子どもみたいなまねはやめなさい；だだをこねるんじゃない**」

The child is (the) father of the man.
「**子どもはおとなの父親だ；子どもは未来のおとな；三つ子の魂百まで**」➤子どものころの性質はおとなになっても変わらない，あるいは子どもの時期に一個人としての基礎が築かれるという意味のことわざ．男性の場合には The boy is father of the man. また女性の場合には The girl is mother of the woman. ともいう.

You know how children are.
「**やっぱり子どもですからね；子どもなんてそんなものだよ**」➤子どもに共通して見られるふるまいに用いる.「子どもがどういうものか知っているでしょう」が原義.

Ex. The children loved meeting Mickey Mouse at Disneyland and wanted to line up three times to meet him. You know how children are. 子どもたちはディズニーランドでミッキーマウスに会いたくって，3度も列に並びたがったんですよ．やっぱり子どもですね．

[補足] You know how boys are. や You know how girls are. などともいう.

chill 冷える；冷静になる；冷たさ

Chill out.
「**落ち着いて**」➤Calm down. とほぼ同じ.

Ex. Hey, stop complaining. Just chill out and enjoy the show.

まあ，文句を言うのはやめてさ．落ち着いてショーを楽しみなさいよ．

I'm just chilling.
「**くつろいでいる；のんびりやっている**」➤特にこれといったことはしていないという場合に用いるくだけた言い方．省略表現で Just chilling. ともいう．

chin あご

Chin up. / Keep your chin up.
「**顔を上げて；元気を出して；胸を張って**」➤うつむかないで，あごを上げてしっかり前を見て行動しなさい，という意味で用いる．
Ex. A: I failed my driving test. 運転免許の試験に落ちちゃった．
B: Hey, chin up. Keep practicing and I'm sure you'll pass next time. なあに，めげることはないよ．練習を続ければ次にはきっと受かるよ．

[補足] 1語の名詞 chin-up は鉄棒の「懸垂 (運動)」の意味．

chip (木などの)切れ端，破片；小片；チップ

Let the chips fall where they may.
「**後はなるようになれだ；結果は後からついてくる**」➤やるべきことをやって，その結果がどうなろうと，あるいはほかの人がどう思おうとも構わないという場合に用いる．「破片は落ちるところに落ちさせればよい」が原義．Let the chips fall. ともいう．

choice 選択

I have no choice.
「**ほかに選択肢はない；仕方がない**」➤私はそれをする以外にないという場合に用いる．
Ex. A: I heard your next business trip is to Beirut?
次はベイルートに出張ですって？
B: Yes, I don't want to go, but I have no choice.
そうなんだよ．行きたくないけど，行かないわけにはいかないからね．

No choice.
「**仕方ないよ**」➤I have no choice. または There is no choice. の省略表現．

There is no choice.
「**ほかに方法はない；仕方ないよ**」➤I have no choice. とほぼ同じだが，こちらは相手に対しても使える．省略して No choice. ともいう．
Ex. A: Will you really marry Judy? ほんとうにジュディーと結婚するの．
B: She's pregnant, so there is no choice.
妊娠しちゃったからね．仕方ないよ．

What choice do I have?
「**私にはどんな選択肢があるのか；仕方がないでしょ**」➤文字どおりにどんな選択肢があるのか問う場合と，「そうするしかないではないか」と反語として用いる場合がある．
Ex. A: Are you really going to sell your car? ほんとうに車を売るの．
B: The inspection has expired and the clutch needs replacing,

so what choice do I have?
車検は切れているし、クラッチは交換しなくちゃいけないし、しょうがないよ.

You leave me no choice.
「そういうことなら仕方がない；そっちがそう出るならこっちはこうするしかない」➤あなた(の行動)は私に選択の余地を残さない，ということから.

Ex. You stole money from petty cash again? You leave me no choice but to call the police. また置いてあるお金を盗んだのか. こうなったら仕方がない，警察に通報するよ.

choke 窒息する[させる]；のどを詰まらせる

Choke on it.
「つべこべ言うな；我慢しろ」➤食べ物に文句をつけている人に「のどに詰まらせてでも食べろ」という場合，気に入らないものなどを我慢して受け入れろという場合，腹の中のものを外に出すなという場合などに用いる.「それでのどを詰まらせろ」が原義.

Ex. A: I'm thinking of confessing to the crime.
その犯罪について告白しようと思っているんだ.
B: Choke on it. No one needs to know.
腹にしまったままでいることだね. だれも知る必要はないんだから.

Don't choke.
「上がるな；震えるな」➤大事な試合などで緊張して実力を出し切れないようなことになるな，という意味. 平常心でいつもどおりの力を発揮しなさいということ.

Ex. Your speech is next. Hey relax, don't choke. You'll be fine.
次はあなたのスピーチよ. リラックスして，上がらないでね. だいじょうぶよ.

choose 選ぶ

Many are called but few are chosen.
「招かれる人は多いが，選ばれる人は少ない」➤新約聖書 (New Testament) の「マタイによる福音書」(Matthew 22:14) に出てくるイエス・キリスト (Jesus Christ) のことば. 天国に招待される人は多いが，それにふさわしいとして選ばれる人は少ない，というたとえ話の中で語られている.

There's not much to choose between them.
「両者の間に違いはほとんどない；甲乙つけがたい；五十歩百歩だ」➤よいものについても悪いものについても用いられる. There's nothing to choose between them. (両者の違いはまったくない) という表現もある.

chop たたき切る(こと)

Chop chop.
「さあ急いで；早くして」➤相手をせかすときにいう.

Ex. Get your training shoes from you locker. Now. Chop chop!
ロッカーからトレーニングシューズを持ってきなさい. さあ，早くして.

[補足] 「急いで行動する」という意味の動詞を繰り返して副詞的に使う混成英語 (pidgin English) からとされる.

Did you chop down the cherry tree?
「**桜の木を切ったのはおまえか**」➤アメリカの初代大統領ジョージ・ワシントン (George Washington) の有名な伝説「ジョージ・ワシントンと桜の木」(George Washington and the Cherry Tree) で父親がジョージ少年に尋ねた質問.

Christ キリスト; 救世主; イエス・キリスト (Jesus Christ)

Christ! / Holy Christ!
「**あれまあ; なんてことだ**」➤非常に驚いたりしたときの発声. [類似] Holy cow!
[補足] 聖書には「あなたの神、主の名をみだりに唱えてはならない」(Thou shalt not take the name of the Lord thy God in vain) と書かれており, 信心深い人たちはこのようなことば遣いを好まない.

Christmas クリスマス; キリスト降誕祭

Christmas comes but once a year.
「**クリスマスは年に1度しかこない**」➤楽しいことはめったにないから楽しめるときに楽しめ, という意味のことわざ. これをタイトルとするクリスマスソングやアニメもある.

Christmas is about giving.
「**クリスマスは与えること**」➤クリスマスはプレゼントをもらう日ではなく, 神がキリストを地上に遣わせてくださったように, 与えることに意義があるということ.

Christmas isn't about presents.
「**クリスマスはプレゼントの日ではない**」➤クリスマスが商業的になって, プレゼントをあげたりもらったりすることが中心になっていることに対して批判的に使われることば.

Merry Christmas! / Happy Christmas!
「**クリスマスおめでとう; メリークリスマス**」
[補足] ジョン・レノン (John Lennon) の歌に ("Happy Christmas (War Is Over)") がある.

'Twas the night before Christmas
「**クリスマスの前の晩のことでした**」➤19世紀のアメリカの作家クレメント・C・ムーア (Clement C. Moore) の作とされる有名な詩 "The Night Before Christmas" の出だしの文句. クリスマス前夜にサンタクロースがトナカイ (reindeer) のそり (sleigh) に乗ってやってきて, 煙突から家に入ってプレゼントを靴下に詰めて立ち去るようすが描かれている. 'Twas は It was の短縮形. この詩は『クリスマスのまえのばん』という絵本で邦訳されている.

[補足] 最近の研究から, この詩の真の作者はヘンリー・リビングストーン・ジュニア (Henry Livingstone, Jr.) であるという説が有力視されている.

★トナカイに引かせたそりに乗って空を飛び回り, 煙突から家の中に入って子どもたちにプレゼントを配るというサンタクロースのイメージはこの詩から広まった.

★ティム・バートン (Tim Burton) の映画『ナイトメアー・ビフォア・クリスマス』(*The Nightmare Before Christmas*, 1993) はこの句をもじったもの.

circumstance　周囲の事情；状況；環境

Circumstances alter cases.
「状況次第で話は違ってくる」➤常に原理・原則どおりに事を進めることはできず，個々の事例に特有の事情を考慮して扱い方を変えざるを得ない，という意味のことわざ．法律問題についてよく使われる．「事情は事例を変える」が原義．

It depends on the circumstances.
「それは状況による」
Ex. A: Would you lend him 100, 000 yen? 彼に10万円貸すかい．
B: Well, maybe. It would depend on the circumstances.
もしかしたらね．状況によるわね．

Not under any circumstances.
「どんなことがあってもだめ；絶対にそんなことはない」➤相手の依頼や質問に対して強く否定するときに使う．アンケートの回答の選択肢としても用いられる．Not under any circumstance. と単数形が使われることもある．また，Under no circumstances. ともいう．

circus　サーカス

I'll/We'll sell you to the circus.
「サーカスに売り飛ばしちゃうよ」➤言うことを聞かない子どもに親がよく用いる．
Ex. If you children don't behave, I'll sell you to the circus.
行儀よくしないとサーカスに売り飛ばしちゃうわよ．

[補足] これに対して子どものほうは「家出してサーカスに入る」(run away to join the circus) ことをよく願う．

city hall　市役所；市当局

You can't fight city hall.
「お役所には勝てないよ」➤市民が行政当局に対して異議などを唱えても聞き入れてもらえないということ．You can't beat city hall. ともいう．
Ex. A: They are going to build a bus stop in front of my house.
うちの家のすぐ前にバス停ができるんだよ．
B: That's too bad, but you can't fight city hall.
それは困ったね．でも，お役所には勝てないしね．

class　授業；学級；クラス；部門；上品さ

Class dismissed.
「きょうの授業はこれまで」➤教師が授業の終わりを告げるときに用いる．(The) class is dismissed. の省略表現で，単に Dismissed. ともいう．

You can't buy class.
「上品さは買うことはできない」➤品格は経験によって徐々に身につくもので，物を

買うように手軽に手に入れることはできないということ.

clean きれいな;清潔な;きれいにする;掃除する
cleanliness 清潔

A clean room is a happy room.
「きれいな部屋だと気持ちがいいでしょ」➤特に親が子どもに部屋を掃除するように命じるときによく用いる.

Cleanliness is next to godliness.
「清潔は敬虔(けいけん)に通じる」➤清潔は信心深さに次いで重要だということわざ.

Come clean.
「ほんとうのことを (全部) 話しなさい;白状しなさい」➤包み隠さずに全部話してしまいなさいと言うときに用いる. 類似 Spill your guts.

Keep it clean.
「きれいにしておきなさい;汚いことば遣いはしないように」➤部屋や品物,ことば遣いなどさまざまなものについて用いる.

Only if you clean your room.
「自分の部屋を掃除したらね」➤子どもがお願いをしたりしたときなどに,それを許可する条件として親がよく言う.

clear 澄んだ;晴れた;はっきりした;片づける;離れて

Are we clear?
「わかったか」➤相手が自分の言ったことを理解したかどうかを確認するときに用いる.「私たちは危機を脱したか;私たちは問題ないですか」という意味でも使われる.
- **Ex.** OK, so the plan is we will meet back here at 3:00 PM. Are we clear? よし,じゃあ午後3時にまたここで落ち合おう. わかったかい.

Clear!
「離れて」➤医者が心停止した患者に電気ショックを与えるときなどに,他の医師や看護師などに対して言う. また,医療現場以外の危険な作業でも用いられる.

Clear the way!
「道を空けて;どいて」➤Coming through. などよりも強い調子の言い方で, Gangway! とほぼ同じ.

Do I make myself clear?
「わかったか」➤相手が自分の指示や命令を理解したか確認するときに用いる.
- **Ex.** This is the last time I'm lending you money. Do I make myself clear? あなたにお金を貸すのは今回が最後よ. いいわね.

Is that clear?
「わかったか」➤Are we clear? とほぼ同じ.

clever 利口な;巧妙な

Don't get clever (with me).

「こざかしいことはするな；生意気なことを言うな；減らず口をたたくな」
Ex. A: You broke my favorite cup. 私のお気に入りのカップを割っちゃって．
B: Well it was old anyway. まあ，どっちみち古いやつじゃないか．
A: Don't get clever with me. 減らず口をたたくもんじゃないわよ．

clock　掛け時計；置き時計

Someone's **biological clock is ticking** (**away**).

「**生物時計がチクタク鳴っている**；もうそろそろ限界にきている」▶通例，女性が子どもを産める年齢の上限に近づいている，という意味で用いられる．
Ex. A: John and I are thinking about starting a family.
ジョンと私は子どもを作ろうかと考えているの．
B: Well you shouldn't wait too long. Your biological clock is ticking away. まあ，あんまり先に延ばさないほうがいいわね．あなたも子どもを産める限界に近づいているもの．
[補足] 最近では男性についてもこの表現が使われ始めている．

I'm on the clock.

「**勤務時間中です**」▶雇用契約で定められた勤務時間中であり，この時間に対して報酬をもらっているので仕事と関係ないことはできない，というような場合に用いる．
Ex. A: Why don't you meet me at 11:30 for lunch?
11時半に落ち合ってお昼を食べに行きましょうよ．
B: I can't, I'm on the clock. だめよ．まだ勤務時間中だもの．

Look at the clock.

「**あ，もうこんな時間だ**」▶こんな時間になっているとは気づかなかった，もう帰らなくてはというような場合に用いる．Look at the time. ともいう．

The clock is ticking.

「**時間は刻々と過ぎていく；一刻も猶予はならない；急がないと手遅れになる**」▶特に緊急事態で時間との競争だ，という場合によく用いられる．原義は「時計はチクタク動いている」．
Ex. Hurry up! The taxi is waiting outside and the clock is ticking.
急いで．タクシーが外で待っていて，メーターがどんどん上がっているんだから．

You can't turn back the clock.

「**時間を元に戻すことはできない**」▶過去のできごとをやり直すことはできない，あるいは時代を過去に引き戻すことはできないということ．

close　近い；閉まる；閉じる

Close, but no cigar.

「**惜しい；もう少しだ**」▶いいところまで行ったけど結局だめだったというときに用いる．例えば，クイズの回答が正解に近いのだけれど不正解だとか，野球などでチャンスは作ったが得点できなかった場合など．
[補足] カーニバルの射的ゲームなどで，賞品の葉巻を獲得できなかった客にこのせりふが使われたことからとされる．

It's a close call.
「あわやというところだ；非常にきわどい；どっちに軍配を上げるか難しいところだ」➤野球で1塁への送球と打者走者のベース到達がほとんど同時の場合などに使われる「きわどい判定だ；微妙な判定だ」が原義．

Not even close.
「**全然だめだ；大外れ**」➤答えや結果などが予想からかけ離れたものだということ．

Ex. A: How much do you think my new pen cost?
　　　　私の新しいペン，いくらだったと思う？
　　B: 2,000 yen? 二千円？
　　A: Not even close. I got it at a 100 yen shop!
　　　　大外れ．100円ショップで買ったのよ．

That was close.
「**危ないところだった；きわどかった**」➤実際に身の危険があった場合にも，何か不都合な事態に陥りそうだったという場合にも用いる．

Ex. A: Wow, that was close! いやー，危なかったね．
　　B: Yes, we almost missed the train.
　　　　まったく．もう少しで電車に乗り遅れるところだったよ．

That's too close for comfort.
「**非常に危ないところだった；非常にきわどい**」➤あまりにもきわどくて，ほっとする余裕もないという状況を表す．過去についても，現在の状況についても用いられる．

You're close.
「**いい線いっていますね；だいたい当たっています**」➤相手の推測などが答えに近いという場合に用いる．単に Close. ともいう．

Ex. A: How old is Mary? メアリーはいくつかわかる？
　　B: About 18? 18歳くらいかな．
　　A: You're close. She's 19. 近い．19歳よ．

---

clothes 衣服

Clothes don't make the man.
「**身なりがよくても中身がよいとは限らない；人は見かけではない**」➤外見で人を判断することを戒めたことわざ．服装はりっぱだけれども中身が伴わない，という意味でも使われる．女性について用いる場合には Clothes don't make the woman. ともいう．「服装が人をつくるわけではない」が原義．

Ex. Tom is wearing an expensive tailored suit, but clothes don't make the man.
　　トムは仕立てのもの高いスーツを着ているけれど，いくらいいものを着てもだめだね．

Clothes make the man.
「**人は身なりで決まる；馬子にも衣装**」➤服装は大事だという意味のことわざ．女性について用いる場合は Clothes make the woman. という．

Ex. I think you should buy a new suit. Remember, clothes make the man. 新しいスーツを買ったほうがいいわよ．馬子にも衣装って言うし．

cloud 雲

Every cloud has a silver lining.
「どの雲も銀色の裏地がついている；苦あれば楽あり；災い転じて福となす」➤どんな悪い状況でもよい面があるということわざ．雲の裏側つまり太陽が当たっている部分は銀色に輝いていることから．Every dark cloud has a silver lining. ともいう．

club クラブ

Join the club. / Welcome to the club.
「こっちは**先輩**だよ；お仲間が増えたね」➤身の不運を嘆く相手に，私はすでに同じ状況を経験していますよ，という意味で用いる．[類似] Join the crowd.
Ex. A: I got a parking ticket. 駐車違反の切符を切られちゃったよ．
B: Join the club. そんなのはぼくだってあるよ．

clue 手がかり；糸口；ヒント

Get a clue.
「**現実に気づきなさい**；しっかりしなさい」➤現実というもの，あるいは現にある問題などにまったく気づいていないと思われる人に対して言う．「手がかりをつかめ」が原義．
Ex. A: I don't know how to use this printer.
このプリンターの使い方がわからないんだけど．
B: Get a clue. You just turn on this switch that says "On."
しっかりしなさいよ．「電源」ていうこのスイッチを入れればいいのよ．

I don't have a clue.
「**さっぱりわからない**」➤相手の質問に対し答えの糸口さえ見つからないということ．

coast 海岸；沿岸

The coast is clear.
「**異常なし**；（だれもいないから）いまならだいじょうぶだ」➤周囲に監視の目がないからいまならないしょの計画を実行できる，という場合などに用いる．
Ex. A: Has the boss left yet? もう社長は帰ったかい．
B: Yes, the coast is clear. You can call your mother now.
ええ，だいじょうぶよ．いまならお母さんに電話できるわ．
[補足] 密貿易で，海岸に沿岸警備隊や警察がいないことを確認したときの表現に由来するとされる．なお，この文は「沿岸部は晴れです」という意味にもなり，この意味をかけたジョークが多くある．

coat 上着；コート

Cut your coat according to your cloth.
「自分の持っている生地に合わせて上着の裁断をしなさい；身の丈に合った生活をし

なさい」 ▶無理をせず，自分の財政状況などに応じた生活やふるまいをしなさい，という意味のことわざ． Cut your coat to suit your cloth. ともいう．

Let me take your coat.
「コートをお預かりしましょう」 ▶訪問者やパーティーの来客などに対して言う．

coffee コーヒー

Coffee stunts your growth.
「コーヒーを飲むと背が伸びない」 ▶成長期の子どもにコーヒーはよくないということ．この説に科学的根拠はないらしい． Caffeine stunts your growth. ともいう．

How do/would you like your coffee?
「コーヒーはどのようにお飲みになりますか」 ▶砂糖やクリームを入れるかと尋ねる表現． How would you ...? と would を使うほうが丁寧．

Ex. A: How would you like your coffee? コーヒーはどうなさいますか．
B: Black with two sugars, please. ブラックで砂糖を2個お願いします．

Would you like some coffee?
「コーヒーでもいかがですか」 ▶コーヒーを勧めるときに用いる．「コーヒーか紅茶でもどうですか」なら Would you like some coffee or tea? と言う．

coincidence 偶然 (の一致)

What a coincidence!
「これは奇遇だね；すごい偶然ね」 ▶相手が自分と同じ趣味をもっていることがわかったときなどに言う．

Ex. What a coincidence! We are both wearing the same sweater.
これは奇遇ね．私たちの着ているセーター，同じじゃない．

cold 冷たい；寒い；寒さ；かぜ

Chicken soup is good for colds.
「かぜにはチキンスープが効く」 ▶英米で古くから言い伝えられている表現で，日本の「かぜには卵酒」に相当する． Chicken soup for colds. ともいう．

[補足] チキンスープは鶏肉と玉ねぎ，人参などの各種野菜を使って作る．これらの材料は実際に免疫系の働きを高める作用があり，この民間療法には科学的根拠があることが判明したという．日本でもベストセラーになったジャック・キャンフィールド (Jack Canfield) 著『こころのチキンスープ』(*Chicken Soup for the Soul*) はこの言い回しを踏まえたもの．

Cold weather causes colds (and flu).
「寒いとかぜ (とインフルエンザ) にかかる」 ▶一般に広まっている俗説 (myth)．実際には，寒さとかぜ (あるいはインフルエンザ) との間には直接の関係はないとされる．

Feed a cold, starve a fever.
「かぜには食べて，熱には食べるな」 ▶かぜを引いたときと熱を出したときの対処法を説いたことわざ．ただし，医学的な根拠はないとされる．「かぜには食べ物を与え，熱

は飢えさせろ」が原義.

Is it cold enough for you?
「**冷えますね；寒いですね**」➤寒いときのあいさつ．省略表現の Cold enough for you? も用いる．暑いときには Is it hot enough for you? という．

color 色(をつける)

Color me ...
「**私はすっかり…だ**」➤Color me surprised/confused. (私はすっかり驚いている/まったくわけがわからないでいる)というように用いる．塗り絵をするときのイメージから生まれた表現で，私の顔(と体)は全部そのような状態にあるものとして色を塗ってくれ，ということから．
Ex. A: Sorry, sir. The restroom is on the third floor.
すみません，洗面所は3階ですが．
B: Oh, color me confused. あれ，私はすっかり混乱していますね．

Columbus コロンブス(★アメリカ大陸の発見者)

In 1492, Columbus sailed the ocean blue.
「**1492年，コロンブスは青い海を航海した**」➤コロンブスのアメリカ大陸到達の年号を覚えるときに生徒が習うもの．日本語のごろ合わせ式年号暗記術にある「意欲に(1492)燃えるコロンブス」などの文に相当する．1492 は fourteen ninety-two または fourteen hundred (and) ninety-two と読む．
[補足] 多くの伝承童謡 (nursery rhyme) と同じく，前半と後半がそれぞれ4拍からなり，two と blue が韻を踏んでいて口調のよいものになっている．なお，英語ではごろ合わせ式年号記憶法はなく，おそらくこの句がそれに近い唯一のもの．

come 来る；(相手のところに)行く

Come again.
「**また来てください；またお越しください**」➤一般にも使われるが，特に買い物をした客に店員がよく使う．

Come again?
「**何ですって；もう1度言ってください**」➤くだけた表現．[類似] Excuse me?
Ex. A: Congratulations! I heard you and Jim are getting engaged.
おめでとう．ジムと婚約したんだってね．
B: Come again? 何ですって？
A: I heard you and Jim are getting engaged. Is it true?
ジムと婚約したって聞いたけど．違うの？

Come and get it.
「**さあ，来て食べて**」➤食事の用意ができたから食べなさいという意味で用いる．
Ex. Dinner's ready! Come and get it!
夕飯の用意ができたわよ．食べに来なさい．

Come back and see us/me.

「また会いにきてください; これに懲りずにまたお越しください」 ▶パーティーの招待客などを送り出すときに言う.

[補足] 次のような類似表現もよく使われる.

Come back anytime. またいつでもお越しください.
Come back when you can stay longer. 今度もっとゆっくりできるときにまた来てください.

Come in.

「(部屋に) お入りください」 ▶客などを招き入れるときに用いる.「さあどうぞ入って」と意味を強めるときには Come on in. / Come right in. / Do come in. などを用いる.「入りませんか」と勧める表現には Won't you come in? / Do you want to come in? などがある. また, 無線で「応答願います」というときにも用いる.

[補足] 次のような応用表現もよく使われる.

Come in and make yourself at home. どうぞ入ってくつろいでください.
Come in and sit/set a spell.
中に入って少しゆっくりしてよ (★この spell は「しばらくの間」という意味).
Come in and sit down. 中に入って座ってください.

Come off it!

「何を言っているの」 ▶相手が理不尽なことを言ったり, もったいぶった態度をとったりしたときに用いる.

Ex. Come off it! You don't stand a chance of winning the race.
ばか言わないでよ. あなたがレースに勝てるわけないでしょ.

Come on.

① 「さあ来なさい」 ▶相手にこちらに来るように促すときに用いる.
② 「さあ」 ▶相手を急がせたり, 励ましたり, 行動を促すときなどに用いる.
Ex. Come on, let's go. さあ, 行きましょう.
Ex. Come on, you can do it! Don't give up!
さあ, きっとできるからやってごらん. あきらめないで.

③ 「何を言っているの」 ▶相手を慰めたり, あるいは強い調子で「ばか言わないでくれ」と抗議するときなどに用いる. 後者の場合はしばしば Oh, come on! の形になる.
Ex. A: I heard he taught himself Chinese in three months.
　　　彼は3か月で中国語を独学でマスターしたんだって.
　　　B: Oh, come on! 何言っているのさ.

Come out, come out wherever you are.

「出てきなさい. あなたがどこにいようと出てきなさい」 ▶かくれんぼ (hide-and-seek) で, 鬼 (it) が隠れている子を探し回るときに言う.

[補足] サスペンス映画などで, 殺人犯がこう言いながら隠れた主人公たちを探し回る場面がときどき見られる. Ready or not, here I come! を参照.

Coming soon.

「近日上映; 近日オープン」 ▶映画や催しなどの宣伝文句.

Coming through.

「通してください」 ▶混んでいる場所を通り抜けるときに用いる. より強い調子で言うときは Clear the way! / Gangway! などを用いる.

Coming up.

「はい，ただいま」➤簡易食堂などで注文を受けたウエートレスなどが「かしこまりました．すぐにお持ちします」と言う場合や，コックがウエートレスに「一丁上がり」という場合などに用いる．家庭でも「はい，すぐに作ります」という意味で使われる．

[補足] これをタイトルとするポール・マッカートニー (Paul McCartney) の歌があるが，そこでは「(それは) やがて現れる」という意味で使われている．

I came, I saw, I conquered.

「来た，見た，勝った」➤ジュリアス・シーザー (ラテン語読みでユリウス・カエサル) (Julius Caesar) が，小アジアを難なく平定した際にローマに書き送った戦況報告．

[補足] ラテン語の *Veni, vidi, vici.* も使われる．

I'm coming!

「いま行きます」➤玄関のチャイムが鳴って応対に出るときなどに用いる．単に Coming! ともいう．

I'm glad you could come.

「来ていただけてよかった」➤パーティーの招待客などを出迎えるときに言う．夫婦などで出迎える場合には We're glad you could come. となる．

Keep it coming.

「じゃんじゃん持ってきて；どんどんして」➤飲み屋でビールを注文するときなどに，追加注文を待たずにどんどん持ってきて，というように使う．「どんどん質問して；じゃんじゃんリクエストして」などという場合にも用いる．「それを来させ続けなさい」が原義．

Ex. A: You'd better stop drinking. You have to work tomorrow.
　　　もうお酒はそれ以上飲まないほうがいいわよ．あしたも仕事があるんだから．
　　B: Keep it coming. I'm just getting started.
　　　じゃんじゃん持ってきてよ．やっとエンジンがかかってきたところなんだから．

Never forget where you come from.

「**自分がどこから来たのかを決して忘れるな**」➤自分の出自や出発点を常に意識して，自分を見失わないようにしなさい，という意味のことわざ．

Ex. Even when he became rich and famous, he never forgot where he came from. 彼は富も名声も手に入れたときにも自分を見失わなかった．

Ready or not, here I come!

「用意ができていようがいまいが，私は行きます；じゃあ行くよ」➤かくれんぼ (hide-and-seek) で鬼 (it) が規定の数を数え終わって探しに行くときに言う．Come out, come out wherever you are. を参照．

Thanks for coming. / Thank you for coming.

「来てくれてありがとう」➤訪ねてきてくれた人などに用いる．

That's ... coming from you.

「**あなたにそう言われるとは…だ**」➤文字どおりの意味でも使われるが，That's nice/good/rich coming from you. などの表現で，皮肉を込めて「あんたにそんなこと言われたくない」という意味で用いられることが多い．

Ex. A: Your English pronunciation has really improved.
　　　あなたの英語の発音はほんとうによくなりましたね．
　　B: Thank you. That's a real compliment coming from you, professor. ありがとうございます．先生にそう言ってほめていただけるとほんと

うにうれしい限りです.

Ex. A: Your English pronunciation is really bad.
あなたの英語の発音はほんとうにひどいですね.
B: That's rich coming from someone who can't speak English.
英語も話せない人から言われたくないよ.

This is where I came in.

「これは前にも経験した；それはもう聞いたよ」➤相手が先ほど話したことをまた繰り返したときなどに用いる.「私が入ってきたのはこの場面だ」が原義.

[補足] 上映途中で映画館に入った人が, 次の上映時に自分が入場したときに映っていた場面になったときに言うせりふから. つまり, この場面は知っている, という意味.

What goes around comes around.

「因果は巡る；自業自得；身から出たさび」➤自分がほかの人に悪い行いなどをすると, いつかは自分が同じことをされたりしてその報いを得ることになる, という意味のことわざ.「行って回るものは回って帰ってくる」が原義.

Ex. A: He's told so many lies to con money out of people. But last week he was conned.
彼はさんざうそを言って人から金を巻き上げていたけど, 先週は自分が詐欺に引っかかったよ.
B: Well, what goes around comes around. 因果は巡る, だね.

What goes up must come down.

「浮き沈みは世の習い；いつも順風満帆とはいかない」➤上に投げたものは下に落ちるように, 何事にも浮き沈みがあるものだという意味のことわざ.

What's coming off?

「何をやっているんだい；何が始まるんだい」➤相手の状態などを聞くあいさつとしても用いる. その場合は What's happening? とほぼ同じ.

Ex. A: What's coming off? 何が始まるんだい.
B: I don't know. The president just said he had an important announcement. さあ. 大統領が重大な発表があるって言ったところさ.

comedy 喜劇

Cut the comedy!

「冗談はそのくらいにして；ばか言ってないで」

Ex. Cut the comedy and tell me what really happened.
ふざけてないで, ほんとうは何があったのか教えてよ.

comfortable 安楽な；快適な

Make yourself comfortable.

「楽にしてください」➤訪問客などに用いる. Make yourself at home. ともいう.

Ex. Hello. Please come in. Sit down and make yourself comfortable.
こんにちは. どうぞお入りください. 座って楽にしてください.

[補足] ベット・ミドラー (Bette Midler) の歌の題名にも使われている.

command 命令(する)

I'm at your command.
「私はあなたの命ずるままに行動します；なんなりとお申し付けください」➤やや時代がかった言い方．

Ex. A: I'm really busy. Could you help me?
私，すごく忙しいの．手伝ってくれない?
B: Sure. I'm at your command. What can I do to help?
いいですよ．言ってくれれば何でもやりますよ．何を手伝えばいいんですか?

comment 論評(する); 意見(を述べる)

Any comment? / Do you have any comments?
「何かコメントはありますか」➤ある問題などについて話すことはあるかと尋ねる表現．

No comment.
「ノーコメント；論評は差し控えます」➤質問に答えたくないという場合と，相手の言ったことに賛成できないけれどそう言いにくいという場合がある．

Ex. A: Mrs. Taylor, can you tell me when your divorce will be finalized? テイラーさん，最終的に離婚が成立するのはいつになるのか教えていただけませんか．
B: No comment. ノーコメント．

Ex. A: I thought Tommy sang really well in the school play.
トミーが学校の劇で歌った歌はほんとうにうまかったと思うけど．
B: No comment. 私は何も言わないことにしておくわ．

communication 伝達; 連絡; 意思疎通

Evil communications corrupt good manners.
「悪い仲間とつきあうと悪影響を受ける；朱に交われば赤くなる」➤新約聖書 (New Testament) の「コリントの信徒への手紙一」(1 Corinthians 15:33) にあるパウロ (Paul) のことば．

company 会社; 仲間

A man is known by the company he keeps.
「つきあっている人を見ればどんな人かわかる；善悪は友を見よ」➤特に，親が子どもに対して，友だちを選んでつきあいなさいという場合によく使われることわざ．この表現は女性についても用いられるが，特に男女を区別しない A person is known by the company he keeps/they keep. という表現もある．また，A man is judged by the company he keeps. ともいう．

Two's company, three's a crowd.
「2人は仲間だが，3人は群集だ；3人はうまくいかない」➤2人だけならうまくいくものも，もう1人加わるとうまくいかなくなる，という意味のことわざ．しばしば，恋人同

士2人だけでいたほうがよい，という場合に用いられる．

Ex. A: Can I invite Ginger? ジンジャーを招待してもいいかしら．
B: Two's company, three's a crowd.
3人じゃうるさいから2人だけにしようよ．

補足 これをもじった *Three's Company* という名のアメリカのテレビコメディー番組があった（1977－84）．

complain 不平をいう　　complaint 不平；文句

I can't complain.

「**文句は言えない**；ぜいたくは言えない；まあまあだ」➤Can't complain. ともいう．

Ex. The hotel room was rather small, but it was very cheap, so I can't complain.
ホテルの部屋はかなり狭かったけど，ずいぶん安かったからあんなものだろうね．

I have no complaints.

「**不満はない**；なかなかだ；まあまあだ」➤I have nothing to complain about. / What do I have to complain about? もほぼ同じ．

Ex. Although it was more expensive than I was expecting, the workmanship is exquisite, so I have no complaints.
私の思っていたより高かったけど，すごくよく仕上がっているから不満はないわ．

compliment ほめことば；敬意(の印)

Compliments of the house.

「**これはサービスです**」➤レストランのウェイターなどが言う．

Is that a compliment?

「**それはほめているのですか**」➤相手のことばがほめているのか，けなしているのかよくわからないときにも言う．

Ex. A: An untidy hairstyle suits you. ぼさぼさの髪が似合っているね．
B: Is that a compliment? それはほめているのかい．

My compliments to ...

「**…へ賛辞を送ります**；…には感心したとお伝えください；さすが…ですね」➤人に対する賞賛を直接あるいは間接に伝えるときに用いる．⇨ **My compliments to the chef.** (chef の見出し参照) / **My compliments to the cook.** (cook の見出し参照)

con ペテン（にかける）

You can't con a con man.

「**詐欺師を詐欺にかけることはできない**」➤プロの目はごまかせないということわざ．

You can't con an honest man.

「**正直者を詐欺にかけることはできない**」➤誠実を心がけ，欲深いことを考えない人はペテンに引っかかることもないという意味で用いる．

concern 関心事; 気遣い; 心配; 関係する

It's/That's none of my concern.
「それは私には関係ないことだ」➤It's/That's none of my business. と同じ.
- **Ex.** A: Do you know anything about the rumors in the sales department? 販売部のうわさについて何か知っているかい?
  B: No, that's none of my concern. いや. ぼくには関係ないからね.

It's/That's none of your concern.
「それはあなたには関係ないことだ」➤It's/That's none of your business. と同じ.

Thank you for your concern.
「お気遣いありがとうございます」➤自分の要望・健康状態などについて相手が関心を払ってくれたときのお礼.
- **Ex.** A: I'm phoning to see if you're feeling better?
  具合のほうはよくなったかと思って電話してみたのよ.
  B: Yes, thank you for your concern.
  ええ, おかげさまで. ご心配ありがとうございます.

conclude 完結させる; 結論する
conclusion 結論; 結末

Don't jump to conclusions.
「早合点しないで」

To be concluded.
「次号完結; 次回完結」➤雑誌の連載物・連続テレビドラマ・シリーズ映画などが次で完結するという予告.

confess 告白する; 白状する　　confession 告白; 白状

Confess and be hanged.
「白状して絞殺される」➤罪を認めて罰を受けること. シェークスピア (Shakespeare) の『オセロ』(*Othello* IV. i.) に To confess, and be hanged for his labour. (白状して, 自分の行いによって絞殺されること) というせりふがある.

Confession is good for the soul.
「告白は魂によい」➤心の平安のためには, うそや隠し事をせずに正直に話してしまうのがよい, という意味のことわざ.

I have a confession to make.
「白状しなければならないことがあるんです」➤うそや隠し事についての告白に用いる.

congratulation 祝い (のことば)

Congratulations!
「おめでとう」➤めでたいことがあった人に対して用いる. Congrats. というくだけた省略表現も使われる.

Ex. Congratulations! I heard you are getting married next week.
おめでとう．来週結婚するんだってね．

[補足] このことばは結婚する女性に対しては使えないと書いてある辞書や英会話の本があるが，実際にはそのようなことはなく，新婦になる人にも普通に使われる．

conscience 良心；分別

A guilty conscience needs no accuser.
「**良心の呵責**(かしゃく)**は告発者を必要としない；心の鬼が身を責める**」▶罪の意識は人に言われなくても感じるものだ，という意味のことわざ．

Conscience makes cowards of us all.
「**分別はだれをも臆病**(おくびょう)**者にする**」▶良識や分別によって行動を起こす気力が失われるということわざ．シェークスピア (Shakespeare) の『ハムレット』(*Hamlet* III. i.) に Thus conscience does make cowards of us all. (こうして分別というものによってみな臆病になってしまうのだ) というせりふがある．

Follow your conscience.
「**良心に従いなさい**」

Ex. A: I don't know whether to tell him the truth or not.
彼にほんとうのことを言うべきかどうかわからないよ．
B: You should follow your conscience. 自分の良心に従うことね．

I have a clear conscience. / My conscience is clear.
「**私はやましいところはない；後ろめたいことはしていない**」

consider 考える；みなす

Consider it done.
「**承知した；合点だ**」▶頼まれ事を二つ返事で引き受けるときに用いる．「それはすでになされたものと考えてよい」が原義．

Ex. A: Could you do the washing-up? 洗い物をしてもらえないかしら．
B: Consider it done. 任せといて．

considerate 思いやりのある

It's very considerate of you.
「**お気遣いありがとうございます**」▶相手の親切や配慮に感謝するときに用いる．しばしば It's very considerate of you to ... と不定詞を続ける．

Ex. Thank you for bringing fruit and magazines when you visited me in hospital. It was very considerate of you.
入院していたときは果物と雑誌のお見舞いを持ってきていただいて，どうもありがとうございました．あたたかいお心遣いに感謝しています．

consistency 一貫性

A foolish consistency is the hobgoblin of little minds.
「愚かな一貫性は小人の小鬼だ；君子は豹変(ひょうへん)す」➤瑣末(さまつ)なことについて一貫性にこだわるな，ということわざ．出典は米国の思想家・詩人エマーソン(Ralph Waldo Emerson)のエッセー「自己信頼」("Self-Reliance")．

consolation 慰め

If it's any consolation (to you), …
「慰めになるかどうかわからないけど…」➤少しでも相手を慰めようとして用いる．
  Ex. If it's any consolation, I also got a parking ticket in the same street. 慰めになるかどうかわからないけど，ぼくも同じ通りで駐車違反の切符を切られたことがあるよ．

constructive 建設的な

Why don't you do something constructive?
「何か建設的なことをしたらどうなの」➤相手が人のおせっかいをしたり，無為に時間を過ごしたりしている場合などに用いる．
  Ex. Instead of playing video games all day, why don't you do something constructive, like tidying your room?
  一日じゅうテレビゲームばかりしてないで，何か少しはためになることをしたらどうなの．自分の部屋を掃除するとかさ．

continue 続ける；続く

Let's continue this later.
「この続きはまた後でしましょう」
  Ex. A: It's 1:00. We should stop for lunch. 1時だ．お昼にしようよ．
  B: OK, let's continue this later. わかった．続きはまた後にしよう．

To be continued.
「続く」➤新聞・雑誌の記事やテレビドラマなどが1つの話を2回(以上)にわたって掲載・放送する場合に用いる．

convenient 便利な；好都合の

How convenient!
「まあ便利だね；ずいぶん話がうまくできているわね」➤文字どおりに感心する場合のほか，皮肉を込めて使われることも多い．

conversation 会話

End of conversation.
「そういうことだ；これ以上話すことはない」➤相手に有無を言わせず自分の主張を

押しつけるときなどに使う.「それで会話はおしまいになった」という場合にも用いる.
> **Ex.** I'm not lending you my car. End of conversation.
> ぼくの車は貸さないよ. いくら言ってもだめ.

I'm just trying to make conversation.
「ただ会話をしようとしているだけだ」➤相手がこちらの質問などに怒ったりしたときに, 特に意図があってのことではなく, ただ話をしようと思って聞いているだけだ, という場合に用いる. I was just trying to make conversation. ともいう.

coochie coochie coo こちょこちょ

Coochie coochie coo.
「こちょこちょ」➤幼児などをくすぐるときの発声. Coochy coochy coo. / Koochie koochie koo. とつづることもある.

cook 料理する; 料理人

My compliments to the cook.
「コックさんにおいしかったと伝えておいてください; おいしゅうございました」➤Please give my compliments to the cook. などの省略表現で, レストランなどの料理がおいしかった場合にウェイターなどに言う. また, おいしい料理を食べさせてくれた人に対して用いることもある. My compliments to the chef. ともいう.

Never trust a skinny cook.
「やせたコックを信用するな」➤料理のうまいコックは自分もよく食べるから太っているはずで, やせたコックは料理がへたな証拠だということ. 常識的に考えておかしいと思ったらやめておけ, という場合に用いる. Never trust a skinny chef. ともいう.

Now you're cooking (with gas)!
「そうその調子; いいね」➤相手がうまくやっているというときに用いる.「(ガスを使って) ちゃんと料理をしている」が原義.
> **Ex.** A: If we place the merchandise more effectively, we'll improve sales. 商品をもっと効果的に置いたら売り上げも上がりますよ.
> B: Now you're cooking with gas. きみ, さえてるね.

Too many cooks spoil the broth.
「料理人の数が多すぎると肉汁がおかしな味になる; 船頭多くして船山に登る」➤1つのことにおおぜいが口出しすると失敗するという意味のことわざ.

What's cooking?
「どうしたの; 何かあるの; 調子はどう」➤What's going on? / What's happening? とほぼ同じ意味のくだけた言い方.
> **Ex.** Hey, why are you guys sitting around the table talking in low voices? What's cooking?
> みんなでテーブルを囲んで何をひそひそ話しているんだい. 何があるんだい.

cookie クッキー

That's the way the cookie crumbles.
「世の中そんなものよ；そういうこともあるよ；人生ままならずだ」➤That's life. と同じ．That's the way the ball bounces. / That's the way the mop flops. ともいう．

Ex. We did our best, but it just wasn't good enough. Well, you can't win them all. That's the way the cookie crumbles.
みんなベストを尽くしたけど，ちょっと力不足だったようだ．まあ，たまには負けることもあるさ．ままならないのが人生だからね．

cool 涼しい；冷静な；よい；すばらしい；冷やす；冷静さ

Are we cool?
「それでいいかい；もうわだかまりはないかい」➤特に，けんかの後に仲直りをするような場合に用いる．

Ex. A: But I still say we can't both go on Wednesday.
でも，やっぱりぼくたちがいっしょに水曜日に行くのはまずいよ．
B: OK. If you go on Wednesday, then I'll go on Thursday. Are we cool? わかったわ．じゃあ，あなたが水曜日に行くのなら，私は木曜日に行くわ．それでいいかしら．

Cool.
「いいね；オーケー；わかった」➤肯定的な意味合いの相づちや，了解したという返事などに幅広く用いられる．

Ex. A: I'll meet you in the lobby at 4:00. ロビーで4時に会おうよ．
B: Cool. オーケー．

Cool it.
「落ち着いて；（その辺で）やめておきなさい」➤相手をなだめたり，相手のやっていることを中止させるときに用いる．

Ex. Cool it! Shouting won't solve the problem.
まあまあ，落ち着いて．大声を上げたって問題は解決しないんだから．

Ex. Cool it, or I'll hit you. その辺でやめないと殴るぞ．

How are you keeping cool?
「（どのように）涼しく過ごしていますか」➤非常に暑いときのあいさつ．Are you keeping cool? / Keeping cool? ともいう．

I'm cool.
「私はだいじょうぶだ；私は結構です」➤不満や異存などがないという場合や，ものを勧められて断るときに用いる．I'm OK. / I'm fine. とほぼ同じ．

I'm keeping cool.
「私は冷静さを保っている；（暑い中）涼しくしている；（暑さを）何とかしのいでいる」

Play it cool.
「落ち着いて；冷静に行動しなさい」

cootie シラミ；毛ジラミ

You have cooties!
「やーい, このシラミつき」▶子どもが相手をののしるときに言う.

cork コルク　　corker 栓の役をする器具;驚くべきもの

Put a cork in it.
「黙れ;うるさい」▶かなりきつい言い方. Put a sock in/on it. あるいは Put a lid on it. ともいう.「口にコルク栓をしろ」が原義.

That's a corker.
「これは驚いた;それはすごい」

correct 正しい;訂正する

Am I correct?
「私の言うとおりですか;これでいいですか」▶Am I right? とほぼ同じ.

> **Ex.** You're two hours late. You said you'd be home by midnight. Am I correct?
> 2時間遅刻よ. 夜の12時までには帰るって言ったじゃないの. 違った?

Correct me if I'm wrong.
「間違っていたら言ってください」▶自分の発言に誤解や記憶違いなどがあるかもしれないという場合に用いる.

> **Ex.** A: Correct me if I'm wrong, but wasn't the meeting supposed to start at 10:00 AM? 私の間違いかもしれませんが, 会議は10時から始まるはずじゃありませんでしたっけ.
> B: The memo said the meeting would start at 10:30 AM. 連絡メモでは会議は10時半からってなっていますよ.
> A: Oh, I stand corrected. すみません, 私の間違いでした.

I stand corrected.
「前言を撤回します;私の間違いでした」▶上の句の用例参照.

That's correct.
「そのとおりです」▶That's right. とほぼ同じ.

cost 費用 (がかかる);犠牲 (を払わせる)

It's/That's gonna cost you.
「高くつくわよ;ただではすまないよ」

> **Ex.** Why were you rude to the teacher? That's gonna cost you. Don't be surprised if you get a bad grade. どうして先生に失礼な態度をとったの. 後が怖いわよ. 悪い成績をもらっても驚かないことね.

cough せき (をする)

Cough it up. / Cough up.

「さっさと話してしまいなさい；さっさと金を払いなさい」▶情報を聞き出すときや借金の支払いなどを催促するとき用いる.「せき払いしてそれを吐き出しなさい」が原義.

could　can の過去形

Could be.
「そうかもね」▶その可能性はあるというときに用いる. It could be so. などの省略.
- **Ex.** A: Isn't that Pierre's car? あれはピエールの車じゃないか?
  B: Could be. そうかもね.

Could you?
「そうしてもらえるかい」▶しばしば相手のことばを受け継いで用いる.
- **Ex.** A: Would you like me to go to the post office for you?
  郵便局に行ってあげようか.
  B: Could you? That would be a great help.
  ほんとうに? そうしてもらえたら大助かりだわ.

How could you?
「よくもまあそんなことができたものね」▶相手のひどい行いなどをなじる表現. 特に, 自分に対してひどい仕打ちをしたという場合には How could you do that to me? (よくも私に対してそんなことができたわね) という.
- **Ex.** You asked Jane to the dance? Instead of me? How could you?
  ジェーンをダンスパーティーに誘ったの? 私を差し置いて? よくもまあ.

I couldn't.
「もうおなかいっぱいです」▶「それはできない；そうできなかった」という意味で, 特に飲食物をもっとどうかと勧められて断るときに用いる. 類似 I'm full.
- **Ex.** A: Would you like more curry? カレーをもっといかがですか.
  B: I couldn't. I had three helpings already.
  いえ, もうおなかいっぱいです. もう3杯も食べましたから.

I would if I could(, but I can't).
「できればそうするところなんだけど (でもできないんだ)」
- **Ex.** A: Would you mind babysitting this Saturday?
  今度の土曜日にベビーシッターをしてもらえないかしら.
  B: I would if I could ... できればそうしたいんですけど…

You couldn't (do that)!
「まさか (そんなことしはしないでしょうね)」▶あなたにそんなことはできないはずだ, という意味の仮定法過去表現. You wouldn't (do that)! ともいう.

count　数える；当てにする；数えること

Count me in.↔Count me out.
「私も入れといてね；私も行くよ↔私はやめておく」▶飲み会などの参加予定者の中に自分も含めておいてほしい, あるいは自分を含めないでほしいというときに用いる.
- **Ex.** You're organizing a skiing trip? Count me in!
  スキー旅行を計画しているんだって? ぼくも参加するからね.

Ex. You're going to a strip show? Count me out! I'd rather go shopping. ストリップに行くの? 私は行かない. ショッピングにする.

Don't count on it/that.

「それは当てにしないほうがいい; そう決めつけないほうがいい」 ➤Don't bet on it/that. とほぼ同じ.

[補足] より控え目には I wouldn't count on it/that. (それはどうかしら; あまり当てにしないほうがいいよ)という.

Ex. A: Nick is going to ask me to the party.
ニックは私をパーティーに誘うつもりよ.
B: I wouldn't count on it. I heard he was going to ask Mary.
それはどうかしら. 彼はメアリーを誘うつもりだって聞いたけど.

I'm counting on you.

「**当てにしているよ; 頼むわよ**」 ➤どういうことを当てにしているのかをいうときは to 不定詞を続ける.

Ex. Don't be late. I'm counting on you to make the opening speech.
遅れないでね. あなたには開会のスピーチをやってもらうんですから.

I'm going to count to three. One ... two ...

「**3つまで数えるよ. 1つ, 2つ…**」 ➤①催眠術師が催眠術をかける場合, ②親が子どもに対して3つ数えるまでに言うことを聞かないと怒るぞと脅す場合, ③私が3つと言ったのを合図に競争を始めよう, などという場合に用いる.

On a count of three. One, two, three.

「**では1, 2の3でいくよ. 1, 2の3**」 ➤写真を撮るときや, 重いものをいっしょに持ち上げるときなどに言う.「私が数えるから, それに合わせてね」という場合は On my count. One, two, three. となる.

Who's counting?

「(そんな細かいことは)**だれも気にしちゃいないよ**」 ➤具体的な数字を挙げた後で, そんな数字はだれも数えていないから気にすることはない, という場合に用いる.

You can count on it/that.

「**それは請け合うよ; だいじょうぶ, 任せておいて**」

country 国; 土地

My country, right or wrong.

「**よくも悪くも私の国だ**」 ➤国家への忠誠を至上のものとする兵士や愛国者のモットー. Our country, right or wrong. ともいう.

You can take the boy out of the country, but you can't take the country out of the boy.

「**人を国から追放することはできても, その人から国を取り上げることはできない; どこへ行こうと自分の出自は変わらない**」 ➤だれでも自分の国や生まれ故郷で身につけた習慣などから抜け出すことはできない, または故郷に対する愛着は強いものだ, という意味のことわざ.

[補足] この You can take A out of B, but you can't take B out of A. のパターンはさまざまに応用される.

course 進路；コース

Of course.↔Of course not.

「**もちろん↔もちろん（そんなことはない）**」➤相手の質問などに対して強く肯定または否定する場合に用いる.

- **Ex.** A: Are you going to the gym tonight? 今晩ジムに行くのかい.
  B: Of course. もちろんよ.
- **Ex.** A: You won't forget to take your shoes this time, will you?
  今度は靴を脱ぐのを忘れないでよ.
  B: Of course not. もちろん忘れないよ.

courtesy 礼儀正しさ

Courtesy costs nothing.

「**礼儀はただ**」➤礼儀正しくするのにお金はかからないのだから，できるだけそうするようにしなさい，という意味で使われる. Civility costs nothing. / Politeness costs nothing. ともいう.

It's common courtesy.

「**そんなのは常識だよ**」➤社会人として当然わきまえているべきマナーだという意味で用いる. [類似] It's common knowledge. / It's common sense.

- **Ex.** If an elderly lady gets on the train, you should give her your seat. It's common courtesy.
  高齢の女性が電車に乗ってきたら席を譲るべきよ. そんなの常識よ.

cow 雌牛；乳牛

Don't have a cow.

「**怒らないでよ**」➤Don't get angry. という意味のくだけた言い方.

Holy cow!

「**おやまあ；なんてこった**」➤非常に驚いたときの発声. ⇨ **Holy ...!**

- **Ex.** You paid how much? Holy cow!
  いくら払ったんだって? うわーっ.

Why buy a cow when milk is so cheap?

「牛乳がこんなに安いのにどうして乳牛を買うことがあろうか」➤物が安く，あるいは手軽に手に入るときに，わざわざ高い買い物や手間のかかることをすることはない，ということ．しばしば，わざわざ結婚することはないという場合に用いられる．

coward 臆病(おくびょう)者

Better a live coward than a dead hero.
「死んだ英雄より生きている臆病者のほうがまし；命あっての物種；死んで花実が咲くものか」➤名誉の戦死をするより臆病者呼ばわりされようとも生きているほうがよい，ということわざ．[類似] A living/live dog is better than a dead lion.

Cowards die many times before their death.
「臆病者は死ぬ前に何度も死ぬ」➤臆病な人は実際に死ぬまでに何度も死の恐怖を味わうということわざ．

[補足] シェークスピア (Shakespeare) の『ジュリアス・シーザー』(*Julius Caesar* II. ii.) からの引用だが，原典では Cowards die many times before their deaths. と複数形になっている．

crack 音を立てて割れる；ひびが入る；ひび；割れ目

Something isn't all it's cracked up to be.
「…はそれほどのことはない」➤一般に言われているほど，あるいは宣伝されているほど大したものではない，という場合に用いる．
  Ex. I know some people think French food is the best in the world, but in my opinion it isn't all it's cracked up to be.
  フランス料理が世界一と言う人もいるけど，ぼくに言わせればそうでもない．

Let's get cracking.
「さあ始めよう；さっさとかかろう」➤仕事などに取りかかるときに言う．
  Ex. It's 9: 00. Everyone's here. Let's get cracking.
  9時だわ．みんな集まったから，さあ始めよう．

Step on a crack, break your mother's back.
「割れ目を踏めば，お母さんの背骨が折れる」➤子どもの迷信の1つ．歩道を歩いていて割れ目を踏むとよくないことが起きる，というもの．Don't step on a crack or you'll break your mother's back. (割れ目を踏むな．踏むとお母さんの背骨が折れる) ともいう．

[補足] 前半と後半がそれぞれ4語からなり，crack と back が韻を踏んでいて口調のよいフレーズになっている．

crap くそ；たわごと (★俗語)

Cut the crap.
「でたらめを言うんじゃない；ばか言ってんじゃない；そんな芝居はよしなさい」➤相手が見えすいたうそを言ったりしたときにいう下品な言い回し．

Holy crap! / Well, crap!

「あれまあ；なんてことだ」➤非常に驚いたりショックを受けたときに用いる下品な俗語表現．意味・用法は Holy cow! / Holy smoke! などに同じ．⇨ **Holy ...!**

crawl はう

I'd crawl on my hands and knees over broken glass to ...
「…するためならなんでもする」➤後に不定詞を続ける．「ガラスの破片の上を四つんばいになって進むことになっても…する」が原義．
Ex. That guy's a genuine hero. I'd crawl on my hands and knees over broken glass to get the chance to shake his hand!
あの人は本物の英雄だよ．彼と握手できる機会がもてるなら何でもするね．

What crawled up your ass/butt and died?
「何でそんなに**不機嫌**なんだい；何をぷりぷりしているのさ」➤ひどく虫の居どころが悪そうな人に言う俗語表現．「何があなたのしりをはい上がって死んだのか」が原義．
[補足] 状況に応じて ass/butt の部分にほかの語が入ることもある．また，第三者について What crawled up his/her ass and died? (なんであんなにぷりぷりしているのかね) ということもある．

You have to learn to crawl before you can walk.
「歩けるようになる前に，はうことを学ばなければならない」➤基礎から順に段階を踏んで学習しなければならないということ．You have to learn to crawl before you can walk, and walk before you can run. (走れるようになる前に歩くことを，そして歩けるようになる前にはうことをまず学ばなければならない) ともいう．

credit 信用；功績を認めること

Give credit where credit is due.
「**功績を認められてしかるべきところでは功績を認めなさい**；貢献者は評価しなさい；努力した者にはそれなりの評価を与えなさい」

Give me some credit.
「**少しは私を信用してよ**」➤私だってそれなりの判断力や良識は持ち合わせている，ということ．第三者についても Give him/her some credit. のように使える．
Ex. A: You didn't keep the wallet you found on the train, did you?
電車で拾った財布を自分のものにしなかったでしょうね．
B: Give me some credit. I took it to the police.
少しはぼくを信用してよ．ちゃんと警察に届けたよ．

crime 犯罪；罪　criminal 犯罪者；犯人

Crime doesn't pay.
「**犯罪は引き合わない**」➤犯罪で手軽に金もうけしようと思っても，結局は警察に捕まって刑務所入りするのが落ちだから，まじめにやっていたほうが得だということ．

Criminals (always) return to the scene of the crime.

「犯人は (必ず) 犯行現場に戻る」➤一般に言われているものだが，ＦＢＩプロファイラーなどの研究によれば，これは真実だという．

Is that a crime?

「それはいけないことかね」➤別に犯罪じゃないから構わないだろう，ということ．

Ex. I sent him an e-mail saying I like him. Is that a crime?
彼に好きだってEメールを出したわよ．いけないことかしら．

What a crime!

「**ひどい話だ**；とんでもないことだ；なんてもったいない」

Ex. A: What happened to all the food left over after the party?
パーティーで残った食べ物はどうなったの？
B: We threw it out.
みんな捨てたわよ．
A: What a crime. We could have eaten it today.
もったいないな．きょうぼくたちが食べられたのに．

You do the crime, you do the time.

「**犯罪を犯したら刑務所に入る**；罪を犯せば罰を受ける」➤do (the) time は俗語で「服役する」という意味．一般に，悪さをした子どもを罰するときなどにも用いる．Do the crime, do the time. ともいう．

[補足] 前半と後半がそれぞれ4語からなり，crime と time が韻を踏んで口調のよいものになっている．

---

crocodile　クロコダイル (★ワニの一種)

In/After a while, crocodile.

「しばらくしてからね，クロコダイル」➤相手が See you later, alligator. と言ったときに答える表現．After while, crocodile. ともいう．また，a while は awhile ともつづる．

---

crook　不正直者；犯罪者；悪党

I'm not a crook.

「**私は悪党ではない**」➤1972年，ウォーターゲート事件 (Watergate scandal) で，弾劾裁判の手続き (impeachment proceedings) が進められる中でニクソン (Richard Nixon) 大統領が言ったことば．

[補足] 彼がテレビ記者会見で言った正確なことばは次のとおり．

... I welcome this kind of examination because people have got to know whether or not their President is a crook. Well, I'm not a crook. …私はこの種の調査を歓迎します．なぜなら，国民は自分たちの大統領が悪党かどうかを知る必要があるからです．で，私は悪党ではありません．

Once a crook, always a crook.

「**悪党の性根は直らない**」➤不正行為や犯罪行為をするような人はまた同じことをする，ということわざ．

cross 横切る；交差する；十字（を切る）；十字架

Cross my heart (and hope to die).
「**誓ってほんとうだ；絶対うそは言わない**」➤自分の言ったことに間違いないと念を押すときに用いる．I cross my heart (and hope to die). の省略表現．「胸の前で十字を切って誓うよ，それがうそなら死んだほうがましだ」ということから．

Ex. Cross my heart, I'm telling you the truth. 正真正銘ほんとなの．

補足 相手に「誓ってほんとうか」と聞く場合には (Do you) cross your heart (and hope to die)? という．

crowd 群集；人込み；群がる

Join the crowd.
「**それはあなた1人じゃないよ；みんなそうさ**」➤相手のことばに対して，ほかの大勢も同じ経験をしていて，あなたはその仲間に加わるわけだ，という意味．Join the club. / Welcome to the club. と異なり，悪い状況でなくても使われる．

Ex. A: I'm going to pay my resident's tax. 住民税を払いに行くところさ．
B: Join the crowd. こっちはもう払ったよ．

Nothing attracts a crowd like a crowd.
「**群集のように群集を引きつけるものはない；人が人を呼ぶ；人気が人気を呼ぶ**」➤人は群れ集まっているところに群れ集まるものだ，あるいはいったん注目されるとさらにおおぜいから注目されるようになる，という意味のことわざ．

cruel 残酷な

You have to be cruel to be kind.
「**親切であるためには残酷にならなければならない；本人のことを思えばこそ心を鬼にして厳しくしなくてはいけないこともある；愛のむちは必要だ**」

Ex. I wouldn't let Jenny go out to play, because if she doesn't study she will fail her exams. I felt mean, but you have to be cruel to be kind. ジェニーを外に遊びに行かせなかったよ．勉強しないと試験に受からないからね．かわいそうだとは思ったけど，本人のためを思えばこそ心を鬼にしないといけないから．

cry 泣く；叫ぶ；泣き声；叫び声

Cry me a river.
「**なに泣きごと言っているんだ**」➤いくら泣き言を並べても同情しないよ，という場合に用いる．「私のために涙の川を流しなさい」が原義．

Ex. You lost all your money at poker last night? Well, cry me a river! No one's forcing you to play that stupid game.
ゆうべのポーカーですってんてんになっただって？ 泣きごと言ってもだめだね．別にだれもポーカーなんかやれって言ってないんだから．

[補足] 1953年に作られた同名のラブソング（邦題は「クライ・ミー・ア・リバー」）は1955年にジュリー・ロンドン (July London) が歌って大ヒットした．この歌では「私のために涙の川を流しなさい」という意味で使われている．最近ではジャスティン・ティンバーレイク (Justin Timberlake) に同名の歌があり，ブリトニー・スピアーズ (Britney Spears) との破局後に作られたと言われる．この歌には「涙の川を流しなさい」と「泣いても同情しないよ」の意味が含まれているようだ．

Don't cry. Be happy.
「泣かないで．楽しい気持ちになって」➤泣いている人を慰めるときに用いる．

Don't cry before you're hurt.
「けがをしてもいないうちから泣くな」➤やってもみないうちから泣きごとをいうな，などの意味で用いる．

> **Ex.** I know the interview was difficult, but don't cry before you're hurt. You might get the job.
> 面接が難しかったのはわかっているわ．でも，結果が出てもいないのにうだうだ言っててもしょうがないじゃないの．採用になるかもしれないんだから．

Don't cry over spilled/spilt milk.
「こぼれた牛乳を嘆くな；覆水盆に返らず」➤起こってしまったことを嘆いても仕方がないからやめなさい，ということわざ．おもちゃを壊して泣いている子どもなどに親がよく用いる．Stop crying over spilled/spilt milk. や It's/There's no use crying over spilt/spilled milk. もほぼ同じ．

For crying out loud! / For crying in a bucket!
「なんてことだ；なんだって；まったく；勘弁してよ」➤強い驚きや反発を表す．

> **Ex.** Oh, for crying out loud! Don't tell me you believe her sweet words — she's just taking you for a ride.
> えーっ，ちょっと待ってよ．まさか彼女の甘いことばを信じているんじゃないだろうね．彼女はただおまえをだましているだけだよ．

Stop crying or I'll give you something to cry about.
「泣くのをやめないと，いやでも泣かせてやる」➤親などが泣いている子どもに言う脅し．

cup　カップ；茶碗

Not my cup of tea.

「私の好みではない」➤くだけた言い方. It's not my cup of tea. の省略表現.
- **Ex.** A: Did you like the movie? 映画はどうだった?
  B: To tell the truth, Westerns aren't my cup of tea.
  実を言うと,西部劇は私の好みじゃないの.

cure 治療(法);治療する;治す

No cure, no pay.
「不成功無報酬」➤海難救助にあたって,救助が成功した場合にはその費用などの報酬を支払うが,成功しなかった場合にはいっさい支払わないという契約方式.また,一般に不成功無報酬の契約方式も指す.
[補足] イギリスのロイズ (Lloyds) の救助契約標準書式 (Standard Form of Salvage Agreement) にあることばとして有名.

What can't be cured must be endured.
「治せないものは耐えるしかない」➤状況をよりよくすることができないのなら甘受するしかない,という意味のことわざ. cured と endured が韻を踏んでいる.

curiosity 好奇心　　curious 好奇心の強い;知りたがる

Curiosity killed the cat.
「好奇心が猫を殺した;好奇心は身の破滅のもと」➤あれこれ詮索すると痛い目にあうという場合に用いることわざ. [類似] Care killed the cat.
- **Ex.** A: What's in the box? Can I look? 箱の中は何? 見てもいい?
  B: No! Curiosity killed the cat.
  だめだよ.あんまり詮索するとろくなことはないよ.

I'm just curious.
「ただ知りたいだけなんだ(けど)」➤何か特に目的があるわけではなく,ただ知りたいので聞くのだけれど,という場合に用いる.
- **Ex.** I know it's rude, but how much did your car cost? I'm just curious because I'm thinking of getting a similar one.
  失礼なのはわかっているけれど,車はいくらしたの.私も同じようなのを買おうと思っているから,ちょっと知りたいのよ.

curse のろい;ののしりことば;のろう;毒づく

Curses, like chickens, come home to roost.
「のろいは鶏と同じようにねぐらにつくために帰ってくる;人をのろわば穴2つ」
➤Chickens come home to roost. と同じ. Curses come home to roost. ともいう.

customer 顧客

The customer is always right.

「**お客様は常に正しい；お客様は神様です**」➤顧客から理不尽と思える要求や苦情があっても，常に顧客を満足させるようにしなさい，という意味で使われる標語．
[補足] イギリスのセルフリッジ・デパートを創立したアメリカ人事業家 H・ゴードン・セルフリッジ (H. Gordon Selfridge) が最初に唱えたものとされるが，異説もある．

You have the wrong customer.
「**お門違いですよ**」➤私はあなたが考えているような人間ではない，ということ．

Ex. I'd like to go to Las Vegas with you, but if you're only planning to go gambling I'm afraid you have the wrong customer. You should find someone else to go with.
あなたといっしょにラスベガスに行きたいけど，ギャンブルだけが目的なら私はお断りよ．だれかほかにいっしょに行ってくれる人を探すことね．

cut 切る（こと）；切り傷

Cut!
「**カット**」➤映画などの撮影で監督が撮影を中止させるときに言う．

Cut it out.
「**やめてよ；いい加減にしなさい**」➤Stop it. / Knock it off. とほぼ同じ意味で，原義は「それを切って外に出せ」．

Ex. OK, kids. Cut it out. Sit down and open your books to page 8.
はい，みんなその辺にして．みんな座って教科書の8ページをあけて．

May I cut in?
「**失礼ですが，代わってもらえますか**」➤特にダンスをしている2人のうちの1人に代わってもらうときに言う．

cute かわいい

Don't be/get cute.
「**格好つけるな；生意気なことを言うな**」➤見た目の印象をよくしようと意識するな，あるいは小ざかしい言動はするな，という意味で用いる．特に自分に対してそういう態度はするな，という場合には Don't get cute with me. ともいう．

Ex. Just get it done. Don't be cute. (送りバントをする場面での指示で) きっちり転がせ．きれいに決めようなどと考えるな．

Ex. A: Let's put a pretty picture on the cover of the report.
報告書の表紙にきれいな写真をつけましょうよ．
B: Don't be cute. The only thing that matters is the content.
そんな小ざかしいことは必要ないよ．大事なのは中身なんだから．

D, d

dad, daddy お父さん; お父ちゃん; パパ (= father)

Come to Daddy.
「さあお父ちゃんのところにおいで; さあ, お父ちゃんに話してごらん」▶父親が子どもを慰める表現. おどけておとなの男性が友だちなどに用いることもある. Come to Papa. ともいう. [類似] Come to Mama.

Just wait till your dad/daddy gets home.
「お父さんが帰るまで待っていなさい」▶Just wait till your father gets home. (father の見出し参照) に同じ.

damage 損害; ダメージ; 損害 [ダメージ] を与える

The damage is done.
「すでに損害が出てしまっている; いまさら取り返しはつかない」
- **Ex.** A: I got drunk and told the boss his company sucks.
  酔った勢いで社長にこの会社はろくでもないって言っちゃった.
  B: Well, the damage is done. You'd better prepare for the worst.
  まあ, いまさら取り返しはつかないから最悪の事態に備えておくんだね.

What's the damage?
「いくらだい」▶勘定の支払いをするときに用いる俗語表現. 意味はHow much do I owe you? に同じ. 原義は「損害はいくらか」.
- **Ex.** Thanks for the great job you did repairing my car. What's the damage? 車をうまく修理してくれてありがとう. で, いくらですか.

damn のろう; 破滅させる; 気にかけること

Damn it!
「ちくしょう; くそったれ」▶強いいらだちを表す俗語表現. God damn it. (神よ, それをのろいたまえ) の省略表現. 激しい悪態で, Darn it. のほうが穏やか.
- **Ex.** Damn it! Turn that radio down. It's two o'clock in the morning, and we're trying to sleep. このばかやろうが. ラジオの音を小さくしろ. 夜中の2時だぞ. こっちは寝るところなんだから.

Damn me!
「ちくしょう」▶強い驚きやいらだちなどを表す俗語表現. God damn me. (神よ, 私をのろいたまえ) の省略表現. 激しい悪態で, Darn me. のほうが穏やか.

Damn you.

「ちくしょう；このくそったれめ」➤相手に対する強い不満や不快感を表す俗語表現．God damn you.（神よ，おまえをのろいたまえ）の省略表現．激しい悪態で，Darn you. のほうが穏やか．

Ex. Damn you, cat! You scratched a hole in my new sofa.
このばか猫が，新しいソファーをひっかいて穴を空けちゃって．

Damned if you do and damned if you don't.

「やっても非難されるし，やらなくても非難される；何をやっても文句を言われるのが落ちだ」➤You are damned if you do and damned if you don't. / You'll be damned if you do and damned if you don't. の省略表現．より穏やかな言い換え表現では Darned if you do and darned if you don't. という．

I don't give a damn.

「（そんなこと）構うもんか；知るもんか」➤I don't care. の意味の非常に強い言い方．より穏やかな言い換え表現では I don't give a darn. という．

[補足] このフレーズを使った有名な引用句に次のものがある．

Frankly my dear, I don't give a damn.

「ほんとうのことを言えば，そんなこと私の知ったことじゃない」➤映画『風とともに去りぬ』(*Gone with the Wind*) のラスト近く，レット・バトラー (Rhett Butler) がスカーレット・オハラ (Scarlett O'Hara) のもとを去るときに言うことば．「あなたがいなくなったら私はどこへ行ったらいいの」と聞くスカーレットにレットがこう答える．

I'll be damned. / Well, I'll be damned. / Well, I'm damned.

「ちくしょう；なんてことだ；こいつは驚いた；へえ，そうだったのか」➤より穏やかな言い換え表現では I don't give a darn. / Well, I don't give a darn. という．最後の damned を省略した Well, I'll be. は普通によく用いられる．

Ex. He won first prize? I'll be damned! I'd never have thought him capable of winning any kind of prize.
彼が一等賞を取っただって？ こいつは驚いた．彼には賞なんか絶対に取れないと思っていたのに．

---

dance ダンス (する)；踊り；踊る

Care to dance?

「踊りませんか」➤いっしょにダンスしようと誘うときに用いる．Would you care to dance? の省略表現．Would you like to dance? ともいう．

Dance with the one who brought you.

「自分を連れてきてくれた人とダンスしなさい；恩人はたいせつにしなさい」➤これまで自分を支えてくれた人たちを裏切るようなことをするな，ということわざ．

[補足] シャナイア・トウェイン (Shania Twain) の歌の題名にも使われている．

Shall we dance?

「いっしょに踊りませんか」➤Care to dance? に同じ．

[補足] ブロードウェーミュージカル，また映画『王様と私』(*The King and I*) の挿入歌のタイトルとしても有名．

danger 危険

Danger, Will Robinson!

「**危険です，ウィル・ロビンソン**」➤テレビドラマ『宇宙家族ロビンソン』(*Lost in Space*) のロボット (日本語吹き替え版ではフライデーと呼ばれていた) が, ロビンソン一家の末っ子であるウィルに危険を察知したときにいうことば. 一般に,「危ないよ」という場合に引用される.

dare あえて…する; 不敵にも…する; あえてすること

Don't you dare!

「**だめだ; そんなことしちゃいけないよ**」➤強く禁止するときの表現. してはいけないことをはっきり述べる場合は, この句の後にそのまま動詞を続ける.

Ex. Don't you dare speak to your mother in that tone of voice.
お母さんに対してそんな口のきき方は許しませんよ.

How dare you!

「**よくもそんなことが言えるね [できるね]**」➤相手の言動に対する怒りを表す.

Ex. Are you trying to offer me a bribe? How dare you!
私にわいろを申し出るなんて, よくもそんなことができたものだ.

[補足] 相手の言動の内容をはっきり述べる場合には, How dare you cancel our date at the last minute! (よくもデートをドタキャンできるわね) のように, 後にそのまま文を続ける.

I dare you.

「**やって見せてよ**」➤自分のことばを継いで「あなたにそうする勇気があるかどうか見せてほしい」という場合や, 相手のことばを受けて「やれるものならやってみて」という場合に用いる. 具体的にやって見せてほしい内容を述べるときは to 不定詞を続ける.

Ex. I dare you to introduce yourself to that gorgeous woman at the bar. カウンターのあのすごい美人に自己紹介できるかやって見せてよ.

You wouldn't dare.

「**そんなことできるものか**」➤あなたにも分別があるから, そんなことはしないだろう, という感じでやや挑発的に用いる.

Ex. I know you like the boss's daughter, but I can't imagine you asking her for a date. You wouldn't dare.
あなたが社長のお嬢さんを好きなのはわかっているけど, さすがにデートを申し込むとは思えないわ. そんなことはできないでしょう.

[補足] 具体的に挑発の内容を述べるときは You wouldn't dare fire me. (私を首にしたりできるものですか) のように原形不定詞を続けることが多いが, to 不定詞を用いることもある.

darn のろう; 悪態をつく; 気にかけること (★damn の言い換え語)

Darn it.

「**ちくしょう; くそっ**」➤状況などに対する強い不満や不快感を表す俗語表現の

Damn it. の言い換えで，それほど品の悪いものではない.
> **Ex.** Darn it! I left my wallet at home. くそ．財布を家に忘れて来ちゃった．

Darn you.
「**ちくしょう；くそったれめ**」➤相手に対する強い不満や不快感を表す俗語表現．Damn you. の言い換えで，それほど品の悪いものではない．damn の項を参照．

dawn 夜明け

It's always darkest before the dawn.
「**夜明け前が最も暗い**」➤不幸のどん底にいるように思われるときこそ明るい展望が開ける直前だ，ということわざ．The darkest hour is just before the dawn. ともいう．

day 日；昼間；時代；勝利

Another day, another dollar.
「**また1日，また1ドル；きょうもきょうとて日銭稼ぎ**」➤きょうも働いて日銭を得ることができた，というような場合に用いる．
> **Ex.** A: Hi Phil, welcome home. How was your day?
> 　　やあ，フィル，おかえり．きょうはどうだった？
> 　　B: Oh, the same as always. Another day, another dollar.
> 　　いつもと変わらないよ．きょうも日銭を稼いだってところだね．

Beautiful day, isn't it?
「**いい天気ですね**」➤晴天のときのあいさつ．It's a beautiful day, isn't it? の省略表現で，Nice day, isn't it? ともいう．

Go ahead, make my day.
「**やれるものならやってみな（反対にやっつけてやるから）**」➤脅しをかけてきた相手を威嚇する挑発的なことば．⇨ **Make my day.**
[補足] 映画『ダーティー・ハリー』(*Dirty Harry*, 1971) で主演のクリント・イーストウッド (Clint Eastwood) が，銃を取って撃とうというそぶりを見せた殺人犯に言ったせりふから一般に広まったもの．この映画では「さあやれよ．そうすればオレは（正当防衛でおまえを撃ち殺せるから）うれしい限りさ」という意味で使われている．

Good day.
「**こんにちは；さようなら**」➤昼間のあいさつで，出会ったときも別れるときも用いる．

Have a good/nice day.
「**さようなら；ごきげんよう**」➤特に昼間，別れ際に用いるあいさつ．「よい日を過ごしてください」が原義．Have a good one. ともいう．
> **Ex.** Thanks for shopping at our store. Have a nice day!
> 　　当店でのお買い上げありがとうございました．では，よい日をお過ごしください．

[補足] やや押し付けがましい響きがあってあまり好きではないという人もいる．

How was your day?
「**きょうはどうだった**」➤1日を終えて家族が家に集まったときによく聞かれる質問．

I don't have all day. / I haven't got all day.

「(早くしてよ)**日が暮れちゃうじゃないの**」➤手間取る相手にいらついて言う.

Ex. Would you please hurry. I haven't got all day!
お願いだから早くしてよ. 日が暮れちゃうじゃないの.

It's all in a day's work.

「**それは何も特別なことではない；日課のようなものだ**」➤大変そうな仕事に思えるかもしれないが, 日常的にやっていることだという場合に用いる. 省略表現でAll in a day's work. ともいう.「それはみな1日の仕事に含まれる」が原義.

Ex. There's no need to thank me, sir. It's all in a day's work.
お礼には及びません. 毎度のことでお安い御用ですから.

It's not every day (that) ...

「**…は毎日のことではない；…はそうそうあることじゃない**」

Ex. It's not every day that you get a raise. Let's go out and celebrate. 昇給なんてそうそうあるもんじゃないから, 外でお祝いしましょうよ.

Let's call it a day.

「**きょうはこの辺にしておこう**」➤仕事などをおしまいにしようと提案するときに用いる.
[補足]「今夜はこの辺にしておこう」という場合は Let's call it a night. という.

Make my day.

「**私を喜ばせてよ；やれるものならやってみな**」➤my day は「私のついている日；私が幸せな日」という意味で,「私にとって喜ばしい日にしてくれ」が原義. 皮肉で逆の意味で使うこともある. また, Go ahead, make my day. と同じ意味で相手を挑発する場合にも用いる.

Ex. A: I challenge you to a game of chess? チェスを一局指さそうよ.
B: Sure. Make my day. いいとも. 一丁もんでやるよ.

One day at a time.

「**一日一歩；まずはきょう一日**」➤特に薬物などの中毒や心の痛手などから立ち直るときに, 遠大な計画を立てたり, 望む結果を早く出そうとあせったりせず, その日その日を無事に乗り切ることを心がけるべきだという場合に用いることが多い.

[補足] シングルマザーを主人公にしたテレビコメディー (1975-84) のタイトルにも使われている (日本未放映). また, ジョン・レノン (John Lennon) の歌に "One Day (At A Time)" がある.

Seize the day.

「**この日をとらえよ；きょうを生きろ**」➤将来のことはわからないからきょうこの日をたいせつにしなさい, という意味のことわざ. ラテン語 Carpe diem. の翻訳表現. Seize the moment. もほぼ同じ.

Take each day as it comes. / Take one day at a time.

「**その日その日をたいせつに過ごす**」➤One day at a time. とほぼ同じ.

That'll be the day!

「**そういうことには絶対にならない；一生ないね**」➤相手の提案や約束が実現する見込みはまずない, という場合に用いる. That'll be the frosty Friday. ともいう.

Ex. A: I'd like my mother to come and visit us.
お母さんをうちに呼びたいわ.
B: That'll be the day! She hates traveling and she hates me.
まあ無理だね. お母さんは出かけるのが嫌いだし, ぼくのこと嫌ってるもの.

Those were the days.

「あのころはよかったね」➤昔をなつかしんで言う.

Ex. A: Remember when we were first married and had few responsibilities? 結婚したてで責任もほとんどなかったころを覚えている？
B: Yes. Those were the days. ああ．あのころはよかったね．

[補足] 1968年にイギリスの歌手メアリー・ホプキン (Mary Hopkin) が歌って大ヒットした「悲しき天使」の原題でもある．

Time to call it a day.

「そろそろ終わりにしよう」➤その日の仕事をおしまいにする時間だという場合に用いる．It's time to call it a day. の省略表現．Let's call it a day. とほぼ同じ．

Your days are numbered.

「もうお前はおしまいだ；首を洗って待っていろ」➤客観的事実として余命いくばくもない，あるいは役職などに長く留まれないという場合にも用いる．「おまえの生きる日々は数えられている」，すなわち「おまえの人生は残り少ない」ということから．

[補足] 自分や第三者についてMy/His/Her days are numbered. などともいえる．

Your day will come.

「いつかいいことがあるよ」➤自分について My day will come. ともいえる．

---

dead 死んだ；死んでいる

Dead men tell no tales.

「死人に口なし」➤日本語と同じ発想のことわざ．

Don't speak ill of the dead.

「死んだ人のことを悪く言ってはいけない」➤Don't の代わりに Never も用いる．

Drop dead!

「死んでしまえ；くたばりやがれ」➤激しい罵倒 (ばとう) のことば．[類似] Go to hell!

I wouldn't be caught dead.

「死んでもいやだ；まっぴらごめんだ」➤しばしばこの後に，その死んでもいやな状態を表す副詞句を続けて用いる．「死んだ後でもそのような状態にいるところを見つかりたくはない」が原義．

Ex. That bitch? I wouldn't be caught dead talking to her, let alone asking her for a date! あのいやな女だって？ あんな女とは話をするのもまっぴらだ．ましてやだれがデートなんかに誘うか．

I'm dead meat. / I'm dead.

「私はもうおしまいだ」➤悪いことをしてひどくしかられたり罰せられる場合に用いる．

Ex. I can't believe I wrecked Dad's car. I'm dead meat when I get home. お父さんの車を大破しちゃったなんて．家に帰ったら絞られるぞ．

[補足] 自分以外についても You're dead meat. / You're dead. のようにいう．

Let the dead bury their dead.

「死者は死者に葬らせなさい」➤済んだことにいつまでもとらわれずに前向きに生きていきなさい，ということわざ．もとは新約聖書 (New Testament) の「マタイによる福音書」(Matthew 8:22) に出てくるイエス・キリスト (Jesus Christ) のことば．弟子の1人が父親を葬りに行かせてほしいと願ったとき，イエスは Follow me, and let the dead bury their dead. (わたしに従いなさい. 死んでいる者たちに, 自分たちの死者を葬らせなさい) と言った.

deal 取り引き；契約；事柄；取り扱う；対処する

A deal is a deal.
「**契約は契約だ**；約束は約束だ」 ➤A bargain is a bargain. や A promise is a promise. とほぼ同じ. 話しことばでは A deal's a deal. となることが多い.
  Ex. Come on, you promised to sell me the car for $500. You can't back out now. A deal is a deal. なに言ってるの, その車を500ドルで私に売る約束じゃないの. いまさらいやなんてだめ. 約束は約束よ.

Big deal.
「**それがどうしたと言うんだね**」 ➤相手のことばに対して皮肉を込めて「それは大したことだね」という場合に用いる.
  Ex. A: He drives a red sports car and takes his girlfriend to fancy restaurants every night. 彼は赤いスポーツカーに乗って, 毎晩ガールフレンドを高級レストランに連れて行くんだ.
  B: Big deal! それがどうした.

Don't make a big deal out of it.
「そう大げさに考えないで；大騒ぎしないで」

Here's the deal.
「(では) **こうしよう**」 ➤交渉や話し合いで, 自分の提案などを伝えるときに用いる.
  Ex. Here's the deal. You're rich and dumb, I'm poor and smart. So you provide the cash and I'll provide the know-how. OK?
  じゃあこうしましょう. あなたはお金があるけど頭が弱い. 私はお金はないけど頭は切れる. そこであなたが資金を出して, 私がノウハウを出すのはどうかしら.

It's a deal.
「取り引き成立だ；よし, 約束だ」

It's a done deal.
「**それは成立した取り引きだ**；承知した；よし話は決まった」 ➤もう取り引きは成立していて動かせないというのが原義. そこから, 相手の依頼などを引き受けるときにも用いる. Done deal. あるいは単に Done. ともいう.

It's no big deal.
「**大したことないよ**；そんな大騒ぎするほどのことでもないよ」
  Ex. Don't panic. I've got it all under control. It's no big deal.
  動揺しないで. ちゃんと手は打ってあるから. 大したことじゃないよ.

What's the big deal?
「**何を大騒ぎしているのさ**；何が問題なのさ」 ➤大騒ぎしている相手などにそのわけを聞くときや, 反語としてそんな大騒ぎすることないじゃないかという場合に用いる.
  Ex. He's not going to kill you—he wouldn't dare. Keep cool! What's the big deal? 彼はきみを殺しはしないよ. そこまではしないよ. まあ, 落ち着いて. 騒ぎ立てるほどのことじゃないよ.

What's the deal?

「どうすればいいの；何があるのか；どうなっているのか」➤取引などの内容を聞いたり，問題や秘密の事情などがありそうなときにそれを尋ねる場合に用いる．この後半の意味では What's going on? とほぼ同じ．

Ex. A: What's the deal? で，どうしようってわけ．
B: Well, you let me drive your sports car and I'll let you use my apartment next weekend. そうだね，きみのスポーツカーを運転させてもらえないかな．そうしたら今度の週末はぼくのアパートを貸してあげる．

death 死；死因

Death, be not proud
「**死よ，おごるなかれ**」➤16-17世紀のイギリスの詩人ジョン・ダン (John Donne) の14行詩（ソネットsonnet）の出だしのことば．死は恐れられているが，人間は短い眠りの後に永遠に目覚め，死から自由になるという内容がうたわれている．

Death before dishonor.
「**不名誉よりも死のほうがまし；名誉の戦死を選ぶ**」➤降参するよりも戦って死んだほうがよい，という場合などに用いる．Better death than dishonor. ともいう．

Death is the great equalizer/leveler.
「**死は偉大な平衡装置である；死は万人を平等にする**」➤どんな人間にも死は訪れ，老若男女や貧富などの違いを無意味なものにするということわざ．

Someone looks like death warmed over.
「**…はすっかり憔悴(しょうすい)しきっている**」➤病気や疲労で生気の失せた状態を表す．「暖め直された死のようだ」が原義．イギリス英語では *Someone* looks like death warmed up. という．

Ex. After running the marathon, she looked like death warmed over. マラソンを走った後の彼女は息をするのもやっとのようだった．

Nothing is more certain than death.
「**死よりも確かなものはない**」➤ことわざ．

till death do us part / till death us do part
「**死が2人を分かつまで**」➤結婚式で新郎新婦が述べる誓いのことばの一部． ⇨ I ... take thee ... to be my lawfully wedded wife （take の見出し参照）

Yea, though I walk through the valley of the shadow of death, I will fear no evil.

「死の陰の谷を行くときも，わたしは災いを恐れない」➤旧約聖書 (Old Testament) の「詩編」(Psalms 23:1) に出てくるダビデ (David) の歌．葬式のときによく読まれる．⇨ **The Lord is my shepherd; I shall not want.** (lord の見出し参照)

You'll be the death of me (yet).

「おまえのおかげで**寿命が縮む**よ；まったく人騒がせなやつだ」➤特に親がやんちゃな子どもに文句を言うときに用いる．「おまえは私の死因になるだろう」が原義．

Ex. Come here immediately, Johnny. I thought I told you you're never to skateboard on the main road! You'll be the death of me yet. ジョニー，いますぐここに来なさい．大通りでスケートボードをしちゃだめだって言っておいたはずだよ．まったく寿命が縮むじゃないか．

deed 行為

Deeds, not words.
「**ことばでなく行為で示せ；不言実行**」➤Actions, not words. ともいう．

Do a good deed every day.
「**毎日，1つはよいことをしなさい**」➤人生訓などとしてよく用いられる．

No good deed goes unpunished.
「**善行は必ず罰せられる；善は報われない**」➤せっかく何かよいことをしても，それに報いられるどころか反対に罰せられるのが落ちだ，という皮肉なことわざ．「どんなよい行いも罰せられずにはすまない」が原義．

defense 防御；守り

Defense wins championship.
「**守りが優勝を勝ちとる**」➤防御のしっかりしたほうが勝つというスポーツ界の格言．

definitely 明確に；確かに

Definitely.↔Definitely not.
「**もちろん；確かに↔もちろん違う；とんでもない**」➤相手の質問などに強く肯定または否定するときに用いる．Absolutely. / Certainly. ↔ Absolutely not. / Certainly not.とほぼ同じ．

Ex. A: Do you think your mother will come to the party next Saturday? あなたのお母さんは次の土曜日のパーティーに来るかしら．
B: Definitely. She wouldn't miss it for the world.
もちろん．何があっても絶対に来るよ．

Ex. A: Mom, will you let me drive the car today?
お母さん，きょう車を運転させてくれない?
B: Definitely not! When you're older and you've got yourself a license, then maybe.
だめに決まっているでしょ．大きくなって免許を取ってからね．

déjà vu 既視感, デジャヴュ

It's déjà vu all over again.
「まったく同じ光景を見ているようだ；まるでリプレーを見るようだ」➤いま目の前で繰り広げられているのは以前に見たのとそっくり同じ光景のようだ，ということ．It's like déjà vu all over again. ともいう．

[補足] ヤンキースのもと選手・監督のヨギ・ベラ (Yogi Berra) が言い始めたとされる．

delight 大喜び；大喜びさせる；大喜びする

I'd be delighted to.
「ええ喜んで」➤誘いや依頼を承諾する表現．I'd be happy to. ともいう．
  Ex. A: I've never used e-mail before. Do you think you could help me with it? eメールは使ったことがないんだ．助けてもらえないかな．
  B: Of course, I'd be delighted to. もちろん．喜んで．

deluge 大洪水

After me/us the deluge.
「私（たち）の後は大洪水がくればいい；後は野となれ山となれ」➤もとはフランスのことわざで，ポンパドール夫人 (Madame de Pompadour) またはルイ15世 (Louis XV) が言ったとされる．

depend 依存する；当てにする

It depends. / That depends.
「それは話［状況］によりけりです；なんとも言えない」➤強調するときには It/That all depends. と all を入れる．
  Ex. A: Can you lend me twenty dollars? 20ドル貸してくれないかい．
  B: It depends. 事情によりけりね．

desperate 必死の；非常事態の

Desperate times call for desperate measures.
「非常時には非常手段が必要だ；こうなったらなりふり構わずだ」➤Drastic times call for drastic measures. ともいう．
  Ex. We're all going on a diet of bread and water! Desperate times call for desperate measures. これからは全員パンと水だけの食事にするよ．非常時には非常手段をとるしかないから．

detail 細部

God is in the details.

「神は細部に宿る」▶非常に小さなことに神の摂理が見られる,あるいは細部にまで神経を行きわたらせることが大事だ,という意味のことわざ.

The devil is in the details.
「**悪魔は細部に宿る**;細部の詰めがやっかいだ」▶小さなことが原因で大きな失敗になることが多いので細部をおろそかにしてはいけない,あるいは細部が問題だ,という意味のことわざ.前の見出しフレーズを参照.

devil 悪魔

Better the devil you know than the devil you don't.
「**知らない悪魔より知っている悪魔のほうがましだ**」▶いまの状況は満足いくものではないが,新しく変えてよくなる保証はないのでこのままいこう,という場合に用いる.

Ex. I don't like the President, but at least he's predictable, so I'm going to vote for him. Better the devil you know than the devil you don't. 大統領は好きじゃないけど,少なくとも行動は読みやすいから,彼に投票するよ.大統領が変わっていまよりひどくなっても困るしね.

Give the devil his due.
「**悪魔に支払うべきものを支払いなさい**」▶嫌いな相手でもよいところはよいと認めなさい,という意味のことわざ.この due は「支払うべきもの」という意味で,give *someone* his/her due は「人を正当に評価する」という意味の慣用句.

Speak of the devil.
「**うわさをすれば影**;うわさをすればなんとやら」▶Speak of the devil, there he/she is. (うわさをしてたら本人がやってきた)の後半を省略したもの.Talk of the devil. ともいう.ことわざとしてはTalk/Speak of the devil and he will appear. や Talk/speak of the devil and he is bound/sure to appear. といい,これらも同じように用いられる.

Ex. A: John has a drinking problem, you know. He often comes to the office with a hangover.
ジョンは酒の問題があってね.よく二日酔いで出社しているよ.

B: Oh! Good morning, John. Speak of the devil! We were just saying what a wonderful job you did on that presentation last week. あら,おはよう,ジョン.うわさをすればなんとやらね.あなたの先週のプレゼンはすばらしかったって話していたところなのよ.

The devil can cite Scripture for his purpose.
「**悪魔は自分の目的のためには聖書を引用することもできる**」▶悪人はどんな手段でも用いる,あるいは聖書などのことばも悪人が自分を正当化するために歪曲されてしまうことがある,ということわざ.シェークスピア (Shakespeare) の『ベニスの商人』(*The Merchant of Venice* I. iii.) からの引用句.

The devil is not so black as he is painted.
「**悪魔は絵にかかれているほど黒くはない**」▶人が評判ほど悪くはない,あるいは状況などが見かけほどひどくはない,ということわざ.

The devil looks after his own.
「**悪魔は自分のめんどうを見る**;憎まれっ子世にはばかる」▶悪人は助けてくれる人

がいないので自分の力でなんとかしてやっていくものだ、という意味のことわざ．

The devil take the hindmost.

「**悪魔よ，最後尾の者をとれ**；落伍者はほっておけ；人のことなど知ったことか」➤自分がたいせつで，ほかの人がどうなろうと構うことはない，ということわざ．Every man for himself and the devil take the hindmost. (みな自分のめんどうを見ることを考え，最後尾の者は悪魔にとられるがいい) ともいう．

The devil you say!

「**すごい**；驚いたね；うそでしょう」➤非常に驚いたときに用いる．婉曲的に The dickens you say! ともいう．[類似] You don't say!

- **Ex.** A: Have you heard the news? The company's bankrupt and we're all out of work. ねえ，聞いた? 会社が倒産してみんな失業だって．
  B: The devil you say! まさか．

What the devil!

「**なんだって**；ええい，ままよ；構うもんか」➤非常に驚いたときや，やけになったときに用いる．婉曲的に What the dickens! ともいう．[類似] What the hell!

- **Ex.** What the devil! I thought I told you to go home early today. Do you enjoy working so much? まったくもう．きょうは早く帰るように言ったじゃない．そんなに仕事が好きなの．

[補足] この後に文章を続けて，What the devil are you doing? (いったい全体何をしているんだい) のようにいう．

Go to the devil! / To the devil with you!

「**ちくしょう**；くそったれめ；くたばりやがれ」➤Go to hell! とほぼ同じ．

You are a devil.

「**あなたはまったくひどい人だ**；悪い人ね」➤冗談っぽく使われることもあるが，この場合は通例 You ARE a devil. と are を強く発音する．

- **Ex.** A: I'm dating the boss's daughter and he doesn't even know it. 社長の娘とデートしてるけど，社長は知らないんだ．
  B: Oh, you are a devil! まったく隅に置けないやつだな．

---

diamond ダイヤモンド

A diamond is forever.

「**ダイヤモンドは永遠です**」➤高級宝飾品販売会社デビアス (De Beers) の宣伝文句．日本語版の宣伝文句は「ダイヤモンドは永遠の輝き」．

[補足] 1971年公開の007 (Double-O-Seven と読む) 映画の『ダイヤモンドは永遠に』の原題 *Diamonds Are Forever* はこれをもとにしている．

Diamond cuts diamond.

「**蛇(じゃ)の道は蛇(へび)**；毒をもって毒を制す」➤ダイヤモンドはダイヤモンドでしか切れないように，同類のもので相手を制するということわざ．知力や策略でハイレベルの張り合いをするという場合にも用いる．

- **Ex.** He's an experienced politician and a tough fighter, but our candidate knows how to deal with people like him. Diamond cuts diamond. 彼はベテラン政治家で手ごわい闘士だが，私たちの候補は

彼のような人をどう扱ったらいいか知っている．蛇の道は蛇だ．

Diamonds are a girl's best friend.

「ダイヤモンドは女の子の最良の友だち」➤女性はダイヤモンドを好むという意味．Diamonds are girls' best friends. ということもある．[類似] A dog is a man's best friend.

[補足] 1949年初演のブロードウェー・ミュージカル，またその1953年公開の映画化作品『紳士は金髪がお好き』(*Gentlemen Prefer Blondes*) の中の歌の題名にも使われている．映画ではマリリン・モンロー (Marilyn Monroe) が歌っている．

dice さいころ，さい

No dice.

「だめだ」➤相手の依頼などを拒絶したり，あるいは自分の試みがまったく功を奏しなかったという場合に用いる．No chance. とほぼ同じ．

Ex. A: What are the chances of our company getting this contract?
うちの会社が契約を取れる可能性はどれくらいあるの．
B: No dice. It's all been decided in advance.
ゼロだね．みんな前もって決まっているんだよ．

[補足] この句の由来は，さいころゲームでさいころが重なり合ったり，台の縁のところで斜めに止まったりした場合を no dice といって無効とされたことからとされる．

die 死ぬ；さいころ，さい

A man can die but once.

「死ぬのは1度だけだ」➤シェークスピア (Shakespeare) の『ヘンリー四世』(*King Henry IV* Part 2 III. ii.) からの引用句．何度も死ぬわけではないから，思い切ってやってみようという場合に用いる．You only die once. とほぼ同じ．

Dying is easy. ... is hard.

「死ぬのは簡単だが，…は難しい；…はだれにもできるってものじゃない」➤コメディアンが Dying is easy. Comedy is hard. (コメディーは死ぬより難しいんだよ) と言うように，自分のやっている仕事がいかに難しいかを述べるときなどに用いる．しばしば，もっと自分のことを尊敬しろという含みをもって使われる．

Ex. Dying is easy. Living is hard. 死ぬのは簡単だけど，生きるのは大変だ．

I'd rather die on my feet than live on my knees.

「ひざまずいて生きるくらいなら立ったまま死んだほうがましだ」➤隷属や服従して生きるよりは自由のために戦って死ぬほうを選ぶ，という意味で用いる．これを一般的命題として述べたことわざ It's better to die on your feet than live on your knees. (ひざまずいて生きるより立ったまま死んだほうがよい) も使われる．

[補足] スティーブ・バウス (Steve Vaus) などの歌のタイトルにも使われている．

Never say die.

「絶対にあきらめるな；そんな弱音を吐くな」➤「決して死ぬと言うな」が原義． Never give up. とほぼ同じ．

Only the good die young.

「**善人は早死にする**」➤この the good は「善人」という意味で複数扱い．「善人だけが若くして死ぬ」が原義．The good die young. ともいう．

[補足] ビリー・ジョエル (Billy Joel) の歌の題名 (邦題は「若死にするのは善人だけ」) にも使われている．

The die is cast.

「**さいは投げられた**」➤ジュリアス・シーザー (Julius Caesar) が元老院に逆らってローマに侵入するためにルビコン川を渡るときに言ったとされることば．一般に，「もう後戻りはできない，前進あるのみだ」という場合に使われる．

Who died?

「何をそんな浮かない顔をしているんだい」➤悲しそうな，または暗い顔をしている人に対して，「だれか親しい人でも死んだのか」という意味で用いるくだけた表現．

You only die once. / You can only die once.

「**死ぬのは1度だけだ**」➤何度も死ぬわけではないから怖がらずにやってみよう，あるいは1度きりの死という時をたいせつにしようなどの意味で用いる．A man can die but once. もほぼ同じ．

Ex. A: I don't advise you to eat blowfish in that restaurant. It can be really dangerous. あの店でフグは食べないほうがいいよ．危ないから．
B: Well, you only die once. なあに，死んだらその時はそのときさ．

---

different 違う；異なる

Different strokes for different folks.

「**十人十色；人それぞれ**」➤好みややり方は個々人で異なる，あるいは相手に応じて適切な対応をとるべきだということわざ．句全体が4拍からなり，strokes と folks が韻を踏んでいて口調のよいものになっている．「異なる人々には異なるなで方がある」が原義．[類似] Tastes differ.

---

dig 掘る

Dig in.

「さあ召し上がれ；さあどんどん食べて」➤Dive in. ともいう．

Ex. Welcome, everybody! As you see, we have a buffet lunch, and everything has got to be eaten. So dig in!

みなさん，ようこそ．ご覧のとおり，立食形式の昼食を用意していますので，全部食べ切っていただきたいと思います．では，召し上がってください．

Dig up!
「よく聞いてくれ」➤Listen up. の意味の俗語表現．「耳の穴をかっぽじってようく聞けよ」と同じ発想．

Digging for China
「中国を目ざして掘っている」➤アメリカで，子どもが砂遊びで砂を掘っているような場合によく用いられる表現．日本で地球の裏側はブラジルだとよく言われるように，アメリカでは地球の裏側は中国だと言われていることから．ただし，実際にはアメリカの反対側はインド洋になる．

dime 10セント硬貨

Brother, can you spare a dime?
「先輩，10セント恵んでもらえないかい」➤1929年のアメリカの株価大暴落に端を発する大恐慌 (Great Depression) を象徴することば．大恐慌で大量の失業者が街にあふれ，このようなことばでコーヒー代を物ごいする姿がいたるところで見られたという．1932年，これをタイトルにした歌も作られ，大ヒットした．

ding 鐘の鳴る音（★ゴーン，キンコーンなど）；ゴーンと鳴る

Ding, ding, ding.
「ピンポーン」➤クイズ番組で回答者が正解したときに鳴る音を表す擬音語 (onomatopoeia)．Ding, ding. と2度だけ繰り返すこともある．
  Ex. A: Who wrote *War and Peace*?
  『戦争と平和』を書いたのはだれだ．
  B: Leo Tolstoy? レオ・トルストイかな．
  A: Ding, ding, ding. ピンポーン，正解．

Ding dong, the witch is gone!
「キンコン，魔女がいなくなった；万歳，いやなやつがいなくなった；やったあ，問題解決だ」
[補足] 映画『オズの魔法使い』(*The Wizard of Oz*, 1939) の挿入歌の題名および歌詞の一部である Ding-dong! The witch is dead! から．

dinner 夕食; 正餐

Dinner is getting cold.
「**夕ご飯が冷めちゃうわよ**」➤夕ご飯ができた (Dinner is ready.) と知らせてもなかなか食べに来ない子どもなどに対していう.「あなたの分が冷めてしまう」ということで, しばしば Your dinner is getting cold. という.

Dinner is ready.
「**夕ご飯ができましたよ**」➤家庭で特に親が子どもに対してよく用いる. Your dinner is ready. ともいう.

What's for dinner?
「**きょうの夕ご飯は何?**」➤夕食の献立について尋ねる表現.

Why don't you stay for dinner?
「**夕ご飯でも食べていったらどうですか**」➤訪問客に対して用いる. Can you stay for dinner? ともいう.

Ex. Hey, there's no need to rush off so early. Why don't you stay for dinner? あわてて帰ることはないでしょう. 夕飯でも食べていったら?

disappoint 失望させる

Don't disappoint me.
「**期待しているよ; しっかり頼んだわよ**」➤仕事のチャンスを与えたときなどに用いることが多い.「私を失望させないでくれ」が原義. Don't let me down. ともいう.

Ex. I'm expecting on you to do well on the exam. Don't disappoint me. 試験は合格してくれるものと期待しているからね. 裏切らないでよ.

I won't disappoint you.
「**きっとご期待にこたえてみせます**」➤仕事のチャンスをもらったときなどに用いることが多い.「あなたを失望させません」が原義. I won't let you down. ともいう.

disconnect 接続を断つ; 連絡を絶つ

The number you have reached has been disconnected.
「**ただいまおかけになった電話番号は現在使われておりません**」➤電話をかけた番号が登録抹消されているときに流れる音声ガイダンス.

discreet 控えめの; 慎重な; 口が堅い
discretion 慎重; 自由裁量; 任意

Discretion is the better part of valor.
「**慎重さは勇気の大半である**; **退くも勇気**; **逃げるが勝ち**」➤勇み立つばかりが勇気ではなく, 時には状況を見極めて自制することも必要だということわざ.

[補足] シェークスピア (Shakespeare) の『ヘンリー四世』(*Henry IV* Part 1 V. iv.) には The better part of valor is discretion. (勇気の大半は慎重さだ) と

いうせりふが出てくる.

I'll be discreet.
「このことは口外しません；目立たないようにします」➤秘密や密会などについてほかの人に知られないように気をつける，という場合に用いる.

Ex. Thanks for telling me your secret. It won't go any further. I'll be discreet, I promise you. 秘密を打ち明けてくれてありがとう. この秘密は口外したりしないわよ. ちゃんと気をつけているから，約束するわ.

discuss 議論する；話し合う　discussion 議論；話し合い

End of discussion.
「もう話し合いはおしまいだ」➤End of conversation. とほぼ同じ.

Ex. I know what you're saying, but there's no way I can agree with you. So forget it! End of discussion. あなたの言っていることはわかるけど，まったく賛成できないね. もうよそう. この話はおしまい.

Let's discuss this like civilized people.
「ここはおとなしく冷静に話し合おうじゃないか」➤相手が興奮してけんか腰になっている場合に用いる.

There's no discussion about it/that/this.
「それについては議論の余地はない；それは明らかだ」

Ex. They were wrong to invade their neighbor, and we were right to declare war. There's no discussion about it.
彼らが隣国を侵略したのは間違っていて，私たちが宣戦布告したのは正しかったんだ. それには議論の余地はない.

dish 盛り皿；料理；皿に盛る

You can dish it out, but you can't take it.
「自分では人のことをとやかく言うくせに，自分が言われるのは我慢ならないたちだ」➤ほかの人を批判するのに，自分が批判されるのは好まない人を非難するときに用いる.「それをほかの人に盛りつけて出せても，自分ではそれを食べられない」が原義.

disturb 妨害する；じゃまになる

Am I disturbing you?
「おじゃまですか；お取り込み中ですか」➤相手が仕事をしているところに立ち寄った場合などに用いる. I hope I'm not disturbing you. (おじゃまじゃないといいのですが) もほぼ同じ.

Ex. Sorry to come without calling you first. Am I disturbing you?
電話もしないで来てしまってすみません. お取り込み中ですか.

Do not disturb. / Please do not disturb.
「じゃましないでください」➤部屋で集中して仕事をしたり，朝遅くまでゆっくり寝ていたいときなどに用いる. ホテルのドアに掛ける札の文句としてよく使われる.

I'm sorry to disturb you.
「おじゃましてすみません」
- **Ex.** I'm sorry to disturb you. You look really busy. Shall I come back later? おじゃまして申し訳ありませんが,ずいぶんお忙しそうですね.また後で来ることにしましょうか.

ditto 同上;同じく

Ditto.
「私もそうだよ;右に同じ」▶相手の言ったのと同じことを自分も相手に感じている,あるいは自分も同じ意見だという場合に用いる. [類似] Back at you. / Me too.
- **Ex.** A: Our boss is a great guy. I have the greatest admiration for him. うちの社長はりっぱな人よね.私,尊敬してやまないわ.
  B: Ditto. 私もよ.

dive ダイビングする;飛び込む;もぐる

Dive in.
「さあ召し上がれ;さあ食べて」▶Dig in. とほぼ同じ.

divide 分ける;分割する

Divide and conquer/rule.
「**分割して統治せよ**」▶大国や支配層が小国や国民を支配するときの鉄則.イタリアの政治思想家マキャベリ (Machiavelli) のことばとして引用されることが多い. Divide and conquer. は,どこから手をつけてよいかわからないような大量の仕事をいくつかの部分に分けて1つずつ片づけていく,という場合によく使われる.

do する

All you can do is the best you can (do).
「あなたにできることは**最善を尽くすことだけだ;人事を尽くして天命を待つ**」▶最善を尽くすよう心がけなさいというような場合に用いる.

Do as I say, not as I do.
「私のまねをするのではなくて,私の言うとおりにしなさい」▶私はりっぱな手本ではな

いが，正しいことを言っているからそれは受け入れたほうがいい，というやや身勝手なことば．親が子どもに説教するときによく言う．

Do as you're told. / Do what you're told.
「言われたとおりにしなさい」➤言うことを聞こうとしない相手に用いる．

Do or die. / It's do or die.
「討ち死に覚悟の決死の行動だ」➤うまくやり遂げるか，さもなければ途中で倒れるまでだという強い決意をもって行動する場合，またはそのような正念場の状況にあるという場合に用いる．

Do something!
「何かしなさい；なんとかしなさい」

> **Ex.** Johnny's fallen into the water and he can't swim! Don't just stand there, do something! ジョニーが水に落ちちゃったわ．彼は泳げないのよ．ぼさっと突っ立ってないでなんとかしなさい．

Do unto others as you would have them do unto you.
「自分が人にしてもらいたいと思うことをほかの人にしてあげなさい」➤イエス・キリスト (Jesus Christ) が山上の説教 (Sermon on the Mount) で語ったことばに由来することわざ．最も重要な行動規範ということで黄金律 (Golden Rule) と呼ばれる．Do as you would be done by. (自分が人にしてもらいたいと思うようにしなさい) もほぼ同じ．

Do your (own) thing.
「自分のやりたいようにしなさい」➤周囲の思惑を気にするなという意味．

Done that, been there.
「それはやったし，そこへも行った；そんなのはとっくに経験済みだよ」➤Been there, done that. (been の見出し参照) に同じ．

Don't do anything I wouldn't do.
「変なことしちゃだめよ；いけないことしちゃだめだよ」➤別れる際におどけて言う．「私がしないようなことはするな」が原義．

> **Ex.** So you're off to Paris for the weekend. Enjoy yourself! And don't do anything I wouldn't do!
> 週末はパリに行くわけね．まあ楽しんできて．でも，悪いことしちゃだめよ．

Don't ... me.
「私に…なんて言わないで」➤相手の使ったことばについて，そのようなことは私に言うなという場合に用いる．動詞を使わない変則的な慣用語法．

> **Ex.** A: Hey, honey. ねえ，ハニー．
> B: Don't honey me! 私をハニーなんて呼ばないでよ．

I do.
「はい誓います」➤一般に，質問に対する肯定のことばとして使われるが，特に結婚式で新郎新婦が言う誓いのことばとして知られる．たとえば，司祭が Jack, do you take Jill to be your lawfully wedded wife? (ジャック，ジルを法律上の正式な妻としますか) などと尋ねたときにこう答える．

I shouldn't be doing this.
「ほんとうはこんなことしちゃいけないんだけど」

> **Ex.** I'm a married man so, I shouldn't be doing this. But what the

heck, it's only a little bit of harmless fun, isn't it, darling?
ぼくは既婚者だからほんとうはこんなことしちゃいけないんだけど.まあ,いいか.ちょっとした罪のないお楽しみだものね.

If you want something done right, do it yourself.
「**納得のいくようにしたいのなら自分ですることだ**」➤人任せの仕事では自分の望みどおりにはならないから,思いどおりにしたいなら自分でやるしかないという意味.

Just do it.
「**ただそれをやりなさい; とにかくやりなさい**」➤あれこれ考えずに思い切ってやりなさい,という場合などに使われる.一般に使われる表現だが,特にスポーツ用品メーカーのナイキ (Nike) のCMコピーとして有名.

Let's do this again (sometime).
「**また(いつか)やりましょう**」➤初めてデートしたときや,昔の友だちと集まって楽しく過ごしたときなどに用いる.We must do this again (sometime). ともいう.

That does it.
「もう我慢ならない; これでおしまいだ」

Ex. That does it! I told you yesterday you'd had your last chance, and now you've lied to me again.
もう勘弁ならん.きのうこれが最後だと言ったのにいままた私にうそをついたな.

That will never do.
「それはだめよ; それはまずいね」

Ex. You want to go to her wedding in jeans and a T-shirt? No, that will never do. You should at least wear trousers and a shirt.
彼女に結婚式にジーンズにTシャツで行きたいですって?それはだめよ.せめてスラックスにシャツでなきゃ.

We have left undone those things which we ought to have done.
「**私たちはすべきであったことをしないままにしてきた**」➤英国国教会祈禱書 (*Book of Common Prayer*) のことば.人間の罪深さを認め,神に救いを求める祈り.

We've always done it that way.
「**私たちはずっとそうしてきたのです**」➤なぜそうするのかと質問されたときに,そうすることになっているからだという意味で使う.しばしば,改革を拒む言い訳に用いられる.

What can I do for you?
「**どんなご用件でしょうか**」➤店の買い物客や家庭の訪問客などに対して用いる.

What do you think you are doing?
「**いったい何をしているのよ; いったい何のまねだ**」➤相手を非難するようにして言う.

You are what you do.
「**人は何をするかで決まる**」➤ことばではなく行動が重要だ,あるいは肩書きなどではなく何をしているかで評価されるという場合に用いる.

You can do anything you want.
「**やりたいことは何でもできる**」➤その気になって努力すれば何でもできる,または好きにしてよいという場合に用いる.

You can do it.
「**きみにはできるよ; がんばればできるから**」➤親が子どもに何かトライさせようとする場

合などによく用いる．

You can't do everything.
「何もかもはできない」➤人間にできることには限りがあるという意味．You can't do everything yourself.（自分ひとりで何もかもはできない）や You can't do everything at once.（1度に何もかもはできない）などもよく使われる．

You have to do what you have to do.
「しなくてはならないことはしなくてはならない」➤非難されようとも，自分に不利になろうとも，正しいと思ったことや義務はしなければならないということ．A man has to do what he has to do. / One has to do what one has to do. ともいう．

doctor 医者

Doctor Livingstone, I presume?
「これはリビングストーン博士ではありませんか」➤1866年，アフリカ探検旅行に出て消息不明になったスコットランドの医師・宣教師・探検家のリビングストーン（David Livingstone）の捜索に乗り出した捜索隊隊長ヘンリー・モートン・スタンレー（Henry Morton Stanley）が彼を発見して言ったことば．一般に，長らく行方不明だった人に会ったときなどに引用される．

Doctor's orders.
「**医者の命令だよ；お医者さまの言いつけよ**」

> **Ex.** You have to eat. Doctor's orders.
> 食べなくちゃだめよ．お医者さまにそう言われたでしょ．

Just what the doctor ordered.
「まさにそれがほしかったんだ；願ったりかなったりだね」➤タイミングよく望みのものが出てきたような場合に用いる．また，野球中継などで「まさにおあつらえ向きの状況です」という場合にも使われる．It's just what the doctor ordered. の省略表現で「まさに医者が命じたもの」が原義．

> **Ex.** A: You must be incredibly tired. A cold beer?
> すごく疲れたでしょう．冷えたビールでもどう？
> B: Perfect. Just what the doctor ordered.
> いいね．まさにうってつけだ．

The doctor is in.
「ただいま**診察できます**」➤診療時間中であることを示す医院の掲示．

You're the doctor.
「はい，**先生**」➤あなたのほうが専門家でよく知っているから，あなたの指示に従います，という場合に用いる．実際に相手が医者のときに使うことが多いが，一般に医者以外の人に対しても使われる．「医者はあなただ」が原義．

dog 犬

A dog is a man's best friend.
「犬は人間の最良の友」➤ことわざ．A dog is man's best friend. / The dog is (a) man's best friend. ともいう．[類似] Diamonds are a girl's best

friend.

A living/live dog is better than a dead lion.
「犬でも，生きていれば，死んだ獅子よりまし」；命あっての物種；死んで花実が咲くものか」➤旧約聖書 (Old Testament) の「コヘレトの言葉」(Ecclesiastes 9:4) からの引用句．勇敢な死を遂げるより，みじめでも生きているほうがよいということわざ．[類似] Better a live coward than a dead hero.

Barking dogs never/seldom bite.
「ほえる犬はかまない」➤大声を出して怒るような人は実害を及ぼすことはない，ということわざ．Barking dogs don't bite. ともいう．

Beware of dogs.
「犬に注意しなさい」➤新約聖書 (New Testament) の「フィリピの信徒への手紙」(Philippians 3:2) に出てくることば．「番犬に注意」という意味の表札としても用いる．

Beware of the dog.
「番犬に注意」➤犬を飼っている人が門のところなどに出す表札の文句．

Dog gone it!
「ちくしょう；くそっ」Doggone it! ともつづる．God damn it! の婉曲語法から．

Every dog has his/its day.
「どの犬も幸せな日がある」➤だれにもついている時はある，またはだれでも一度はいい思いをするものだ，ということわざ．

I have to (go) see a man about a dog.
「ちょっと失礼しますよ；ちょっとやぼ用でね」➤特にトイレに行くために席を外したり，しばらく出かけるときなど，ほんとうの理由を言いたくない場合に用いる．「犬のことについて人に会わなければならない」が原義．I'm going to see a man about a dog. ともいう．

If you can't run with the big dogs, stay on the porch.
「背伸びをするな；勝てない相手とは勝負するな」➤自分の力量を超える仕事や人を相手にするな，ということわざ．「大きな犬といっしょに走れないならポーチにいなさい」が原義．[類似] If you can't stand the heat, get out of the kitchen.

It's a dog-eat-dog world.
「生き馬の目を抜く世界だ」➤非常に生存競争の激しい社会を表す．「犬が犬を食べる世界だ」が原義．

It's a dog's life.
「みじめな存在だ；ひどい生活だ」

> **Ex.** I spent a month in a Calcutta slum gathering material for my novel and I can tell you, it's a dog's life. 小説の取材でカルカッタのスラムで1か月暮らしたけど，まあ，そこの生活状態は悲惨だったよ．

Let sleeping dogs lie.
「寝た子を起こすな；触らぬ神にたたりなし」➤余計なことを言ったりしたりして，相手を刺激するようなことはしないほうがいいということわざ．「寝ている犬は横たわったままにしておきなさい」が原義．

That/This dog will hunt.
「それ/これはうまくいきそうだ；（ゴルフで）ナイスショット」➤それはいい結果を出し

そうだという場合に使う．ゴルフでは，「いいショットでボールが絶好の位置につけそうだ」という意味で用いる．「その/この犬は狩りをするだろう」が原義．

done　do の過去分詞；終わった；済んだ

Done.
「**承知した**；よし，そうしよう；終わった」▶相手の依頼や賭けの申し込みなどに対して承諾する場合に用いる．この意味では It's a done deal. ともいう．また，I'm done. (終わった；できた) の意味でも用いられる．

Ex. A: You want me to buy your old wreck of a car? No way!
　　　ぼくにポンコツ車を買わせようってのかい．お断りだね．
　　B: Come on, man. I'm only asking 50 dollars for it.
　　　いいじゃないか，たった50ドルでいいからさ．
　　A: Done. それなら買おう．

I'm done.
「**終わった**；**できた**」▶テストなどをやり終えた場合に用いる．単に Done. ともいう．

Ex. A: Hey Helen, how much longer is it going to take you to vacuum the carpets? ヘレン，カーペットの掃除機かけはあとどれくらいかかる？
　　B: I'm done. Now it's your turn to dust the furniture.
　　　もう終わったわ．今度はあなたが家具のほこりを掃除する番よ．

I'm done with you.
「**あなたとはおしまいよ**；**きみには愛想が尽きた**；**やってられないね**」▶恋人などと絶交する際にいう．一般に「あなたとの用件は終わりました」という意味でも使う．

What's done cannot be undone.
「**やってしまったものはしかたない**；**覆水盆に返らず**；**いまさら後悔しても始まらない**」▶特に，それはなかったことにしたいと思っても無理な相談だという場合に使われることが多い．[類似] You can't unring a bell.

[補足] シェークスピア (Shakespeare) の『マクベス』(*Macbeth* V. i.) のせりふにも使われている．

What's done is done.
「**やってしまったものはどうしようもない**；**済んだことは済んだことだ**」

[補足] シェークスピア (Shakespeare) の『マクベス』(*Macbeth* III. ii.) のせりふにも使われている．

doom　運命；破滅；(破滅などへ) 運命づける

We're doomed.
「**もうおしまいだ**」▶一般に使われる表現だが，特に映画『スター・ウォーズ』(*Star Wars*) シリーズでロボットの3POがよく口にするせりふとして知られる．

door　ドア；戸

Don't let the door hit you on the way out.

「出るときにドアにぶつけられないように気をつけてね」➤部屋や家のドアから出て行こうとする相手に言う．ドアクローザー (door closer) がついているドアは自動的に閉まるようになっているので，うっかりしているとお尻にドアが当たるためにこう注意する．

My door is always open.
「私のドアはいつでも開いています」➤いつでも歓迎ですから訪ねてきて，という意味．

Shut that door behind you.
「入ったら［出るときは］ドアを閉めなさい」➤特に，ドアを開けっ放しで出入りする子どもに母親がよくこう言って注意する．

The door is open.
「ドアは開いているよ」➤だれかがドアをノックしたときに，かぎは締まっていないからそのまま開けて入ってきていいよ，という場合に用いる．

When one door closes, another one opens.
「1つのドアが閉まるとき，別なドアが開く；捨てる神あれば拾う神あり」➤チャンスがなくなったと思っても，別なチャンスが訪れるものだということわざ．

double 倍 (の)；倍にする

Double or nothing.
「倍チャラ」➤賭けで，負けが込んでいる人がこれまでの負けの総額と同じ金額を賭け，もし負ければ倍 (double) の負債を負い，勝てばそれまでの負けがチャラ (nothing) になるということ．しばしば，負けが込んでいる当人がこれを提案する．

Double, double toil and trouble
「倍になれ，倍になれ，苦労と困難」➤シェークスピア (Shakespeare) の『マクベス』(*Macbeth* IV. i.) で，3人の魔女が大釜 (cauldron) で魔法の薬を作っているときに唱える呪文．

[補足] この文句を含む呪文の出だしは次のとおり．この呪文は映画『ハリー・ポッターとアズカバンの囚人』(*Harry Potter* the Prisoner of Azkaban) の中で歌われている．

Double, double toil and trouble;	倍になれ，倍になれ，苦労と困難
Fire burn, and cauldron bubble.	火よ燃えろ，大釜よ沸き立て
Double, double, toil and trouble;	倍になれ，倍になれ，苦労と困難
Something wicked this way comes.	邪悪なものがこっちへやってくる

doubt 疑う；疑い

I doubt it.
「そうじゃないと思う」➤そうはならないだろう，という場合などに用いる．

Ex. A: Will we be able to afford a holiday in Hawaii next year?
来年はハワイ旅行ができるようになるかな．
B: I doubt it, unless you win the lottery.
宝くじでも当たらない限りはまず無理ね．

I doubt that.
「それは怪しいものだね」➤相手の言ったことは信じられないという場合に用いる．

Ex. A: Betty tells me her son speaks perfect French.
ベティーの話だと，息子さんはもう完ぺきなフランス語を話せるそうよ．
B: I doubt that. He's only been studying for one year, and he's no genius. それは怪しいものだね．まだ習い始めて1年しかたってないし，天才児でもないからね．

No doubt. / Without a doubt.
「**もちろんだ**；間違いない；確かに」➤相手のことばや自分の言ったことを強く肯定する場合に用いる．

Ex. A: Congratulations on your new car. I'm sure you'll be satisfied with it, sir.
いい新車ですね．きっとご満足いただけると思います．
B: No doubt. 確かに．

There is no doubt about it/that.
「**それは間違いない**；まったくだね」➤省略表現でNo doubt about it/that. ともいう．

Ex. A: Albert Einstein was the greatest genius of the 20th century.
アルバート・アインシュタインは20世紀最大の天才だったね．
B: There's no doubt about that. 間違いなくそのとおりだね．

When in doubt do nothing.
「**よくわからないときは何もするな**」➤確信がもてないときは何もしないで，ほかの人にアドバイスを受けるなりしなさいという格言．

dozen 12個(の)，ダース(の)

It's six of one and half a dozen of another.
「**同じようなものだ**；大同小異だ；どっちもどっちだ」➤2とおり以上方法があるときに，どれも結局は同じということ．省略表現で Six of one and half a dozen of another. ともいう．「6個というか，半ダースというかの違いだ」が原義．

drastic 劇的な；極端な

Drastic times call for drastic measures.
「**非常時には非常手段が必要だ**；こうなったらなりふり構わずだ」➤Desperate times call for desperate measures. に同じ．

dream 夢(を見る)

Dream on.
「**ばかを言ってはいけない**；だれが」➤そんな虫のいいことを考えても私は相手にしませんよ，という場合に用いる．Dream と on の両方を強く発音する．「夢を見続けなさい」が原義．[類似] In your dreams!

Dreams go by contraries.
「**夢は逆夢**」➤夢に見たことの反対が現実世界では起こるということわざ．

I have a dream.
「**私には夢がある**」➤公民権運動の指導者マーチン・ルーサー・キング牧師 (Martin Luther King, Jr.) が1963年のワシントン大行進の際に行った演説の一節，またその演説につけられたタイトル．
[補足] このことばが出てくる部分は次のように始まる．
I have a dream that one day this nation will rise up, live out the true meaning of its creed: we hold these truths to be self-evident, that all men are created equal.
私には夢がある．いつの日かこの国が立ち上がり，「我々はこれらの真理が自明であると考える．すなわち，すべての人が平等につくられているということを」というアメリカ (独立宣言) の信条の真の意味を実現することを．

In your dreams!
「**何ばか言ってるのよ；せいぜい夢でも見ていなさい**」➤そんなことは現実にはありえないから，あきらめろというような場合に用いる．IN your dreams! のように in を最も強く発音する．「(それは) あなたの夢の中でのことだ」が原義．[類似] Dream on.
- **Ex.** So you want me to give up drinking, give up smoking, and go jogging. In your dreams! で，ぼくに酒もタバコもやめて，ジョギングしてくれだって．ばかも休み休み言ってほしいね．

It's a dream come true. / It's like a dream come true.
「**長年の夢がかなった (みたいだ)**」
- **Ex.** What a beautiful house, and it's all ours! Sweetheart, it's a dream come true. こんなきれいな家が，みんな私たちのものなのね．あなた，念願の夢がかなったわね．

Sweet dreams. / Pleasant dreams.
「**いい夢が見られますように；おやすみなさい**」➤就寝時のあいさつ．特に親が子どもによく言う．Good night. Sweet dreams. / Pleasant dreams. (おやすみ．いい夢を見てね) と言うことも多い．

---

drift 漂流；傾向；意味するところ；漂流する；漂流させる

Get my drift?
「**私の言おうとしていることがわかるか**」➤Do you get my drift? の省略表現．
- **Ex.** I didn't hire you to sit at your desk doing nothing. We can't afford slackers here. Get my drift?
きみを雇ったのはただ席に座っていてもらうためじゃないんだよ．うちは怠け者を雇っておける余裕はないんだ．わかったか．

---

drill ドリル；訓練；やり方；手順

What's the drill?
「**何をすればいいのですか；どうしたらいいのですか**」➤その場の状況で自分に何が求められているのかを尋ねるときに用いる．

You know the drill.

「**やり方はわかっていますね**」➤どうやったらいいか知っているはずだから，そのようにやってくださいという場合に用いる．

Ex. Good morning, boys and girls. Welcome to our summer camp. Most of you were here last year, weren't you? So you know the drill. よい子のみなさん，おはよう．このサマーキャンプへようこそ．去年も来ていた子がほとんどですね．じゃあ，やり方はわかっていますね．

drink 飲む；酒を飲む；飲み物；酒

Can I buy you a drink? / May I buy you a drink?
「**1杯おごらせてもらえるかい**」➤バーなどで仲間と落ち合ったとき，あるいは見知らぬ人と知り合いになった場合などに用いる．

Can I get you something to drink?
「**何かお飲み物はいかがですか**」➤来客などに尋ねる．

Don't drink and drive.
「**飲酒運転はだめだよ；飲んだら乗るな**」➤飲酒運転 (drunk driving) を戒める表現．[類似] Drinking and driving don't mix.

Drink to me only with thine eyes
「**そなたのまなざしでだけ私のために乾杯せよ**」➤17世紀のイギリスの詩人ベン・ジョンソン (Ben Jonson) の詩 "To Celia" の出だしのことば．恋人同士は互いを見るだけで陶酔感を味わうことをうたっている．

Drink up.
「**乾杯；ぐいっとやって**」➤Bottoms up. に同じ．

Ex. Drink up, everybody. It's Friday night. Time to relax! みんな，ぐいっとやって．金曜の夜だからリラックスしよう．

Drinking and driving don't mix.
「**飲酒と運転はなじまない**」➤飲酒運転 (drunk driving) を戒めることば．Alcohol and driving don't mix. ともいう．[類似] Don't drink and drive.

I'll drink to that.
「**賛成；それはいいわね**」➤相手の発言への強い同意．「それに乾杯するよ」が原義．

Ex. A: This president's finished. He can't win. The other guy's got everything going for him. この大統領はもうだめね，勝ち目はないわよ．対立候補はすべて兼ね備えているんですもの．

B: I'll drink to that. まったくだね．

What would you like to drink?
「**何をお飲みになりますか；お飲み物は何になさいますか**」

drive 運転する；進む　　driving 運転

Drive safely. / Drive carefully.
「**運転には気をつけてね；安全運転してね**」

Driving is a privilege, not a right.
「**車の運転は特典であって権利ではない**」➤車の運転には注意と責任が必要である

という意味．免許を取得したばかりの人などによく使われる．

What are you driving at?
「**何が言いたいのですか**」➤相手の話の趣旨がわからない，あるいはそこに自分に対する批判が感じられる場合に用いる．

You are what you drive.
「**車は人なり；人は乗っている車で決まる**」➤乗っている車を見ればその人となりがわかるというもの．[類似] You are what you eat. / You are what you do.

drop 落とす；落ちる

Drop by sometime. / Drop in sometime. / Drop over sometime.
「**たまには寄ってね**」➤Stop by sometime. / Stop in sometime. ともいう．

Drop it.
「**その話はもういいよ；もうやめなさい**」➤相手の話題や悪ふざけをやめさせるときに用いる．その話題はもういいという場合は Drop the subject. ともいう．

Drop me a line. / Drop me a note.
「**手紙を書いてね**」➤短いものでかまわないから近況などを郵便で知らせてほしいという場合に用いる．特に旅行や転居で去っていく人に対して使う．それぞれ「1行の便りを出してください；短い手紙を出してください」が原義．

It's just/only a drop in the ocean/bucket.
「**大海の一滴に過ぎない；微々たるものだ**」➤特に金額について使われることが多い．
Ex. You forgot her birthday? Don't worry about it. She'll have plenty more birthdays. It's only a drop in the ocean.
彼女の誕生日を忘れたのかい．心配いらないよ．誕生日はまだこれから何度も来るんだから．ごく小さなことだよ．

Thank you for dropping by.
「**立ち寄ってくれてありがとう**」➤訪問してきた人が帰るときに述べるお礼のことば．店の人が客に対しても用いる．Thank you for stopping by. ともいう．

drown おぼれる；おぼれ死ぬ；おぼれさせる

A drowning man will catch/clutch at a straw.
「**おぼれる者はわらをもつかむ**」➤せっぱ詰まった状況ではわずかな可能性にも望みをつないで必死に頑張るものだ，ということわざ．

duck アヒル；ひょいと水にもぐる；ひょいとかがむ

Honey, I forgot to duck.
「**ねえ，かがむのを忘れちゃったよ**」➤1926年，プロボクシングの世界ヘビー級王者ジャック・デンプシー (Jack Dempsey) がジーン・タニー (Gene Tunney) に判定負けしたとき，どうして負けたのかと聞いた妻に言ったことば．1981年にレーガン大統領 (Ronald Reagan) が狙撃された際に，病院にかけつけた妻に大統領がこの

ことばを引用している.

If it looks like a duck, walks like a duck, and quacks like a duck, it's a duck.
「アヒルのような格好で, アヒルのように歩き, アヒルのようにガーガー鳴いたとしたら, それはアヒルだ」➤外見や行動を見ればどんな人物かわかるという意味で用いる. 赤狩りで有名なマッカーシー上院議員 (Joseph R. McCarthy) が共産党員の見分け方について語ったのが最初とされる.

duh ちょっと

Duh!
「あたりまえでしょ; なに寝ぼけたこと言っているんだ」➤相手をばかにしたように言う俗語表現. 発音は /dÁ/.

dumb ばかな; 口のきけない

Don't play dumb (with me).
「しらばくれるな; とぼけるんじゃない」

Ex. A: I told you not to touch that file.
そのファイルには触らないでって言っておいたはずよ.
B: What file? ファイルって何のこと?
A: Don't play dumb. しらばくれないでよ.

[補足] 第三者について「しらばくれているだけだよ」という場合には He's / She's just playing dumb. などと言う.

How dumb do you think I am?
「ばかにするのもいい加減にしてよ; それほどばかじゃないよ」

dust 塵(ちり); ほこり

Dust thou art, and unto dust shalt thou return
「塵にすぎないお前は塵に返る」➤聖書 (Bible) の「創世記」(Genesis 3:19) からの引用句. 神の言いつけにそむいて禁断の木の実 (forbidden fruit) を食べたアダム (Adam) とエバ (イブ Eve) をエデンの園 (Garden of Eden) から追放するときに神がアダムに言ったことば.

dust to dust
「塵は塵に」➤埋葬のときに唱えられる祈りの一部. ⇨ **earth to earth** (earth の見出し参照)

Dutch オランダの; オランダ人 [語] の

Let's go Dutch.
「割り勘にしよう」➤Let's split the bill. ともいう.
[補足] 割り勘の方式・食事のことは Dutch treat という.

E, e

each それぞれの (人, もの)

Each to his own. / To each his own.
「**人それぞれだから**；十人十色」 ➤好みや考えは他人がとやかく言うべき筋合いのものではない，という場合に用いることが多い．

Ex. A: I can't understand why you like rap music. I hate it!
あなたがラップミュージックが好きなのが理解できないわ．私は大嫌いよ．
B: To each his own. 人それぞれだよ．

eagle ワシ

The eagle has landed.
「**ワシは舞い降りた**；無事成功」 ➤物を正しい位置にうまく置くことができたり，何かに成功したりしたときに用いる．

[補足] 1969年，アポロ11号 (*Apollo 11*) の月着陸船イーグル (*Eagle*) が初めて月に着陸したときニール・アームストロング (Neil Armstrong) 船長が言ったことばが The *Eagle* has landed. (イーグルは着陸した)．チャーチル誘拐計画を描いたジャック・ヒギンズ (Jack Higgins) の戦争小説『鷲は舞い降りた』(1975) の原題にも使われている (同作品は1977年に映画化された．邦題は『鷲は舞いおりた』)．

ear 耳

Someone's **ears are burning.** / Someone's **ears must be burning.**
「**きっと今ごろくしゃみをしているよ**」 ➤人のうわさをしているときに，その人が私たちのうわさを感じとっているだろうという場合に用いる．My ears are burning. (私のうわさをしているんでしょう) ということもできる．

Ex. Oh, hello Barbara. Your ears must've been burning. We were just talking about you before you arrived.
やあ，バーバラ．くしゃみしてなかったかい．きみが来る前にうわさしていたんだ．

From your lips/mouth to God's ear.
「**そうなるといいですね**」 ➤Let's hope so. / May it be so. とほぼ同じ．あなたの唇 [口] から出たことばが神様の耳に届きますように，ということから．

I can't believe my ears.
「**信じられない**；耳を疑うとはこのことだ」 ➤自分がいま耳にしたことがほんとうだとは

とうてい思えないという意味で，相手にあきれる場合にも，また自分にとって夢のようだという場合にも用いる．[類似] I can't believe my eyes.

I'm all ears.
「**聞きたくてうずうずしているのよ；ぜひ聞きたいから話してよ**」➤全身耳にしているから早く話を聞かせてほしい，という場合に用いる．[類似] I'm all eyes.

Ex. A: Bill, do you have a minute? I want to tell you about this new job offer I received. ねえ，ビル，ちょっといいかな．新しい仕事の依頼があって，きみと話をしたいんだけど．
B: I'm all ears. ぜひ聞きたいね．

In one ear and out the other.
「**右の耳から左の耳だ**」➤特に人の話に注意をあまり払わないために，聞いたことをすぐに忘れることを表す．It's in one ear and out the other. / It goes in one ear and out the other. ともいう．

Keep your ear to the ground.
「**よく見聞きしていなさい**」➤周りでどんなことが起こっているのか知っておくため，うわさなどによく注意していなさい，ということ．「耳を地面につけておきなさい」が原義．

Lend me your ear.
「**ちょっと耳を貸してよ**」

Ex. I have a great idea! Could you lend me your ear for a minute so I can tell you about it?
名案があります．ちょっと耳を貸していただけませんか．ご説明しますから．

Little pitchers have big ears.
「**小さい水差しには大きな取っ手（耳の形をしている）がある**」➤子どもはおとなの話を耳ざとく聞いているものだから注意しなさい，ということわざ．Little pitchers have large/long ears. ともいう．

Walls have ears.
「**壁に耳あり**」➤ことわざ．

early 早く；早い

Early to bed and early to rise, makes a man healthy, wealthy, and wise.
「**早寝，早起きは健康と富と知恵のもと**」➤早寝早起きの効用を説いたことわざ．単に Early to bed, early to rise. ともいう．

[補足] 古くからある伝承童謡（nursery rhyme）で，ベンジャミン・フランクリン（Benjamin Franklin）の『プーア・リチャードの暦』(*Poor Richard's Almanack*) にも採録されている．前半の rise と文末の wise が韻を踏んでいる．

earth 地球；大地；土

Did you feel the earth move?
「**地球が動くのを感じたかい**」➤セックスの後で女性にオーガズム（orgasm）を感じたかどうか尋ねる表現．feel the earth move は「オーガズムを感じる」という意

味の慣用句. [類似] Was it good for you?

[補足] ヘミングウェー (Ernest Hemingway) の『誰がために鐘は鳴る』(*For Whom the Bell Tolls*) ではロバート・ジョーダン (Robert Jordan) がマリア (Maria) とのセックスの後で But did thee feel the earth move? (でも, そなたは地球が動くのを感じたか) と聞く場面がある.

earth to earth, ashes to ashes, dust to dust

「**土は土に, 灰は灰に, 塵は塵に**」▶英国国教会祈禱書 (*Book of Common Prayer*) の祈りのことばで, 埋葬時に墓穴に入れられた棺に司祭が土をかけながら唱える.

[補足] 宗派によって異なるが現在アメリカで多く唱えられている文言は次のとおり.

In sure and certain hope of the resurrection to eternal life through our Lord Jesus Christ, we commend to Almighty God our brother/sister …; and we commit his/her body to the ground; earth to earth, ashes to ashes, dust to dust. The Lord bless him/her and keep him/her, the Lord make his/her face to shine upon him/her and be gracious unto him/her and give him/her peace. Amen.

我らが主イエス・キリストによりて永遠の命に蘇るという確かな希望をもって, 我々は我々の兄弟［姉妹］…を全能なる神にゆだねます. そして, そのなきがらを大地にゆだねます. 土は土に, 灰は灰に, 塵は塵に. 主よ, 彼［彼女］を祝福し, これを留め置きたまえ. 主よ, 彼［彼女］の顔を輝かせ, 彼［彼女］に憐らみをたれ, 平安を与えたまえ. アーメン

ease　楽であること；楽になる；楽にする

At ease.

「**休め**」▶軍隊などでの号令.「気をつけ」は Attention! という.

Ease up.

「**落ちついて；そう興奮しないで**」▶そういきり立つな, あるいはあまり強くプレッシャーをかけないで, という場合に用いる.

east　東 (の)；東洋 (の)

East is East, and West is West, and never the twain shall meet.

「**東は東, 西は西. 両者が出会うことはない**」▶東洋と西洋など, 異なる文化をもつ人々が理解しあうのは難しいという意味のことわざ. この句の twain は two の意味の古語. 前半の East is East, and West is West だけで用いることも多い.

[補足] キプリング (Rudyard Kipling) の詩「東と西のバラード」("The Ballad of East and West") の一節から. イギリスで暮らすパキスタン人一家を描いた1999年の映画『ぼくの国, パパの国』の原題 (*East is East*) にも使われている.

easy　楽な, 簡単な；楽に, 簡単に

Don't take the easy way out.
「**楽な道を選ぶな**；楽をしようとするな」➤困難でも正面から問題などに取り組みなさいという忠告．

Easier said than done.
「**口で言うほど簡単ではない**；言うはやすし，行うはかたし」➤It is easier said than (it is) done. (それは行われるよりも言われるほうが簡単だ) から．

Easy come, easy go.
「**簡単に手に入ったものは簡単に出て行く**；悪銭身につかず」➤人からもらった金品や不労所得などがすぐになくなったような場合に用いることわざ．

Easy does it.
「**そうっとね**；丁寧にね」➤細心の注意を払って物や人を扱うようにとのアドバイス．

> **Ex.** Easy does it. This piano is very heavy, so we have to be careful.
> そうっとね．ピアノは重いから，気をつけてやらなくちゃね．

It hasn't been easy.
「**なかなか大変だった**」➤仕事や悩み事などについて，かなり苦労したけれどもどうにか切り抜けたというような場合に用いる．特定のことがらではなく，全般的な状況が大変だったという場合には Things haven't been easy. ともいう．

I'm easy. / I'm easy to please.
「**私は何でも構わない**；特にこだわりはない」➤私はうるさく注文をつけない（からそれで結構だ），という場合などに用いる．

> **Ex.** A: I hope you like this new recipe.
> この新しい料理を気に入ってくれるといいけど．
> B: Don't worry. I'm easy to please.
> 心配無用だよ．ぼくはうるさく言わないから．

It's easy to say, (but) hard to do.
「**言うはやすし，行うはかたし**」➤Easier said than done. とほぼ同じ．

It's not as easy as it looks.
「**はた目には簡単そうに見えるかもしれないけど，そうでもないんだよ**」

> **Ex.** A: Figure skating looks like fun. フィギュアスケートっておもしろそう．
> B: Yes, it is, but it's not as easy as it looks.
> ええ，でもはたから見ているほど簡単じゃないのよ．

Nothing good comes easy.
「**いいものは簡単には手に入らない**」➤それなりの成果を得ようと思うなら努力と忍耐が必要だということ．Nothing worthwhile comes easy. (価値あるものは簡単には手に入らない) ともいう．

Nothing worth doing is easy.
「**やるに値することで簡単なものはない**」➤Nothing easy is worth doing. (簡単なものでやるに値するものはない) という言い回しもある．

Stand easy.
「**休め**」➤軍隊などでの号令．

Take it easy.
「**まあ落ち着け**；そう入れ込まないで；じゃあね」➤興奮・心配している相手をなだめるときや，別れのあいさつとして用いる．

Ex. A: I'm so worried about this project that I have a terrible headache! この仕事のことが気になって，ひどい頭痛がしているよ．
B: Take it easy. We still have plenty of time before the deadline. まあ落ち着いて．締め切りまでにはまだ時間がたっぷりあるから．
Ex. A: It's getting late, so I'm going to go home now.
遅くなってきたから，そろそろ帰るよ．
B: OK. Take it easy! わかった．じゃあまた．気をつけて．

That's/It's easy for you to say.
「人ごとだからそんなことが言えるのさ；人ごとだと思ってよく言うよ」

Too easy.
「そんなの簡単さ；わけないよ」 ➤ It's/That's too easy. などの省略表現で，That's nothing. とほぼ同じ．

---

eat 食べる

Eat, drink, and be merry, for tomorrow we die.
「食べて，飲んで陽気にやりなさい．あしたは死ぬのだから」 ➤ 楽しめるうちに人生を楽しみなさいということわざ．単に Eat, drink, and be merry. ともいう．出典は旧約聖書 (Old Testament) の「コヘレトの言葉」(Ecclesiastes 8:15) と「イザヤ書」(Isaiah 22:13)．

Eat to live, not live to eat.
「生きるために食べて，食べるために生きるな」 ➤ 古代ギリシャの哲学者ソクラテス (Socrates) のことば．One should eat to live, not live to eat. ともいう．

Eat up.
「さあ食べて；全部食べて」 [類似] Dig in. / Dive in.
Ex. Please, eat up! Lots of food will help build up your strength.
さあ，召し上がれ．たくさん食べて力をつけてね．

Eat well and exercise.
「よく食べて運動しなさい」 ➤ 健康を保つための忠告．

Eat what is (put) in front of you.
「出されたものを食べなさい」 ➤ 特に，食べ物について文句を言う子どもに親がよくこう言う．「自分の前に置かれたものを食べなさい」が原義．

I could eat a horse.
「腹ぺこだ；腹の虫がグーグー鳴っているよ」 ➤ I'm so hungry I could eat a horse. (ひどく腹ぺこで馬一頭でも食べられそうだ) の前半を省略したもの．

I couldn't eat another thing.
「もうおなかいっぱいで食べられません」 ➤ もっとどうですかと食べ物を勧められて断るときなどに用いる． [類似] I'm full. / I've had enough.

I hate to eat and run, but ...
「食べてすぐ行かなくちゃいけないのはつらいのですが…；まるで食べに来たみたいで悪いのだけど…」 ➤ 集まりなどで，食べてすぐその場を去らなくてはならないときに言う．

Let's eat.
「さあ食べましょう」 ➤ 食事の用意ができて食べ始めるときに言う．また，Let's eat

something. と同じ意味でも用いられる.

Let's eat something.
「何か食べようよ」

What's eating someone?
「何いらいらしているのだい; 何を悩んでいるの?」 ➤What's bothering *someone*? とほぼ同じ.

> **Ex.** What's eating you, Bob? You look angry and you've been silent for over five minutes. ねえ, ボブ, 何が気に入らないのよ. もう5分以上不機嫌な顔をして黙り込んでいるじゃないの.

When do we eat?
「いつ食べるんだい」 ➤食事の時間はまだかい, 早く食べようよという場合の表現.

You are what you eat.
「**健康は食事から**; **医食同源**」 ➤食べたものが身になるから, 健康な食事を心がけるべきだということ.「人 (の健康状態) は食べる物で決まる」が原義.

[補足] 古くからあることわざだが, 健康志向のヒッピー文化から一般に広まったという.

You have to eat. / You got to eat.
「**かすみを食べて生きてはいけないからね**」 ➤しばしば, 食べるためには働かなくてはいけないという場合に用いる. We have/got to eat. ともいう.

---

eenie meenie minie moe イーニーミーニーマイニーモ

Eenie meenie minie moe
「**どれ [だれ] にしようかな, 神様 [天神様] の言うとおり**」 ➤子どもが鬼ごっこ (tag) などで鬼 (it) を決めるときや, 複数のものからどれか1つを選ぶときなどに指差ししながら言うことば. 発音は /íːni míːni máini móu/ で, これ自体に意味はない. つづりは Eeny meeny, miny moe などとなることもある.

[補足] この句だけで用いる場合もあるが, ふつうはこの後にも次のようなことばが続く. 地域によって多少の相違があるが, 次の(1)はほぼ英米共通で, (2)はアメリカで一般的なもの.

(1) Eenie meenie minie moe,　　　　イーニーミーニーマイニーモ.
　　Catch a tiger by his toe.　　　　虎の足を捕まえろ.
　　If he hollers, let him go.　　　　虎がほえたら放せ.
　　Eenie meenie minie moe.　　　　イーニーミーニーマイニーモ

(2) Eenie meenie minie moe,　　　　イーニーミーニーマイニーモ.
　　Catch a tiger by his toe.　　　　虎の足を捕まえろ.
　　If he hollers, make him pay　　　虎がほえたらお金を払わせろ.
　　Fifty dollars every day.　　　　毎日50ドル.
　　My mother said to　　　　　　　お母さんが言った.
　　Pick the very best one.　　　　いちばんいいものを選べと.
　　And you're not it. / And you are it.　でもお前は違う / で, お前がそれだ.

★口調のよい常套句の特徴である4拍のリズムと脚韻 (①では moe, toe, go, ②では moe, toe, pay, day) がここにも見られる.

★映画『パルプ・フィクション』(*Pulp Fiction*, 1994) では, 銃砲店の店主とそ

の仲間がボクサーのブッチ (Butch) とギャングの黒人ボスであるマーセルス・ウォラス (Marsellus Wallace) のどちらを犯すか選ぶときに,また『ナチュラル・ボーン・キラーズ』(*Natural Born Killers*, 1994) ではジュリエット・ルイス (Juliette Lewis) 演じるマロリー (Mallory) が殺す人を選ぶときに,語句を一部入れ替えてこれを唱えている.

egg 卵

Don't/Never put all your eggs in one basket.
「**全部の卵を1つのかごに入れるな**」➤危険は分散させよということわざ.特に投資について1つの銘柄に全財産を注ぎ込むなという場合に使われることが多い.

You can't unscramble an egg.
「**いり卵を元に戻すことはできない;覆水盆に返らず**」➤やってしまったことは元に戻らないということわざ. [類似] You can't unring a bell.

elementary 初歩的な

Elementary, my dear Watson.
「**初歩的なことだよ,ワトソン君**」➤名探偵シャーロック・ホームズ (Sherlock Holmes) のせりふ.「そんなのは初歩的なことだよ」という意味で一般に引用される.なお,アーサー・コナン・ドイル (Arthur Conan Doyle) の小説にこの文句はなく,その映画化作品に出てくる.

> **Ex.** A: How did you know he was lying?
> どうして彼がうそをついているってわかったんだい.
> B: Elementary, my dear Watson. 初歩的なことだよ,ワトソン君.

elephant 象

Elephants never forget. / An elephant never forgets.
「**象は決して忘れない**」➤象は記憶力がいいということわざ.

[補足] 記憶力のよさを表すイディオムに have a memory like an elephant がある.また,アガサ・クリスティー (Agatha Christie) の推理小説にこのことわざを踏まえた *Elephants Can Remember* (『象は忘れない』) という作品がある.

else そのほかの;そのほかに

Is there anything else?
「**ほかに何かありますか**」➤相手の注文や要望を聞くときに用いる.店やレストランなどでよく聞かれる.単に Anything else? ともいう.

... or else.
「**さもないと,どういうことになるかわかっているでしょうね;さもないと,ただじゃすまないよ**」➤これは後に続く文を省略した言い方.

> **Ex.** You had better turn in the essay by the deadline, or else.

作文は締め切りまでに提出するのよ．さもないとどうなるかはわかっていますね．

What else can I do?
「ほかのどんなことが私にできるというのか；(いまのところ)私にはそれくらいしかできない」➤ほんとうはもっとできることがあればよいのだけれど，という場合に多く用いる．

What else can I do for you?
「ほかに何かありますか」➤特に店員などが客の要望を聞くときに用いる．

Elvis エルビス (★男の名)；エルビス・プレスリー (Elvis Presley)

Elvis has left the building.
「もうショーは終わりです；これでおしまい」➤見世物や話などが終わったという場合に言う．The show is over. とほぼ同じ．

[補足] ショーに出演していたエルビスが舞台から退くと，まだほかの演者がいるのにファンが彼を一目見ようと出口のほうへ殺到したので，「エルビスはもう建物を出ました．席にお戻りください」とアナウンスされたのが最初という．以後，エルビスが出演する会場でこのアナウンスが頻繁に流れて，それが一般に広まった．

embarrass まごつかせる；恥ずかしい思いをさせる

Do I embarrass you?
「私のことが恥ずかしいの？」➤どうして私を家族や恋人に会わせないのか，私が恥ずかしい思いをさせるとでもいうのか，という場合などに用いる．

Don't embarrass me.
「私に恥ずかしい思いをさせないでね；恥ずかしいからやめてよ」➤非常識なことをして私に決まり悪い思いをさせないでくれ，という場合に用いる．You're embarrassing me. (そんなことして私が恥ずかしいじゃないの) も使われる．

You're embarrassing yourself.
「みっともないよ；そんなことして恥ずかしくないの」➤周囲のひんしゅくを買うようなふるまいをしている人に注意することば．

emperor 皇帝

The Emperor is naked. / The Emperor has no clothes on.
「王様は裸だ」➤虚飾や思い込みでりっぱそうに見えるだけで，中身は空疎だということを表す．アンデルセン (H. C. Andersen) の童話『裸の王様』(正式名は『皇帝の新しい着物』*The Emperor's New Clothes*) で，愚か者には見えないという着物を着て行進しているという触れ込みの王様を見た子どもたちがこう叫んだことから．The King is naked. / The King has no clothes on. ともいう．

empty 空の

Empty vessels make the most noise.

「**空樽は音が高い**」➤知識や中身のない人間ほどおしゃべりであれこれ騒ぎ立てる,という意味のことわざ.「空の器が最も大きな音を出す」が原義.

Half empty or half full?

「**半分しかないか,それともまだ半分あるか**」➤コップに酒が半分ある場合,もう半分しかないと見るかそれともまだ半分あると見るかというもので,悲観派か楽観派か,あるいは悲観すべき状況か楽観すべき状況かを問う質問. Is the glass half empty or half full? の省略表現. 同じ状況でも見方によって違ってくるという意味で The glass is either half empty or half full. ということわざも使われる.

end 終わり; 目的; 終わる

All things must come to an end. / All things must end.

「**あらゆるものに終わりがある**」➤ことわざ. Nothing lasts forever. とほぼ同じ. All good things must come to an end. / All good things must end. (よいことにはみな終わりが来る)ということわざもある.

Everything comes to an end. / Everything must come to an end. / Everything has an end.

「**すべてはいつか終わる**」➤All things must come to an end. に同じ.

It's not the end of the world.

「**死ぬわけじゃあるまいし; そんなに大騒ぎするほどのことじゃないよ**」➤それほど大きな問題でもないのに,まるでこの世の終わりのようにうろたえている人などに対して用いる.

Ex. A: I have terrible news. I've lost my job!
　　　　ひどい知らせがあるんだ. ぼく, 失業しちゃったよ.
　　　B: That's too bad, but it's not the end of the world.
　　　　それは大変だけど, 死ぬわけじゃないわよ.

The end.

「**終わり; おしまい**」➤お話などを締めくくることば. テレビや映画では字幕で出る.

The end justifies the means. / The ends justify the means.

「**目的が手段を正当化する**」➤ことわざ.

enemy 敵

Keep your friends close, and your enemies (even) closer.

「**味方は近くに, 敵はもっと近くにおいておくことだ**」➤敵を近くにおいておけばその動向を知ることができて不意打ちを食うことがない, という意味のことわざ. Keep your friends close, but your enemies (even) closer. ともいう.

[補足] 映画『ゴッド・ファーザー PART II』(*The Godfather Part II*, 1974)でマイケル・コルレオーネ (Michael Corleone) が父親に教わったことばとして Keep your friends close, but your enemies closer. と言うシーンがある.

Love your enemies.

「**敵を愛せ**」➤新約聖書 (New Testament) の「マタイによる福音書」

(Matthew 5:43−44) などに出てくるイエス・キリスト (Jesus Christ) のことば.

The enemy of my enemy is my friend.
「**敵の敵は味方**」➤ことわざ.

We are our own worst enemy/enemies.
「**自分が最大の敵**だ; 敵は己にあり」➤ほかの人が自分を害する危険よりも, 自分自身の行動や性格が災いすることのほうが多い, という意味のことわざ. You are your own worst enemy/enemies. や Every man is his own worst enemy. などともいう.

We have met the enemy, and he is us. / We have met the enemy, and they are us.
「**敵に遭遇したが, それは私たちだった**」➤敵は身内にありという意味のことわざ.
[補足] 1812年, 英米戦争におけるエリー湖の戦い (Battle of Lake Erie) に勝利したアメリカの海軍司令官オリバー・ハザード・ペリー (Oliver Hazard Perry) が陸軍に送ったことば We have met the enemy, and they are ours. (敵に遭遇したが, 敵はいまやわれわれのものだ) をもじったもの.

engine エンジン; 機関車

The Little Engine That Could
「**(みごと)やれた小さな機関車**」➤ワッティ・パイパー (Watty & Piper) 原作のアメリカの童話の題名 (邦題『ちびっこきかんしゃ』). おもちゃをたくさん積んだ列車を子どもたちに届ける役目を引き受けた小さな機関車が, 高い山をどうにか越えて無事役目を果たすという内容. その機関車が言うせりふ "I think I can. (私にできると思う)" はポジティブ思考の代表例のようになっている.
[補足] この話からジョン・デンバー (John Denver) が同名の歌を作っている.

enjoy 楽しむ

Enjoy!
「**楽しんでね**」➤本来他動詞である enjoy を自動詞のように使った口語表現で, 意味は Enjoy yourself. とほぼ同じ. パーティーなどに行く相手にこう言ったり, また飲食物などを差し出すときに「ご賞味あれ」という意味で使ったりする.

Enjoy while you can.
「**楽しめるうちに楽しんでおきなさい**」

Enjoy yourself.
「**楽しみなさい**」➤この機会を, あるいは一般に人生を楽しみなさい, ということ.

enough 十分な; 十分に; 十分

Enough! / Enough already!
「**いい加減にしなさい; もう十分だ**」➤子どもたちがいつまでも言い合いしていたり, 相手がいつまでも文句を言っていたりするときに腹立ちを込めて用いる.
Ex. Enough already! You two have been arguing all evening and I

can't stand listening to it anymore!
いい加減にしなさい．2人とも夕方からずっと言い争いをしているじゃないか．これ以上聞くのは我慢ならない．

Enough is as good as a feast.
「腹八分目で医者いらず；足るを知る；過ぎたるは及ばざるが如し」➤適量をわきまえなさいという意味のことわざ．feast は祝宴などに出されるたくさんのごちそうの意で，どんなごちそうでも胃袋に入る以上は食べられないから，十分な食事をとることができればたくさんのごちそうを出されたのと同じようなものだ，ということ．

Enough is enough.
「いい加減にしなさい；もうたくさんだ」➤Enough! / Enough already! と同じ．

Enough of this nonsense/foolishness!
「こんなくだらない [ばかげた] ことはもうたくさんだ」➤That's enough of this nonsense/foolishness! または I've had enough of this nonsense/foolishness! の省略表現．Enough nonsense/foolishness! ともいう．

I've had enough.
「もう十分いただきました；もうおなかいっぱいです」➤飲食物をもっとどうかと勧められて断るときに用いる．類似 I'm full. / I couldn't eat another thing.

Ex. A: Would you like some more coffee, sir?
コーヒーのお代わりはいかがですか．
B: No, thank you. I've had enough.
いえ，結構です．もう十分いただきました．

That's enough!
「その辺でやめておきなさい；もうたくさんだ；いい加減にしなさい」➤Enough! / Enough already! とほぼ同じで，強い口調で言う．穏やかに That's enough. と言えば「それで十分です」の意味になる．

That's enough for now.
「いまのところはもう十分です；いまは結構です」➤飲食物をもっとどうかと勧められたときなどに用いる．

entertain もてなす；接待する

I'm here to entertain you.
「私がここにいるのはあなた [みなさん] を楽しませるためです」➤芸人が観客に対してよく言うせりふ．また，皮肉を込めて「どうせ私はあなたを楽しませるためにここにいるのだから，お好きなようにどうぞ」という場合にも用いられる．

equal 等しい；平等の

All animals are equal, but some animals are more equal than others.
「すべての動物は平等だが，中にはより平等な動物がいる」➤ジョージ・オーウェル (George Orwell) の小説『動物農場』(*Animal Farm*) で，政治を支配する豚の宣言に出てくることば．国民の平等をうたいながら，実際には少数の特権階級

を許している政府を皮肉った表現.

All men are created equal.
「**すべての人間は生まれながらにして平等である**」 ➤1776年に起草されたアメリカの独立宣言 (Declaration of Independence) に出てくることば.
[補足] 独立宣言のこの箇所は次のとおり.
We hold these truths to be self-evident, that all men are created equal, that they are endowed by their Creator with certain unalienable Rights, that among these are Life, Liberty and the pursuit of Happiness.
私たちは以下の真理が自明であることを考える. すなわち, すべての人間が生まれながらにして平等であり, 創造主によって一定の譲りえない権利を与えられている. その権利の中には生命, 自由, そして幸福の追求が含まれる.

Equal pay for equal work.
「**同じ仕事には同じ賃金を**」 ➤女性に対する賃金差別の解消を求めるスローガン.

err 思い誤る; 過ちを犯す

To err is human, to forgive divine.
「**過ちは人の常, 許すは神の業**」 ➤人間は過ちを犯すものだが, 広い心でそれを許すべきだという意味のことわざ. 18世紀のイギリスの詩人アレクサンダー・ポープ (Alexander Pope) の『批評論』(*An Essay on Criticism*) に出てくる. To err is human. (過ちは人の常) だけでも使われる.

et tu you too, you also の意味のラテン語

Et tu, Brute?
「**ブルータス, おまえもか**」 ➤シェークスピア (Shakespeare) の『ジュリアス・シーザー』(*Julius Caesar*) からの引用句. シーザーが暗殺されるときに親友のブルータスを見つけて発することばとされる. You too, Brutus? の意味のラテン語 (Brute は Brutus の呼格で「ブルータスよ」と呼びかけるときの形). /ɛt túː brúːtɛ/ と発音する. このことばは親友の裏切りにあったときに使われる.

eureka わかった

Eureka!
「**エウレカ; ユーレカ; ユーリカ**」 ➤古代ギリシャの数学者・物理学者アルキメデスがふろに入って比重の原理 (「アルキメデスの原理」 Archimedes' principle) を発見したときに言ったとされることば. ギリシャ語で「わかったぞ (I have found it!)」の意味. 一般に,「わかった; やった」という意味で使われる.

even 等しい; おあいこの; …さえ; さらに

Don't get mad, get even.

「怒らずにやり返せ」 ➤人にひどい扱いを受けたりしたとき，腹を立てるエネルギーがあったら仕返しすることを考えろ，という忠告として用いる．

Now we're even.
「これでおあいこだ；これで恨みっこなしね；これで貸し借りなしだ」 ➤対等の立場になったという意味で，勝負その他さまざまな場面で用いる．

Ex. A: Why did you pay for dinner? どうして夕食代を払ってくれたの？
B: Because you paid last time. Now we're even.
前回はきみが払ったからさ．これでおあいこだね．

evening 夕方；晩

Good evening.
「こんばんは；さようなら」 ➤夕方から夜にかけて出会ったときのあいさつ．また，夕方から夜にかけて別れるときのあいさつとしても用いる．くだけた言い方では単にEvening. ともいう．

Thank you for a wonderful/lovely evening.
「今夜はすてきな時間を過ごさせていただき，どうもありがとうございました」 ➤パーティーなどに招かれて，夜帰るときに主催者に対して言うお礼のことば．

The evening is still young.
「まだ宵の口だよ；夜はまだこれからだ」 ➤まだ帰るのは早い，もっと楽しもうという場合などに用いる．The night is still young. とほぼ同じ．

every すべての；どの

Every man for himself. / It's every man for himself.
「御身大切；人のことなど構ってはいられない」 ➤人はみな利己主義者だ，という意味のことわざ．また，だれもがそのような態度をとっているという場合にも用いる．⇨ **The devil take the hindmost.** (devil の見出し参照)

everybody すべての人；みんな

Everybody's doing it. / Everybody else is doing it.
「みんなそれをやっているよ；ほかのみんなはそれをやっているよ」 ➤非行などに誘い込むときの理由や，非行などを見つかったときの言い訳としてよく用いる．これに対し親や教師は Just because everybody's doing it doesn't make it right. (みんながやっているからといって，それがやっていいことにはならない) などと注意する．

everything すべてのもの；あらゆること

Everything is going to be all right. / Everything will be all right. / Everything will work out (just fine).
「何もかもうまくいくよ」 ➤相手を元気づけるときに用いる．

Ex. A: I'm so worried about tomorrow's meeting.

あしたの会議のことが心配でたまらないわ.
B: Don't worry. I'm sure that everything will work out.
だいじょうぶよ. ちゃんとうまくいくから.

Somebody **has everything going for** them.
「…は何もかも持っている」➤成功に必要な資質, または富や名声, 才能などをすべて備えているという場合に用いる.

Ex. This president's finished, he can't win. The other guy's got everything going for him. この大統領はもうだめね, 勝ち目はないわよ. 対立候補はすべて兼ね備えているもの.

How's everything (going)?
「調子はどう?」➤相手の調子などを聞くあいさつ. How are you (doing)? とほぼ同じ. また, レストランのウェイターなどが「特にご不満などはございませんでしょうか」という意味でこう尋ねることもある.

Ex. A: How's everything going? 調子はどうだい.
B: Pretty well, thanks. How about you? まあまあだね, そっちは.

Is everything OK?
「調子はどう?; だいじょうぶですか」➤相手の調子などを聞くあいさつ. また, 相手の状況が問題ないかどうかを尋ねるときなどにも用いる. OK は okay ともつづる.

Ex. A: Hello Anne. You don't look so well. Is everything OK?
やあ, アン. あんまり元気そうじゃないね. だいじょうぶかい.
B: Not really. I think I'm coming down with the flu.
あんまりだいじょうぶじゃないのよ. インフルエンザにかかったみたいなの.

Is that everything?
「それで全部ですか; 以上でよろしいでしょうか」➤相手の要望や注文などがそれ以上ないかどうか尋ねる表現. しばしば店の店員が客の注文を確認するときに用いる.

Thanks for everything. / Thank you for everything.
「いろいろありがとうございました」

You can't have everything.
「何もかも手に入れることはできない; 欲を言えばきりがない」

Ex. A: So, how's your new house? で, 新しい家のほうはどうなの.
B: I'm pleased with the location, but I wish it was a bit larger.
立地的には満足しているんだけど, もう少し大きいといいのよね.
A: Well, you can't have everything. まあ, ぜいたくは言えないわよ.

---

evil 邪悪な(こと); 有害な(もの)

Choose the lesser of two evils.
「同じ悪なら少しでもましなほうを選べ」➤Of two evils, choose the less/lesser. ともいう.

See no evil, hear no evil, speak no evil. / Hear no evil, see no evil, speak no evil.
「見ざる, 聞かざる, 言わざる」➤めんどうなことにはかかわりたくないという人たちの態度を表すことわざ.「邪悪なことは見ない, 聞かない, 話さない」が原義.

[補足] このことわざを体現するものとして日光東照宮の三猿が世界的に有名.

example 例；実例；見本

Example is better than precept.
「手本は説教にまさる」▶率先垂範が肝心だという意味のことわざ.

Lead by example.
「手本によって**指導しなさい**；率先垂範せよ」▶自分が手本を示すことによって教えなさい，という意味のことわざ. [類似] Practice what you preach.

exceed 上回る；超える

Nothing exceeds like excess.
「**過剰のように過ぎるものはない**」▶過剰なものや行為の効果は何よりも大きいという意味のことわざ. これはやりすぎだ，あるいはやりすぎはよくないという否定的な意味で使われることが多いが，やるなら徹底的にやれという肯定的な意味で使われることもある. [類似] Nothing succeeds like success.

Ex. A: Great job, John! You've reached your sales goals early.
ジョン，よくやったね. 早々と売上目標達成だね.
B: Thanks, but nothing exceeds like excess. I'm going to continue selling until I set a new sales record.
ありがとう. でも，せっかくのいけいけムードだからね. このままどんどん売り上げを伸ばして新記録を作るつもりでがんばるよ.

[補足] 映画『スカーフェース』(*Scarface*, 1983) の中のせりふに使われている.

exception 例外

The exception proves the rule.
「**例外があるのは規則のある証拠**」▶何らかの規則性があるからこそ例外が生じるわけで，例外はその規則の正しさを証明するものだという意味のことわざ. 自分の言ったことの矛盾を指摘されたときの言い訳として使われることが多い.

Ex. A: You're always late. あなたはいつも遅刻ね.
B: I know, but I was on time yesterday. きのうは定刻に来たよ.

A: Yes, and everyone was surprised, which suggests that the exception proves the rule! ええ，それでみんな驚いていたわ．いかに遅刻が常習的になっているかっていう証拠よね．

There is an exception to every rule.
「どんな**規則**にも**例外**はある；例外のない規則はない」

[補足] このことわざはパラドックス (paradox) の例としてよく使われる．つまり，もしこのことわざが正しいなら，このことわざの例外である「例外のない規則がある」ということになり，このことわざの言っていることが誤りになってしまう．

exchange 交換（する）

(Fair) exchange is no robbery.
「（公正な）**交換**は**強盗**ではない」➤双方合意の上で交換しようと提案するときや，合意の上で交換したからには後から文句を言ってもだめだ，という場合などに用いる．

excuse 許す；弁明する；弁解；口実

Could I be excused? / May I be excused?
「**失礼させてもらっていいですか**」➤相手の了解を得て席を立つときの表現．食事の席で「もうごちそうさましてもいい？」という意味で子どもが親に言ったり，授業中にトイレに行きたくなった生徒が「退出してもいいですか」と教師に言ったりするときなどに用いる．Could I be excused? のほうが丁寧．

Excuse me.
「**すみません**；**ごめんなさい**；**失礼します**」➤①肩がぶつかるなどの軽い非礼をわびるとき，②話しかけるために相手の注意を引くとき，③その場を中座するとき，④混雑した場所を通るときなどに用いる．

[補足] このことばを Excuuuuse me! のように言うのはコメディアン・映画俳優のスティーブ・マーチン (Steve Martin) の持ちネタ．「ごーめんなさいねー；わーるございましたねー」という感じで，通例，Well, exCUUUUSE ME! (それはごーめんなさいねー) と嫌味たっぷりに -cu- の部分を引き伸ばして me とともに強く発音する．NBC のお笑い番組『サタデー・ナイト・ライブ』(*Saturday Night Live*) で使われて流行した．つづりは u を4つまた6つ (Excuuuuuuse me!) 続けることが多い．

Excuse me?
「**え，何ですって**」➤実際に相手のことばが聞き取れなかった場合のほか，相手の言ったことが聞き捨てならなくて「何だって？もう1度言ってごらんよ」という意味でも用いる．I beg your pardon? / Pardon (me)? / Sorry? ともいう．

Excuse me for living! / Excuse me for breathing!
「**生きてて悪かったわね**；**悪うございましたね**」➤相手に批判されたときなどに皮肉を込めて用いる．Excuse ME for living! のように me を強く発音する．Pardon me for living! などともいう．

Ex. A: Hey, Ken, the world does not revolve around you.
ねえ，ケン，世界はきみを中心に回っているわけじゃないんだよ．
B: Excuse me for living! それは悪かったね．

Excuse us.

「**すみません;ごめんなさい;失礼します**」➤複数の人がいっしょにその場を中座するときや,混雑した場所を通るときなどに用いる.特に,商談などを行っていて,身内の者だけで相談するために中座する際に Would you excuse us for a moment? (ちょっと失礼させていただいてよろしいですか) などと言うことが多い.また,会社や店を代表して謝罪する場合などにも使われる.

Excuse yourself.

「**失礼くらい言いなさいよ**」➤例えば,相手がげっぷ (burp) をしてすましているときなどに,Excuse me. と言うのが礼儀でしょう,という意味で用いる.

Ex. Please, excuse yourself! It's impolite to reach across the table for the salt like that. まったく,「ごめんなさい」くらい言いなさいよ.そんなふうにテーブルの反対側に手を伸ばして塩をとるのは行儀悪いわよ.

If you'll excuse me.

「**ちょっと失礼させてもらえますか**」➤その場を去ったり,自分の仕事に戻る場合などに用いる.If you'll excuse me, I have to go now. (もし許していただけるなら,もう行かなくてはいけないのですが) などの後半を省略した言い方.

You're excused.

「**退出してよろしい;どういたしまして**」➤相手の退出を許可する場合や,相手の謝罪を受け入れる場合などに用いる.

---

expect そうなるだろうと思う;予期する;期待する

Expect me when you see me.

「**私を見たときに私が来ると思ってほしい;当てにしないで待っていて**」➤帰りはいつになるかわからない,という意味のくだけた表現.

[補足] トールキン (J. R. R. Tolkien) の『指輪物語 旅の仲間』(*The Lord of the Rings: The Fellowship of the Ring*) に出てくる.

I expect.

「**まあね;だろうね**」➤I expect so. とほぼ同じ.

I expect so. ↔ I expect not.

「**まあそうだろうね ↔ そうはならないんじゃないの;違うんじゃないの**」➤確信はないけれどたぶんそうだろう,あるいはそうではないだろうという場合に用いる.

Ex. A: Do you think that Sally and Jeff will serve wine at the party? サリーとジェフはパーティーにワインを出すと思う?
   B: I expect so. They love wine and enjoy sharing it with their guests. 出すんじゃないの.ワインが大好きだし,喜んで客にふるまうもの.

Just as I expected.

「**予想どおりだね;やっぱりね;そんなことだろうと思った**」

Things happen when you least expect them.

「**事件は思いがけないときに起こる;転機は意外なときに訪れる**」

What else can/do you expect?

「**決まっているでしょ;当然じゃないか**」

Ex. A: I'm surprised to hear that Donna is going to quit her job to

raise a family. ドナが子育てのために仕事を辞めるって聞いて驚いたよ.
B: What else do you expect? She has been talking about having kids since last year. ちっとも驚くことなんかないわよ. 彼女は去年からずっと子どもがほしいって言ってたもの.

experience 経験(する)

Experience is the best teacher.
「経験は最良の教師である」➤人は教師や本から学ぶよりも, 実際に経験することで学ぶほうがよく身につく, という意味のことわざ.

No experience is necessary/required.
「経験不問」➤求人広告などに使われる.

Nothing beats experience. / You can't beat experience.
「経験にまさるものなし」➤Experience is the best teacher. とほぼ同じ.

expert 専門家

Leave it to the/an expert.
「プロに任せなさい」➤しろうとでは無理だからプロを呼びなさい, あるいはプロ同然の私に任せなさい, という場合に用いる. Leave it to the pro's/pro. ともいう.

Take it from an expert.
「プロの言うことを聞きなさい」➤私はそのことについてはよく知っているから私の言うことを聞きなさい, という場合に用いる. Take it from a pro. ともいう.

explain 説明する　explanation 説明；理由

I can explain. / I can explain this.
「これにはわけがあるんだ」➤言い訳するときに用いる.

That explains it.
「そういうことか；それでわかった；やっぱりね」

Ex. A: Did you hear that Bob is retiring at the end of the month?
ボブが今月いっぱいで退職するって聞いた?
B: Ah, that explains it! なるほど, そういうわけだったのか.
A: That explains what? そういうわけって?
B: That explains why he's been so cheerful and kind to the staff.
なに, 彼はこのごろずいぶんご機嫌でみんなに親切だったからさ.

There is a reasonable explanation for everything.
「何にでも合理的な説明がつくものだ」➤世の中にはまったく不合理なものはなく, どんなに不可解に見えてもよく調べればちゃんとそれなりの理由があるということ.

extreme 極端(な)

Extremes meet.

「**両極端は相通じる**」➤両極端の思想などは似通う,あるいは性格の両極端な人は互いに引かれ合うという意味のことわざ. [類似] Opposites attract.

eye 目

An eye for an eye (and a tooth for a tooth).

「**目には目を(歯には歯を)**」➤罪を犯した者にはそれと同じ罰が与えられるべきだという意味のことわざ. 旧約聖書 (Old Testament) の「出エジプト記」(Exodus 21:23-25) に出てくることばから.

I can't believe my eyes.

「**わが目を疑うね; 信じられない**」 [類似] I can't believe my ears.

Ex. I can't believe my eyes. Hank's wearing a suit and tie! His usually dresses so casually. わが目を疑うというのはこのことだね. ハンクがネクタイを締めてスーツを着ているよ. いつもすごくラフな格好をしているのに.

I got something in my eyes.

「**目にごみが入っちゃった; 目にごみが入っただけだよ**」➤実際に目にごみが入った場合のほか,泣いているのをごまかす口実としてよく使われる.

Ex. A: You're not crying, are you? 泣いているんじゃないでしょうね.
B: No, I got something in my eyes, that's all.
違うよ. ちょっと目にごみが入っただけだよ.

I'm all eyes.

「**ぜひ見せてよ; 見てるから早くやってよ**」 [類似] I'm all ears.

Ex. A: Would you like to see my new artwork? I think you're going to like it. 私の新作をご覧になりますか. 気に入ってもらえると思いますよ.
B: I'm all eyes. ぜひ見せてください.

Just open your eyes and see.

「**目を開けて自分で見てみなさい**」➤目の前に現実があるのだから,それを見れば自分でもわかるでしょう,という場合に用いる.

Keep your eyes open/peeled.

「**しっかり目を開けて見ていなさい**」➤よく注意して見ていなさい,しっかり監視していなさいという場合に用いる.

Keep your eyes open and your mouth shut.

「よく目を見開いて，口は閉じておきなさい」➤おしゃべりは慎んで，しっかり見聞きしなさいという忠告のことば．

Look into my eyes. / Look me in the eye(s).

「私の目を見なさい」➤自分が真剣であることを伝えるときや，相手にうそや隠し事がなくてまともに自分の目を見られるかどうかを確かめる場合などに用いる．

Ex. A: I don't love you anymore. あなたのことはもう愛していないわ．
B: I don't believe you. Look me in the eye and tell me that.
そんなことは信じないね．ぼくの目を見て同じことを言ってみてよ．

My eye!

「うそつけ；何か；どこが」➤My ass/butt/foot! ともいう．

Ex. A: Dad, I can't go to school today because I'm sick.
お父さん，ぼく，きょうは病気で学校へは行けないよ．
B: Sick, my eye! You look fine. The real reason why you don't want to go to school is because you have a test today.
どこが病気だ．元気そうじゃないか．学校へ行きたくないほんとうの理由はきょうテストがあるからだろう．

The eyes are bigger than the stomach.

「目は胃よりも大きい」➤目の前にごちそうがあれば食べ切れなくても食べたくなるように，人は必要以上に欲しがるものだ，という意味のことわざ．特定の人についてHis eyes are bigger than his stomach. (彼は欲張りすぎだ) のようにも言う．

Ex. A: Wow, you ordered so much food! Will you be able to eat it all? あらまあ，ずいぶんたくさん料理を注文したわね．全部食べられるの?
B: I don't think so. I guess my eyes were bigger than my stomach. 無理だろうね．ちょっと欲張りすぎたようだね．

The eyes are the mirror/mirrors of the soul.

「目は心の鏡」➤目を見ればその人の考えや人柄がわかるという意味のことわざ．Eyes are the mirrors of the soul. ともいう．

The eyes are the windows/window to the soul.

「目は心の窓」The eyes are the mirror of the soul. と同じ意味のことわざ．The eyes are the window(s) of the soul. ともいう．

There wasn't a dry eye in the house.

「みんな目頭を押さえていた」➤その場の情景などに心を打たれて，涙を浮かべている人がたくさんいたという状況を表す．

There's more than meets the eye.

「もっと何かある；見た目以上に複雑だ；わけありだ」➤特に，事件などについて表面的に明らかにされている以上の事情がある，とう場合に用いることが多い．There's more to it than meets the eye. (それはもっと複雑だ；これには裏がある) ということもある．「目に入る以上のものがある」が原義．

F, f

face 顔；顔を向ける；直面する

About, face.
「回れ右」▶軍隊などでの号令．「回れ右をする」は do an about face という．

Boy, is my face red! / My face is red.
「恥ずかしいったらありゃしない；顔から火が出そうだ」
Ex. She told you about last night? Boy, is my face red.
彼女はゆうべのことをきみに話したのかい．いやあ恥ずかしいね．

Face it.
「事実を見つめなさい」▶Let's face it. とほぼ同じように用いる．

Get out of my face!
「とっととうせろ；あっちへ行け」▶いらだちを込めていう． [類似] Get lost!

Someone has a face only a mother could love.
「母親にしか愛してもらえない顔だ」▶ひどく不細工な顔だという意味の婉曲表現．

How can you face me?
「よくも私と顔を合わせることができるね」▶How can I face him/her? (彼/彼女に合わせる顔がない) などの表現もある．

In your face!
「ざまあ見ろ；どんなもんだい」▶相手と勝負して勝ったときなどに勝ち誇ったようにしていう挑発的なことば．In を最も強く，次に face を強く発音する．
Ex. It's only the first quarter and our team already got a touchdown. In your face! まだ第1クォーターなのにうちのチームはもうタッチダウンを奪ったよ．どんなもんだい．

It's written all over your face.
「顔に書いてある」▶顔を見れば一目瞭然という意味で，日本語の表現とほぼ同じ．

Left, face. / Right, face.
「左向け，左 / 右向け，右」▶軍隊などでの号令．

Let's face it.
「事実を見つめよう；いいかい」
Ex. Let's face it, Benjamin. If you want to marry that girl, there's no way your parents will support you. よく考えてみなよ，ベンジャミン．あの子と結婚したくても，きみのご両親は絶対に賛成しないよ．

Shut your face! / Shut up your face!
「うるさい；黙れ」▶Shut up. の意味の強い言い方．

Why the long face?

「何浮かない顔をしているんだい」

fact 事実

Fact is stranger than fiction.
「**事実は小説よりも奇なり**」 ➤Truth is stranger than fiction. ともいう.

Facts are facts.
「**事実は事実だ**」 ➤事実から目をそむけることはできないという意味.
> **Ex.** Facts are facts, my friend. Unless we double our net income, we're out of business.
> ねえ, 事実は曲げようもないよ. 純益を2倍にしないかぎり倒産だよ.

Facts are stubborn things.
「**事実は頑固なものだ；現実はいかんともしがたい**」 ➤認めたくはないがそれが現実だ, という場合に用いる.

Is that a fact?
「**そうですか**」 ➤それは単にあなたがそう思うだけではなくて, 事実としてそうなのですかと尋ねるときに用いる.「これは事実だよ」と念を押すときは It's a fact. という.

fail 失敗する

It never fails.
「**いつもそうなんだ；決まってそうなるのよ**」
> **Ex.** It never fails. Every time I meet a handsome man, he's either married or just a womanizer.
> いつだってこうなのよね. ハンサムな男に会ったと思ったら, 決まって結婚しているか, ただの女たらしのどっちかなんだもの.

The only way to fail is to quit. / You only fail if you give up.
「**あきらめないかぎり失敗することはない；あきらめたら最後だ**」 ➤どちらの表現も quit と give up を入れ替えて使える.

faint ぼんやりした；気弱の

Faint heart never won fair lady.
「**気弱な心が美人を射止めたためしはない**」 ➤意中の人の愛を勝ち取ろうと思うなら強気で押さなくてはだめだ, ということわざ.
> [補足] セルバンテス (Cervantes) の『ドン・キホーテ』(*Don Quixote*) にも出てくる.

fair 公正な

Fair and fair alike.
「**だれにも不公平がないようにね**」
> **Ex.** You chose what we ate for dinner last night, so Juan decides

tonight. Fair and fair alike. ゆうべの食事はきみが何を食べるか決めたから，今夜はフアンに決めてもらうよ．公平にしなくちゃいけないからね．

Fair enough.
「それでいいよ；よしわかった」➤相手の条件などに文句がないというときに用いる．

[補足] 英和辞典などでは，これをイギリス英語としているものが多いがアメリカでもごくふつうに使われる．

Fair's fair.
「フェアにやろうよ」➤お互いに公平にやろうという場合に用いる．

Ex. Fair's fair. I walked the dog yesterday, so today you have to!
公平にやろうよ．きのうはぼくが犬を散歩させたから，きょうはきみの番だよ．

No fair!
「**それは不公平よ；ずるいよ**」➤It's/That's not fair. の意味のくだけた言い方．

Ex. No fair! Mommy, tell him he can't eat all the ice cream!
ずるいよ．お母さん，アイスクリームを全部食べちゃだめだって言ってやってよ．

You can't say fairer than that.
「それ以上フェアなことは言えない」➤相手のことばや自分のことばの後に続けて，「それ以上公平なことはない；それ以上的確なことばはない；まさにこのことばがぴったりだ」という場合や，業者の販売宣伝文句などで「こんなお得な話はほかにありませんよ；ね，すごく良心的でしょう」という場合などに用いる．

Ex. My little sister hit him, so my little brother hit her back. You can't say fairer than that.
妹が弟をぶったから，今度は弟が妹をぶったんだよ．まったく公平だよね．

faith 信頼；信仰；信念

Faith can/will move mountains.
「**信仰[信念]は山をも動かす；精神一到何事かならざらん**」➤強い信念をもってやれば不可能なことはない，という意味のことわざ．

[補足] 新約聖書 (New Testament) の「マタイによる福音書」(Matthew 17:20) ほかにあるイエス・キリスト (Jesus Christ) のことばから．

Keep the faith.
「**信仰を持ち続けなさい；信念を貫きなさい**」➤自分の信仰や信念，あるいは集団や人に対する忠誠心をもち続けなさいという意味．

[補足] 親友同士のユダヤ教のラビとカトリックの司祭，そしてその2人の幼なじみである女性の恋のゆくえを描いたエドワード・ノートン (Edward Norton) の初監督映画『僕たちのアナ・バナナ』(2000) の原題 *Keeping the Faith* には信仰と忠誠を保つという意味が込められている．

familiar 普通の；よく知られた
familiarity よく知って[知られて]いること；気安さ

Familiarity breeds contempt.
「**慣れは侮蔑（ぶべつ）をはぐくむ；親しき仲にも礼儀あり**」➤人をよく知るようになるとそ

の欠点などが見えてきて軽蔑(けいべつ)の念が生じることになる，またはあまりなれなれしくすると嫌われるという意味のことわざ．

That sounds familiar.

「どこかで聞いたことがある；どこかで聞いたような話ね」
- **Ex.** The US invading a defenseless country? Now that sounds familiar. アメリカが防衛能力のない国を侵略しているですって？ まあ，どこかで聞いたような話だわね．

family 家族；家庭

As the family goes, so goes the nation.

「**家族が崩壊すれば国も滅びる**」 ➤社会を構成する基本単位である家族制度が崩れれば国全体の繁栄もない，という意味のことわざ．
[補足] 前ローマ法王ヨハネ・パウロ2世 (Pope John Paul II) が1999年に行った法話 (homily) の中でも使われている．

Do you have a family?

「**ご家庭をお持ちですか；お子さんはいらっしゃいますか**」 ➤結婚しているかどうか，そして子どもがいるかどうかを尋ねる表現．

Family comes first.

「**家庭が第一**」 ➤Family is always number one. ともいう．

How's the/your family?

「**ご家族の方はどうしていますか**」 ➤How are you? などと相手のことを聞いてから，さらに家族のようすを尋ねるあいさつ．

It runs in the family.

「**そういう血筋なんです**」 ➤子どもの身体的特徴や性格などが夫または妻である自分のほうの遺伝を受け継いでいる，という場合には It runs on my side of the family. (それはぼく[私]のほうの血を引いたんだね) という．
[補足] カーク・ダグラス (Kirk Douglas) とマイケル・ダグラス (Michael Douglas) が親子で共演している2003年のコメディー映画『グロムバーグ家の人々』の原題にも使われている．

It's all in the family.

「**家族はみんな助け合う；家族の結束は固い；やっぱり家族だね**」 ➤家族が団結し，助け合い，共有しあうような状況を表す．また「問題のかぎは家族にある」という意味で用いることもある．しばしばAll in the family. と省略して使われる．
[補足] ジョニー・キャッシュ (Johnny Cash) のアルバムタイトルにも使われている．また，人種的偏見をもったアーチー・バンカー (Archie Banker) が主人公のテレビコメディー*All in the Family* (1971-79) の題名もこれから来ている．

The family that prays together stays together.

「**みんないっしょに祈るような家族はばらばらにならない**」 ➤信仰のあつい家族は団結力が強いという意味のことわざ．コピーライターのアル・スカルポーネ (Al Scalpone) が作り，カトリック神父のパトリック・ペイトン (Patrick Peyton) がラジオドラマ (1947-69) で使ったスローガン．

Welcome to the family.

「うちの**家族**へようこそ；これでうちの家族の一員ですね；うちの会社（など）へようこそ」➤自分の娘や息子などと結婚した人を家族として歓迎するあいさつ．また，新しく会社などの組織の一員になった人に対しても用いる．[類似] Welcome aboard.

You can't choose/pick your family.
「**家族を選ぶことはできない**」➤親や兄弟姉妹などは運命として受け入れるしかないということ．[類似] You can't choose/pick your parents.

fancy 空想（する）；夢想（する）；好む

A little of what you fancy does you good.
「**好きなものをちょっとだけたしなむのはいいものだ**」➤大好きな酒や食べ物を我慢しすぎないでほんの少し飲食すると欲求不満も解消されてよい，という意味のことわざ．[補足] You can have too much of a good thing.（よい［おいしい］ものはつい度を越してしまうものだ）という人間心理を言い当てた戒めのことばもある．

Fancy that!
「**これは驚いた；それはすごい**」➤Imagine that! とほぼ同じ．

far 遠い　farther より遠くに；それ以上に

Far from it.
「**全然；とんでもない**」➤相手がこういうことですかと聞いたときなどに，いいえまったく違いますという場合に用いる．

Far out!
「**すごい；いいね；いかす**」➤信じられない（くらいすごくいい）という場合に用いる．Wow! / Great! / Cool! とほぼ同じ．
[補足] ヒッピーやカントリーフォーク歌手のジョン・デンバー（John Denver）がよく使った．この句のもともとの意味は「奇抜な；ひどく変わった；極端な」．

How far along are you?
「**どこまで進んでいますか**」➤仕事などの進み具合を聞く表現．妊娠している女性に「妊娠何か月ですか」（How pregnant are you?）という意味でも使う．

No farther.
「**それ以上言うな；それ以上するな**」➤Go no farther. の省略表現．

So far, so good.
「**これまでのところは順調だ；いまのところ異常なし；これまでのところは申し分ない**」➤自分についての状況を述べる場合のほか，相手が難しい課題などによく取り組んでいるのを見て励ますような場合にも用いる．

This far and no farther.
「**ここまではいいが，それ以上はいけない**」➤限度を決めて何かをする（あるいは許可する）場合に用いる．

You pushed me too far.
「**もう我慢ならない**」➤私に対してあまりにもひどい扱いをしたので許さない，あるいはそう言われては黙っていられないということ．「私を遠くまで押しすぎた」が原義．
Ex. This time you've pushed me too far. Step outside and we'll fin-

ish this fight. 今度ばかりは我慢ならん．表に出て，けりをつけよう．

fast 早い

Not so fast.

「**そうあせるな；ちょっと待った**」➤はやる相手を制止するときに用いる．

Ex. Not so fast! I think you'd better get a visa for that country before you show up at the airport.
そうあせらないで．空港に行く前にその国のビザを取ったほうがいいわよ．

fat 太った；脂肪

The fat hit the fire.

「**大騒動になった**」➤くだけた言い方．「脂肪が火に入った」が原義．

Ex. When my sister said she was pregnant—with another man's child—now that's when the fat hit the fire.
お姉さんが妊娠したって，それもほかの男との間にできた子だって言ったとき，それはもうたいへんな騒ぎだったわよ．

[補足] 人の言動や事件などが大問題に発展しそうだという場合には The fat is in the fire. (ただ事ではすまない) という表現が使われる．

You're not fat, you're just big-boned.

「**あなたは太ってなんかいないわよ．ただ骨格がしっかりしているだけよ**」➤肥満気味の人 (特に女の子) を慰めるときによく用いる．

father 父親；お父さん

Father knows best.

「**父親がいちばんよく知っている**」➤一家の大黒柱である父親が何かにつけてよく知っているものだという意味．Mother knows best. という表現もある．

[補足] 1950年代に日本でも放映されたアメリカのテレビホームコメディー『パパは何でも知っている』の原題にも使われている．

Like father, like son.

「**子は親に似る；蛙(かえる)の子は蛙**」➤男の子の容姿や性格が父親とよく似ているという意味のことわざ．[類似] Like mother, like daughter.

[補足] 息子と父親の人格が入れ替わるというコメディー映画『ハモンド家の秘密』(1987) の原題にも使われている．

Just wait till your father gets home.

「**お父さんが帰るまで待っていなさい**」➤いたずらをした子どもなどに母親が用いる．お父さんが帰ってきたらきつくしかってもらいますからね，ということ．

Our Father which art in heaven

「**天におられるわたしたちの父よ**」➤イエス・キリスト (Jesus Christ) が山上の説教 (Sermon on the Mount) で弟子に教えた祈り (主の祈り Lord's Prayer と呼ばれる) の出だしの文句．新約聖書 (New Testament) の「マタイによる福音書」

(Matthew 6:9−13) ほかに出てくる.

[補足] この祈りのことばは「マタイ」では次のとおり.

Our Father which art in heaven, Hallowed be thy name. Thy kingdom come, Thy will be done in earth, as it is in heaven. Give us this day our daily bread. And forgive us our debts, as we forgive our debtors. And lead us not into temptation, but deliver us from evil: For thine is the kingdom, and the power, and the glory, for ever. Amen.

天におられるわたしたちの父よ,御名が崇められますように.御国が来ますように.御心が行われますように,天におけるように地の上にも.わたしたちに必要な糧を今日与えてください.わたしたちの負い目を赦してください,わたしたちも自分に負い目のある人を赦しましたように.わたしたちを誘惑に遭わせず,悪い者から救ってください.(注:英語版と日本語版は厳密に対応していない)

fault 落ち度;過失;責任

It's nobody's fault but mine.
「だれのせいでもない,みんな私が悪いんです」 ➤ It's nobody's fault but my own. ともいう.

My fault.
「私のせいです;私が悪かった」 ➤ 非標準的な俗語では My bad. ともいう.

Ex. Oh, my fault. I forgot to get you toothpaste at the store. Sorry, man. おっと,いけない.店でおまえの歯磨きを買ってくるのを忘れちゃったよ.悪かったね.

favor 親切な行為;力を貸すこと

I need a favor.
「お願いがあるんだけど」 ➤ May I ask you a favor? などというほうが丁寧.

May I ask you a favor? / Would you do me a favor?
「お願いがあるのですが」 ➤ 頼み事があるというときの丁寧な言い方.

Ex. A: Would you do me a favor, Tamara? Look over this memo and check it for mistakes. タマラさん,お願いしてもいいですか.このメモに目を通して間違いがないかチェックしてもらえませんか.

B: Certainly, Mr. Nguyen. I'll have it to you by four o'clock. いいですよ,グエンさん.4時までにお届けします.

fear 恐怖;恐れる

Fear no more.
「もう恐れるな」 ➤ もう安心してよい,あるいは自信をもってよいという場合に用いる.

[補足] シェークスピア (Shakespeare) の『シムベリン』(*Cymbeline* IV. ii) に出てくる挽歌の出だしの文句としても知られる.詩は Fear no more the heat o' the sun; Nor the furious winter's rages(もう恐れるな,灼熱の太陽を,そして

恐ろしい冬の猛威を)と続く.

The only thing we have to fear is fear itself.
「**私たちが恐れなければならない唯一のものは恐怖そのものだ**」➤どんなに危機的な状況でも恐怖心から萎縮 (いしゅく) することなく,勇気をもって立ち向かえば克服できるという意味.大恐慌 (Great Depression) 中の1933年,フランクリン・デラノ・ローズベルト (Franklin Delano Roosevelt) が大統領就任演説 (inaugural address) の中で語ったことばとして知られる.

feast 祝宴; ごちそう

After the feast comes the reckoning.
「**祝宴の後に勘定書きがくる**」➤はめを外すと後でその報いを受ける,という意味のことわざ.

feed えさをやる

Do not feed the animals.
「**動物にえさをやらないでください**」➤動物園などによくある掲示の文句.

Feed the brute.
「**野蛮人に食べさせなさい**」➤機嫌の悪い人には食べ物を与えて落ち着かせなさいという忠告.特に,夫が怒りっぽくて困るとこぼす女性に対して,年上の女性が「おいしいものを食べさせておけばだいじょうぶ」と助言することばとして知られる.

I'm fed up.
「**もううんざりだ**」➤何にうんざりしているかを具体的に示す場合には I'm fed up with you. (あなたにはうんざりよ) のようにwith を使って表す.

feel 感じる

How are you feeling?
「**気分 [調子] はどうですか**」➤気分や体調はどうかと尋ねる表現.くだけた言い方では How you feeling? ともいう.

Ex. A: How are you feeling? I know your brother was very dear to you. お気持ちはいかがですか.お兄さんとはとても近しかったんですよね.
B: Thanks for asking. His death was so sudden, I still don't believe it. お気遣いありがとうございます.突然の死だったものですから,いまもって信じられない思いです.

I feel for you.
「**お気の毒に; かわいそうに**」➤同情を示す表現.「あなたに思いを寄せている」という場合もある.

[補足] チャカ・カーン (Chaka Kahn) やカイリー・ミノーグ (Kylie Minogue) の歌の題名にも使われているが,これらの歌は「恋愛感情を抱いている」という意味.

I know how you feel.
「**お気持ちはお察しします**」➤相手のつらい気持ちなどがよくわかる,ということ.

Ex. I know how you feel. My wife cheated on me, too.
その気持ちはよくわかるよ．うちのやつも浮気したことがあるから．

feeling 感じ；気持ち

I have a bad feeling about this.
「**なんだかいやな予感がする**」➤どうもよくないことが起こりそうだという場合に用いる．
[補足] 一般に使われる表現だが，特に映画『スターウォーズ』(*Star Wars*) シリーズに毎回出てくるせりふとして知られる．なお，「よい予感がする」は I have a good feeling about this. という．

I have this feeling.
「**なんか予感がする**」➤よい予感についても悪い予感についても用いる．予感の内容を述べるときはこの後に that 節を続ける．

Ex. I can't explain it, but I have this feeling that something awful will happen on our trip. なぜかはわからないけど，私たちの旅行で何か恐ろしいことが起こるような予感がするわ．

I know the feeling.
「**その気持ちはよくわかります**；その感じはよくわかる」

Ex. I know the feeling. My girlfriend keeps asking when we'll get married, too. その気持ちはわかるよ．ぼくもガールフレンドにいつ結婚するのかっていつもせっつかれているもの．

The feeling is mutual.
「**私も同じ思いです**；お互いさまです」

Ex. A: You've been so cruel to me. I wish I had never met you.
あなたはずっと私に残酷だったわ．あなたなんかと出会わなければよかった．
B: The feeling is mutual. それはお互いさまだね．

No hard feelings.
「**うらみっこなしということでね**；悪く思わないでね；別にこだわってはいないよ」➤口論した後などで，感情的なしこりは残さないようにしようと相手に提案したり，また自分のほうには感情的なしこりはないよと伝える場合などに用いる．

Ex. A: Hey Brian, I know you're upset, but I didn't mean to break your computer. No hard feelings?
ねえ，ブライアン，きみが怒っているのはわかってるけど，わざときみのコンピューターを壊したわけじゃないよ．悪く思わないでくれる？
B: Yeah, it's OK. Don't worry about it. ああ，気にしないで．

fetch 行って取ってくる

Fetch.
「**取ってこい**」➤ボールなどを遠くに投げて犬にこう命じる．

fight 戦う；戦い

Don't fight it.

「**むだな抵抗はするな；楽になりなさい；悪あがきはよしなさい**」➤自然の流れや感情に逆らわずに，それをすなおに受け入れなさいという場合に用いる．

Ex. Don't fight it, Howard. If you love her, just tell her so.
ハワード，むだな抵抗はやめてさ，愛しているのなら，彼女にそう言いなよ．

fight or flight

「**闘争か逃走か；戦うか逃げるか**」➤敵に遭遇したときに瞬時に決断する二者択一の選択．動物の本能的な反応を説明することばとしてよく使われる．

He who fights and runs away, may live to fight another day.

「**戦って逃げる者は生き延びて後日戦うこともある；三十六計逃げるにしかず**」➤状況が不利だと思ったら身を引いて，捲土重来(けんどじゅうらい)を期したほうがよいという意味のことわざ．

[補足] 句の前半と後半がそれぞれ4拍からなり，away と day が韻を踏んでいる．

I have not yet begun to fight.

「**私はまだ戦い始めてもいない；戦いはこれからだ**」➤アメリカ独立戦争 (Revolutionary War) における大陸軍海軍の英雄ジョン・ポール・ジョーンズ (John Paul Jones) のことば．自分の船が沈みかけて敵軍司令官から降伏するかと聞かれてこう答えた．その後，部下とともに敵艦に飛び込んでこれを拿捕(だほ)した．一般に，劣勢にある人などが勝負はこれからだという意味でこの句を用いる．

figure 姿；数字；計算する；考える；つじつまが合う

Figures don't lie.

「**数字はうそをつかない**」➤統計結果など数字で明確に示されるものは無視できない，という意味のことわざ．しかし，そうした数字も提示の仕方や解釈の仕方によっていかようにも用いることができるので，Figures don't lie, but liars (can) figure. (数字はうそをつかないが，うそつきは計算する) ということわざも用いられる．

Go figure.

「**考えてみなさい；推して知るべしだ；どうなっているのかしら**」➤一般に自分でよく考えてみることだという場合のほか，後は言わなくてもわかるでしょう，あるいは私は教えない [知らない] から自分で考えなさいという場合などに用いる．

Ex. She said she wanted something sweet, but when I brought home ice cream, she said she wasn't hungry. Go figure.
彼女は何か甘いものがほしいと言ったのに，ぼくがアイスクリームを買って帰ったら，おなかすいてないからって言うんだ．わかるでしょ．

It figures. / That figures.

「**それはつじつまが合う；なるほどそういうことか；やっぱりね**」➤これまでの経緯を考えるとそれは十分よくわかる，またはそれで説明がつくという場合などに用いる．特に，よくよく私はつきがないという場合によく用いる．

Ex. That figures. I finally get to go to the museum, but it's closed for repairs.
こうなのよね．やっと美術館に行けると思ったら，改修工事で閉館中だって．

fill 満たす

Fill her up.
「**満タンお願いします**」➤ガソリンスタンドで係員に用いるもので，her は自分の車を指す．実際の会話では her の h の音が消えて，Fill 'er up. と発音されるのがふつうで，そのようにつづられることも多い．Fill it up. ともいう．

[補足] この言い回しはガソリンスタンドの店員を歌ったスティング (Sting) の歌の題名にも使われている．なお，車にはこのように女性代名詞がよく使われ，She's a beauty, isn't she? (どうだい，かっこいい車だろう) などという．

Fill in the blanks.
「**空欄に記入してください；後は推して知るべしだよ**」➤書類やテスト用紙の空欄に必要事項・答えを記入するように求める場合に用いる．また，空欄を埋めるということから，これだけ言えば後は自分で考えればわかるでしょうという場合などにも用いる．

Ex. A: That country's troops are grouping near our borders, but they say that it's just for training exercises. あの国の軍隊は私たちの国境線近くに集結しているが，ただの訓練だと言っているね．
B: Fill in the blanks. They're going to attack us.
考えればわかるだろう．彼らは私たちを攻撃するつもりなんだ．

[補足] 空欄に記入するという意味では Fill out the blanks. ともいう．

Fill it up.
「**満タンお願いします；なみなみと注いでください**」➤自動車に給油する場合（=Fill her up.）や，飲み物を注いでもらう場合に用いる．

Fill me in.
「**どういうことか説明してください；教えてね**」➤私には情報の空白があるのでそれを埋めてください，という場合に用いる．

Ex. I can't make it back tomorrow before half past nine, so whatever you decide is fine. Just fill me in later, all right?
私はあしたの9時半までに戻るのは無理だから，あなたが好きに決めていいわ．でも，どうするか決まったら後で教えてね．

find 見つける；わかる　finder 見つける人

Finders keepers.
「**見つけた者が所有者となる**」➤落し物は拾った人が自分のものとしてよいという意味のことわざ．特に子どもがよく用いる．落し主が現れてそれを返してくれといったときは，Finders keepers, losers weepers. (見つけた者勝ちだよ，なくした者は泣くのさ) という．

[補足] 法律的にはこれは通用せず，落し主に権利がある．このことわざは，拾得物は1年と1日を過ぎて落し主が現れなかった場合には発見者の所有となる，という古代ローマ法 (Roman law) の規定を拡大解釈して生まれたものらしい．

Have you found what you're looking for?
「**探し物は見つかりましたか**」➤一般に使われる表現だが，特に鼻をほじっている人に対して皮肉を込めてこう言う．Are you digging for gold? に同じ．

How do you find yourself?
「**調子はどうですか**」➤体調や気分を尋ねるときに用いる.

Where will I find you?
「**どこにいますか**」➤電話などで会う約束をしたときに, どこに行ったら会えるかと尋ねる表現.

You found me out.
「**ばれたか**」➤いままで何も言わなかったけれども実はそうなのです, という場合に用いる. また, 文字どおりに私を見つけ出したという場合もある.

Ex. You saw my records? Oh well, I guess you found me out. I'm a country music fan. 私の記録を見たの? あらまあ, ばれてしまったようね. 私はカントリーミュージックのファンなのよ.

fine すばらしい; りっぱな

Fine!
「**上等じゃない; どうぞどうぞ**」➤相手のことばに反発して「私はかまわないから, 勝手にそうしたらいいじゃないの」というような場合に用いる. こう言われたほうも「ええそうするわよ」という意味で Fine! と言うことが多い. なお, 穏やかに Fine. と言えば「それでいい」などの意味になる.

Ex. A: You don't want to go? Fine! We'll just sit here all day.
行きたくないのならいいわよ. 一日じゅうここに座っていましょう.
B: Fine then. Let's not go anywhere.
ああ結構だね. どこへも行かないことにしよう.

Fine feathers make fine birds.
「**りっぱな羽毛がりっぱな鳥を作る; 馬子にも衣装**」➤身なりがよければ中身もよく見える, という意味のことわざ. [類似] Clothes make the man.

Fine with/by me.
「**私のほうはそれで結構です**」➤相手の提案などに異論はないという場合に用いる. That's fine with/by me. または It's fine with/by me. の省略表現.

I'm fine.
「**私は元気です; だいじょうぶです; 結構です**」➤健康だ, あるいは特に問題はないという場合や, 飲食物などを勧められて「結構です」と断る場合などに用いる.

Ex. A: Would you like some more wine? ワインをもう少しどうですか.
B: No, I'm fine. I'm fine, really, just fine.
いいえ, 結構です. 本当にもう結構ですから.

finger 指

It's finger-lickin' good.
「**指をしゃぶりたくなるおいしさです**」➤ケンタッキーフライドチキン (Kentucky Fried Chicken, 現在は KFC) のコマーシャルで使われたコピー. 一般に食べ物について「すごくおいしい」, 食べ物以外について「すごくいい」という意味で用いる.

Keep your fingers crossed.

「うまくいくように祈っていて；うまくいくといいわね」➤私またはあなた自身にとっていい結果になるように祈っていなさい，という場合に用いる．I have/keep my fingers crossed. (うまくいくことを願っている；うまくいったらお慰み) という表現もよく使われる．

Ex. A: Did you get accepted into that university?
あの大学には受かったの？

B: I haven't heard back yet. Keep your fingers crossed for me.
まだ結果が出てないんだ．合格しているように祈っていてよ．

[補足] 願い事をするときに，左右のいずれかの手または両手の中指を人差し指の上に載せて十字架の形になるようにし，その十字架にかけて祈ることから．

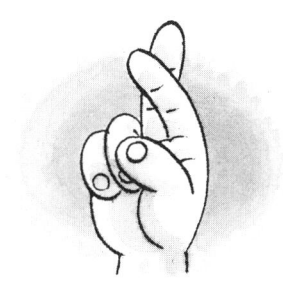

Let your finger do the walking.

「指に散歩させましょう」➤アメリカの職業別電話帳（イエローページ Yellow Pages）が1962年から6年以上使っていた広告の宣伝文句．買い物するときには電話帳のページをめくって調べましょうという意味．

finish 終わる；終わり

Are you finished?

「終わりましたか；言うことはそれで全部ですか；言うことはそれだけか」➤一般に相手のやっていることが終わったかどうかを尋ねる質問．特に，相手がひととおり話し終えたころに，全部言いたいことを言ったのなら，今度はこちらに言わせてもらうよという場合によく用いる．

Ex. Are you finished? You were supposed to get off the phone fifteen minutes ago.
やっと終わったかい．電話は15分前に切っているはずだったじゃないか．

I'm not finished.

「まだ終わってない；話はまだ終わってない」➤一般に自分のやっていることがまだ終わらないというときに用いる．特に，相手が反論しようとしたときや，その場から去ろうとしたときなどに「まだ言うことがある」という意味で用いることが多い．

Let me finish.

「最後までさせて；最後まで言わせてよ」

Ex. Don't get so upset. Just let me finish, and then you'll understand. そう怒らないで．最後まで話を聞いてよ，そうすればわかるから．

You never finish anything (you start).
「何一つやり通したことがないんだから；まったく三日坊主なんだから；根性なしめ」 ➤特に親が子どもによく言う文句.

fire 火；発砲；銃撃；発砲する；発射する

Cease fire.
「**撃ち方，やめ**」 ➤銃撃・砲撃を中止させるときの命令.

Don't play with fire.
「**火遊びはするな**」 ➤文字どおりに火を使って遊んではいけないと特に子どもに言い聞かせるときや，比喩的に「危険なことはするな」と戒めるときに用いる．後者の場合には If you play with fire, you'll get burned. とほぼ同じ.

Fight fire with fire.
「**やられたらやり返せ；目には目を**」 ➤しばしば，相手がそういう卑怯(ひきょう)なことをするならこっちも同じことをしてやれ，という場合に用いる．「火には火で戦え」が原義.

Fire.
「**撃て**」 ➤銃撃・砲撃を開始せよという命令．火事を知らせるときも Fire! と叫ぶ.

Fire in the hole.
「**発破準備完了；爆発するぞ**」 ➤ダイナマイトを仕掛けるときなどに，こう叫ぶ．
[補足] 昔，戦艦の大砲を発射するときに，砲手が火のついたマッチを火薬の入った穴へ投げ込むときにこの掛け声を発したことから広まったものという．なお，映画『プライベート・ライアン』(*Saving Private Ryan*, 1998) では，トム・ハンクス (Tom Hanks) 演じるミラー大尉 (Captain Miller) の小隊 (platoon) が有刺鉄線 (barbed wire) を爆破する際にこのフレーズが使われている.

Hold fire.
「**発砲，待機**」 ➤目標にねらいをつけたまま，撃つのは控えろという命令.

If you play with fire, you'll get burned.
「**火遊びするとやけどする**」 ➤ことわざ.

Open fire.
「**撃ち方，始め**」 ➤目標が射程圏内に入ったらねらって撃てという命令.

Out of the frying pan, into the fire.
「**フライパンから火の中へ；一難去ってまた一難**」 ➤悪い状況から抜け出したと思ったらさらに悪い状況に陥ること．From the frying pan into the fire. ともいう．そのようなことはするなという場合には Don't jump from the frying pan into the fire. という.

Where's the fire?
「**そんなに急いでどこに行くんだね**」 ➤特に，スピード違反の車を止めた警察官が運転している人に聞くときに用いる．「そんなに急いでいるところみると，どこかに火事でもあるのか」ということから.

first 最初の (人；もの)；最初に

First come, first served.

「**先着順**です；早い者勝ちです」

[補足]「先着順で」は on a first-come, first-served basis という．

First things first.

「まずやるべきことをやらなくてはね；ものには順序ってものがあるからね」➤優先順位の高い重要なものを先にする (べきだ) ということ．First thing first. ともいう．

[補足]「優先順位の高い重要なものから先にしなさい」というときは Put/Do first things first. という．

The first hundred years are the hardest.

「**最初の百年が最も困難だ**」➤ことを始めるときは最初がいちばん大変だ，という意味のことわざ．The first one hundred years are the hardest. ともいう．

[補足] アメリカの劇作家ウィルソン・ミズナー (Wilson Mizner, 1876–1933) の Life's a tough proposition, and the first hundred years are the hardest. (人生はやっかいなものだが，最初の百年が最も困難だ) がよく引用される．

The first step is the hardest. / The first step is always the hardest.

「**最初の一歩が最も困難だ；一歩踏み出すまでが大変だ**」➤ことわざ．難しいのは最初だけだから思い切ってやれ，という場合に使われることが多い．[類似] Take the plunge.

There is nothing like the first time.

「**最初がいちばんいい**」➤何でも初めて経験するときが最も感激するという意味．

There's a first time (for everything).

「**何事にも最初というのはあるものだ**」➤いままでにない新しい経験をしたり，新しい経験でまごついたりするような場合に用いる．「珍しいことがあるね」と驚いたり，「これも経験だよ」と相手や自分を慰めたり，また「いままでなかったからといって，これからもないとは言えない」と思い込みを捨てるように注意するなど，具体的な状況によって使われ方はさまざま．There's (always) a first. / There's always a first time (for everything). などともいう．

This is a first. / That's a first.

「**こんなの初めてね**」➤これまで部屋の掃除をしたことなどなかった人が自発的に部屋をかたづけたりした場合などに，「珍しいことがあるものだ」という意味で用いる．

Ex. My son finished his homework? Now this is a first.
息子が宿題を済ませただって？ こんなの初めてだね．

You first. / You go first.

「**あなたからどうぞ**」➤みんなで順番に何かする場合に最初の人を指名してこういう．

You never forget your first.

「**最初のものは決して忘れない**」➤仕事，車，恋など，どんなものでも最初の体験は忘れないものだという意味．You always remember your first. (最初のものはいつまでも覚えている) ともいう．

---

fish 魚；魚釣りをする；漁をする

Fish and guests stink/smell after three days.

「**魚と客は3日でにおう**」➤魚は3日たつと腐って食べられなくなるように，客も3日も

いるとうんざりされるという意味のことわざ．

Fish is brain food.
「**魚は健脳食；魚を食べると頭がよくなるのよ**」➤英米で昔から言われていることわざ．実際に，試験の前にはこう言って子どもに魚の料理を食べさせる母親もいる．

[補足] 最近の研究によって，魚類に多く含まれるドコサヘキサエン酸（docosahexaenoic acid, DHA）と呼ばれる脂肪酸が脳内の神経細胞間での電気信号のやり取りを安定させる働きをもつことが明らかになっている．

Fish or cut bait.
「**どちらにするかはっきりしなさい**」➤態度を決めろという意味のことわざ．やるなら本気でやりなさい，そうでなければやめなさいという場合に使われることが多い．「魚を釣るか，それともえさを切っていなさい」ということから．

[補足] この cut bait は「えさを釣り針から切り離して家に帰る；釣りをやめる」という意味と解釈されることが多いが，インターネットサイトのWORDSRANDOMによれば「えさをふさわしい形に切ること」が正しいという．つまり，この句は釣りをするのか，それともえさの準備をするのか決めなさい，と決断を促す用法が本義だという．

Give a man a fish, and you feed him for a day. Teach him (how) to fish, and you feed him for a lifetime.
「**人に魚を与えれば1日食べさせることができる．しかし魚釣りの方法を教えれば一生食べさせることができる**」➤人を援助する最善の方法は自立する技術や方法を教えることで，物質的援助は一時的な効果しかないという意味のことわざ．老子（Lao Tzu）のことばという．

I have bigger fish to fry.
「**ほかにもっとたいせつなことがある**」➤もっと大事な問題があるので，そういうことには構っていられないという場合に用いる．「フライにすべきもっと大きな魚がある」が原義．I have other fish to fry.（ほかにやるべきことがある）という表現もある．

There are plenty of fish in the sea.
「**ほかにもすてきな人はたくさんいるさ；まだチャンスはいくらでもあるよ**」➤特に，恋人と別れた人を慰めるときなどに用いる．一般にチャンスを逃した人に対しても用いる．There are many/other fish in the sea. / There are plenty more fish in the sea. ともいう．

five 5

Give me five. / Slip me five.
「**握手しよう；タッチしよう**」➤出会ったときにあいさつとしての握手を求めるもの．また，片手の手のひらをパチンと打ち鳴らすあいさつをしようと提案するときにも用いる．この five は5本の指の意味．次の見出しフレーズを参照．

[補足] 両手を使ってこのようにするときは Give me ten. という．

High five.
「**ハイタッチしよう**」➤片手を上げて手のひらをパチンと打ち鳴らすあいさつをしようという表現．特にスポーツで，得点を挙げるなどうまくいった場合に用いる．

[補足] ハイタッチは和製語．このハイタッチの後に，手を下げて同じようにパチンを打ち鳴らすロータッチを続ける場合もあり，そのときは High five, low five.（ハイタッ

チに続けてロータッチだ)という.

Take five.
「では，5分間の休憩とします」▶Take a break for five minutes. という意味.「10分間の休憩とします」という場合には Take ten. という.

fix 直す

If it ain't broke, don't fix it. / If it's not broken, don't fix it. 「壊れていないものを直すな」▶うまくいっているものをいじくっておかしくするな，という意味.

flash きらめき；きらめく；はでな　　flashy 閃光のような；けばけばしい

Flashy, flashy, something trashy.
「まるでズベ公みたいなはでな格好だぜ」▶売春婦のようなけばけばしい格好をした女性だという場合に用いる.
[補足] テレビドラマ『ザ・プラクティス〜ボストン弁護士ファイル』では，弁護士事務所の秘書ルーシー (Lucy) が服役囚から情報を聞き出そうとしたとき，服役囚がその見返りに「ちらっと体を見せてほしい」という意味でこれを口にする場面がある.

It's all flash.
「見かけだけだ；見かけ倒しだ」▶見た目やうわべは華やかだが中身がないということ.

flatter おだてる　　flattery おだてること；お世辞

Don't flatter yourself. 「うぬぼれないでよ；しょってるんじゃないよ」
Ex. A: So would you like to have dinner tonight? 今晩，食事をどう.
B: Don't flatter yourself. I'm busy. うぬぼれないで. 私は忙しいの.

Flattery will get you everywhere. / Flattery gets you everywhere.
「ほめればなんでもうまくいく；お世辞を言えばなんでも思うままだよ」▶人はおだてに弱いから，とにかく相手のことをほめてご機嫌を取れ，という場合に用いる. everywhere の代わりに anywhere が用いられることもある.

Flattery will get you nowhere.

「**お世辞を言ってもむだよ；その手には乗らないわよ**」➤Flattery won't get you anywhere. ともいう．

I'm flattered. 「**そう言ってもらえるとうれしいです；それは光栄です**」➤ほめられてありがたい，あるいはそれは私に対するほめことばも同じです，という場合に用いる．

Ex. A: I would be very happy if you were my daughter's teacher.
あなたが娘の先生だったらよかったのに．
B: Really? I'm so flattered. ほんとうですか．すごくうれしいです．

flaunt 見せびらかす

If you've got it, flaunt it.
「**誇れるものがあるなら誇れ；私はすごいんだってところを見せつけてやれ**」➤お金や才能，美貌(びぼう)などに恵まれている人は遠慮せずに堂々と見せたらいい，ということ．

Ex. You know what they say about big breasts: if you've got it, flaunt it. 大きな胸についてどう言われているか知っているでしょ．自慢できるものがあるのなら自慢しなさいってね．

float 浮く；浮き

Float like a butterfly, sting like a bee.
「**チョウのように舞い，ハチのように刺す**」➤ボクシングの元世界ヘビー級王者モハメッド・アリ (Muhammad Ali) のボクシングスタイルを表したことば．

flower 花；花が咲く

Say it with flowers.
「**花で気持ちを伝えましょう**」➤花を贈って感謝などの気持ちを伝えようということ．この文句は花屋さんのウィンドーなどによく張られている．

Stop and smell the flowers.
「**立ち止まって花の香りをかぎなさい**」➤多忙や不安なときも美しいものを観賞する心の余裕は失うなという意味のことわざ．Don't hurry, don't worry. You're only here for a short visit. So be sure to stop and smell the flowers. (急ぐな，心配するな．ここにいるのもそう長くはない．だから立ち止まって花の香りをかぎなさい) はゴルファーのウォルター・ヘイゲン (Walter Hagan) のことば．

Where have all the flowers gone?
「**すべての花はどこへ行ったのか**」➤フォークシンガーのピート・シーガー (Pete Seeger) の歌の題名，およびその出だしの文句 (邦題は「花はどこへ行った」)．この歌はベトナム反戦運動を象徴する歌として広まった．

[補足] シーガーはショーロホフ (Mikhail Sholokhov) の『静かなるドン』(*And Quiet Flows the Don*) に出てくるコサックの子守唄に着想を得て作ったという．

fly 飛ぶ；急いで行く；ハエ；社会の窓

I have to fly (now). / I've got to fly (now).
「もう行かなくちゃ」➤急いでその場を去らなければならないという場合に用いる. I have to go (now). / I have to run (now). と同じ.

It takes two wings to fly.
「飛ぶには翼が2枚必要だ」➤ものごとを首尾よく運ぶには異なる立場の人の協力を仰いでうまく釣り合いをとらなければならない, という意味のことわざ.

It/That won't fly.
「それはうまくいかないよ；だめだね」➤計画などが成功しないだろう, あるいは言い訳などが通用しないだろうという場合に用いる. It/That doesn't fly. ともいう.

Waiter, there's a fly in my soup.
「ウエーターさん, 私のスープにハエが入ってますよ」➤よく使われるジョークの文句. ウエーターの返事が落ちになるようになっている.

Someone wouldn't hurt a fly.
「すごくおとなしい人だ」➤虫も殺さないような温和な人だということ. wouldn't の代わりに couldn't, また hurt の代わりに harm も使われる.

You can catch more flies with honey than with vinegar.
「酢を使うよりはちみつを使うほうがハエをたくさん捕まえることができる」➤強圧的な態度よりも穏やかな態度で臨んだほうが相手に言うことを聞いてもらえる, という意味のことわざ. You can catch の部分は You catch も用いられる.

Your fly is open.
「社会の窓が開いてますよ」➤Your zipper is down. ともいう.

food 食べ物；食料

Don't play with your food.
「食べ物で遊んじゃだめよ」➤親（特に母親）が子どもによくこう注意する. Don't play with food. ともいう.

Don't take more food than you can eat.
「食べきれないほど取るな」➤特に, カフェテリアでの食事などで, 欲ばっていっぱい取って食べ残すようなことはするな, という場合に用いる.

Don't waste food.
「食べ物を粗末にしてはいけない」➤Don't waste food while others starve. (飢えている人がいるのに食べ物を粗末にするな) や, It's a sin to waste food. / It's wrong to waste food. (食べ物を粗末にすると罰が当たる) ともいう.

fool ばか

A fool and his money are soon parted.
「ばかとお金はすぐに別れる；ばかとお金は縁がない」➤ばかな人はくだらないものに金を使ってしまう, あるいはだまされて金を失ってしまう, という意味のことわざ.

Better to remain silent and be thought a fool than to speak out and remove all doubt.

「黙っていてばかと思われるほうが，口を開いて疑念を払拭(ふっしょく)してしまうよりはいい」▶第16代大統領のエイブラハム・リンカーン (Abraham Lincoln) のことばとされることが多い.

Fool me once, shame on you. Fool me twice, shame on me.
「私を1度だましたらあなたは恥を知りなさい．私を2度だましたら，私が恥を知る番だ」▶同じ手に2度も引っかかるほうも悪い，あるいは同じ手に2度と引っかかるな，という場合などに用いる．特に子どもがよくいう．

Fools rush in where angels fear to tread.
「愚か者は天使が足を踏み入れるのを恐れる場所に飛び込む」▶ばかな人はむてっぽうなことをして自ら危険を招くものだ，という意味のことわざ.「君子危うきに近寄らず」の反対．イギリスの詩人アレキサンダー・ポープ (Alexander Pope) の『批評論』(*An Essay on Criticism*) にある．

There's no fool like an old fool.
「年寄りのばかほどのばかはいない」▶老人は経験を積んで賢くなるべきなのに，それがばかだということはもう救いようがない，という意味のことわざ．

You can fool some of the people all of the time, and all of the people some of the time, but you can not fool all of the people all of the time.
「一部の人をずっとだまし続けることも，またすべての人を一時的にだますこともできるが，すべての人をずっとだまし続けることはできない」▶第16代大統領エイブラハム・リンカーン (Abraham Lincoln) のことばとされる．

You could have fooled me.
「へえ，そうだったの？；そうだとは知らなかった」▶そう言われて初めて知ったという場合にいう．また，皮肉を込めて「こいつは初耳だ；だれがそんな言い訳を信じるものか」という意味でも使う.「あなたは私をだませたことだろう」つまり「もしあなたがそう言わなかったら，私はずっと思い違いをしていたことだろう」ということから．

> **Ex.** She's not from the US? With that accent? You could've fooled me. 彼女がアメリカ出身ですって？ あのアクセントで？ 全然知らなかったわ．

foot 足

Someone has one foot in the grave.
「墓場に片足が入っている；棺桶に片足突っ込んでいる」▶病気や老齢でもう長くはないという意味．日本語とほぼ同じ発想の言い回し．

Keep your feet on the ground.
「地に足をつけていなさい」▶うわつかずにしっかりと現実的な基盤をもって行動しなさいということ．日本語と同じ発想の言い回し．

My foot!
「うそつけ；何が；どこが」▶My ass/butt/eye! ともいう．

> **Ex.** Hard-working? My foot! I see you sleeping at your desk every day.
> 何が仕事熱心よ．あなたが毎日机で寝ているのを私は見ているのよ．

On your feet.
「立て；さあ立って」➤Get on your feet. ともいう.

Put your best foot forward.
「**自信をもって思い切りやれ**；自分の長所を前面に押し出して魅力的に見せなさい」➤特に面接などで相手によい第一印象を与えなさいという場合によく使われる. Always put your best foot forward. / Best foot forward. ともいう. おそらく，歩き出すときは最も頼りになる足から踏み出しなさい，ということから.

> **Ex.** They always say that you should put your best foot forward, so I'm going to wear expensive cologne and nice shoes on this first date.
> 第一印象が大事だって言うから，この初めてのデートには高いコロンをつけていい靴を履いて行くことにするよ.

footprint 足跡

Leave only footprints. / Leave nothing but footprints.
「**後に残すのは足跡だけ**」➤環境を汚さずに自然探索をしようという標語. しばしば Take only pictures/photographs, leave only footprints. (撮るのは写真だけ，残すのは足跡だけ) あるいはその逆の Leave only footprints, take only pictures/photographs. という対句で用いられる. これらの句でも only の代わりに nothing but もよく使われる. また, Take only pictures の部分は Take only memories (思い出だけをもっていく) ともいう.

for …のために；…を求めて；…に賛成で

That's/There's ... for you.
「**まったく見上げた…だ；これこそまさに…だ**」➤人の行動などについて，あれこそまさにこのことばがぴったりだ，という場合に用いる. 皮肉を込めて反対の意味で使われることもある.

> **Ex.** She's worked six days a week for eighteen years to earn enough to send her children to university. Now that's dedication for you.
> 彼女は子どもを大学にやるお金を稼ぐために18年間週6日働いてきたのよ. あれこそ献身というものよね.

What for?
「**どうして；何のために**」

> **Ex.** An umbrella on a sunny day? What for?
> 晴れているのに雨傘だって？ 何のためにだい.

forbid 禁じる

Forbidden fruit is sweet.
「**禁断の果実は甘い**」➤禁じられていることをするのは快感だという意味のことわざ.
[補足] この句の出所は旧約聖書 (Old Testament) の「創世記」(Genesis) に出

てくるアダムとエバ（イブ）(Adam and Eve) の話．エデンの園 (Garden of Eden) にある善悪の知恵の木の実だけは食べてはならないと神から言い渡されていたが，蛇にそそのかされてエバがそれを食べ，アダムにも食べさせたために，神は2人をエデンの園から地上に追放した．

God/Heaven forbid.

「**そういうことはありませんように；やめてよ；めっそうもない**」▶相手の言ったことが実際に起こらないようにという場合や，あるいは相手がやろうとしていることをやめさせる場合などに用いる．「神［天］よ，(それを) 禁じたまえ」が原義．

Ex. Tell her the truth? Heaven forbid! But perhaps you could tell a gentle lie.
彼女に本当のことを言うだって？ とんでもない．でも，優しいうそならついてもいいかもしれない．

force 力；強要する

May the Force be with you!

「**フォースのともにあらんことを！**」▶映画『スターウォーズ』(*Star Wars*) シリーズで，相手の幸運を祈るときに使われることば．特に共和国軍戦士のジェダイ (Jedi) がよく用いる．May God be with you!（神様の加護がありますように）という表現の「神様」を「フォース」に置き換えた表現．

forewarn 前もって警告する

Forewarned is forearmed.

「**事前の警告は事前の警戒に通じる**」▶前もって危険を知ることができればそれに備えることができる，という意味のことわざ．

[補足] 英和辞典には「備えあれば憂いなし」という訳を載せているものが多いが，「備えあれば憂いなし」は Better safe than sorry. のほうが近い．

forget 忘れる

Aren't you forgetting something?

「**何か忘れてない？**」▶忘れ物があるでしょうという場合に用いる．特に，謝罪やお礼など私に何か言うべきことがあるのではないか，というときによく使われる．

Ex. Aren't you forgetting something? You're on your way to an interview, but where's your tie?
何か忘れてない？ あなたは面接に行くんでしょ．ネクタイはどこにあるのよ．

Forget and forgive.

「**忘れて許しなさい**」▶相手の過ちなどを水に流しなさいということ．Forgive and forget.（forgiveの見出し参照）というほうがふつう．

[補足] シェークスピア (Shakespeare) の『リア王』(*King Lear* IV. vii.) にも出てくるが，順序から言えば「忘れて許す」ではなく「許して忘れる」のほうが自然．

Forget it. / Forget about it.

「**それは (もう) いいよ**」➤それは忘れなさいという意味で，さまざまな文脈で用いられる．例えば，①相手の持ち出した話や提案などに「つきあうつもりはない」，②相手がお礼や謝罪を言ったときに「気にすることはない」，③相手が聞き返したときに「何でもない」という場合などがある．

Ex. You don't have to thank me, mate. Forget about it.
礼には及ばないよ．気にすることはないさ．

How can I forget?
「**覚えているとも；忘れようたって忘れられないよ**」➤相手があのことは覚えているかい，と聞いたときなどにいう．

How quickly they forget.
「**みんなすぐに忘れちゃうのよね；まったく恩知らずだね；薄情なものね**」➤特に困っていたときにはさんざ人に世話になっておきながら，苦境から抜け出すとすぐにその恩義を忘れてしまう薄情者が多い，という場合に使うことが多い．一時期注目されていた人物や事件がすぐ忘れられて過去のものとなるという風潮を表すときにも用いる．

I almost forgot.
「**いけない，忘れるところだった**」➤相手に言おうと思っていたことを言い忘れていて，そのまま別れてしまいそうになったところで思い出したような場合に用いる．

I forget.
「**忘れた**」➤忘れていまも思い出せないという場合に用いる．

Ex. I forget. Tell me again, when's your birthday?
忘れちゃった．きみの誕生日がいつかもう1度言ってよ．

[補足] I forgot. は「(そうだった) 忘れていた」というようにいまは思い出した場合に用いるのがふつうだが，いまも思い出せないというときに用いることもある．

I keep forgetting.
「**すぐに忘れちゃうんだよね**」➤前から言われていたことや相手の名前など，覚えていなくてはいけないことを忘れて何度も注意されるような場合にいう．

[補足] デビッド・ボーイ (David Bowie) などの歌の題名にも使われている．

Let's just forget about this.
「**このことは忘れましょう**」➤いさかいなどの後に用いる．

Never forget. Never forgive.
「**決して忘れるな．決して許すな**」➤Never forgive. Never forget. (forgive の見出し参照) に同じ．

---

forgive 許す

Father, forgive them, for they know not what they do.
「**父よ，彼らをお赦しください．自分が何をしているのか知らないのです**」➤イエス・キリスト (Jesus Christ) が十字架につけられたときに，自分を十字架につける者たちの許しを神に祈って言ったことば．「ルカによる福音書」(Luke 23:34) に出てくる．

Forgive and forget.
「**許して忘れなさい**」➤ひどい仕打ちをした相手などを許して，そのことは水に流しなさいということ．Forget and forgive. (forget の見出し参照) ということもある．

It's forgiven and forgot.
「もう許して水に流しました」➤Please forgive me. (どうか許してください) などと謝った相手に対して，すでに許していて，わだかまりはありませんという場合に用いる．You're forgiven and forgot. または単に Forgiven and forgotten. ともいう．

Never forgive. Never forget.
「決して許すな．決して忘れるな」➤自分がひどく不当な扱いを受けたような場合に用いる．Never forget. Never forgive. ともいう．

You're forgiven.
「もう許しています」➤Please forgive me. (どうか許してください) などと謝った相手に対して用いる．It's forgiven and forgot. とほぼ同じ．

formality 形式的なこと [あいさつ]

Let's get the formalities out of the way.
「ざっくばらんにいきましょう；単刀直入に言いましょう」➤特に初対面で自己紹介をするときや，率直な感想を述べる場合などによく用いる．Let's cut the formalities. ともいう．

Ex. Let's get the formalities out of the way first. Tom, meet Sally, my cousin. じゃあ，堅苦しいあいさつはなしでいきましょう．トム，こちらがいとこのサリーよ．

forsake 見捨てる

My God, my God, why hast thou forsaken me?
「わたしの神よ，わたしの神よ，なぜわたしをお見捨てになるのか」➤旧約聖書 (Old Testament) の「詩編」(Psalms 22:1) に出てくるダビデの歌の出だしのことば．新約聖書 (New Testament) の「マタイによる福音書」(Matthew 27:46) と「マルコによる福音書」(Mark 15:34) にはイエス・キリスト (Jesus Christ) が十字架にかけられて息を引きとる前にこう叫んだとある (日本語訳は「わが神，わが神，なぜわたしをお見捨てになったのですか」)．

fox キツネ

Something is like letting the fox guard the henhouse.
「どろぼうに金庫番をさせるようなものだ」➤そのようなことはするなという意味で，Don't let the fox guard the henhouse. ということもある．「キツネに鶏小屋の番をさせるようなものだ」が原義．

The quick brown fox jumps over the/a lazy dog.
「すばやい茶色のキツネが怠け者の犬を飛び越す」➤アルファベットの26文字すべてを含む文をパングラム (pangram) というが，その最も有名な例がこれ．タイプライターやつづりの練習文，またワープロのフォントファイルの例文として使われている．日本語の字母歌である「いろはにほへと」に相当するもの．

[補足] The quick brown fox jumped over the lazy dog. と過去形の文も使

われるが，これにはアルファベットの s が使われていないので，パングラムとしては誤用といえる．また，lazy dog の冠詞はthe/aのどちらでもよいが，パングラムとしてはなるべく少ない文字数にするというルールがあるので a を用いるほうがよい．

frailty　もろさ；弱さ

Frailty, thy name is woman!
「弱きもの，汝の名は女なり」▶女性は男性よりも弱いという意味のことわざ．出典はシェークスピア (Shakespeare) の『ハムレット』(*Hamlet* I. ii.)．

free　自由な；ただの；自由に；ただで

Feel free.
「どうぞ遠慮なく；どうぞご自由に」▶to不定詞を続けることも多い．
　Ex. Feel free to touch any piece in this exhibition.
　　この展示会ではどの作品も自由に触ってかまいません．

It's a free country.
「ここは自由の国だ；何しようとあなたの自由だ；何しようと自由だろ」▶相手がこうしてもいいですかと聞いたときに「どうぞご自由に」と返事する場合や，またなんでそんなことをするのかと言われて「私の自由でしょう」というような場合に用いる．

Nothing comes for free.
「ただで手に入るものはない」▶何かを得ようと思ったらお金や努力といった代価・代償を払わなくてはならない，ということ．[類似] There is no free lunch.

Nothing in life is free.
「この世にただのものはない」▶お金や努力などの代価・代償を払わずに手に入るものはない，という意味のことわざ．Nothing is free in this life. ともいう．[類似] There is no free lunch.
[補足] この句は，犬が命令を聞くまではえさを食べさせない，という犬の訓練方法の名前としてよく使われる（略語は NILIF）．

The best things in life are free.
「人生で最もよいものはすべてただだ」▶自然の美しさや愛・友情など，人生を豊かにしてくれるものにお金はかからない，あるいは真にたいせつなものはお金では買えないという意味のことわざ．All the best things in life are free. ともいう．

freeze 凍る; 静止する

Freeze!
「**止まれ**; 動くな」 ➤警官が強盗に銃を突きつけて「動くと撃つぞ」という場合などに用いる.
[補足] ジーン・ハックマン (Gene Hackman) 主演のアクション映画『フレンチ・コネクション』(*The French Connection*, 1971) のモデルとなったニューヨーク市警の警察官によれば, この映画で主人公がこう言うのを見て本物の警官たちがまねして一般に広まったものだという.

I'm freezing. / I'm frozen (stiff).
「**凍えそうだ**; 寒くてたまらない」 ➤「暑くてたまらない」は I'm melting. という.

French フランス語; フランス人

Pardon my French. / Excuse my French.
「**下品なことばを使って申し訳ない**」 ➤ののしりことば (swearword) など下品なことばを言ったり, これから言おうとするときに用いる.

Friday 金曜日

Thank God it's Friday.
「**やれやれやっと金曜日だ**; 花の金曜日だ」 ➤今週の仕事はこれでおしまい, あしたからは週末の休みに入れるぞ, という場合に用いる. しばしば TGIF と略される.

That'll be the frosty Friday.
「**そんなことはありえないね**」 ➤That'll be the day. とほぼ同じ.

friend 友だち, 友人

A friend in need is a friend indeed.
「**まさかの友こそ真の友**」 ➤自分が困っているときに友だちでいてくれる人がほんとうの友だちだ, ということわざ. 後半を省略して A friend in need. ともいう.
[補足] 全体が4拍からなり, in need と indeed が韻を踏んでいる.

A friend who shares is a friend who cares.
「**分かち合う友だちは思いやりのある友だちだ**; 友だちは分かち合うものだ」 ➤友だち同士は友愛の精神で互いに分け合うのが当然だ, という意味のことわざ.
[補足] 全体が4拍からなり, shares と cares が韻を踏んでいる.

Any friend of someone('s) is a friend of mine.
「**…の友だちなら私の友だちです**」 ➤友人の紹介などで出会ったときに用いる.
> **Ex.** Ryan's one of the best men I've ever known. Any friend of his is a friend of mine.
> ライアンはぼくの知っている男の中で最もいい人の1人です. 彼の友だちならぼくの友だちも同じです.

Friends are forever.

「友だちは永遠だ；友だちは一生の宝」➤恋愛や結婚は破綻することがあっても，友だちづきあいは一生続くということ．

I was up all night with a sick friend.
「徹夜で病気の友だちを看病していたんだ」➤ゆうべどこに行っていたのか，あるいはどうして宿題をやってこなかったのか，などと聞かれたときによく使われる言い訳．

Let's stay friends.
「友だちでいましょう」➤親しい友だちから愛の告白を受けたものの，その愛に応えられないという場合や，恋人同士が別れてもいい関係でいたいという場合に使われる．

Save/Defend me from my friends.
「私の友だちから救いたまえ/守りたまえ」➤友だちのふりをしていて，いざというときに裏切る人ほどたちの悪いものはない，という意味のことわざ．God save me from my friends. などともいう．

Some friend you are.
「まったくたいした友だちね；それでも友だちかい」➤友だちがいのない人に対していう．

Tell a friend.
「友だちに教えてね」➤新しくできた店の人が客に対して「お知り合いの方にも宣伝しておいてください」という場合などに用いる．宣伝広告にもよく使われる．

That's what friends are for.
「そのための友だちでしょう」➤使い方は What are friends for? とほぼ同じ．

[補足] ディオンヌ・ワーウィック (Dionne Warwick) の歌の題名にも使われている (作詞 Carol Bayer Sager, 作曲 Burt Bacharach).

The best of friends must part.
「親友も別れなければならない」➤親友もいずれは離れ離れになる，あるいはいつもいっしょにいることはできないということわざ．

What are friends for?
「何言ってるの，友だちじゃないの」➤相手が感謝のことばを述べたとき，「何水くさいこと言ってるの，友だち同士じゃないの．友だちならこんなことは当然よ」という意味で用いる．「友だちは何のためにいるのか」が原義．

> **Ex.** A: Thanks so much for your help. I couldn't have done it without you. 助けてくれてありがとう．あなたがいなかったらできなかったわ．
> B: Hey, what are friends for? 何言ってるの，友だちじゃないの．

[補足] この言い回しは friends 以外でもよく使われる．例えば母親が娘に What are mothers for? (親子だもの当たり前よ) と言ったり，教師が生徒に What are teachers for? (教師なら当然だよ) と言ったりする．

Who's your friend?
「その友だちはだれですか」➤あなたといっしょにいるのはだれですか (紹介してくださいよ) と相手に聞く表現．

With friends like that, who needs enemies?
「そのような友だちがいるなら敵など必要ない」➤信頼できる人が周りにいないという反語表現．With such friends, who needs enemies? / With such friends, one hardly needs friends. ともいう．

You can't have too many friends.
「友だちはいくらいても困らない」➤多すぎる友だちをもつことはできない，つまり友だ

ちはいくら多くても多すぎるということはない，という意味のことわざ．

[補足] この応用で You can't have too much money. (お金はいくらあっても困らない) などと用いることができる．

fruit 果物; 果実

By their fruits ye shall know them.
「**あなたがたはその実で彼らを見分ける**」➤本物の預言者と偽物の預言者はその言動を見ればわかるという意味．イエス・キリスト (Jesus Christ) が山上の説教 (Sermon on the Mount) で語ったことば．「マタイによる福音書」(Matthew 7:20) に出てくる．一般に，どんな行動をとっているのかで善人か悪人か判断される，という場合などに引用される．

full いっぱいの; 満腹の

I'm full.
「**もうおなかいっぱいです**」➤飲食物のお代わりを勧められたりして断るときに用いる．
[類似] I've had enough. / I couldn't eat another thing.

You're full of it.
「**でたらめ言いやがって; また口から出まかせを**」➤強い不信を表す俗語表現．
Ex. As if you know what you're talking about. You're full of it.
自分で何を言っているか知りもしないくせに．いいかげんなことばかり言って．

fun 楽しさ; おもしろさ

Have fun.
「**楽しんでね; 楽しんできなさい**」➤パーティーなどに行く人に対してよくいう．また，別れのあいさつとしも用いる．

It's all fun and games until somebody/someone loses an eye.
「**おもしろがっていつまでもやっていると後で痛い目にあうよ**」➤どんなに楽しくても分別をもってけがをする (あるいはトラブルになる) 前にやめなさい，という意味．特に，子どもたちがはしゃいで遊んでいるときに保護者 (特に母親) や教師などが「適当なところでやめないとひどい目にあわせるよ」という脅し文句としてよく用いる．「だれかが目を失うまでは楽しいものだ」が原義．

The fun never ends.
「**楽しくてたまらない**」➤楽しいことがたくさんあっていつまでも飽きない，という場合にいう．皮肉に使われることもある．
Ex. A Christmas party, then a barbeque, then a trip to the mountains, next a New Year's party. The fun never ends!
クリスマスパーティーにバーベキュー，その後は山へ旅行で，さらに新年のパーティーか．楽しみのオンパレードだね．

[補足] 『クマのプーさん』(Winnie the Pooh)の着ぐるみ版テレビ The Book of Pooh (DVD版の邦訳タイトルは『ぬいぐるみのプーさんと仲間たち』)のテーマソング (theme song) の歌詞にもこの言い回しが出てくる.

funeral 葬式

It's your funeral.
「そんなことをしたらひどい目にあうよ; どうなっても知らないわよ」
- **Ex.** Well, if you want to tell Dad you scratched the car, OK. It's your funeral. お父さんに車に傷をつけちゃったって言いたいのなら言えばいよ. でも, どうなっても知らないよ.

funny おかしな; 奇妙な

Cut the funny stuff.
「おふざけはその辺にしておきなさい」 ➤しばしば Cut the funny stuff and ... の形で「ふざけてないで…しなさい」という場合に用いる.
- **Ex.** Cut the funny stuff, boy. Now tell me where to find your brother. ふざけるのはやめて, 弟がどこにいるのか言いなさい.

Don't get funny (with me).
「ふざけたことを言うな; ふざけたまねをするな」

That's funny.
「それは変だわね; それはおかしいね」 ➤相手の話に腑(ふ)に落ちない点があるという場合に用いる.「それはおかしい」という意味もある.

What's so funny?
「何がそんなにおかしいんだい」 ➤反語的にいらだちを込めて用いることもある.

future 未来; 将来

The future ain't what it used to be.
「未来は以前の未来ではなくなってしまった」 ➤未来や将来はいまよりもよくなると思われていたが, いまや未来に対してそのように明るい展望を抱くことができない, という場合に用いる. 私たちが未来に対して抱いていたイメージは昔とは違ってしまった, ということから. 大リーグのニューヨーク・ヤンキースのもと選手・監督のヨギ・ベラ (Yogi Berra) が言い始めたとされることが多いが, 実際にはそうではないらしい.

[補足] ロックバンドのパンドラズ・ボックス (Pandoras Box) の歌の題名にも使われている.

You can't live in the future.
「未来に生きることはできない」 ➤人はいまこの時を生きることしかできないのだから, 未来のことであれこれ心配しても仕方がない, というような場合に用いる. You can't live in the past. (過去に生きることはできない) という言い回しもある.

G, g

gain 得る；利益

No pain, no gain.

「苦労なくして得るものなし」➤No pains, no gains. ともいう. There are no gains without pains. (何事も苦労なくしては得られない；苦は楽の種)という古いことわざもある.

Ex. I hate dieting, but I really have to lose weight. I'll start tomorrow. No pain, no gain.
ダイエットするのはいやだけど, ほんとうに体重を落とさなくちゃいけないから, あしたから始めるわ. 目標達成には苦しさを乗り越えないとね.

[補足] 全体が4語で, pain と gain が脚韻 (rhyme) を踏んでいる. 似たパターンの常套句はほかに No guts, no glory. / No glove, no love. などがある.

galaxy 銀河

A long time ago, in a galaxy, far, far away ...

「はるか昔, はるかかなたの銀河系で…」➤映画『スターウォーズ』(*Star Wars*) シリーズの最初に出る字幕.

game ゲーム；遊び；試合；(…する)気がある

Game over. / The game is over.

「おしまいだ；どうしようもない」➤決着がついて, もうどうにもならないという場合に用いる. 初期のテレビゲーム (video game) の終了時に現れることばとして有名.

I'm game.

「その話に乗るよ；いいね」➤誘いなどに応じるときに用いるくだけた言い方. Are you game? (話に乗りますか；そうしますか) と尋ねる言い方もある.

It's all part of the game. / It's all in the game.

「そうしたものはつきものだ；ままあることだ」➤好ましいことではないが, この仕事 (または世界など) ではそれは避けられないという場合に用いる.

It's game, set and match.

「勝負はついた；もうおしまいだ」➤意味は It's over. とほぼ同じ. テニスでゲーム, セット, マッチと試合が進んで勝敗がつくことから.

It's game time!

「よし**出番だ**；よし本番だ」➤試合開始の時間だということから.

Ex. Now's your chance to give the boss a piece of your mind. Go in now and tell him. It's game time! いまが上司に文句を言うチャンスだよ. さあ, がんばって言ってこい. 出番だよ.

It's the only game in town.
「それしかない (からしかたない)」 ▶ほかに選択肢がないからそれを利用するしかない, という場合に用いる.「町でやっているのはその試合だけだ」が原義.

That's the name of the game.
「肝心なのはそれだ; それが何より大事だ」 ▶相手や自分が述べたことについて, それがここでは本質的なのだという場合に用いる.「それがそのゲームの名前だ」が原義.

The game has just begun.
「試合は始まったばかりだ; 勝負はこれからだ」 ▶出だしのつまずきを悲観することはない, またはこの好調な出だしもまだ序の口にすぎない, という場合などに用いる.

The game is up.
「万事休すだ; そこまでだ」 ▶計画などがだめになった, あるいは策略などがばれてしまったなどという場合に用いる.

Ex. We've got you surrounded. Put down your weapon and come out with your hands up. The game is up. 周りはすべて包囲した. 武器を置いて両手を上げて出てこい. むだな抵抗はやめろ.

garbage ごみ; (特に) 生ごみ

Garbage in, garbage out.
「ごみを入れればごみが出てくる」 ▶コンピューターに過大な期待をすることを戒めた格言. コンピューターは命じられたことをするだけで, プログラムに誤りがあったり, 入力されたデータがいいかげんなものであれば, それに応じた結果が処理されて出てくるだけだということ. しばしば GIGO と略される (発音は /gáɪɡoʊ/).

One man's garbage is another man's treasure.
「甲のごみは乙の宝; 捨てる神あれば拾う神あり」 ▶One man's trash is another man's treasure. などともいう.

gate 門

Enter ye in at the strait gate.
「狭い門から入りなさい」 ▶新約聖書 (New Testament) の「マタイによる福音書」(Matthew 7:13) に出てくるイエス・キリスト (Jesus Christ) のことば. 山上の説教 (Sermon on the Mount) の中で語られている.

[補足] イエスのことばは次のように続く.

> Enter ye in at the strait gate: for wide is the gate, and broad is the way, that leadeth to destruction, and many there be which go in thereat: Because strait is the gate, and narrow is the way, which leadeth unto life, and few there be that find it. (Matthew 7:13−14) 狭い門から入りなさい. 滅びに通じる門は広く, その道も広々として, そこから入る者が多い. しかし, 命に通じる門はなんと狭く, その道も細

いことか. それを見いだす者は少ない.

genie （魔法のランプや瓶などの中に住む）魔人

You can't put the genie back in the bottle.
「いったん出てしまった**魔人を瓶の中に戻すことはできない**；覆水盆に返らず」➤ことわざ. 特に, もてあますような状況を新しくつくり出してしまったような場合に用いる.
[補足] そのような状況をつくり出すことは let the genie out of the bottle, そのような状況になってしまったという場合は The genie is out of the bottle. という.

genius 天才

Genius is one percent inspiration and ninety-nine percent perspiration.
「**天才は1パーセントの霊感と99パーセントの発汗**」➤天才というのはひらめきより努力の要素のほうが圧倒的に大きい, あるいはどんなに着想がよくてもそれを結実させる努力がないと何にもならない, ということわざ. 一般には発明家エジソン (Thomas Edison) のことばとされる. inspiration と perspiration が韻を踏んでいる.

It doesn't take a genius to ...
「**天才でなくても…できる**；それくらいはだれにでもわかる」➤同じ意味で a genius の代わりに a brain surgeon / a rocket scientist / Einstein も使われる.

> **Ex.** If you put this guy out of business, he's going to find ways of making your life very unpleasant. It doesn't take a genius to understand that. もしこの男を廃業に追い込んだら, やつはきみの人生をひどく不愉快なものにしようと画策するよ. それはもう目に見えているね.

There's a fine line between genius and madness. / There's a thin line between genius and insanity.
「**天才と狂気は紙一重**」➤意味・用法とも日本語とほとんど同じ.

gentle 優しい；穏やかな

Do not go gentle into that good night.
「**あのうるわしい夜の中におとなしく入っていくな**」➤ウェールズ出身の詩人ディラン・トーマス (Dylan Thomas) の詩の題名およびその出だしのことば. 一般に, 最後まであきらめるな, 初心を貫けなどの意味で引用される.
[補足] この詩はおとなしく死を受け入れるのではなく, それに抵抗し, 怒れという内容.
★フォークシンガー (folk singer) のボブ・ディラン (Bob Dylan) の姓はこの詩人の名前からとったものと言われている.

George ジョージ (★男性の名)

By George!
「**おやまあ；なんと**」➤非常に驚いたりしたときに用いる.

Let George do it.
「ほかの人に任せておけばいい; だれかがやるだろう」
> **Ex.** This is not your problem, so don't waste your time trying to solve it. Let George do it.
> あなたの問題ではないから，あなたが解決しようとして時間をむだにすることはないわ．ほかの人に任せておけばいいのよ．

gesture 身振り; 態度表明

Nice gesture.
「**気がきくわね**; いいことだね」 ►It's/That's a nice gesture. の省略表現. 日本語の「ジェスチャー」と異なり，見せかけの親切というような否定的な意味合いはない.
> **Ex.** Thank you for the roses. It's a nice gesture.
> バラをありがとう．気がきいているわね．

get 得る; (ある状態に)する

Can I get you anything/something?
「**何かお持ちしましょうか**」 ►来客に飲食物（特に飲み物）はどうかと尋ねる表現．

Don't get up.
「**立たなくていいから**」 ►座っていた相手が立ち上がってあいさつしようとしたときに，どうかそのまま座っていてください，という場合に用いる．

Don't let it get you down.
「**気にしないで**」 ►何かに腹を立てている相手に，そのようなことで心を乱すのはばからしいから忘れなさい，という場合などに用いる．Don't let it bother you. とほぼ同じ．Don't let him/her get you down. などともいう．
[補足] マイケル・ジャクソン (Michael Jackson) ほかの歌の題名にも使われている．

Get along.
「**さあ行って**; 立ち去りなさい」 ►I must be getting along (now). (もう行かなくちゃ) などのフレーズもよく使われる．
> **Ex.** Gee, it's almost midnight! We'd better be getting along.
> あれまあ，もう夜中の12時前だ．ぼくたち，そろそろ失礼します．

Get back to me.
「**結果を報告してくれ**」 ►この件については，という場合にはGet back to me on this (one). という．文字どおりに「私のところに戻って来なさい」という意味でも使われる．自分から「結果は報告します」という場合は I'll get back to you. という．

Get down!
「**伏せろ**」 ►銃声がしたときなどにこう叫ぶ．

Get in.
「(建物や部屋の中に) **さあ入って**; (車に) さあ乗って」

Get on with it.
「**さあやって**; そのまま続けて」 ►相手に行動するように促すときに用いる．
> **Ex.** There's a lot of work for us to do today. Let's get on with it.

きょうは私たちには仕事がたくさんあります．では，さっそくかかりましょう．

Get out! / Get out of here! / Get out of town!

「(ここ/町から) **出て行け**; 冗談だろ; うそっ; まさか」➤文字どおりに出て行けという場合のほか，そんなの信じられないという場合に用いる．

Ex. Get out of here! You don't seriously expect me to believe that crazy story, do you? うそだろ．そんな途方もない話をぼくが信じるとでも思っているわけじゃないだろうね．

Get over.

「**もうちょっと向こうへ行って**; 詰めて」➤ソファーに座っている相手などに，自分も座るから少し動いてくれという場合に用いる．Move over. ともいう．

Get over it.

「**もう忘れなさい**」➤心の痛手などを乗り越えなさいという場合に用いる．自信過剰な相手に「うぬぼれないでよ」という意味で用いることもある．

[補足] キルスティン・ダンスト (Kirsten Dunst) 主演の映画 (2001) の題名．

Get with it.

「**しっかりしなさい**; 寝ぼけたこと言ってないで」➤現実に気づきなさい，時代に合わせなさい，あるいはやるべきことをやりなさいという場合に用いる．

Getting any?

「**最近やってるかい**」➤特にセックスをしているかと尋ねる俗語表現．

[補足] 北野武監督の映画『みんな~やってるか』(1995) の英語版タイトル．

Go get them! / Go get them, tiger!

「**さあやっつけてやれ**; いてまえ」➤試合に臨む選手などを激励して送り出すときに用いる．また，初めてのデートに臨む人などに対して「しっかり相手の心を射止めなさい」というような場合にも使われる．

Have I got ... for you!

「**すごい…があるのよ**」➤相手が驚くようなものを提示するときなどに用いる．

Ex. You're looking for an apartment? Have I got a place for you! Come and see me in my office. アパートを探しているのですか．すごくいい物件がありますよ．私の店に来てください．

[補足] BBC制作の人気テレビ番組に *Have I Got News For You* (1990-) というクイズバラエティーがある．

How are you getting along/on?

「**(調子は) どうですか**; どうしていますか」➤相手の状態や仕事の進みぐあいなどを尋ねる表現で，How are you doing? とほぼ同じ．

I can't get over it!

「**信じられない**」➤すごく感激・興奮したときなどに用いる．好ましいことにも好ましくないことにも使う．文字どおりに「それ (心の痛手など) から立ち直れない」という意味でも使われる．また，状況に応じて it の代わりにほかの名詞や代名詞も入る．

I get it.

「**わかった**; そうか; そういうことか」➤相手の意図や状況などが見えてきたということ．

Ex. So you're only being friendly with me because you want to meet my sister. I get it.
あなたが私に親切にしているのは私の妹に会いたいからなのね．そうだったんだ．

I got it.
「**承知した**；わかった；任せておいて」➤人にものを頼まれて承諾するときや，答えがわかったときなどに用いる．また，野球などで野手がフライを捕球する際に他の野手に対して「私が捕るからだいじょうぶ」という意味でも使う．単に Got it. ともいう．

I got you.
「**わかった**；やあい引っかかったぞ；やったぜ」➤相手の言うことを理解したときや，相手をかついで成功したとき，また相手を追い詰めたり，相手の上を行ったりしたときなどに用いる．単に Got you. またくだけた口語では (I) gotcha. ともいう．

Ex. A: We're meeting at the station at 5 o'clock this evening.
夕方の5時に駅で待ち合わせね．
B: I got you. わかった．

I'll get right on it.
「すぐにやります；さっそくかかります」

I'll get you for this.
「この仕返しはいつかするからね；こんなことしてただじゃすまないよ」

I'm just getting by.
「まあどうにかやっているよ；ぼちぼちというところね」➤How are you doing? などと聞かれたときの返事．完了形を使って I've been getting by. ともいう．

Let's get down to it.
「さっそく**本題に入りましょう**；さっそく取りかかりましょう」

Let's get this/it over with.
「さっさとやってしまおう」

Ex. Sooner or later, we're going to have to tell him the bad news. So let's get it over with as quickly as possible. 遅かれ早かれ，彼にその悪い知らせを話さなくてはいけないから，なるべく早くやってしまおう．

Let's get out of here.
「ここは出よう；よそに行こう」➤ここは居心地が悪い，あるいはもう行かなくてはいけない時間だというような場合に用いる．

Let's get together.
「(また) **会いましょう**；(また) 集まりましょう」➤電話での会話や実際に会って別れるときに用いる．

What are you getting at?
「**何が言いたいの**；何を言おうとしているの」➤このget at ... は「…を意味する；ほのめかす」という意味．

When you got it, you got it.
「**持っているものは持っている**；ついているときはついている；なるときにはなる」➤生まれつき才能や美貌(びぼう)などに恵まれている人はいるものだという場合や，持って生まれたものは仕方がない，現にある感情や欲望などは否定できないという場合などに使う．また幸運や調子の波に乗っているときは何もかもがうまくいく，運命には逆らえないという場合などにも用いる．When you've got it, you've got it. ともいう．

Ex. Johnny seems to have a lot of success with the ladies. Well, I guess when you've got it, you've got it. ジョニーは女性陣には受けがいいようだね．まあ，持てるやつは持てるということなんだろうね．

You can't get there from here.

「一足飛びには解決しない；口で言うほど簡単にはいかない」➤問題や状況の解決・改善にはそれなりの時間と努力が必要だという意味．また，「そこへ行く順順はややこしくて簡単に説明できない」という場合にも用いる．省略表現で Can't get there from here. ともいう．

[補足] アメリカ東部のメイン州 (Maine) で，旅行者に道を聞かれた地元の人が親切に道順を教えようとするのだが，説明するたびに話が違ってしまうので，最後に「ここからはそこへは行けないよ」と言って説明をあきらめる，というジョークが有名．

★この句はオグデン・ナッシュ (Ogden Nash) の詩集 (1957) の題名にも使われている．また，バンド REM の歌に "Can't Get There From Here" がある．

You don't get it. / You just don't get it.

「わからない人ね；わかってないね」➤You (just) don't get it, do you? と付加疑問文にすることも多い．

You get as good as you give.

「与えたものと同じだけ得る」➤努力したり人に親切にしたりすれば，その分が自分のところに返ってくるという意味．

You got it.

「そのとおり；いいぞ；わかった；任せといて」➤相手がこちらの言うことを正しく理解したという場合や，相手の依頼などを承諾する場合に用いる．

You got me (there). / You've got me (there).

「それはそのとおり；さあわかりません」 ➤その点について私は反論できない，あるいは答えられないという場合に用いる．You have (got) me there. ともいう．

Ex. Who was the fifth President of the United States? Hmm, you've got me there.
アメリカの第5代大統領はだれかって？ うーん，わからない．

You'll get onto it.

「じきに慣れるよ」➤仕事のやり方などについて，そのうちにこつがわかってくるから心配ないという場合に用いる．

You'll never get away with it.

「そんなことしてただじゃすまないよ；逃げおおせしないよ」➤You can't get away with it/that. ともいう．

giddy 次の句で

Giddy up.

「はいどう，進め」➤馬への命令．俗語で「さあ行って；早くして」と相手を促す場合や，「楽しんで」というとき，「よしきた；いいね」と相手に賛同する場合などに用いる．この最後の意味ではテレビコメディー (sitcom)『となりのサインフェルド』(*Seinfeld*, 1989-1998) に登場するクレイマー (Kramer) がよく用いる．

[補足] バンド*NSYNC の歌の題名にも使われている．

gift 贈り物；(天賦の) 才能

Don't/Never look a gift horse in the mouth.
「贈り物の馬の歯を見るな；贈り物にけちをつけるな；もらい物に文句を言うな」 ➤ただでもらった物は黙ってありがたくいただいておくのが礼儀だ，という意味のことわざ．馬の歯を見ればその年齢と価値が推定できることから．

Something/Someone is a gift from God.
「…は神様からの贈り物だ；天からの授かり物だ」
> **Ex.** She has a talent for making everyone feel good when they meet her. She's a real gift from God. 彼女は会う人みんなを気分よくさせる才能がある．彼女のような人はほんとうに天からの授かり物だね．

It's a gift.
「これはもって**生まれた才能**でね；それは才能ね」

It's a gift and a curse.
「そういうのもよしあしだ」 ➤人や自分の特異な能力について，それにはいい面もあるが悪い面もあるという場合に用いる．

---

girl 少女；女の子；女

Girls are sissies.
「女の子はめめしい」 ➤男の子が女の子についてよくいう．

Girls will be girls.
「女の子は女の子だね；女はいくつになっても少女らしいところが残っている」
[補足] 男の子の場合には Boys will be boys. また，男女を問わず「子どもは子ども」という場合は Children are children. / Kids are kids. という．

That's my girl.
「**それでこそ私の子**だ；よくやった；偉いぞ」 ➤親が娘をほめることば．That's the girl. とほぼ同じ．
[補足] 息子をほめるときには That's my boy. という．

That's the girl. / That's a girl. / That a girl.
「よし；いいぞ；そう，いい子だ」 ➤特に親が女の子をほめるときのことば．雌犬に対しても使われる．しばしば Attagirl. と発音される．[類似] Way to go.
[補足] 男の子の場合には That's the boy. などという．

There was a little girl, Who had a little curl
「**小さな女の子**がいました．この子には**小さな巻き毛**がありました」 ➤アメリカの詩人ロングフェロー (Henry Wadsworth Longfellow) の詩の出だしの文句．この詩は一般には伝承童謡 (nursery rhyme) として扱われていることが多い．

What's a nice girl like you doing in a place like this?
「**きみみたいなお嬢さん**がこんな所で何をしているんだい」 ➤酒場などで若い女性をナンパするときの文句としてジョークなどによく使われる．

---

give 与える；する；屈する

Don't give me that.
「そんなこと言わないで」 ➤見え透いたうそやお世辞，慰めなどはやめてほしいという場

合に用いる．Don't give me that BS [bullshit]/crap/line. などともいう．

Don't give up.

「**あきらめるな**」 ➤「そう簡単にあきらめるな」という場合は Don't give up too easily/easy. という．Never give up. ともいう．⇨ **Don't give up the ship.** (ship の見出し参照)

Don't give up on me.

「**私を見放さないで**」

Ex. I promise I'll do better next time. Don't give up on me!
次はうまくやりますから．私を見放さないでください．

Don't give up trying.

「**あきらめずにがんばれ**」 ➤しばしば Don't give up trying to *do*. のように不定詞を続けて用いる．Never give up trying. ともいう．

Ex. If you really love that girl, you must convince her of it. Never give up trying! ほんとうに彼女を愛しているのなら，彼女にそれをわかってもらうことだよ．あきらめずにがんばれ．

Don't give up without a fight.

「**簡単には引き下がるな；言いなりにはなるな**」 ➤不当な扱いに対しては断固戦いなさいという場合などに用いる．また，I won't give up without a fight. (簡単には引き下がらないよ) という表現もできる．

Ex. You can still win this game. Don't give up without a fight!
まだこの試合に勝つチャンスはある．簡単に白旗を揚げるな．

Give a little, take a little. / Give a little, get a little.

「**少し与え，少し取りなさい；お互い様**」➤互助精神や譲り合いの精神が必要だという意味のことわざ．[類似] Give a penny, take a penny.

Ex. Let's try and keep some sort of balance here. You know, give a little, take a little. ここは少しバランスをとるようにしましょうよ．お互いに譲るところは譲ってですね．

[補足] 男性ボーカルユニットのボイゾーン (Boyzone) の歌 "Give a Little" やベット・ミドラー (Bette Midler) の歌 "The Glory of Love" にもこの句が出てくる．

Give it up.

「**あきらめなさい；観念しろ**」 ➤それ以上やってもむだだからやめなさい，ということ．

Give me an A. Give me a B. Give me a C. ....

「**アルファベットのA，アルファベットのB，アルファベットのC，…**」➤チアリーダー (cheerleaders) の掛け声．ここでは便宜的にA, B, Cとしているが，実際には母校や自チームの名前，または応援のことばなどになる文字を使い，最後に What does it spell? / What do you get? (それはどんなことばですか) と観客に聞いて，そのことばを発音する．

I give up.

「**だめだ；降参です**」 ➤クイズの答えがわからない場合などに用いる．

I'll give you that.

「**それは確かにそのとおり；それは保証する**」

Ex. Mary's a good girl at heart, I'll give you that, but she's not the marrying sort. Find someone else! メアリーは根はいい人だよ，それは

認める．でも，結婚相手にはふさわしくないよ．ほかの人を見つけなさい．

It is more blessed to give than to receive.
「受けるよりは与える方が幸いである」➤新約聖書 (New Testament) の「使徒行伝」(Acts 20:35) に出てくることば．パウロ (Paul) がイエス・キリスト (Jesus Christ) のことばを引用したもの．It is better to give than to receive. ということわざも使われる．

Some people (just) don't know when to give up.
「くどいわね；まったくあきらめの悪い人だね；世の中には加減というものを知らない人がいるね」➤Some people (just) don't know when to quit/stop. ともいう．「一部の人たちはあきらめるべき時を知らない」が原義．相手に対しては You never give up. という．

Something has to give. / Something's got to give.
「どこかにしわ寄せがくる；いつか爆発するよ；いずれ一悶着(もんちゃく)あるね」➤特に，蓄積された不満や怒りなどがそのうちに爆発するという場合に用いることが多い．この give は自動詞で「(圧力などに) 屈する」という意味．

[補足] Something's Got to Give はマリリン・モンロー (Marilyn Monroe) の遺作となった未完の映画『女房は生きていた』(1962) やビースティ・ボーイズ (Beastie Boys) の歌 (1992) の題名にも使われている．また，ジャック・ニコルソン (Jack Nicholson)，ダイアン・キートン (Diane Keaton) 主演の映画『恋愛適齢期』(2003) の原題は*Something's Gotta Give*で，同じフレーズの異形．

What gives?
「どうしたんだい；何があったの？」➤あいさつとしても用いる．
  Ex. You're two hours late. What gives?
  2時間の遅刻だね．どうしたの．

You can't give what you don't have.
「持っていないものは与えられない；ない袖(そで)は振れない」➤人を教えたり助けたりしようと思うなら，まず自分がそれにふさわしい力を身につけなさいという場合に用いる．

glad うれしい

I'd be glad to. / I'll be glad to.
「ええ，喜んで」➤I'd be happy to. / I'll be happy to. とほぼ同じ．
  Ex. You want me to help you cook lunch? Of course, I'd be glad to!
  昼食を作るのを手伝ってほしいのかい．いいとも，喜んでやるよ．

glass ガラス；コップ

People who live in glass houses should not throw stones.
「ガラスの家に住む者は石を投げるべきではない；すねに傷を持つ者は人の批評はせぬがよい」➤ことわざ．人のことをとやかく言えた義理か，という場合に用いることが多い．

The glass is either half empty or half full.

「コップには（酒が）もう半分しかないか，それともまだ半分あるか」 ➤同じ状況でも悲観的に見るか楽観的に見るかで見え方が違ってくる，という意味のことわざ．
[類似] Half empty or half full?

glove 手袋；グローブ，グラブ

No glove, no love.
「コンドームなしではセックスするな」 ➤妊娠や性行為感染症（sexually transmitted disease）の防止を目指すセーフセックス（safe sex）キャンペーンの標語．
[補足] 全体が4語で，glove と love が脚韻（rhyme）を踏んでいる．似たパターンに No gain, no pain. / No guts, no glory. などがある．

The gloves are off!
「もうこうなったら対決だ；徹底的に戦うぞ」 ➤中世ヨーロッパで，決闘の意思表示として手袋を脱いで相手に投げつけたことから．[類似] This means war.

go 行く；進行；ゴーサイン

Are you going my way?
「あなたが行こうとしているのは私と同じ方向ですか」 ➤同じ方向ならいっしょに行きませんかという意味で，特に車に同乗させてもらうとするときによく用いる．

As Maine goes, so goes the nation.
「メイン州の行くように全国も行く；メイン州の結果で全国の結果が占える」 ➤大統領選においてメイン州を制した候補が最終的に全国を制して大統領に選ばれる，という古くからの格言．メイン州では他の州より早く大統領選挙が行われることから，その結果で全国の有権者の判断が推測できるという意味．この As A goes, so goes B.（AがなるようにBもなる；Aのあり方からBのあり方が占える）のパターンはさまざまな表現で用いられる．
[補足] 現在ではカリフォルニア州を制した者が大統領になるとされ，As California goes, so goes the nation. という．

Don't be gone too long. / Don't be gone long.
「早く帰ってきてよ；すぐに戻るんだよ」 ➤これから出かける相手に用いる．

Don't go away.
「チャンネルはそのままでしばらくお待ちください」 ➤テレビのスポーツ中継などで，コマーシャルに入るときにアナウンサーや司会者などが言う．文字どおりに「どこにも行かないでください」という意味でも使われる．[類似] Stay tuned.

Ex. Don't go away. We'll be back after this timeout.
チャンネルはそのままでお待ちください．試合中断の後にまた中継を続けます．

Don't go there.
「その話をしてもだめだよ；それは話題にしないほうがいいよ」 ➤相手が話を特定の話題（願い事など）にもっていこうとするのを制止するときに用いる．

Get going.
「さあ行きなさい；さあ始めて」 ➤相手に退去や行動開始を促すときに用いる．

Go ahead.

「**どうぞ（ご自由に）；お先にどうぞ**」 ➤許可を求めてきた相手に快諾する場合や，相手に順番を譲る場合などに用いる．特に，同時に話し始めたときなどに「あなたからどうぞ」という場合には You go ahead. ともいう．⇨ **Go ahead, make my day.** (day の見出し参照)

Go away!

「**あっちへ行け；どこかへ行け**」 ➤特にうるさくつきまとう相手などに用いる．

Go fly a kite! / Go jump in the lake! / Go chase yourself! / Go climb a tree! / Go take a hike!

「**あっちへ行け**」 ➤人にうるさくつきまとわないで，向こうへ行っていろという場合などに用いる．それぞれ「たこを揚げに行け/湖に飛び込みに行け/自分を追いかけに行け/木登りに行け/ハイキングに行け」が原義．

Go for it!

「**さあ行け；がんばれ**」 ➤励ましのことば．特に，スポーツでゴールに向かって走りこんでいる選手などの声援によく用いる．「それを目指して行け」が原義．

> **Ex.** A: I really want to ask her out, but I'm afraid she won't say yes. 彼女をデートに誘いたいのだけど，彼女はOKしてくれないんじゃないかと思うんだ．
> B: Don't worry about what she'll say. Just go for it! 彼女がどう言うかなんて気にしないで，いいから誘ってみなよ．

Go, go, go, go, …

「**行け，行け**」 ➤スポーツやゲームで選手などを激励するときに用いる．また，酒の一気飲みで「一気，一気，一気」とはやす場合にも使う．

Go on.

「**さあやって；さあ話して；何を言っているんだ；まさか**」 ➤相手に行動を開始するように，あるいはそのまま続けるようにと促す場合に用いる．また，相手のことばが信じられないというときにも使う．この場合はGo on! と強い調子で発音するのがふつう．

Go with it.

「**流れに身を任せなさい；じたばたするな**」 ➤状況に逆らわずに，自然体で構えてことを処理しなさいという場合に用いる．Go with the flow. に同じ．

Going, going, gone.

「**大きいぞ．伸びるぞ，伸びるぞ，入った**」 ➤野球で打者が大きな当たりを打ってホームランになったときにアナウンサーが言う．スタンドインしたときには See you. / Goodbye, baseball. という表現も使われる．

Going once, going twice, gone/sold!

「1度行きます．2度行きます．落札されました」 ➤オークション (auction) で落札されるときに競売人 (auctioneer) が用いる．

[補足] 落札時に競売人がハンマーを打ち下ろすことから，この落札価格をハンマープライス (hammer price) という．

Going up?

「上ですか」 ➤エレベーターに乗ろうとするときに中の人に尋ねる表現．

Gone are the days.

「あの日々は過ぎ去ってしまった」 ➤それはもう昔のことで戻らないという場合に用いる．しばしばこの後に関係副詞whenまたは前置詞ofを使って，その過ぎ去ってしまった日々を説明する語句を続ける．

[補足] このフレーズは歌や映画の題名にも使われている．また，スティーブン・フォスター (Stephen Foster) の歌「オールド・ブラック・ジョー」("Old Black Joe") の出だしの文句として知られる．

Gone but not forgotten.

「去り行くとも忘れられず」 ➤あなたがいなくなってもあなたのことはいつまでも覚えていますという意味で，特に死去した人について用いられる．

Gone with the wind.

「風とともに去りぬ」 ➤跡形もなくなって (いなくなって) しまったという場合に用いる．

[補足] マーガレット・ミッチェル (Margaret Mitchell) の小説およびその映画化作品の題名として有名．

Someone has gone to a better place.

「いいところに行ったんだよ；天国に召されたのよ」 ➤特に家族や親戚が亡くなったときにおとなが子どもに言い聞かせることば．*Someone* has gone to a better land. ともいう．

How did it go?

「どうだった?」 ➤試験やデートをがどのようなものだったか尋ねるもの．

How goes it? / How's it going?

「調子はどう？」 ➤相手の健康状態その他全般について尋ねるあいさつで，How are you (doing)? とほぼ同じ．仕事の進みぐあい，病人のようすを尋ねるときなどにも用いる．How goes it with you? / How's it going with you? ともいう．

I have to get going. / I got to get going.

「そろそろ行かなくちゃ」 ➤調子を和らげるために，Well, I have to get going. のように言うことが多い．I'd better be going. ともいう．

I have to go (now). / I got to go (now).

「もう行かなくちゃ；(電話で) もう切らなくちゃ；じゃあね」 ➤実際にその場を去る場合のほか，電話を切るときやメールを終えるときなどにも用いる．調子を和らげるために，Well, I have to go (now). のようにいうことが多い．

I'm going in.

「私が突入します；じゃあ，行くよ」 ➤警察官や消防隊員などが建物・部屋に突入するときに言う．おどけて，一般に決死の覚悟で行くよという場合にも使われる．

I'm gone.

「行くよ；帰るよ」 ➤退去するときに用いるくだけた言い回し．

It's a go.
「**OKだ；ゴーサインが出た**」➤計画などが承認されたり，計画の準備が整ったりして実施に移せることになったという場合に用いる．
> **Ex.** I just talked to the chairman about that project we've been waiting on. It's a go! 私たちが待っていたプロジェクトについて会長に話をしてきた．ゴーサインが出たよ．

It's go time!
「**よしやってやろうじゃないか**」➤こうなりゃけんかだという俗語表現．

It's time to go.
「**もう行く時間だ**」➤自分についても相手についても用いる．

Keep going.
「**そのまま続けて**」➤Go on. とほぼ同じ．

Let it go.
「**もうその話はよしなさいよ；もうそのことは忘れなさい**」➤いつまでも同じ話を繰り返したり，1つのことに悩んだりしている相手に用いる．「それを放しなさい」が原義．

Let yourself go.
「**自分を解き放ちなさい；肩の力を抜いて**」➤肉体的・精神的な抑制を取り外し，内からの自然な発露を妨げないようにしなさいという意味．

補足 ミュージカル映画『艦隊を追って』(*Follow the Fleet*, 1936)でジンジャー・ロジャース (Ginger Rogers) とフレッド・アステア (Fred Astaire) が歌う歌の題名にも使われている．

No go.
「**だめね**」➤承認されない，可能性はない，成功しないなどの意味のくだけた言い方．It's no go. ともいう．

To go or to stay?
「**お持ち帰りですか，それともここでお召し上がりになりますか**」➤ファーストフード店などで店員が注文を受けたときに聞く表現．「先に進むべきか，留まるべきか」と決断に悩む場合にも使われる．

What's going on?
「**どうしたんだい；いったいどうなっているの？**」➤What's happening? とほぼ同じだが，特に何か問題がありそうな場合に用いることが多い．

When you gotta go, you gotta go.
「**行かなくてはいけないときには行かなくてはいけない；出物はれもの所きらわず**」➤特に生理現象を我慢するわけにはいかない，という場合に使われる．

You go ahead.
「**あなたから先にどうぞ**」➤相手に順番を譲る場合，特に2人が同時に話し始めたときに相手に先に話すように促すときに用いる．

You're going down.
「**おまえはもうおしまいだ**」➤go down は「倒れる」という意味．

god 神

As God is my witness.

「絶対に…だ；誓ってほんとうだよ」➤文頭で用いることが多いが，単独でも用いる．「神が私の証人であるとおり」が原義．

Ex. As God is my witness, I'll never go sailing again on a full stomach! 誓って言うけど，満腹ではもう2度とセーリングには行かないよ．

[補足] この句を With God as my witness. と混同した As God as my witness. という形が使われることもある．

Dear God! / God almighty!
「おやまあ；何と；たまげたね」➤Oh, my God! とほぼ同じ．

God is always on the side of the big battalions.
「神は常に大きな大隊の側につく；天は強きに味方する」➤この世は富や権力のあるものが幅を利かせるという意味のことわざ．God is for the big battalions. ともいう．

God made you for a reason.
「神様は理由があってあなたをつくったのよ；あなたは生まれるべくして生まれたのよ」➤特に親が子どもに言い聞かせる表現．自分の容姿などに劣等感を抱いている子どもには God made you that way for a reason. (神様は理由があってあなたをそのようにつくったのよ) ということも多い．

God sees everything we do.
「神様はすべてお見通しだ；お天道様が見ている」➤特に親が子どもによく言う．

God smiled on/upon me.
「神様がほほえんでくれた；神様のお恵みがあった」➤いいことがあったということ．

Ex. My beautiful baby girl was just born, and she's as healthy as can be. God has truly smiled upon me this day! かわいい女の赤ん坊が生まれて，健康そのものなんだ．きょうは神様のお恵みがあったよ．

God works in mysterious ways.
「神は不可思議な働きをする」➤不合理と思われるできごとも，人間には思いも及ばない神の意図が働いた結果である，という意味のことわざ．God works in a mysterious way. / God moves in mysterious ways. ともいう．

[補足] クイーン (Queen) の歌「ワン・ヴィジョン—ひとつだけの世界—」("One Vision") の中にも出てくる．"God Moves In A Mysterious Way" は賛美歌89番「みかみのみむねは (いともくすし)」として知られる．

God's in his heaven; all's right with the world.
「神様が天にいて，この世はすべてだいじょうぶ」➤19世紀のイギリスの詩人ロバート・ブラウニング (Robert Browning) の詩 "Pippa Passes" (「ピッパが通る」) の一節．一般に，神様のお恵みがあるからだいじょうぶ，という意味で引用される．日本語訳は「神は天にあり，世はすべてこともなし」というのが広く使われている．

[補足] モンゴメリー (L. M. Montgomery) の『赤毛のアン』(*Anne of Green Gables*) のラストでアンがこのことばをつぶやいている．

In God we trust.
「われわれは神を信頼している」➤ドル紙幣にも印刷されているアメリカの公式標語．

[補足] アメリカ国家の「星条旗」("The Star-Spangled Banner") の歌詞の2番には And this be our motto: In God is our trust (そしてこれをわれわれの標語にしよう．われわれは神を信頼している) という句がある．

It's in the lap of the gods.
「**人知の及ばぬところだ；天命を待つばかりだ**」➤私にはどうすることもできない，あるいは結果がどうなるかまったくわからないという場合に用いることわざ．「それは神々のひざの上にある」が原義．

[補足] クイーン (Queen) の歌の題名にも使われている．

Man proposes, God disposes.
「**人が計画し，神が取り決める；人事を尽くして天命を待つ**」➤人にできるのは計画し実行することだけで，その結果は神の意思にゆだねるしかないということわざ．

[補足] 口調のよいことわざに共通する特徴として，全体が4拍 (4語) からなり，proposes と disposes が韻を踏んでいることに注意．

Oh, my God! / Oh, dear God! / My God!
「**あらまあ；何とまあ**」➤非常に驚いたりショックを受けたりしたときに用いる．

[補足] モーセ (Moses) の十戒 (Ten Commandments) に「あなたの神，主の名を みだりに唱えてはならない」(Thou shalt not take the name of the Lord thy God in vain) と定められているため，敬虔なキリスト教徒 (あるいはユダヤ教徒) はこのような表現でも God という語を用いるのを避け，Oh, my gosh! / Oh, my goodness! / Oh, my! などという婉曲表現を用いることが多い．

Praise God, from whom all blessings flow.
「**神をほめたたえよ，すべての恵みが流れ来たる源を**」➤キリスト教会の礼拝でよく歌われる頌栄 (しょうえい) (doxology) の出だしのことば．日本では賛美歌第539番「あめつちこぞりて」として歌われている．

So help me God.
「**神よ，助けたまえ；誓ってほんとうです**」➤宣誓の最後にいうことば．また一般に「神かけて断言します」という場合にも用いる．⇨ **the truth, the whole truth, (and) nothing but the truth** (truth の見出し参照)

Sweet mother of God!
「**おやまあ；何たることだ**」➤Oh, my God! とほぼ同じ．

There is a God.
「**神様っているのね**」➤自分の願いがかなったり，人が幸運に恵まれたのを見たりしたときに用いるややおどけた表現．

---

going　行くこと；進行；状況；行為

Good going! / Nice going!
「**よくやったね；でかしたね；おめでとう**」➤Good job! / Nice job! とほぼ同じ．

When the going gets tough, the tough get going.
「**状況が厳しくなったときタフなものが力を出す；逆境は負けじ魂で乗り切れ**」➤ケネディ (John F. Kennedy) 大統領の父親ジョーゼフ・P・ケネディ (Joseph P. Kennedy) がこれをモットーとして息子たちを育てたと語ったことから一般に広まった．ノートルダム大学の名フットボールコーチとして有名なクヌート・ロックニ (Knute Rockne) もよくこう言っていたらしい．

[補足] ビリー・オーシャン (Billy Ocean) の歌「ゲット・タフ」(1986) の原題．

gold 金

All that glitters is not gold. / All is not gold that glitters.
「**輝くもの必ずしも金ならず**」➤ことわざ．Appearances can be deceiving/deceptive. や Looks are deceiving/deceptive. とほぼ同じ．

Are you digging for gold?
「**金でも掘っているのかい**」➤鼻をほじっている相手に用いる．Have you found what you're looking for? ともいう．

good よい

A good man is hard to find.
「**よい人はなかなか見つからない**」➤いい人材は得がたいという意味．また，「いい男はなかなかいないものね」という意味で女性が用いることも多い．

[補足] フラナリー・オコナー (Flannery O'Connor) の短編小説 (およびそれを含む短編集) の題名 (邦題『善人はなかなかいない』) にも使われている．

★1930-40年代に活躍した女優メイ・ウェスト (Mae West) はこのことばをもじって A hard man is good to find. (硬い男は見つけたいものね) と言った．

Be good.
「**いい子でいるのよ；悪いことしちゃだめだよ**」➤親が子どもによく言う．また，一般に別れる際のくだけたあいさつとしても用いる．⇨ **Be good. If you can't be good, be careful.** (careful の見出し参照)

Good enough.
「**いいね；オッケー；結構**」➤それで十分よいという場合に用いる．

Good for you!
「**よかったじゃない；おめでとう；偉いじゃない**」➤相手によいことがあったとき，また相手が何かよいことをしたときなどに用いる．

Good to the last drop.
「**最後の一滴までおいしい**」➤クラフトフーズ社 (Kraft Foods) のマックスウェルハウス・コーヒー (Maxwell House coffee) の宣伝文句．商標登録されている．

[補足] 1907年，テネシー州ナッシュビル (Nashville, Tennessee) を訪れたセオドア・ローズベルト (Theodore Roosevelt) 大統領がマックスウェルハウス・コーヒーを出されてこう言ったことからとされる．

Have a good one.
「**ごきげんよう**」➤一般に別れるときに言うあいさつ．Have a good day. / Have a good evening. などの代わりとして広く用いられる．

Have you been a good boy/girl (this year)?
「**(この1年) よい子にしていたかな**」➤特に，クリスマスにサンタクロースが子どもをひざに載せて聞く質問．続けて，よい子にしていたのなら願いごとをかなえてあげるけど，何が欲しいかなと願いごとの内容を尋ねる．

It better be good. / This better be good.
「**良質のものであるべきだ；上等なのをね；くだらないことなら怒るよ**」➤特に相手に

注文を出すときに用いる．また，夜中に電話で起こされたり，お気に入りのテレビを見ているときに呼び出されたりした場合に，それなりの重要性のある用事でなかったら怒るからね，というときにも使う．It/This had better be good. ともいう．

It's a good thing ...

「…でよかった」➤それは幸いなことだったという場合に用いる．

Ex. It's a good thing it didn't snow today. I haven't even bought any winter clothes yet!
きょう雪が降らなくてよかったわ．まだ冬物は何も買ってないんですもの．

It's for your own good. / This is for your own good.

「これはおまえのためなんだ；おまえのことを思えばこそこうするんだ」➤特に親が子どもの意思に反してことを決める場合や，体罰を与えるときに用いる．

It's too good to be true.

「まるで夢みたい；話がうますぎる」➤こんなにいいことがほんとうにあるとは信じられない，という場合に用いる．省略表現で Too good to be true. ともいう．

I've been up to no good.

「あんまりいいことはしてないね」➤How are you? などと聞かれたときに答える表現．

Mmm, Mmm Good.

「うーん，うーん，おいしい」➤缶詰スープメーカーのキャンベルスープ（Campbell Soup）社の製品に使われている宣伝コピー．一般に，「うーん，実にいい」などの意味で広く引用される．

The greatest good for the greatest number.

「最大多数の最大善」➤最も多くの人にとって最もよいことを行うべきだ，という功利主義の考え方．政府が目指すべき目標でもある．⇨ **The greatest happiness for the greatest number.** (happiness の見出し参照)

The only good ... is a dead ...

「いい…は死んでいるやつだけだ」➤その種の人や動物には善良なものは存在しない，それにかかわっていいことはないという意味で使われる．アメリカ西部で使われていた差別的なことわざThe only good Indian is a dead Indian. (いいインディアンは死んだインディアンだけだ) から一般に広まった言い回し．

This is as good as it gets.

「いまが最高だ；これ以上は望めない；言うことなしだ」➤If this is as good as it gets ... (もしいまの状況が最高だとしたら…) や What if this is as good as it gets? (もしこれが最高の状態だとしたらどうなるのだろう) の形で，明るい展望が望めないという状況でよく使われる．

補足 ジャック・ニコルソン（Jack Nicholson）とヘレン・ハント（Helen Hunt）主演の映画『恋愛小説家』(1997) の原題 *As Good As It Gets* からは，ヘレン・ハント演じるウエートレスの境遇が希望のもてないものであること，そして最後のハッピーエンドが文字どおり最高の状態であることが読み取れる．

Very good.

「実にいいね；よくできました；かしこまりました」➤感想を聞かれたときや，相手をほめるとき，また店員が客の注文を受けたときなどに用いる．Very well. とほぼ同じ．

Was it good for you?

「よかった？」➤特にセックスの後で男性が女性によくする質問として知られる．It

was good for me. Was it good for you (too)? (ぼくはよかったけど，きみもよかった?) と言うことも多い． 類似 How was it for you? / Did you feel the earth move?

You can have too much of a good thing.
「いいものはつい度が過ぎてしまう；おいしいものはつい食べ過ぎてしまう」
補足 A little of what you fancy does you good. (好きなものをちょっとだけたしなむのはいいものだ) ということわざもある．

You can't keep a good man down.
「善良な人間を虐げ続けることはできない」➤どんな不遇にあってもよい人間は必ずそこから立ち上がる，ということわざ．特に女性については You can't keep a good woman down. といい，男女を区別せず You can't keep a good person down. ということもある．また，物事について「いいものを押さえつけておくことはできない」という場合には You can't keep a good thing down. という．

補足 ビージーズ (Bee Gees) の歌 "Can't Keep A Good Man Down" にもこの句が出てくる．アリス・ウォーカー (Alice Walker) の小説に *You Can't Keep a Good Woman Down* (邦題『いい女をおさえつけることはできない』)がある．

You have to be good to be lucky.
「幸運であるためにはよくなくてはいけない；運も実力のうち」➤ゲームやスポーツで言われる格言で，実力がないことには運も何も関係ないということ．

You have to take the good with the bad.
「よいこともあれば悪いこともある；人生山あり谷あり」➤人生よいことばかりではない，という意味のことわざ．You have to take the bitter with the sweet. もほぼ同じ意味．

You never had it so good.
「こんなにいいことはこれまで1度もなかった；いまがいちばんいい」➤特に政治家がいまの社会がいちばんだという意味で用いることが多い．

補足 フランク・シナトラ (Frank Sinatra) の歌 (1964) の題名にも使われている．

goodbye, good-bye さようなら

Goodbye.
「さようなら」➤一般的な別れのあいさつ．ややくだけた言い方では Bye. / Bye-bye. などともいう．Adios. (スペイン語) / Ciao. (イタリア語) なども使われる．

補足 語源は God be with ye. (神様があなたといっしょでありますように) で，Good evening. などの影響から God が Good に置き換わったものという．次のような応用形もある．

Goodbye for now. ではこれで．
Goodbye until next time. / Goodbye until then. それではまた．

Goodbye and good luck.
「さようなら，そして幸運を」➤試験を受ける人や遠くに旅立つ人などと別れる際に用いる．

Goodbye and good riddance.
「いいやっかい払いができてせいせいするよ」➤好ましくないものや人と別れる際に用

いる.

You can kiss it goodbye.

「はいそれまでよ；(そうなったら)一巻の終わりだ」➤しばしば If ..., you can kiss it goodbye. / Do ... and you can kiss it goodbye. の形で用いる.「それにお別れのキスをすることになる」が原義.

> **Ex.** If you keep showing up an hour late for work everyday, I think you can kiss your new job goodbye.
> 毎日1時間遅刻して出勤し続けたら，新しい仕事ともおさらばになると思うよ.

goose ガチョウ；ガン(雁)

Don't kill the goose that lays the golden egg.

「金の卵を産むガチョウを殺すな；元も子もなくすようなことはするな」➤『イソップ寓話』(*Aesop's Fables*) の「金の卵を産むガチョウ」("The Goose with the Golden Eggs") の話から生まれたことわざ.

Someone's goose is cooked.

「…のチャンスは消えた；…はもうおしまいだ」

> **Ex.** Now that the boss found out about all those things you covered up, your goose is cooked. あなたが隠蔽(いんぺい)したことはみんな上司に知れてしまったから，あなたも運のつきね.

What's good for the goose is good for the gander.

「一方(男)に当てはまることは他方(女)にもあてはまる」➤あなたがそれを望むように私もそれを望む(だから不公平のないようにしよう)ということわざ. 特に男の立場と女の立場について用いる.「ガチョウの雄に当てはまるものはガチョウの雌にも当てはまる」が原義. What's sauce for the goose is sauce for the gander. (ガチョウの雄に合うソースはガチョウの雌のソースとしても合う) ということわざからの派生.

gorilla ゴリラ

Where does an 800-pound gorilla sit?

「800ポンド(約350kg)のゴリラはどこに座るか」➤有名なジョークまたはなぞなぞ(riddle)で，答えは Anywhere he wants. (どこでも好きなところ). 体重については 600-pound や 900-pound も使われる. また, sit の代わりに sleep などが用いられることもある.

[補足] このジョークから，強大な力をもっていてだれにも止められないような人や企業などを an 800-pound gorilla という.

government 政府

government of the people, by the people, for the people

「人民の，人民による，人民のための政治」➤南北戦争 (Civil War) 末期の1863年，エイブラハム・リンカーン (Abraham Lincoln) 大統領が激戦地ゲティス

バーグで行ったゲティスバーグの演説（Gettysburg Address）の中で言ったもので，民主主義の原則を的確に言い表したことばとして知られる．これは「人民を，人民によって，人民のために統治すること（またはそのような体制）」を意味している．

[補足] この句は3分ほどの短い演説を締めくくる長い文の最後に出てくる．その文の最後の部分は次のとおり（注：ここに示すものは一般に広まっているブリス原稿 Bliss copy と呼ばれるもので，そのオリジナル原稿はホワイトハウスに保存されている）．

... we here highly resolve that these dead shall not have died in vain; that this nation, under God, shall have a new birth of freedom; and that government of the people, by the people, for the people shall not perish from the Earth.

私たちはこれら戦死者の死がむだに終わらないようにすること，この国が神のもとに自由の新しい誕生を迎えるようにすること，そして人民の，人民による，人民のための政治が地上から消滅することのないようにすることを，ここに固く決意するものであります．

That government is best which governs least.

「統治する度合いが最も少ない政府が最もよい」 ➤ ヘンリー・デビッド・ソロー（Henry David Thoreau）の論文『市民的不服従』（*Civil Disobedience*, 1849）に出てくることば．第3代大統領ジェファーソン（Thomas Jefferson）やトーマス・ペイン（Thomas Paine）のことばとして引用されることもある．小さな政府を目指す共和党（Republican Party）の党是（tenet）の1つ．

grab つかむ（こと）；ひったくる（こと）

How does that grab you?

「そんなのはどう？；それはどうだい」 ➤ こちらの提案に対する相手の意見や感想を尋ねるときなどに用いる．

[補足] 恋人のもとを去る女性を歌ったナンシー・シナトラ（Nancy Sinatra）の歌「冷たい愛情」（"How Does That Grab You, Darlin'?"）から広まったという．

It's up for grabs.

「だれのものでもない；欲しい人がいたらだれでもとっていいよ；早い者勝ちよ」 ➤ 最初に宣言した人やくじ引きで勝った人のものになるという場合に用いる．

Ex. Boston, Baltimore and New York have all played excellent baseball these past three weeks. With only ten games left in the season, the division title is still up for grabs.

ボストン（レッドソックス）とボルチモア（オリオールズ），それにニューヨーク（ヤンキース）はこの3週間すばらしい野球をしています．シーズンも残すところあと10試合のみとなり，地区優勝の行方はまだわかりません．

grace 優雅；恩寵（おんちょう）

There but for the grace of God go I.

「一歩間違えば私も同じようなことになる[なっていた]だろう；あすはわが身だ」 ➤ 事故や他人の不幸を見たときに「私も同じ境遇になっていたかもしれない」という意味

で用いる.「神の恩寵がなければ私もそうなるだろう」が原義.

[補足] 16世紀のイギリスで, 処刑台に連れて行かれる犯罪者たちを見たプロテスタントの殉教者 (martyr) ジョン・ブラッドフォード (John Bradford) が There but for the grace of God, goes John Bradford. (神の恩寵がなければジョン・ブラッドフォードもそうなるだろう) と言ったことからとされる. 実際, ブラッドフォードは後に異端者として処刑されることになった.

grandmother 祖母; おばあさん

Grandmother, what big eyes you have!
「おばあさん, なんて大きな目なの」➤童話「赤頭巾」("Little Red Riding Hood")で, おばあさんに化けたオオカミを見て赤頭巾が言うせりふ. My, what big eyes you have! など, 少し異なった言い回しが使われることも多い.

grass 草; 芝生

Don't let the grass grow under your feet.
「いますぐ行動しなさい; ぐずぐずするな」➤何もしないでいると足元の草がすぐに伸びてしまうよ, ということから.

Keep off the grass.
「芝生に入るな」➤公園などにある掲示.

The grass is always greener on the other side (of the fence).
「隣の芝生は青い」➤他人のものは何でもよく見えるものだ, ということわざ. The grass always looks greener on the other side (of the fence). ともいう.

grave 墓; 墓穴

I'll dance on your grave.
「あなたの墓の上で踊ってやる」➤あなたよりも長生きして, あなたが死んだらその墓の上で踊ってお祝いしてやろう, という嫌味.

I'll take it to the grave (with me).
「それは墓場まで持っていく; 秘密は死ぬまでもらさない」

Someone is walking over my grave.
「だれかが私の墓の上を歩いている; ぶるぶるっときたよ」➤急に背筋が寒くなるようなときに用いる. I feel like someone is walking over my grave. ともいう.

great 大きい; 偉大な; すばらしい

Great minds think alike.
「偉大な人は同じように考える; 考えることはみな同じだね」➤しばしば相手が自分と同じ考えだとわかったときにおどけて用いる.

Great Scott! / Great God! / Great heavens!

「おやまあ；なんと」➤ScottはGodの言い換え語．

[補足] Great Scott! は映画『バック・トゥ・ザ・フューチャー』(*Back to the Future*) シリーズの発明家ドック (Doc) がよく口にする．

I'm the greatest.

「私が最も偉大だ」➤元プロボクシング世界ヘビー級チャンピオンのモハメッド・アリ (Muhammad Ali) がよく言ったことば．

[補足] ジョン・レノン (John Lennon) が作ってリンゴ・スター (Ringo Starr) が歌った曲の題名にも使われているが，これもアリのことばを借用したものという．

You're the greatest.

「あなたは最高です；大助かりよ」➤相手に感謝するときによく用いる．You're the best. ともいう．

Greek ギリシャ人 (の)；ギリシャ語 (の)

It's (all) Greek to me.

「さっぱりわからない；ちんぷんかんぷんだ」➤それは私にとってはギリシャ語と同じだということから．特にイギリス英語では It's double Dutch to me. ともいう．

greeting あいさつ (のことば)

Greetings and salutations/felicitations!

「こんにちは；ご機嫌うるわしくていらっしゃいますか」➤出会ったときに用いる大げさなあいさつ．salutations は「あいさつ」，felicitations は「お祝いのことば」の意．

Please send my greetings to ...

「…によろしくお伝えください」➤Please give/send my regards to ... と同じ．

grief 悲痛；悲嘆

Good grief!

「おやまあ；やれやれ；まったく」➤好ましくない状況に対する驚きや落胆などを表す．

[補足] チャールズ・シュルツ (Charles Schulz) の漫画『ピーナッツ』(*Peanuts*) の主人公チャーリー・ブラウン (Charlie Brown) がよく言う．

grin にやっと [にやにや] 笑う (こと)

Grin and bare it.
「笑ってこらえろ；ぐっと我慢しろ」

Wipe that grin off your face.
「にやにや笑うのはやめろ」 ➤Wipe that smile off your face. とほぼ同じ．

grip しっかりつかむ [握る] (こと)

Get a grip. / Get a grip on yourself.
「ばか言っちゃいけない；しっかりしろよ」 ➤相手が非現実的な甘い考えを抱いているときや取り乱しているときなどに用いる．[類似] Wake up and smell the coffee.

Ex. You honestly expect him not to see any other girls after you've ignored him for so long? Kaori, get a grip! That's the way it works. あなたが彼を無視してからずいぶんたつのに彼がほかの女性とはまったくつきあっていないと本気で思っているの？ 香織はまったく甘いね．世の中そんなふうにはなっていないよ．

grow 成長する；大きくなる；育てる

Grow up.
「少しはおとなになりなよ；子どもじみたこと言わないで」 [類似] Don't be (such) a baby.

It's (all) part of growing up.
「成長する過程でそういうことは避けられない；そういう時期を経ておとなになるのよ」 ➤特に子どもが思春期にさしかかっていろんな変化にとまどっている場合に用いる．

They grow so fast.
「大きくなるのは早いものね；もうこんな年ごろになったのね」 ➤子どもはすぐ成長するものだという場合や，久しぶりに会った子どもが大きく成長していた場合に用いる．

You've grown like a weed.
「まあすっかり大きくなっちゃって」 ➤久しぶりに会った子どもが大きく成長していた場合に用いる．「雑草のように伸びたね」が原義．

guess 推測 (する)；当て推量 (する)；当てずっぽう (で言う)

Guess what?
「ねえ，聞いてよ；なんだと思う？」 ➤相手を自分の話題に引き込むときに用いる．相手は通例 What? と答える．

Guess who?
「だーれだ」 ➤相手の後ろからそっと忍び寄り，両手で相手の目を覆って「私がだれかわかるか言ってみなさい」というときに用いる．

Guess who's back in town?
「だれが戻ってきたか知ってる？；またいやなやつが戻ってきたわよ；またお騒がせ者の登

Ex. A: Hey Mina, guess who's back in town?
ねえ，美奈，だれがまた戻ってきたか知っているかい．
B: Oh, don't tell me... That manager who was hitting on me last year at the welcome party? ねえ，まさか…．去年の歓迎会で私を口説こうとしたあの部長じゃないでしょうね．
A: Bingo! 当たり！

I guess not.
「**違うんじゃない**；それはどうかしら；そうだね」➤相手の質問に同意しかねるという場合に用いる．You don't get it, do you?（わかってないようね）のように相手が否定形で質問した場合には，「そうだね」とその否定に同意する意味になる．I suppose not. / I think not. などとほぼ同じ．

I guess so. / I guess.
「**そうね；まあね**」➤相手の質問などにおおむね同意するときに用いる．I suppose (so). / I think so. などとほぼ同じ．

I never would have guessed.
「(そんなことだとは) **夢にも思わなかった**；想像もつかなかった」➤皮肉を込めて逆の意味に使われることもある．また，that 節を続けることも多い．

Ex. I never would have guessed that the Red Sox would come back from a 3−0 deficit to win the series.
レッドソックスが0勝3敗から逆転優勝できるとは想像もできなかったね．

It's anybody's guess.
「**だれにもわからない**」➤だれの当て推量も同じくらいの確からしさだ，ということから．

Ex. A: I wonder if she'll ever be able to run marathons again after her knee surgery. 彼女はひざの手術を受けた後もまたマラソンを走ることができるようになるのかしら．
B: Each doctor seems to have a different opinion. At this point, it's really anybody's guess.
医者によって意見はまちまちのようだね．現時点ではなんとも言えないね．

Take a guess. / Take a wild guess.
「**当ててみて；適当に言ってみたら；そんなこともわからないのかい**」➤相手の質問に対して言う．文字どおりに答えを当ててみなさいという場合のほか，自分で考えればわかるでしょうという場合などにも用いる．

Your guess is as good as mine.
「**私にもわかりません；だいたいあなたの予想どおりではないでしょうか**」➤私もあなた同様に答えを知らない，あなたの推測も私の推測もだいたい同じではないか，という場合に用いる．私の答えは質問したあなたの当て推量と変わらない，ということ．

guest 客

Be my guest.
「**どうぞ（ご遠慮なく）；お先にどうぞ**」➤こうしてもいいでしょうかと聞いてきた相手

に快諾するときなどに用いる.

gun 銃; 大砲; 銃を撃つ; 飛ばす

Did someone/anyone put a gun to your head?
「**だれかに銃を頭に突きつけられたわけじゃないだろう**」➤別にそうしないと殺すと脅されたわけじゃなし, 自分の自由意志でそうしたのだから文句を言うな, という場合に用いる. someone の部分は they/he/she などになることもある. Nobody put a gun to your head. もほぼ同じ.

Don't jump the gun.
「**早まるな; あせってことをしくじるな**」➤スタート合図のピストルが鳴る前に飛び出すな, ということから.

Drop the gun! / Drop your gun!
「**銃を捨てろ**」➤警官が強盗などに言うせりふ.

Gun it.
「**フルスピードを出して; 飛ばして**」➤車のアクセルを目いっぱい踏めという意味. Step on it. / Floor it. / Goose it. ともいう.

Guns are not toys.
「**銃はおもちゃではない**」➤銃の取り扱いは慎重にしなければならない, という文脈で使われる. 特に, 銃に触ってはいけないよと子どもに教えるときによく用いる.

Guns don't kill people, people kill people.
「**銃が人を殺すのではない. 人が人を殺すのだ**」➤銃規制に反対する人たちがよく口にする. Guns don't kill people, people/bullets do. (銃が人を殺すのではない. 人/銃弾が殺すのだ) ともいう.

Stick to your guns.
「**信念を貫け; 節を曲げるな**」➤由来は, 大砲のねらいを精確にするために砲兵 (gunner) は大砲に張りついている必要があったことからという. また, 敵の攻撃にひるんで持ち場を離れるなという命令から, とする説もある.

gut 腸; 内臓; ガッツ; 度胸

No guts, no glory.
「**度胸なければ栄光もない**」➤難しい課題にも度胸を決めて果敢に挑戦しなければ成功はおぼつかない, という場合に用いる.
[補足] 全体が4拍 (4語) で, guts と glory が頭韻 (alliteration) を踏んでいる. 似たパターンに No pain, no gain. / No glove, no love. などがある.

Spill your guts.
「**洗いざらいしゃべっちゃいな**」➤腹の中のものを全部出しなさい, ということから.
[類似] Come clean.

H, h

habit 習慣

Old habits die hard. / Old habits are hard to break.
「**古い習慣は簡単には消えない**；長年の習慣はなかなか直らない；習慣の力は恐ろしい」➤いつもの癖でついそうしてしまうというような場合に用いることが多い．

People are creatures of habit.
「**人間は習慣の動物だ**」➤ことわざ．Humans are creatures of habit. / A man is a creature of habit. ともいう．

hand 手

Cold hands, warm heart.
「**手の冷たい人は心が温かい**」➤ことわざ．外面的に冷淡なように見える人ほど強い愛情を抱いているものだ，という意味でも使われる．

Hands off!
「**触るな**；手を離せ；余計な手出しをするな」➤ものに触るなという場合のほか，干渉するなという場合にも用いる．Get/Take/Keep your hands off! と同じ．

Hands up! / Hands in the air!
「**手を上げろ**」➤強盗や警官などがよく用いる．「手を上げて」と挙手を求める場合に使うこともある．Put/Get your hands up! などと同じ．[類似] Stick 'em up.

I only have one pair of hands.
「**手は2つしかないからね**」➤1度にやれることには限界があるという意味．

I wash my hands of it.
「**私はこれにはかかわりがない**；私はこれにはいっさい無関係ですからね」➤不正などが行われようとしているので阻止しようとしたができなかったという場合に，私はもう知らないから後は勝手にするがいいというように使われる．

[補足] 新約聖書 (New Testament) の「マタイによる福音書」(Matthew 27:24) に出てくるローマ総督ピラト (Pilate) のことばに由来する．ピラトは裁判にかけられたイエス (Jesus) を無罪にしようと思うが，群集が処刑を求めたので自分はそれには無関係だから，後はおまえたちの責任でやりなさいと言って群衆の求める磔刑(たっけい)を言い渡した．

Let not thy left hand know what thy right hand doeth.
「**右の手のすることを左の手に知らせてはならない**」➤新約聖書の「マタイによる福音書」(Matthew 6:3) にあるイエス・キリストのことば．正しい行いや施しをするときには人に知られないようにしてやりなさい，という文脈で語られている．

Many hands make light work.
「手が多いと仕事の負担は軽くなる；手分けしてやれば仕事は楽になる」➤ことわざ．

My hands are tied.
「私にはどうしようもない」➤まるで手を縛られているようなもので，自分の思いどおりの行動がとれないという場合に用いる．

> **Ex.** A: Can't you do something to get me into that university?
> ぼくがあの大学に入れるように何か手立てを講じられないの？
> B: My hands are tied. I can't help you.
> 私にはどうしようもないね．力にはなれないよ．

One hand washes the other.
「相身互い；お互いで助け合おう」➤手を洗うときは片方の手が他方の手を交互にきれいにするものだ，お互いにそのような関係になろう，あるいはそのような関係にある，という場合に用いることわざ．[類似] Scratch my back and I'll scratch yours.

Talk to the hand.
「そんなことは聞きたくない」➤相手の言い訳や説教などをやめさせるときに用いる．「私の顔のほうはそんな話を聞きたがっていないから，この手に言ってくれ」ということ．実際に片手を相手の顔の前に出して言うこともある．

The hand that rocks the cradle is the hand that rules the world.
「揺りかごを揺らす手が世界を支配する手だ」➤19世紀のアメリカの弁護士・詩人ウィリアム・ロス・ウォレス (William Ross Wallace) が書いた，母親をたたえる詩 ("What rules the World" または "The Hand That Rocks the Cradle") に出てくることば．子どもを育てる母親の影響力は絶大で，間接的に世界を動かすことになるということわざとして用いる．ことわざとしてはThe hand that rocks the cradle rules the world. (揺りかごを揺らす手が世界を支配する) ともいう．
[補足] スリラー映画『ゆりかごを揺らす手』(*The Hand That Rocks the Cradle*, 1992) の題名はこの句を踏まえている．

---

handsome   顔立ちの美しい；ハンサムな；りっぱな

Handsome is as handsome does.
「行いのりっぱな人が美しい」➤容姿よりふるまいが重要，ということわざ．男性にも女性にも用いる．[類似] Pretty is as pretty does.

handwriting 手書き(の文字);筆跡

The handwriting is on the wall.
「壁に手書き文字が書いてある;先が見えている」➤危険や好ましくない事態が訪れることが明白だ,という場合に用いる.旧約聖書(Old Testament)の「ダニエル書」(Daniel)の故事から.The writing is on the wall. ともいう.

[補足] 「ダニエル書」第5章のエピソード.バビロニア王ベルシャツァル(Belshazzar)が酒宴を開いていると,宮殿の塗り壁に人の指が現れて文字を書いた.それを読める者がいなかったので,預言者のダニエルが呼ばれ,その文字は神が王の治世を終わらせたという意味だと解き明かした.そして,その夜に王が殺された.

hang つるす;掛ける;絞首刑にする;つってある;ぶら下がる

Go hang (yourself)!
「くたばれ;うるさい」➤「行って首をくくってしまえ」が原義.

Hang in there. / Hang on in there.
「そのままがんばって;いましばらくの辛抱だよ」➤いまはつらいかもしれないが,そのうちよくなるから我慢しなさい,という場合に用いる.「(落ちないで)そこにぶら下がっていなさい」が原義. ⇨ **Hanging in there.**

[補足] "Hang On In There" はクイーン(Queen)の歌の題名にも使われている.

Hang on.
「ちょっと待って」➤Hang on a minute/second/moment. に同じ.また,文字どおり何かにつかまりなさいという場合にも用いる.

Hang on a minute/second/moment.
「ちょっと待って」➤Wait a minute. などとほぼ同じ.単に Hang on. ともいう.

Hang tight.
「(もうしばらくの間)じっと待っていて;ちょっと待って」➤Hang on. や Hang in there. などとほぼ同じ.

Hang tough.
「くじけずにがんばれ」➤タフなままでいなさいという意味で,Hang in there. などとほぼ同じ.

Ex. A: I'm getting tired. I don't know if I can make it.
疲れてきちゃったよ.最後まで行けるどうかわからないよ.
B: Hang tough. We're almost to the top of the mountain.
がんばって.山頂までもう少しだから.

Hanging in there.
「なんとかやっているよ;ぼちぼちやっているよ」➤How are you doing? などと聞かれたときの返事. ⇨ **Hang in there.**

How's it hanging?
「調子はどうだい」➤(やや下品な)くだけたあいさつで,意味としては How are you doing? や How's it going? と同じ.この it は男性器(penis)を指しているということで,男性同士の間で使われることが多い.同じ意味で How are they hanging? ともいうが,この they は男性では睾丸(こうがん)(testicles),女性では乳

房 (breasts) を指しているという.

Let it all hang out.
「何の気がねもなく自由にふるまいなさい；すべてをさらけ出しなさい」➤「それをすべて外に垂らしなさい」が原義で，it は自分の内面を指す.

> **Ex.** Well, this is weekend home. Let it all hang out.
> で，これが私が週末を過ごす家です．どうかくつろいでください.

---

happen 起こる；生じる

Don't let it happen again.
「2度とこういうことのないようにしなさい；以後気をつけなさい」

I can't believe this is happening.
「こんなのうそでしょう；やってられないね」➤いくら何でもあまりにもひどいという場合にも，まるで夢を見ているようだという場合にも用いる．This can't be happening. などとほぼ同じ．「これが実際に起こっているとは信じられない」が原義.

It happens.
「そういうこともあるよ；ままあることだ；しかたがないよ」

> **Ex.** A: My boyfriend left me. He said he's fallen in love with someone else. 恋人に捨てられちゃった．ほかに好きな人ができたって.
> B: It happens. まあ，そういうことはあるわよ.

It won't happen again. / That won't happen again.
「2度とこのようなことはしません；以後気をつけます」➤不始末をした人が同じ間違いはしない，と約束するときに用いる.

It's been known to happen.
「そういうことは実際にあるものよ；これまでにそういうことはあったからね」➤それは初めての話でもなければ仮定の話でもなく，実際にそういうことがあるのは周知の事実だという場合に用いる．「そういうことが起こるということは知られている」が原義.

> **Ex.** A: I can't believe it's snowing in May!
> 5月に雪が降るなんて信じられないね.
> B: It's been known to happen. いや，前にもあったよ.

It's not gonna happen. / That's not gonna happen.
「そういうことにはならないよ；それは無理だね；そうは問屋が卸さない」➤特に相手や自分の望むようなことは起こらないという場合などに用いる.

Nothing happens before its time.
「機が熟すまでは何事も起こらない」➤物事にはそれが生じるべき時期があるという意味．こうなるまでにはそれだけの時間が必要だったという場合や，いまは何もなくてもいずれ時期がきたら何か起こるかもしれないという場合などに用いる.

Nothing is happening here.
「こっちは何にもない」➤自分のところやこの町などでは，見るべきものや話の種になるようなことは何も起きていないという場合に用いる.

That'll happen.
「そんなことになるわけないよ」➤文字どおりの「それは起こるだろう」とは反対の意味でよく使われる.

Ex. A: I'm sure Peter will be on time today.
ピーターはきょうは時間どおりに来るわよ.
B: That'll happen. そんなわけないよ.

Things happen for a reason.
「**物事が起こるのは理由がある**」➤不可解, あるいはまったくの偶然の結果と思われるできごとにもそれなりの必然性があるという意味.

This can't be happening. / This isn't happening.
「**こんなのうそでしょう; こんなことがあっていいわけないよ**」➤いくら何でもあまりにもひどいという場合などに用いる. I can't believe this is happening. もほぼ同じ.「これが起こっているはずはない/これは起こっていない」が原義.

What happened?
「**どうしたの; 何があったの; どうなったの**」➤不都合があった場合に尋ねるもの.

What happened happened. / Whatever happened happened.
「**起こってしまったことはしかたがない; やってしまったことはしかたがない**」

What happened once/before can happen again.
「**1度あることは2度ある**」➤What has happened once/before can happen again. ともいう.

Whatever happens happens. / What happens happens.
「**なるようになる; なるようにしかならない**」

Ex. A: What if she gets mad when I tell her the truth?
ほんとうのことを言って彼女が怒ったらどうしよう?
B: Whatever happens happens. 怒ったら怒ったでしかたないわよ.

What's happening?
「**どうしたんだい; 調子はどう; 何が起こっているの**」➤文字どおりにいま何が起きているのかを尋ねる場合もあるが, What's up? や What's new? と同じく, 出会ったときのくだけたあいさつとしてよく使われる.

happiness 幸せ

Happiness comes from within.
「**幸せは内面から生じるものだ**」➤ほんとうの幸せは外面的・物質的なものではなく, 自分の心次第だという意味. 類似 Money can't buy happiness.

Money can't buy happiness.
「**お金で幸せは買えない; 幸せはお金ではない**」➤Money can't buy you happiness. ともいう. 類似 Happiness comes from within.
補足 ビートルズ (Beatles) の歌 "Can't Buy Me Love" もほぼ同じ内容.

The greatest happiness for the greatest number.
「**最大多数の最大幸福**」➤最も多くの人が最も幸せになるようにすべきだ, の意.
⇨ **The greatest good for the greatest number.** (good の見出し参照)

happy 幸せな; うれしい; 喜んで

Happy days are here again.
「幸せな日々がまたやってきた」➤1929年,アメリカで大恐慌(Great Depression)が起こる直前に発表された歌の題名,およびその歌詞の文句.この歌は1932年の民主党大会で演奏され,フランクリン・デラノ・ローズベルト(Franklin Delano Roosevelt)大統領候補のキャンペーンソングとして使われた.以来,民主党のテーマソングとなっている.

I couldn't be happier.
「最高に幸せだよ」➤これ以上幸せになりようがないという意の仮定法過去表現.

I hope you're happy.
「こうなってうれしいかい;さぞ満足でしょうね」➤文字どおりには「幸せだといいけど」だが,しばしば皮肉を込めて使われる.

> **Ex.** Look! You broke my favorite vase! I hope you're happy.
> まあ!私のお気に入りの花瓶を割っちゃって.さぞいい気分でしょうね.

I'd be happy to. / I'll be happy to.
「ええ喜んで」➤相手の依頼・誘いを承諾するときの表現.I'd be glad to. / I'll be glad to. とほぼ同じ.Be happy to. ともいう.

If you're happy and you know it, clap your hands.
「もしあなたが幸せでそれを知っているなら,手をたたきなさい」➤日本で「幸せなら手をたたこう」として知られる歌の英語の題名,およびその出だしの文句.

[補足] オリジナルは日本の「幸せなら手をたたこう」のほうで,作詞者は早稲田大学名誉教授の木村利人.フィリピンの子どもたちが歌っていた歌に歌詞をつけたもので,スペイン民謡が原曲だという.

I'm happy for you.
「私もうれしいよ」➤あなたが幸せになって私もうれしいという場合に用いる.

> **Ex.** A: I'm getting married! I'm so excited!
> ぼく,結婚するんだ.すごく興奮しているよ.
> B: I'm happy for you. ぼくもうれしいよ.

Someday you'll make some guy/girl very happy.
「いつかあなたはだれかをとても幸せにするでしょう;いつかきっといい人が現れるわよ」➤あなたのようないい人に出会って幸せになる人がいつかきっと出てくるよ,という場合に用いる.皮肉を込めて使われることも多い.guy/girl の部分は man/woman が用いられることもある.

harm 害(する)

First do no harm.
「第一に,いかなる害も与えてはならない」➤患者の治療に当たっての医師の心得.医学の祖といわれる古代ギリシャのヒポクラテス(Hippocrates)の教えとされる.ヒポクラテスの誓い(Hippocratic Oath)からの引用とされることが多いが,それにはこの言い回しは使われていない.

It never did me any harm.
「それが私に害を及ぼしたことはない」➤周りから見れば過酷だとか思われるかもしれないが,私にとってはそれで別に不都合はなかったという場合に用いる.特に,親や

教師から体罰 (corporal punishment) を受けた人がそれを擁護する際に使う.

No harm done.
「**別に実害はなかったから**; **どうってことありません**」 ➤相手の謝罪などに用いる.
> **Ex.** A: I'm really sorry for missing your party. I just forgot all about it. あなたのパーティーに行けなくてほんとうにごめんなさい. すっかり忘れてしまっていただけなのよ.
> B: No harm done. だいじょうぶ, 別にどうってことないよ.

No harm intended.
「**気分を害するようなことを言おう[しよう]としたのではありません**」 ➤相手に不愉快な思いをさせてしまった, またはさせてしまいそうだと思われる場合に用いる.

What's the harm? / Where's the harm?
「(そうやって) **何が/どこが悪いのですか**; **別に害はないでしょう**」 ➤特に, 害になるわけではないからやってみなさいと相手に勧めたり, じゃあやってみようと自分に言い聞かせたりするときに用いることが多い.
> **Ex.** A: I'm sorry, but I've decided not to go on the ski trip.
> 悪いけど, スキー旅行には行かないことにしたわ.
> B: What's the harm? You need to relax.
> どうして, 別にいいじゃないの. 少しリラックスしたほうがいいわよ.

hasta la vista さようなら; また会いましょう (★スペイン語)

Hasta la vista, baby.
「**あばよ, ベイビー**」 ➤映画『ターミネーター2』(*Terminator 2: Judgment Day*, 1991) で主演のアーノルド・シュワルツェネッガー (Arnold Schwarzenegger) 演じるターミネーターがジョン・コナー (John Connor) 少年に教わって悪者を退治するときに言うせりふ.

haste 急ぐこと; 性急

Haste makes waste.
「**急いでやるとろくなことはない**; **急がば回れ**; **せいてはことをし損じる**」 ➤ことわざ. 「性急はむだを生じる」が原義. More haste, less speed. とほぼ同じ.

Make haste slowly.
「**ゆっくり急げ**」 ➤急ぐときにも慎重さを忘れるなという意味のことわざ. もっとゆっくりやりなさいという意味でも使われる.

More haste, less speed.
「**急げば急ぐほどスピードは落ちる**; **急がば回れ**」 ➤急ぐと失敗したりするので, 結局は余計に時間がかかるということわざ. Haste makes waste. とほぼ同じ.

have 持っている; ある

Have at it.
「**さあやってみて**; **はいどうぞ**」 ➤実際にそれを行いなさいという意味で, さまざまな状

況で用いられる.

Ex. I made everyone a big apple pie. Have at it.
みんなに大きなアップルパイを作ったわよ. さあ召し上がれ.

It's good/nice to have you here.
「ようこそおいでくださいました」➤招待客や訪問者, 新メンバーなどを歓迎するときに用いる. 省略表現の Good/Nice to have you here. も使われる. I'm happy/delighted to have you here. ともいう.

I've had it (with ...). / I've had it up to here (with ...).
「(…には) もううんざりだ; もう我慢ならない」➤I've had it up to here. というときは, しばしば手をのどのあたりに当てるジェスチャーを伴う.

Ex. I've had it with all this noise. I'm going to move to another apartment. この騒音にはもううんざりよ. 別のアパートに引っ越すわ.

Let me have it. / Let's have it.
「(さっさと) 言ってよ; よし, 聞こうじゃないの」➤悪い知らせや批判などを, 遠慮せずに言ってもらいたいという場合に用いる.

Some of us have it and some of us don't.
「世の中には持てる者と持たざる者がいる」➤お金や才能などを持っている人もいれば持っていない人もいる, という意味.

Thanks for having me. / Thank you for having me.
「お招きいただきありがとうございます」➤パーティーや講演に招かれた人が述べるお礼.

What are you having?
「何にしますか; 何を頼む?」➤特にレストランなどで何を飲食するか尋ねる表現.

Ex. I think I'll have the trout special. What are you having?
私はマスのスペシャル料理にするわ. あなたは何にする?

You can't have it all.
「望みのものをすべて手に入れることはできない」➤it は自分が望むもの全体を指す.

You can't have it both ways.
「あれもこれもと望むのは虫がよすぎる; 両方いいとこ取りはできない」➤You can't have your cake and eat it too. に同じ.

You can't have one without the other.
「どちらか一方だけを取ることはできない」➤コインの両面のようなもので片方だけほしいといっても無理だ, という意味.

Ex. A: I love pizza with extra cheese, but I don't want to gain weight. チーズをたっぷりかけたピザが好物だけど, 太るのは困るわ.
B: You can't have one without the other.
それはどっちかあきらめないと無理よ.

hay 干し草

Make hay while the sun shines.
「日が照っているうちに干し草を作れ; 機会があるときにそれを生かせ」➤ことわざ. 稼げるときに稼げという場合に使われることが多い. 類似 Strike while the iron is hot.

head 頭；(硬貨の)表

Don't let it go to your head.
「うぬぼれるな；のぼせ上がるな；いい気になるな」➤成功や勝利に酔いしれて冷静な判断力を失ってはいけない，というときに用いる．

Get your head out of your ass/butt.
「ぼけっとするな；目を覚ませ；しっかりしろ」➤分別をもって状況を冷静に見つめて行動しなさい，という意味の俗語表現．「尻(しり)から頭を出せ」が原義．

Ex. A: Oh, I'm sorry for putting salt in your coffee.
あれ，すみません，コーヒーに塩を入れてしまいました．
B: Get your head out of your ass!
何を間抜けなことやっているんだ．しっかりしろ．

Heads I win, tails you lose.
「表なら私の勝ち，裏ならきみの負け」➤だれが(先に)するかを決めるときなどに行うコイン投げ(coin toss)で，コインを投げる人が用いる策略のことば．表が出ても裏が出ても自分の勝ちとなるが，相手がうっかりしているとこれに引っかかる．一般に，どちらに転んでも自分が得をするという状況を表すときにも使われる．

[補足] 公正にやるときは Heads you win, tails you lose. と言うか，Heads or tails? と尋ねて相手に答えさせる．

Heads or tails?
「表か裏か」➤だれが(先に)するかを決めるときなどに行うコイン投げ(coin toss)で，コインを投げる人が相手に尋ねる質問．Heads you win, tails you lose. ともいう．上のフレーズを参照．

Heads up!
「頭を上げて；気をつけて」➤物が倒れたり落ちそうになっている場合などに，危ないから頭を上げてよく見なさいと促す注意．相手が1人の場合にも複数形を使う．

Ex. Heads up! If you're not careful, you'll get hit by a golf ball.
頭を上げてよく見て．気をつけないとゴルフボールに当たるよ．

Heads will roll.
「いくつか首が飛ぶだろう；処分者が出るだろう」➤問題などが起こって，その責任をとる形で解雇や左遷される人が出るだろうという場合に用いる．新聞・雑誌記事の見出しにもよく使われる．「首が(切られて)転がるだろう」が原義．

It's all in your head.
「そう思い込んでいるだけだよ；気のせいでしょう」➤特に，患者の訴える症状の原因がわからないとき医者がよくこう言う．「それはみんな頭の中にある」が原義．

Off with his/her head!
「首をはねてしまえ！」➤王や女王が気に入らない者を処刑するように命じることば．特に，ルイス・キャロル(Lewis Carroll)の童話『不思議の国のアリス』(*Alice's Adventures in Wonderland*)でハートの女王(Queen of Hearts)がすぐに口にするせりふとして知られる．一般に，「あいつは首だ；あんなやつは死んでしまえ」という場合にも使う．

Two heads are better than one.
「1人で考えるよりも2人で考えたほうがいい；3人寄れば文殊の知恵」➤ことわざ．

「1つの頭は2つの頭よりよい」が原義.

Use your head.
「頭を使え；少しは考えろ」 ➤Use your brain. ともいう.

Watch your head. / Mind your head.
「頭にご注意ください；頭上注意」 ➤低いドアを通るときなどに注意を促す表現. 公共施設の掲示などにも使われる.

Where's your head?
「いったい何考えているんだい；何ぼけっとしているのよ」 ➤相手の無思慮や不注意をなじるときに用いる. 自分について Where's my head? (何考えているのかしら；うかつだった)という表現も使われる.

Ex. A: I lost the phone number of that girl I met yesterday.
きのう会ったあの娘の電話番号をなくしちゃったよ.
B: Where's your head? She was so beautiful.
まったくどじだね. あんなに美人だったのに.

headache 頭痛

Oh, what a headache!
「まったく頭が痛いよ；しちめんどうくさいったらありゃしない」 ➤やっかいな問題で手が焼けるという場合に用いる. 文字どおりの「ひどい頭痛だ」という意味もある.

Not tonight, I have a headache.
「今夜はだめよ. 私, 頭が痛いの」 ➤妻やガールフレンドが夫や恋人とのセックスを拒否する口実としてよく用いるとされる.

hear 聞こえる

Did you hear? / Have you heard?
「ねえ, 聞いた?」 ➤知らせやうわさなどを人に話すときに用いる.

Do you hear me? / Do you hear?
「ねえ, 私の言うことが聞こえているの?；いいこと?；わかった?」 ➤文字どおりに自分の話がちゃんと相手に届いているのかと尋ねる場合のほか, 私のことばにうそ偽りはないからよく心に留め置きなさい, あるいは私の言うとおりにしなさい, という場合に用いる. You hear me? / You hear? ともいう.

Do you hear yourself?
「自分が何を言っているのかわかっているのか」 ➤相手があまりにもばかげたことを言ったような場合に用いる. [類似] Are you listening to yourself?

Ex. Do you hear yourself? You can't really be thinking about divorce!
何を言ってるの. ほんとに離婚を考えているわけじゃないだろうね.

He that hath ears to hear, let him hear.
「聞く耳のある者は聞きなさい」 ➤新約聖書 (New Testament) の「マルコによる福音書」(Mark 4:9) ほかに出てくるイエス・キリスト (Jesus Christ) のことば.

Hear, hear.

「そうだそうだ；そのとおり」➤議会や会議での発言に賛同するときに用いる．一般に，他の人の発言に同意する場合にも使われる．

Hear me out.
「最後までちゃんと聞いてよ」 [類似] Let me finish.

I can't believe what I'm hearing.
「そんなことを言うなんて信じられない；そんなこと言ってもらえるなんてうそみたい」➤I can't believe my ears. とほぼ同じ．

I hear what you're saying. / I hear you.
「ちゃんと聞こえているよ；あなたの考えはわかったわ；そのとおりだね」➤あなたの言っていることをちゃんと聞いているが同意できない，または同感だということ．

> **Ex.** A: Unless we increase sales, we'll go bankrupt.
> 売り上げを伸ばさないとうちは倒産だよ．
> B: I hear what you're saying. 確かにね．

I heard it through the grapevine.
「うわさで聞いた；ちょっと小耳に挟んだ」➤多くの人を介して伝わり聞いた話に用いる．「ブドウのつるを通してそれを聞いた」が原義． [類似] A little bird told me.
[補足] マーヴィン・ゲイ (Marvin Gaye) の歌「悲しいうわさ」(1968年) の原題．

I'm glad to hear that/it.
「それはよかった」➤相手の話が喜ばしいものだったときに用いる．

I'm sorry to hear that.
「それはお気の毒に；それは残念ですね」

I've heard a lot about you.
「おうわさはかねがね伺っていました」➤I've heard の代わりに I heard も，また a lot の代わりに so much も使われる．

I've heard that one before.
「それは前にも聞いたよ」➤相手が侮辱のことばや脅し文句，言い訳などを言ったときに，それは私には効き目がないよという意味で用いる．

I've never heard of such a thing. / I never heard of such a thing.
「そんな話聞いたことがない；それは初耳だ」

Let's hear it.
「よし話を聞こうか」➤相手が提案や頼み，不満などがあると言ったときに用いる．

Let's hear it for ...
「…に拍手」➤人の功績を認めて賞賛しようという場合に用いる．

> **Ex.** Let's hear it for Mary! She won the Boston Marathon.
> メアリーに拍手をどうぞ．彼女はボストン・マラソンで優勝しました．

One hears things.
「いろいろ耳に入ってくるから」➤どうして知っているのかと聞かれたときに答える表現．

That ain't the way I heard it. / That's not the way I heard it.
「それは私が聞いた話と違う」
[補足] "That Ain't The Way I Heard It" はジェイミー・オハラ (Jamie O'hara) の歌で，トリーシャ・イヤウッド (Trisha Yearwood) も歌っている．

Someone will never hear the end of it.

「そのことをいつまでも言われる；いやというほど聞かされる」➤文句や自慢話などを事あるごとに言われ続けることになるだろう、ということ．*Someone* is not going to hear the end of it. ともいう．「その（話の）終わりを聞くことがない」が原義．

> **Ex.** A: I heard that John passed the test. He's bragging to everyone. ジョンが試験に受かったってさ．みんなに自慢しているよ．
> B: We'll never hear the end of it. ずっとその自慢話を聞かされるわね．

You didn't hear it from me.

「私がこう言ったってことはないしよよ；ぼくから聞いたって言っちゃだめだよ」

You heard me.

「私の言ったことが聞こえたでしょう（だからさっさと言われたとおりにしなさい）」➤母親に言われたことをすぐに実行しない子どもに，父親が You heard your mother. (お母さんの言ったことが聞こえただろ) と言うような使い方もある．

You're hearing things.

「空耳だよ」[類似] You're imagining things. / You're seeing things.

---

heart 心臓；心；愛情；情け

Don't eat your heart out.

「そう嘆き悲しまないで；そう落ち込まないで」⇨ Eat your heart out.

Don't wear your heart on your sleeve.

「真意を悟られるな；内に秘めておけ」➤ことわざ．「心臓を袖につけるな」が原義．

Eat your heart out.

「せいぜい悔しがるんだね」➤自分の勝利や成功，幸運などを自慢するときに言う．
⇨ Don't eat your heart out.

Follow your heart.

「心の命じるままに行動しなさい；自分の気持ちに正直に」[類似] Follow your instincts.

Have a heart.

「もう少し優しくしたら；そんな冷たいこと言わないで」➤愛情をもってもっと優しく接しなさい，という場合に用いる．

It breaks my heart.

「痛ましいことだ；つらいね」➤しばしば to 不定詞を続けて，「…するのはつらい」という場合に用いる．

> **Ex.** John's wife left him. It breaks my heart.
> ジョンの奥さんが出て行ったよ．気の毒にね．

My heart bleeds for you.

「お気の毒に；それはかわいそうに」➤文字どおりに気の毒だという意味でも用いられるが，皮肉を込めて使われることが多い．

[補足] 特に若い人たちの間では，この句をひねった This is the world's smallest violin playing "My Heart Bleeds For You." (これは「お気の毒に」という曲を弾く世界最小のバイオリンだよ) というフレーズも使われる．「おまえの愚痴など聞きたくないよ」という意味で，左耳のところで豆粒のような小さなバイオリンを弾くジェ

スチャーをしながら言う.

My heart is breaking.
「私の心は張り裂けそうです」▶非常につらいという意味の比喩表現.
> **Ex.** That poor dog hasn't eaten anything in weeks. My heart is breaking. あのかわいそうな犬はもう何週間も何も食べてないのよ. 見ていてほんとうにつらいわ.

Where's your heart?
「冷たいじゃないの」▶あなたは誠意や思いやりを忘れているのではないか, ということ.

You break my heart.
「悲しませないでよ; そんな殺生な」▶相手がこちらの言うことを聞いてくれないような場合に(おどけて)用いる.
> **Ex.** A: I've decided to quit school. 私, 学校はやめることにしたわ.
> B: You break my heart. I've worked so hard to pay for your tuition. お父さんを悲しませるのかい. お父さんはおまえの学費を出すために一生懸命に働いてきたんだよ.

You can't measure heart.
「ハートを計ることはできない」▶その人にどれほど情熱や愛情などがあるかを客観的に計る方法はないという意味. 特に, 身体的にあまり恵まれない選手が気持ちでカバーして成功するような場合によく使われる.

heat 熱; 熱さ; 暑さ

If you can't stand the heat, get out of the kitchen.
「暑さに耐えられないのなら台所から出て行け; プレッシャーに耐えられないのならさっさとやめろ」▶高い地位や困難な仕事には重圧がつきものだから, 文句を言わずに耐えてやれ, そうでなければ引き下がれということわざ. If you can't stand the heat, stay out of the kitchen. (暑さに耐えられないのなら台所には近づくな)ともいう.
[補足] トルーマン (Harry S. Truman) 大統領がよく使ったことばとして知られる.

The heat is on.
「厳しい状況になってきた」▶締め切りが目前に迫ってきて, それを達成するためには相当にがんばらないと難しいという場合などに用いる.

heaven 天国; 天

Everybody wants to go to heaven but nobody wants to die.
「だれもが天国に行きたがるが, だれも死にたがらない」▶プロボクシングの元世界ヘビー級王者ジョー・ルイス (Joe Louis, 1914−81) のことば.
[補足] カントリーシンガーのロレッタ・リン (Loretta Lynn) の歌 "Everybody Wants To Go To Heaven" (1965) の出だしのことばにも使われている.

Good heavens! / Heavens! / My heavens!
「おやまあ; なんとまあ」▶強い驚きやショックなどを受けたときに言う.
[補足] このような表現における heavens は God (神) の代用. ⇨ **Oh, my God.**

(God の見出し参照)

Heaven help us.
「天よ，私たちを助けたまえ；これは大変だ」➤Heaven help us if ... の形で「そんなことになった日には一大事だ」という意味で用いることが多い．God help us. の婉曲表現．

> **Ex.** A: You're going to have to pay $40,000 in taxes.
> 税金を4万ドル払わなくてはいけなくなりますね．
> B: Heaven help us! Where can I get that much money?!
> そんな．どこからそんな大金をひねり出せばいいんですか．

There are more things in heaven and Earth.
「天と地にはもっと多くものがある」➤シェークスピア (Shakespeare) の『ハムレット』(*Hamlet* I. v.) でハムレットが言うせりふで，There are more things in heaven and Earth, Horatio, Than are dreamt of in your philosophy. (ホレーシオ，天と地にはきみの思想で夢想されるものよりもっと多くのことがあるのだよ) という文の前半部分．人知には限界があるという意味でよく引用される．

---

heel かかと；すぐ後について行く

Heel.
「つけ；後へ」➤ついて来いという，犬に対する命令．

---

hell 地獄；ひどい体験

All hell broke loose.
「てんやわんやの大騒ぎになった；しっちゃかめっちゃかになった」➤大混乱や大騒動が起こったという意味の比喩表現．「地獄のすべてが飛び出した」が原義．現在形や未来形などでも使われる．

Go to hell!
「くたばりやがれ；のたれ死にしてしまえ；うるさい！」➤どこかへ消えうせろという場合に用いる激しい罵倒(ばとう)のことば．[類似] Rot in hell! / Drop dead!

Hell's bells!
「何だって？；ありゃまあ」➤強い驚きや怒り，失望を感じたときの俗語表現．Hell's bells and buckets of blood! と続けることもある．[類似] Holy cow!

It'll be a cold day in hell when/before ...
「絶対に…しない；永久に…とはならない」➤地獄は永遠に業火が燃えているとされ，寒くなることはない．したがって，「そうなるときは/そうなる前に地獄で寒い日があるだろう」ということは，永久にそうならないという意味．

> **Ex.** It'll be a cold day in hell before I let him marry my daughter!
> 絶対に娘をあいつとなんか結婚させるものか．

Like hell ...
「そんなことは絶対にない」➤相手のことばを強く否定するときに用いる俗語表現．

> **Ex.** A: Someday you'll be glad you broke up with her.
> いつか彼女と別れてよかったって思うわよ．

B: Like hell I will. I'll probably regret it for the rest of my life.
そんなことあるもんか．たぶん一生後悔するよ．

Rot in hell!
「うるさい！；くたばりやがれ」 ➤ Go to hell! とほぼ同じ．

The road to hell is paved with good intentions.
「地獄への道はよい意図で舗装されている」 ➤ 心づもりだけよくても実行が伴わなければ何もならない，という意味のことわざ．よいことをしようと意図していながらみな地獄に落ちるのだ，ということから．

There will be hell to pay.
「大きなつけを払わされることになるだろう；後が怖いよ」 ➤ そんなことをしたらただではすまない，という意味の俗語表現．口語では通例 There'll be hell to pay. と発音される．そのため，音が似ている They'll be hell to pay. というつづりが用いられることも多い． [類似] It's/That's gonna cost you.

To hell with it! / The hell with it! / Hell with it!
「どうにでもなれ，構うもんか；ええい，ままよ」 ➤ 投げやり，あるいは捨て鉢の気持ちになったときに用いる俗語表現．To hell with that! と同じ意味でも使う．

To hell with that!
「そんなのくそくらえだ；ばかいえ；冗談じゃない」 ➤ 俗語表現．
  Ex. A: John says he's going to quit if we don't give him a raise.
  給料を上げてくれないなら辞めるとジョンが言っているよ．
  B: To hell with that! He's fired. 何を言うか．あいつは首だ．

What the hell!
「なんてこった；ええい，ままよ」 ➤ 非常に驚いたり，無謀を承知でやけ気味に何かをしたりするような場合に用いる俗語表現．

help　手伝う；助ける；手伝い；助け

Can I help you?
「どういったご用件でしょうか；何をお探しですか；手伝いましょうか」 ➤ 店員などが客によくこう尋ねる．また，見知らぬ人が訪問してきた場合や，大きな荷物を持っている人などに手を貸しましょうかという場合にも用いる．より丁寧には May I help you? / Could I help you? などという． [類似] What can I do for you?

Do you need any help?
「手伝いましょうか；1人でだいじょうぶですか」 ➤ Need any help? ともいう．

Every little bit helps.
「どんな小さい助けでも助かります」 ➤ 協力はどんなものでも歓迎だという意味で用いる． [類似] I could use all the help I could get.

God helps those who help themselves.
「神は自ら助ける者を助ける；人事を尽くして天命を待つ」 ➤ God の代わりに The Lord helps those who help themselves. / Heaven helps those who help themselves. などともいう．

Help yourself.
「勝手に飲み食いしてください；どうぞご自由に」

Ex. A: Wow, this cake looks delicious.
わあ, このケーキおいしそう.
B: Help yourself. どうぞ召し上がれ.

How may/can I help you?
「どんなご用でしょうか」➤特に店員が客に尋ねる表現. また, 秘書や受付係が電話で Hello. How may/can I help you? (はい, どんなご用件でしょうか) などと言うことも多い.

I can't help it.
「しようがないよ；どうしようもないのよ；ついついやっちゃうんだ」➤自分の力では状況を変えられない, あるいは自制できずについそうしてしまうという場合などに用いる. 過去のことについては I couldn't help it. と過去形を使う.
Ex. I'm sorry for snoring. I can't help it.
いびきをかいてすみません. でも, 自分ではどうしようもないんです.
Ex. I'm sorry for laughing. I can't help it.
笑ってすみません. あまりにもおかしいものですから.

I could use all the help I could get.
「どんな手助けでもありがたい；猫の手も借りたいくらいだ」➤どんな協力でも歓迎だという場合に用いる. 類似 Every little bit helps.

I was just/only trying to help.
「助けようとしただけなのに；よかれと思って言ったのに」➤相手が余計な手出しや口出しはするなと怒ったりしたような場合に用いる. 現在進行形の I'm just/only trying to help. も使われる.

I'm glad I could help.
「お力になれてうれしいです；それはよかった」➤相手が感謝したときの返事. 省略表現で Glad I could help. ともいう.

Is there anything I can do to help?
「何かお役に立てることはありますか；何か私にできることはあるかしら」➤相手が悩みや問題を抱えているような場合に用いる. 類似 What can I do to help?

It can't be helped.
「しかたないよ」➤だれがやっても状況は変えられない, だれの責任でもないということ.
Ex. A: I wish those people would be quiet.
あの人たち, 静かにしてくれないかしら.
B: It can't be helped. They're celebrating.
しかたないよ. お祝いしているんだから.

It could only help.
「やって損はない；やるだけやってみたら」➤「それは助けになる働きしかしない」が原義. It can't/couldn't hurt. とほぼ同じ.

What can I do to help?
「何かお手伝いできることはありますか；お役に立てることはありますか」➤助力を申し出るときに用いる. 類似 Is there anything I can do to help?

You're not helping.
「少しもフォローになってないわよ」➤あなたの言動は状況をよくするどころか, かえって悪くしているようなものだという場合に用いる.

here ここに; ここで

Here.
「ここです; はい; はいどうぞ」➤ここにいる (ある) という場合に用いる. 特に授業などで点呼をとるときにこう返事する (この場合, Present. ともいうが日本語につられて Yes. というのは適切ではない). また, 物を手渡すときにも用いる.

Here!
「ほら; そこまで」➤けんかしている人たちをやめさせるときなどに用いる.
 Ex. Here! Stop that! Those are my private files.
  こら, やめなさい. それは私の個人ファイルだよ.

Here goes.
「では行きます; じゃあやってみるか; よし当たって砕けろだ」➤それはこういうことです, と説明や意見を述べる場合に用いる. また, 覚悟を決めて何かをするという場合に Here goes! と力強く言う. この場合は Here goes nothing. とほぼ同じ.

Here goes nothing.
「ええい, ままよ; だめでもともとだ; 当たって砕けろだ」➤うまくいきそうにない, あるいは非常に困難だが, とにかくやるだけやってみようという場合に用いる.

Here today, gone tomorrow. / Here today and gone tomorrow.
「きょうここにあるものがあしたにはもうなくなっている; きょうここにいたと思ったらもうあしたにはどこかほかの所に行っている」➤移り変わりの激しい世相や, 忙しくあちこち飛び回っている人について用いる.

Here we are.
「さあ着いたよ; はいここです」➤やっと目的地に着いたという場合や, こうしていまこの場所や状況, 地位などにいるという場合に用いる.

Here we go.
「よし, 行くよ; さあやろう; さあ始まるよ; よし着いた」➤これからどこかへ行く, あるいは何かを始める (何かが始まる) という場合に用いる. また, Here we are. と同じ意味で使われることもある.
 Ex. A: I hate roller coasters! ジェットコースターは大嫌いだよ.
   B: If you're scared, don't open your eyes. Here we go!
    怖いのなら目を閉じていなさいよ. さあ, 行くわよ.

Here we go again.
「またか; またそれだ」➤同じことばかり聞かされたり, 経験したりする場合に用いる.
 Ex. A: You left the lights on. 電気がつけっぱなしだったわよ.
   B: Here we go again. You're always complaining.
    またそれだ. いつも文句ばっかりなんだから.

Here you are.
「ほら; はいどうぞ; ここにいたのですか」➤Here you go. と同じで, 物を手渡すときなどに用いる. また, 探していた人が見つかったときにも使う.

Here you go.
「はいどうぞ」➤物を手渡すときなどに用いる.

Here's to you.

「乾杯」 類似 Bottoms up.

I'm out of here.
「もう行くよ」 ➤その場を去るときの俗語表現. 通例, I'm outa here. と発音される. なお,「もう行こう」と提案する場合には Let's get out of here. を用いる.

It's good/nice to be here.
「ここに来られてうれしいです」 ➤特にゲストとして招かれた人などがよく用いる. 省略表現で Good/Nice to be here. ともいう.

You are here.
「あなたはここにいます；現在位置」 ➤観光地などの案内地図でよく見かける文句. インターネットのサイトで, どのページにいるのかを示す場合にも使われている.

hero 英雄

Don't be a hero.
「いいところを見せようとして**無理をするな**；強がりはよしなさい」 ➤危険な場所に行く警察官などに対して上司が言ったり, 病気やけがをしている人が無理をして仕事に行こうとするような場合に用いる.「英雄になるな」が原義.

Ex. A: I'm going to tell him he's wrong.
彼が間違っていると言ってやるつもりだよ.
B: Just be quiet or you'll get fired. Don't be a hero.
黙っていなよ. でないと首になるよ. 格好つけるのはやめたほうがいいよ.

hesitate ためらう；ちゅうちょする

He who hesitates is lost.
「ためらう者は負ける；優柔不断は損をする；思い立ったが吉日」 ➤決断力をもって迅速に行動しないとチャンスを逃す, という意味のことわざ

Please don't hesitate to ask.
「ご遠慮なくお尋ねください」 ➤if you have any questions（何かご質問がありましたら）や if you need anything（何か必要なものがありましたら）などの語句とともに用いることが多い.

hide 隠す；隠れる

Don't hide your light under a bushel.
「明かりを升の下に隠すな」 ➤自分の才能などを隠すなという意味のことわざ. bushel は約35リットルの容量の升のこと.
補足 出典は新約聖書（New Testament）の「マタイによる福音書」（Matthew 5:15）で, イエス・キリスト（Jesus Christ）が山上の説教（Sermon on the Mount）で語ったことばがもとになっている.

Where have you been hiding yourself?
「いままでどこに**隠れていたのよ**」 ➤久しぶりに会ったり, 連絡をもらったりしたような場合に用いる. Where have you been keeping yourself? ともいう.

You can run, but you can't hide.

「逃げることはできても,隠れることはできない;いくら逃げても逃げ切れるものではない」 ►問題や人からひとまずは逃げられたとしても,いつかは必ず直面しなくてはいけないという意味.脅し文句としても使われる.プロボクシングの元世界ヘビー級王者ジョー・ルイス (Joe Louis, 1914−81) のことばとされる.

hindsight 過去を見る視力;後から考えたときの判断力

Hindsight is always 20/20 (twenty-twenty).

「過去を見る視力は常に正常だ;結果論だ;げすの後知恵」 ►物事は後から振り返って見れば全体像がわかり,また冷静・客観的に見ることもできるのでよく理解できるが,その渦中にあるときはそうはいかないものだ,という意味のことわざ.Hindsight is (always) 20/20 vision. ともいう.

[補足] 20/20 (20−20 などとも書く) は視力検査で正常視力のこと.20フィート (約 6m) 離れたところに立って,20フィートの距離から見えるべきものが見えるということを表し,日本の1.0に相当する.

Hindsight is better than foresight.

「過去を見る視力は未来を見る視力よりもよい;げすの後知恵」 ►Hindsight is always 20/20. とほぼ同じ意味のことわざ.

hint ヒント (を与える);ほのめかし;ほのめかす

Get the hint?

「(私が) 何を言いたいかわかった?」 ►遠回しな言い方をしながら相手にこちらの真意を推し量るように促すときに用いる.Get the hint. または Get a hint. と命令文で使うこともある.この場合は Take a/the hint. に同じ.
  Ex. The ring she was wearing was a diamond ring. Get the hint?
     彼女がしていた指輪はダイヤモンドだったわね.私の言いたいことがわかる?

Give me a hint.

「何かヒントを言ってよ」 ►クイズに答える人が言う.クイズを出す人がヒントを与えるときは I'll give you a hint. などと言う.

I can take a hint. / I get the hint.

「わかったよ」 ►相手の皮肉やほのめかしを理解した場合に用いる.しばしば,Okay, I get the hint. という形で使う.

Take a/the hint.

「(私が) 何を言いたいのかわからないの?;鈍い人だね」 ►それとなくほのめかしていることをちゃんと理解しなさい,という場合に用いる.Get a/the hint. ともいう.

hippopotamus カバ

One hippopotamus, two hippopotamus, three hippopotamus, ...

「いーち,にーい,さーん,…;ひとーつ,ふたーつ,みーっつ,…」 ►ゆっくり数を

数えるときの言い方．hippopotamus という5音節の語を挿入することによって時間がかかるようにした言い回し．One Mississippi, two Mississippi, three Mississippi, ... / One one thousand, two one thousand, three one thousand, ... ともいう．

history 歴史；過去のこと

History never repeats itself.
「**歴史は繰り返さない**」➤History repeats itself. の反対の意味を表すことわざ．

History repeats itself.
「**歴史は繰り返す**」➤同じような事件などが時代を隔てて起こるということわざ．

That's (ancient) history.
「**それは昔の話だ；それはもうすんだことだ**」➤That's past history. ともいう．

The rest is history.
「**後はみなさんよくご存知のとおりです**」➤事件の発端など，ほかの人が知らないような話をした後に言うことが多く，しばしば ... and the rest is history. という形になる．The rest was history. と過去形でも使われる．

Ex. I first saw George at a disco, and the rest was history.
最初はディスコでジョージに会ったの．後はご存知のとおりよ．

Those who do not learn from history are doomed to repeat it.
「**歴史から学ばない者は歴史を繰り返すことになる**」➤アメリカの哲学者ジョージ・サンタヤナ (George Santayana) のことばとされる．⇨ **Those who cannot remember the past are condemned to repeat it.** (pastの見出し参照)

You're history.
「**あなたはもうおしまいだ；おまえはお払い箱だ**」➤あなたは地位や名声，権力などをみな失うことになるというときに用いる．

hit 打つ；たたく；殴る

Don't hit a man when he's down.
「**倒れた相手を殴るな；武士の情け**」➤弱っている相手を痛めつけるな，という意味のことわざ．ボクシングでダウンした相手を殴るのは禁止されていることから．

Hit me.
「**言ってくれ；（トランプで）ヒット**」➤衝撃を与えてもかまわないから言ってほしいというような場合に用いる．また，トランプ（特にブラックジャック）でカードをもう1枚配ってくれ，という場合にも使う．

Ex. A: I have some bad news for you. あなたに悪い知らせがあるの．
B: Hit me. I'm not scared of bad news.
言ってよ．悪い知らせなんか怖くないよ．

ho ほう；ほっ

Ho, ho, ho.

「**ホッホッホッ**」➤サンタクロース (Santa Claus) の笑い声として知られる.

[補足] 映画『ダイハード』(*Die Hard*, 1988) で, クリスマスの夜にナカトミビルに押し入った強盗の一団に単身立ち向かうジョン・マクレイン (John McClane) が強盗の1人を始末してマシンガンを手に入れたとき, その強盗の服に書いたことばが Now I have a machine gun. Ho ho ho. (いまオレはマシンガンを手に入れた. ホッホッホッ) だった.

hold　持つ; つかむ; そのままの状態でいる

Can you hold, please?

「**少々お待ちいただけますか**」➤電話で特に保留ボタン (hold button) を押して待たせるときに使われる. Please hold. / Will you hold, please? / Would you hold, please? / Could you hold, please? などともいう.

Hold everything!

「**待った; みんなそこでやめて**」➤活動をすべて停止するように命じる表現.

Hold it.

「**ちょっと待った; 動かないで; そのまま**」➤相手のやっていることや話を一時中断するように命じる表現.

Ex. A: I'm going to call him up and yell at him.
　　　　彼に電話してどなりつけてやる.
　　　B: Hold it. Let's think about it some more.
　　　　ちょっと待って. そのことはもう少し考えましょうよ.

Hold on.

「**ちょっと待って; つかまって**」

Hold on a minute/second/moment.

「**ちょっと待って**」➤相手を少し待たせる場合の表現. Hold on for a minute/second/moment. ともいう.

Hold the line, please.

「**少々お待ちください**」➤電話で相手を待たせるときに用いる. Can you hold, please? などとほぼ同じ.

How are you holding up?

「**どうしているの; 調子はどう?**」➤特に肉体的・精神的に問題や悩みなどを抱えている人に尋ねる場合が多い.

holy　神聖な; 聖なる

Holy ...!

「**おやまあ; なんとまあ**」➤非常に驚いたりショックを受けたときに用いる. Holy Cow! / Holy Smoke! / Holy Shit! / Holy Crap! などが最も一般的だが, ほかにも Holy Moses! / Holy Mackerel! / Holy Mary, Mother of God! / Holy Toledo! / Holly Molly! / Holy Shnikies! / Holy Baloney! などさまざまな異形がある.

home 家；家庭；故郷；家へ，家で

A home away from home.
「第二の我が家」▶我が家のようにくつろげる場所.「家から離れたところの家」が原義.

A man's home is his castle.
「人の家は城だ」▶自分の家の中では他人の干渉を受けずに支配者のように自由にふるまえる，という意味のことわざ．イギリス（正確にはイングランド）では An Englishman's home is his castle. という．

[補足] フェイス・ヒル (Faith Hill) の歌の題名にも使われている．

Anybody home?
「お留守ですか；頭はだいじょうぶか」▶訪問先のドアをノックしたり，チャイムを鳴らしても応答がない場合などに用いる．また，特に相手の頭をたたいて「おまえの頭はお留守になっていないか」という意味で使うこともある．

Be it ever so humble, there's no place like home.
「どんなにみすぼらしくても我が家にまさるところはない；埴生(はにゅう)の宿も我が宿」▶日本で「埴生の宿」として知られるアメリカの歌 "Home, Sweet Home" の一節．「我が家がいちばんだ」という意味のことわざとしても使われる．

East or West, home is best.
「東へ行っても西へ行っても，我が家がいちばんだ」▶自分の家または故国がいちばんいいという意味のことわざ．There's no place like home. とほぼ同じ．East or west, home is (the) best. ともいう．

[補足] 全体が4拍からなり，west と best が韻を踏んで口調のよいものになっている．

Home is where the heart is.
「心のよすがとなる場所が家だ」▶故郷がいちばんだ，またはいちばん愛着のある場所が自分にとっての家(故郷)だ，という意味のことわざ．「心のあるところが家だ」が原義．

Home, sweet home.
「楽しい我が家；やはり自分のうちはいいものだ」▶特に，久しぶりに家に帰ってきたときなどに用いる．

[補足] 日本で「埴生の宿」として知られる歌（作詞 John Howard Payne, 作曲 Henry Rowley Bishop）の題名にも使われている．

I'm home!
「いま帰ったよ；ただいま」▶子どもが母親に Mom, I'm home! と言ったり，夫が妻（またはその逆）に Honey, I'm home! と言ったりする．

[補足] "Honey, I'm Home" はシャナイア・トゥウェイン (Shania Twain) の歌の題名にも使われている．

Make yourself at home.
「どうぞ楽にしてください」▶自分の家にいるつもりでリラックスしてほしいということ．

Oh, give me a home where the buffalo roam
「ああ，野牛が歩き回る故郷を私に与えたまえ」▶日本で「峠の我が家」として知られる歌 "Home on the Range" の出だしの文句．

[補足] この歌はカンザス州 (Kansas) の州歌になっている．

There's no place like home.
「我が家にまさるところなし；うちがいちばんだ」▶日本で「埴生の宿」として知られる

歌 "Home, Sweet Home" から広まったことわざ.

Welcome home.
「ようこそ, お帰りなさい」➤久しぶりに帰ってきた人などを迎えるときのあいさつ.

You can't go home again.
「2度と家に帰ることはできない」➤昔の状態には戻れないということわざ. アメリカの作家トマス・ウルフ (Thomas Wolfe) の小説の題名 (1940) から広まった.

homework 家庭学習; 宿題; 下調べ

Do your homework.
「**宿題をしなさい; 下調べをしなさい**」➤親がよく子どもに言うことば. また, 高い買い物をするときなどにはその前に下調べをしなさい, という意味でも一般に使われる.

Have you done your homework?
「宿題はやったの?」➤親がよく子どもに聞く質問.

The dog ate my homework.
「**犬に宿題を食べられちゃったんです**」➤生徒が宿題をやってこなかったときの言い訳.

honest 正直な; 誠実な   honesty 正直; 誠実さ

Can I be honest?
「正直に言ってもいいかい」➤正直に言うと相手が気分を害するかもしれないような場合に用いる. Can I be honest with you? などともいう.

Honest to God!
「なんとまあ; 誓ってほんとうだ」➤非常に驚いたりしたときに用いる. また自分のことばを強く保証する場合にも使う. Honest to Goodness! ともいう.

Honesty is the best policy.
「**正直は最良の策; 正直がいちばん**」➤ことわざ.

honor 名誉; 栄光; 信義; 敬う; 栄誉を与える

Honor thy father and thy mother.
「父と母を敬え」➤旧約聖書 (Old Testament) の「出エジプト記」(Exodus 20:12) に出てくることば. 神がシナイ山 (Mount Sinai) でモーセ (Moses) に与え

た10の掟(おきて)である十戒 (Ten Commandments) の1つ.

I'd be honored.
「それは光栄です; 謹んでお受けします」➤相手の依頼などに応じるときに用いる. I'd be honored to ... と不定詞を続けることも多い.

I'm honored.
「(それは) 光栄です; 感激です」➤特に招待を受けたり, 表彰されたりしたような場合に用いる. I'm honored to ... と不定詞を続けることも多い.

Ex. I'm honored to have this opportunity to speak to you today.
きょう, こうしてみなさんにお話できる機会をいただけて光栄です.

It's an honor.
「光栄です」➤It's an honor to meet you. (あなたにお会いできて光栄です) のようにしばしば to 不定詞を続けて用いる.

There is honor among thieves.
「盗人の間にも信義はある」➤どんな悪人たちでも一定のルールというものはあるという意味のことわざ. 次の見出しフレーズを参照.

There is no honor among thieves.
「盗人の間に信義はない」➤人の物を盗むような道義心のない者は仲間であっても信用しない, という意味のことわざ. 前の見出しフレーズを参照.

To what do I owe this honor?
「どのようなご用でしょうか」➤意外な人からの訪問や電話を受けた場合に用いる. To what do I owe this visit/pleasure/call? や To what do I owe the honor of this visit? などともいう.「何のおかげで私はこの栄誉を受けているのでしょうか」が原義.

hop 跳ねる; 跳ぶ

Hop in. / Hop on.
「さあ乗って」➤車に乗りなさいという場合に用いる. 乗用車などの場合には Hop in. が, バスやトラック, 軽トラック (pickup truck) の荷台, バイクの後部座席 (pillion) に乗るような場合には Hop on. が使われる.

Ex. Hop in. I'll give you a ride home. さあ乗って. 家まで送ってあげる.

Hop to it!
「さっさとかかれ」➤すぐに仕事を始めなさいという場合に用いる.

hope 希望; 望み; 望む

Abandon all hope, ye who enter here.
「ここから入る者はいっさいの希望を捨てよ」➤ダンテ (Dante) の『神曲』(*The Divine Comedy*) で, 地獄の門に書かれてあることば. ye は you の古語.

Here's hoping.
「そうなるといいね; 乾杯」➤that 節を続けて「…となることを願っている」という場合が一般的だが, 単独の文でも用いる. 酒席で「乾杯」の意味でも使う.

Hope for the best and/but prepare for the worst.

「最善を望み，最悪に備えよ」➤最高の結果を願いながらも，最悪の結果になったときの用意を忘れるなという意味の格言．

Hope springs eternal.

「希望は永遠にわき出る」➤人はどんな状況でも望みを抱いているものだ，という意味のことわざ．イギリスの詩人アレキサンダー・ポープ (Alexander Pope) の「人間論」("An Essay on Man") の一節 Hope springs eternal in the human breast (人間の胸の中には永遠に希望がわき出ている) から．

I hope so.↔I hope not.

「そうだといいけど；そうだね↔そうではないといいけど」➤期待を込めてそう思う，あるいはそうでないことを願うというときに用いる．省略表現でHope so.↔Hope not. ともいう．

Let's hope. / Let's hope so.

「そうだといいけど；そう願いたいね」➤May it be so. などともいう．

Where there is life, there is hope. / While there's life, there's hope.

「命あるところ望みあり；命あっての物種」 類似 It's not over till it's over.

---

horse 馬

Don't lock the stable door after the horse has been stolen.

「馬が盗まれてから馬小屋の戸にかぎをかけるな」➤対応が後手に回るようなことはするな，という意味のことわざ．Don't lock the stable door after the horse is stolen. や Don't close the barn door after the horse runs away. (馬が逃げてから納屋の戸を閉めるな) などともいう．

Get off your high horse.

「偉そうにするな；お高くとまるな」➤Come down off your high horse. ともいう．「おまえのその高い馬から降りろ」が原義．

Hold your horses.

「そう焦るな；そうはやるな」➤「(馬車の) 馬を抑えろ」が原義．Hold the phone. ともいう．

> **Ex.** A: I'm going to call Mary and tell her she's fired!
> メアリーを呼んで首だと言ってやるわ．
> B: Hold your horses. That wouldn't be a wise decision.
> ちょっと待って．それは賢明な判断ではないよ．

Horses for courses.

「人それぞれ；ケース・バイ・ケース」➤それぞれの馬が得意とする距離や馬場状態などに合わせてレースに出させることから．

My kingdom for a horse!

「馬の代わりに余の王国をやるぞ」➤シェークスピア (Shakespeare) の『リチャード3世』(*King Richard III* V. iv.) でリチャード3世が言うせりふ．戦場で自分の馬が殺されて A horse! A horse! My kingdom for a horse! (馬をくれ，馬を！馬の代わりに余の王国をやるぞ！) と叫ぶ．

That's a horse of a different color.
「それはまた**別問題だ**；そういう話ではない」 ➤ That's a horse of another color. ともいう.「それは違う色の馬だ」が原義.

You can lead a horse to water, but you can't make him/it drink.
「**馬を水のところまで連れていくことはできるが，水を飲ませることはできない**」 ➤ 人に勧めることはできても，それを受け入れるかどうかは本人次第だという意味のことわざ.

hot 暑い；熱い

Is it hot enough for you?
「**暑いですね**」 ➤ 暑い日のあいさつ. 省略表現で Hot enough for you? ともいう. 寒い日のあいさつには Is it cold enough for you? がある.

hour 時間

There aren't enough hours in the day.
「**時間がいくらあっても足りゃしない**」 ➤ やることがたくさんあって1日24時間では十分ではない，という場合に用いる. There aren't enough hours in a day. ということもある. [類似] So much to do and so little time.

house (建物としての)家；家屋

A house divided against itself cannot stand.
「**内輪で別れ争う家は立ち行かない**」 ➤ 内部で分裂・抗争があるような組織や集団はいずれも崩壊する，という意味のことわざ.
[補足] 1858年の共和党大会で，エイブラハム・リンカーン (Abraham Lincoln) が行った演説の一節. 自由州の北部と奴隷州の南部に分裂したままでは連邦は存続できない，という文脈でこのことばが出てくる. これは新約聖書 (New Testament) の「マタイによる福音書」(Matthew 12:25) に出てくるイエス・キリスト (Jesus Christ) のことばを変えて引用したもの.

A house is not a home.
「**家屋は家庭ではない**」 ➤ 建物としての家と，くつろぎと憩いの場である家とは別物だということわざ.

My house is your house.
「**私の家はあなたの家です**」 ➤ 客に「ここを自分の家と思ってくつろいでください」という意味で用いる. 夫婦や家族を代表する場合には Our house is your house. という. ヒスパニック文化の影響を受けて，スペイン語の Mi casa es su casa. をそのまま英語に翻訳したものとされる.

Not in the house!
「**家の中ではだめよ**」 ➤ ボール遊びなどを家の中でしている子どもへの注意.

Welcome to my house.
「**ようこそ拙宅へおいでくださいました**」 ➤ 客を歓迎するときのあいさつ. 夫婦や家族

を代表する場合には Welcome to our house. という．

how　どのようにして

And how!
「**まったくそのとおり**；**ものすごく**」➤相手のことばや自分のことばに続けて，強く同意したり強調したりするときに用いる．

Ex. A: Do you like Japanese food? 日本食は好きですか．
　　　B: And how! I eat it every chance I get.
　　　　ええ，それはもう．できるかぎり日本食を食べていますよ．

How about that!
「**こいつは驚いた[まいった]**；**そいつはすごいや**；**あれまあ**」

Ex. A: My grandson is going to get married to the mayor's daughter.
　　　　うちの孫が市長の娘と結婚するんだよ．
　　　B: How about that! それはすごいですね．

How are you?
「**元気ですか**；**調子はどう?**」➤相手の調子を尋ねる一般的なあいさつ．

How are you doing?
「**元気ですか**；**調子はどう?**；**うまくいっているかい**」➤相手の調子を尋ねる一般的なあいさつ．また，仕事などが順調にいっているかと聞くような場合にも用いる．くだけた口語ではbe動詞を省略して How you doing? ともいう．How are you getting along/on? などもほぼ同じ．

How come?
「**どうして**；**なぜ**」➤Why? と同じで理由を尋ねるときに用いる．How come you didn't say anything? (どうして何も言わなかったの) のように How come の後にそのまま文を続けることも多い．

How do you do?
「**初めまして**；**いかがお過ごしですか**」➤初対面での改まったあいさつ．こう言われた相手も同じように How do you do? と返すことも多い．また How are you? とほぼ同じ意味で，相手の状態を尋ねる場合もある．

[補足]「初めまして」という場合は相手の答えを期待した質問ではないので，How do you do. と疑問符ではなくピリオドが使われることもある．

How have you been?
「**やあ，どうしていたのですか**」➤特に久しぶりに会ったような場合に「最近（あるいはこれまで）どう過ごしていたのですか」という意味で用いるあいさつ．くだけた口語では have を省略して How you been? ともいう．

How was it for you?
「**どうだった?**」➤さまざまな状況で使われるが，特にセックスの後で男性が女性に聞くことばとして知られる．[類似] Was it good for you?

How's by you? / How's it with you? / How's with you?
「**調子はどうですか**」➤相手の全般的な状況を尋ねるくだけた口語表現．

How's that?
「**それはどうですか**；**それはまたどういうわけですか**」➤相手がそれを気に入ったかどうか

尋ねる場合や，相手の言ったことの理由や説明を求めるときに用いる．

How's that again?
「えっ，何ですって？」 ➤相手のことばを聞き返すもの．Come again? とほぼ同じ．

huff　怒る；激しい息づかいをする

I'll huff, and I'll puff, and I'll blow your house down!
「フーフーのフーと，おまえの家を吹き倒してやるぞ」 ➤童話「3匹の子豚」("The Three Little Pigs")の大きな悪いオオカミ (Big Bad Wolf) が3匹の子豚のそれぞれの家を壊すときに言うせりふ．

human　人間(の)

It's only human nature.
「それが人情というものだ；それが人間のさがだよ」 ➤人間は不完全だから誘惑に負けたり，悪いことをしてしまうものだ，という場合に使われる．

We're only human.
「しょせんみな人間だ；それは人情というものだろう」 ➤私たちは神様ではないからうまくいかないことがあるのはしかたがない，と自らを慰めるようにして用いる．

You're a human. / You're only human.
「きみも人間だってことさ」 ➤神様ではないから失敗もするし，欠点があるのもしかたないと相手を慰めるような場合に用いる．

[補足] ビリー・ジョエル (Billy Joel) の歌に "You're Only Human (Second Wind)" (邦題「オンリー・ヒューマン」) がある．

humor　ユーモア；機嫌；機嫌をとる；調子を合わせる

Don't humor me.
「無理に調子を合わせないでよ」 ➤相手が本心からではなく，単に話を合わせるためや機嫌をとるために何か言ったような場合に用いる．また，勝負事などで手加減は無用だという場合などにも用いる．次の見出しフレーズを参照．

Humor me.
「お願いだから；いいからやってよ」 ➤こちらの頼み事に相手がしぶっているような場合に「私を喜ばせるためにやってほしい」という意味で用いる．「私の機嫌をとりなさい」が原義．[類似] Indulge me.

Ex. A: Play the guitar for me. ギターで1曲引いてみてよ．
　　　B: I'm not in the mood. 気が進まないな
　　　A: Humor me. いいからやってよ．

Where's your sense of humor?
「あなたにはユーモアがわからないの」 ➤冗談などに本気で怒ったり，気分を害したりした相手に用いる．「あなたのユーモアのセンスはどこにあるのか」が原義．

hunger 飢え；空腹 (感)

Hunger is the best sauce.
「**空腹は最良のソース**；空腹にまずいものなし」➤Hunger is the best cook. (空腹は最高の料理) ともいう.

hurry 急ぐ (こと)

Hurry up!
「急いで；早くして；さっさとやりなさい」

There's no hurry.
「**急がなくていいよ**；急ぎません」➤There's no need to hurry. ともいう. また省略表現の No hurry. / No need to hurry. も使われる.

What's the hurry?
「**何を急いでいるの？**；そう急ぐことはないさ」➤What's the rush? と同じ. 相手が急いでいるときには What's your hurry? ともいう. What's the big hurry? (何をそんなに大あわてしているのさ；そうあわてることはない) という表現もある.

hurt 傷つける；不都合をもたらす

It couldn't hurt. / It wouldn't hurt.
「やって損はない；だめもとだ；減るもんじゃなし」

[補足] A little nap wouldn't hurt. (少し昼寝してもいいだろう) のように *Something* wouldn't/couldn't hurt. の形もよく使われる.

It hurts me more than it hurts you.
「**これはおまえより私のほうが痛いんだ**；殴っている私のほうがもっと痛いんだ」➤特に子どもに体罰を加える親などが言うせりふ.

You always hurt the one you love.
「人は決まって自分の愛するものを傷つけてしまう」➤ことわざ.

[補足] 1944年に作られた歌 (作詞Allan Roberts, 作曲 Doris Fisher) の題名に使われている. また, エルビス・コステロ (Elvis Costello) の "Hidden Shame" やグロリア・エステファン (Gloria Estefan) の "Your Love Is Bad For Me" の中にも出てくる.

husband 夫；亭主

The husband is always the last to know.
「**亭主はいつも最後に知る人だ**；知らぬは亭主ばかりなり」➤The husband is always the last to find out. ともいう. また, The wife is always the last to know. (知らぬは女房ばかりなり) という言い回しもある.

I, i

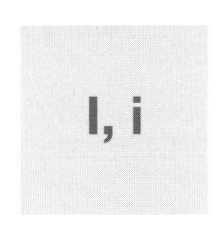

I 私(は)

I am what I am.
「私はあるものである」➤旧約聖書 (Old Testament) の「出エジプト記」(Exodus 3:14) で,神が自分の名前としてモーセ (Moses) に告げたことば.「私は私だ;これが私という人間だ」という意味でも使われる.

[補足] マンガのポパイ (Popeye) は I yam what I yam. (オレはオレさ) とよく言う.この yam は am のなまった発音.

ice cream アイスクリーム

I scream for ice cream.
「私はアイスクリームが食べたいと叫ぶ」➤I scream と ice cream という同じ音をもつ語句を使ったことば遊びの文句.アイスクリームが食べたいという場合などに使う.

idea 考え;着想;意図

Don't get the wrong idea.
「勘違いしないでね;誤解しないでね」

Here's an idea.
「こういうのはどうだろう」➤自分の考えを提案するときに用いる.

Ex. A: It's too expensive for us to travel during the holiday season.
ホリデーシーズンに旅行するのはぼくたちには高すぎるよ.

B: I agree. Here's an idea... let's just stay home and relax.
そうね.じゃあ,こういうのはどうかしら.家にいてのんびりしましょうよ.

I have an idea. / I('ve) got an idea.
「そうだ,こんなのはどうだろう」➤私にアイデアが浮かんだという場合に用いる.

I have no idea.
「さっぱりわからない;見当もつかない」➤I don't know. よりも強い否定を表す.
[類似] Beats me. / Search me.

It's just an idea.
「そういうのはどうかなと思っただけよ;そういうのもありかなと思ってね」➤そう決めたわけではないが,一考に値するのではないかという場合に用いる.「それは単なる思いつきにすぎない」が原義.

Ex. A: Your suggestion sounds difficult and expensive, and unlikely

to succeed. きみの提案は困難で高くつき，成功しそうにないね．
B: I know. It's just an idea. ええ，一つの案として出したまでです．

That's an idea.
「**それはいいかもしれないね**」➤それは検討に値するという場合に用いる．

That's the idea. / That's the whole idea.
「**そういうこと；そのためにやるのよ；それでいい**」➤それが私の意図しているところだという場合などに用いる．

> **Ex.** Of course this plan will enable us to earn a lot of money. That's the whole idea.
> もちろんこの計画は大きな収益をもたらすだろう．そのためにやるのだから．

What an idea!
「**すごい名案だ；これは驚いた；なんてばかなことを**」➤いい考えだという場合のほか，ひどい考えだと驚きあきれる場合にも用いる．

What's the idea? / What's the big idea?
「**それはどういうつもりなのか；いったい何のまねだ；どういう了見だ**」➤相手の言動の意図を尋ねる表現．特に，相手のしていることをとがめるときに用いる．

> **Ex.** Hey, what's the big idea? You can't just walk into my office and use my computer without my permission!
> ねえ，どういうつもりなの．勝手に私のオフィスに入って許可もなく私のコンピューターを使っちゃだめじゃないの．

Where did you get that idea?
「**どうしてそんなふうに思いこんだんだい；いったいだれに聞いたのよ**」➤相手の誤解や勘違いの理由を尋ねたり，それをとがめたりするときに用いる．

You have no idea.
「**あなたにはまったく想像もつかないよ**」➤真相はあなたの考えるよりもはるかにひどい，という場合などに用いる．

idiot ばか

Never argue with an idiot.
「**ばかとは絶対に議論するな**」➤通例，Never argue with an idiot. They'll drag/bring you down to their level and beat you with experience. (ばかとは絶対に議論するな．相手のレベルに引きずりおろされた上に，経験の差で負かされるだろうから) という形で用いる．Never argue with a fool. ともいう．

idle 暇な；怠惰な；怠け者の

Idle hands are the devil's tools/workshop.
「**暇な手は悪魔の道具だ**」➤次のフレーズと同じ意味のことわざ．

The devil makes work for idle hands.
「**悪魔は暇な手のために仕事をつくる；小人閑居して不善をなす**」➤暇だとろくなことはしない，ということわざ．The devil finds work for idle hands (to do). (悪魔は暇な手に (すべき) 仕事を見つける) ともいう．

if もし…；「もし」ということば；ればたら；仮定（の話）

If ifs and ands were pots and pans, there'd be no work/need for tinkers.
「"もし"や"たら"が深鍋や平鍋であったなら，鋳掛け屋の仕事/必要性はないだろう；ればたらを言ったら切りがない」➤あれこれと仮定の話をしても意味がない，ということわざ．ifs and ands の and は古語で意味は if と同じ． ⇨ **If wishes were horses, beggars would ride.** (wish の見出し参照)

If not us, who? If not now, when?
「私たちがやらなくてだれがやる．いまでなくていつやる」➤自分たちがいま行動を起こさなくては何も始まらない，という場合に用いる．

If only.
「そうだといいんだけど；そうありたいものだ」➤If only I could do so. など，後ろに続く文を省略した言い方．状況により省略される文はさまざまで，その意味合いも場面によって異なる．

No ifs, ands, or buts.
「つべこべ言うんじゃない；何を言ってもだめよ」➤これは最終的な決定だから黙って従いなさい，という場合に用いる．特に，親が子どもに命令するときなどによく使われる．この and は if の意味の古語で，but は後から付け加えられたものという．

What if I do?↔What if I don't?
「もしそうしたらどうだって言うのさ ↔ もしそうしなかったらどうだって言うのさ」➤どうしようと私の勝手でしょう，という場合に用いることが多い．

Ex. A: You shouldn't ask for a raise.
給料を上げてほしいなんて言わないほうがいいよ．
B: What if I do? そう言ったらどうなると言うの．

Ex. A: You had better get to the meeting on time tomorrow.
あしたは会議に遅れないようにね．
B: What if I don't? 遅れたらどうだって言うのさ．

ignorance 無知；知らない状態

Ignorance is bliss.
「**無知は至福である**；知らぬが仏」➤ほんとうの状況を知らないほうが幸せな場合もある，という意味のことわざ．18世紀のイギリスの詩人トマス・グレイ（Thomas Gray）の詩 "Ode on a Distant Prospect of Eton College"（「イートン校の遠い展望についてのオード」）の一節から．[類似] What *someone* doesn't know won't/can't hurt *them*.

Ignorance of the law is no excuse.
「法律を知らないことは言い訳にはならない；知らなかったでは済まされない」

image 映像；イメージ；像

God created man in his own image.

「神は御自分にかたどって人を創造された」➤旧約聖書 (Old Testament) の「創世記」(Genesis 1:27) にあることば.

Image is everything.
「イメージがすべてだ」➤人はよくも悪くもイメージに捕らわれるものだから，よいイメージを与えるようにすることが重要だ，という意味で用いられることが多い.

imagination 想像(力);空想

I'll leave it to your imagination.
「ご想像にお任せします」➤ことばをにごすときに用いる.

It's just your imagination. / It's only your imagination.
「気のせいだよ」➤相手が変なものが見えたり聞こえたりするといった場合などに用いる. You're imagining things. とほぼ同じ. [類似] It's all in your head.
- **Ex.** A: Did you feel that? I think it was an earthquake!
  ねえ，いまの感じた? 地震だと思うよ.
  B: It's just your imagination. I didn't feel anything.
  あなたの気のせいよ. 私は何も感じなかったもの.

Let your imagination go wild.
「想像力を存分に発揮しなさい;想像の翼を自由に広げよう」➤特に創作活動などをするときに，頭を柔軟にして自由奔放なアイデアを生み出すように勧める表現.

Use your imagination.
「想像力を使いなさい;少しは頭を働かせなさい」➤少し想像力を使えば自分でもわかるだろう，という場合に用いる.

You are only limited by your imagination.
「工夫すれば何でもできる;工夫次第で楽しみ方はいろいろ」➤可能性は無限にあって，それを制限するものはあなたの想像力のみだ (だからその想像力を最大限に使っていろいろ工夫してみるとよい)，という場合に用いる.

imagine 想像する

Can you imagine?
「信じられる?;うそみたいでしょう」➤驚きあきれるね，という場合に用いる.
- **Ex.** Can you imagine spending so much money on a wedding dress that you'll only wear once in your life? 一生に1度しか着ないウェディングドレスにそんな大金を使うなんて，ばかげているね.

Imagine that!
「あれまあ;へえ;そいつはすごいね;あきれるね」
- **Ex.** A: Our neighbor won the lottery!
  お隣さんが宝くじに当たったのよ.
  B: Really? Imagine that! ほんとうに? へえ，すごいね.

You're imagining things.
「気のせいだよ」➤It's just your imagination. とほぼ同じ. [類似] You're hearing things. / You're seeing things. / It's all in your head.

imitation 模倣；模造品

Imitation is the sincerest form of flattery.
「模倣はもっとも誠実な形のほめ方だ」➤人のまねをするのはその人を認めている証拠だという意味．まねされるのは光栄だ（と思いなさい）という場合などに使われる．

important 重要な；大切な

It/This better be important.
「それ/これは重要であるべきだ；くだらないことなら怒るよ」➤例えば，夜中に電話で起こされたり，お気に入りのテレビを見ているときに呼び出されたりした場合に，それなりの重要性のある用事でなかったら承知しないからね，というときによく用いる．It/This better be good. ともいう．

impossible 不可能な；ありえない

Nothing is impossible.
「不可能なことなどない；ありえないことなどない」➤やろうと思えば何でもできるという場合や，相手が That's impossible. (そんなのあるはずない) などといった場合によく用いる．

[補足] スポーツ用品メーカーのアディダス (Adidas) はこれをもじった Impossible is nothing. (不可能など何でもない) という宣伝コピーを使って話題になった．

Nothing is impossible to a willing heart.
「前向きな心に不可能はない；やろうと思えば何でもできる；精神一到何事かならざらん」➤16世紀のイギリスの作家ジョン・ヘイウッド (John Heywood) のことば．

That's impossible.
「そんなのあるはずない；それは無理だ；そんなばかな」

Ex. A: Let's plan a nice trip over the holidays next week.
来週の休日の旅行を計画しましょうよ．
B: That's impossible. It's too late... all the hotels are already booked. それは無理だよ．もう間に合わないもの．ホテルはみんな予約でいっぱいだよ．

You're impossible.
「あなたってどうしようもない人ね」➤相手にあきれたときに用いる．

[補足] 妻にこう言われた夫が No, I'm next to impossible. と切り返すというジョークがある．この返答には「いや，ほとんどどうしようもない人間だ」という意味と「どうしようもない人間の隣にいる」という意味がある．

impression 印象

First impressions are the most important.
「第一印象が最も重要だ」➤The first impression is the most important. と単数形で使われることもある．また，First impressions are the most last-

ing. (第一印象が最も長続きする)という言い回しも用いられる.

You only get one chance to make a good first impression.

「よい第一印象を与えるチャンスは1度しかない」➤だからしっかり準備しておきなさいという場合に使われる. You don't get a second chance to make a good first impression. (よい第一印象を与えるのにやり直しはきかない)ともいう.

in (…の)中に; 参加して

I'm in.

「私もその話に乗ります」

Ex. A: This is a great business opportunity. Who is willing to invest with me? これはすごいビジネスチャンスよ. だれか私といっしょに投資しない.
B: I'm in. 私, その話に乗るわ.
C: Me too! ぼくも.

inch インチ (約2.54 cm)

Give an inch, take a mile. / Give them an inch and they'll take a mile.

「ちょっと甘くすると付け上がる; ひさしを貸して母屋を取られる」➤少し恩恵や自由を与えると増長してもっと多くを要求するようになる, という意味のことわざ. Give an inch, take a mile. は Give them an inch and they'll take a mile. の縮約表現. Give him an inch and he'll take a mile. ともいう.「1インチを与えれば1マイルをとるだろう」が原義.

include 含む; 含める

Include me out.

「私は加わらないほうに加えてね」➤Count me out. と同じ意味で, 私はその話には乗らないものと思ってほしいという場合に用いるこっけいな口語表現. このように意味の相反する語句を並べた修辞法を撞着(どうちゃく)語法 (oxymoron) という.

indulge (欲望などに)ふける; 満足させる; 機嫌をとる

Indulge me.

「いいから私の言うとおりにして; 私の話につきあってよ」➤気が進まないかもしれないが, 私の願いや話を聞いてほしいというような場合に用いる. [類似] Humor me.

Ex. I know that this idea may sound strange at first, but please indulge me for a moment so I can explain it entirely.
このアイデアは最初は奇妙に思われるかもしれませんが, どうかしばらくの間, 私におつきあい願います. そうしたらすべてご説明しますから.

infamy 汚名；恥辱

a date which will live in infamy
「汚名の中に生きるであろう日」➤日本が真珠湾 (Pearl Harbor) を奇襲攻撃した日 (アメリカ時間で1941年12月7日) を指してフランクリン・D・ローズベルト (Franklin D. Roosevelt) 大統領が言ったことば．奇襲攻撃の翌日に大統領は対日本開戦を求める演説を議会で行い，その中でこのことばを使った．

inferior 劣った

No one can make you feel inferior without your consent.
「だれも本人の同意なしに劣等感を抱かせることはできない」➤フランクリン・D・ローズベルト (Franklin D. Roosevelt) 大統領の妻で，人権運動などでも活躍したエレノア・ローズベルト (Eleanor Roosevelt) のことば．周囲の人がどう言おうともそれに惑わされずに自信をもってやりなさい，というような場合によく引用される．

innocent 無罪の；無実の；無垢な

A person is innocent until proven guilty.
「人は有罪が証明されるまでは無罪である」➤裁判で有罪が証明されるまでは無罪とみなされる，というアメリカなどの司法制度における大原則．A person の部分に All suspects (すべての容疑者) や One (人)，Everybody (だれでも) などが用いられることも多い．また A person is presumed innocent until proven guilty. (人は有罪が立証されるまでは無罪と見なされる) などともいう．一般の人の間でも「勝手に犯人扱いしてはいけない」という意味で使われる．省略形の innocent until proven guilty や presumed innocent until proven guilty という句は非常によく用いられる．

[補足] ハリソン・フォード (Harrison Ford) 主演の法廷サスペンス映画『推定無罪』(1990) の原題 *Presumed Innocent* もこの句からとられている．

I am innocent of the blood of this just person.
「この人の血について，わたしには責任がない」➤新約聖書 (New Testament) の「マタイによる福音書」(Matthew 27:24) に出てくるローマ総督ピラト (Pilate) のことば．裁判にかけられたイエス (Jesus) を無罪にしようとしたところ，群集が強く処刑を求めたので，ピラトはこう言って群衆の求める磔刑(たっけい)をイエスに言い渡した．
⇨ **I wash my hands of it.** (hand の見出し参照)

inquire 尋ねる

Inquire within.
「(詳しくは) 中でお尋ねください」➤外に貼り出した求人 (help wanted) などの掲示の文句によく用いられる．

Please inquire for details.

「**詳しくはお問い合わせください**」 ➤オンラインショップや製品カタログなどによく使われる文句.

insist 強く主張する; 強く要求する

I insist.
「**ぜひそうさせてください**」 ➤遠慮する相手に対して, 是が非でもおごらせてもらいたい, またはプレゼントを受け取ってもらいたいなどという場合に用いる.
- **Ex.** A: Please, let me pay for dinner. 夕食代は私に払わせてください.
  B: No. I'd like to pay. いいえ, ここは私に任せてください.
  A: Please, I insist. どうか, ここは私の顔を立てるということで.

If you insist.
「**ぜひにと言うのなら; それほどまで言うのなら**」 ➤人におごってもらったり, プレゼントをもらったりするときに用いる.
- **Ex.** A: Please, allow me to pay for dinner this evening. You paid last time. どうか, 今晩の食事は私に払わせてください. 前回はごちそうしていただきましたから.
  B: Well, if you insist. Thank you very much.
  では, ぜひにとおっしゃるのなら. どうもごちそうさまでした.

instinct 本能; 直感

Follow your instincts. / Trust your instincts.
「**直感に従いなさい/直感を信頼しなさい**」 [類似] Follow your heart.

interrupt 妨げる; さえぎる

Am I interrupting something?
「**おじゃまでしょうか; お取り込み中ですか**」 ➤ドアをノックして入ったところ相手は何かに真剣に取り組んでいた, あるいは人と話し中だったという場合などに用いる.
- **Ex.** A: Excuse me, I thought you were alone. Am I interrupting something? すみません, お1人だと思ったものですから. おじゃまでしょうか.
  B: No, not at all. My colleague and I were just finishing our discussion. いえ, だいじょうぶです. ちょうど同僚との打ち合わせが終わるところだったんです.

I'm sorry to interrupt you, but ...
「**おじゃまして申しわけありませんが…; お取り込み中すみませんが**」 ➤仕事中や人と話し中の相手に話しかけるときに用いる. I hope I'm not interrupting (anything). (おじゃまじゃないかしら; ちょっとおじゃましてもいいですか) も似たような状況で使われる.

intrude 侵入する; でしゃばる

I hope I'm not intruding.
「おじゃまじゃないかしら」 ➤横から口を出したり，飲み会に後から参加させてもらうような場合に用いる．

Ex. I hope I'm not intruding. I noticed that your office door was closed, but I need to talk to you for a moment.
おじゃまじゃないといいのですが．オフィスのドアが閉まっていたのはわかっていたのですが，ちょっとお話があったものですから．

invite 招く；招待する

Thank you for inviting me.
「ご招待ありがとうございます；お招きくださりありがとうございます」 ➤パーティーや講演などに招かれた人が用いる．

iron 鉄；アイロン

Don't have too many irons in the fire.
「一度にあまりにも多くのことをしようとするな」 ➤手を広げすぎることを戒めたことわざ．鍛冶屋 (blacksmith) が打つ鉄を火の中に多く入れすぎるな，ということから．

Strike while the iron is hot.
「鉄は熱いうちに打て；好機を逃がすな」 ➤チャンスと見たら迅速に行動せよ，という意味のことわざ．日本語のことわざとは異なり，若いうちに人を鍛えろという意味合いは強くない．[類似] Make hay while the sun shines.

island 島

No man is an island.
「どんな人も島ではない；持ちつ持たれつ」 ➤人は孤立しては生きられず，他者との相互依存関係で生きている，という意味のことわざ．16−17世紀のイギリスの詩人ジョン・ダン (John Donne) の作品 *Devotions upon Emergent Occasions* (1642) が出典．

[補足] ヘミングウェー (Ernest Hemingway) の『誰がために鐘はなる』(*For Whom the Bell Tolls*) の題名も同じ一節からとられた．その部分は次のとおり．

No man is an island, entire of itself; every man is a piece of the continent, a part of the main. If a clod be washed away by the sea, Europe is the less, as well as if a promontory were, as well as if a manor of thy friend's or of thine own were: any man's death diminishes me, because I am involved in mankind, and therefore never send to know for whom the bell tolls; it tolls for thee.

どんな人も島ではない，それ自身で完結してはいないのだ．だれでもみな大陸の一部分であり，本土の一部である．土くれひとつが海に洗い流されたら，ヨーロッパはその分だけ小さくなる．岬がひとつ流されたのと同様に，また，あなたの友人の領地や，はたまたあなた自身の領地が流されたと同様に．どんな人の死も私を小さくする，なぜなら私は人類と結びついているから．それゆえだれをとむらう鐘か知ろうと人を尋ねに行かせるな．その鐘はあなたをとむらうものなのだ．

it それ；(鬼ごっこなどの)鬼

..., it is.

「じゃあ…ということで」▶場所や日時などについて相手と相談しているとき，相手の出した案に賛成してそのことばを繰り返して用いる．

Ex. A: So, what time would you like to meet? じゃ何時に待ち合わせ？
B: How about two o'clock? 2時はどうかしら．
A: Great! Two o'clock it is. See you then.
　　いいね．2時ね．じゃあ，そのときに．

You're it.

「**あんたが鬼ね**」▶子どもが鬼ごっこ (tag) などを始めるときに用いる．通例，1人がだれかの体に触って Tag, you're it. (はい，タッチしたからあんたが鬼だよ) と宣言すると，そう言って触られた子が鬼となって相手やほかの子を追いかける．また，鬼がだれかにタッチしたときにもこう言う．

[補足] "Tag, You're It" はアリス・クーパー (Alice Cooper) の歌の題名．

J, j

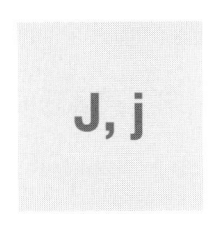

Jack ジャック (★男の名前)

Every Jack has his Jill.
「どのジャックにもジルがいる；割れ鍋に綴(と)じ蓋(ぶた)」➤だれでも自分にふさわしい相手がいるものだ、という意味のことわざ．
[補足] Jack と Jill は日本語の太郎と花子のように一般に男と女を代表する名前としてよく使われる．

Jack of all trades, master of none.
「あらゆる職業をこなすジャック(男)はそのどれにおいても名人ではない；多芸は無芸」➤Jack of all trades and master of none. ともいう．

jeepers わっ；なんと (★間投詞としての Jesus の婉曲語)

Jeepers! / Jeepers creepers!
「わっ；なんと；おやまあ」➤Jeepers creepers! は Jesus Christ! の婉曲語．
[補足] 2003年のホラー映画『ジーパーズ・クリーパーズ』の原題 (*Jeepers Creepers*) にも使われている．

jest 冗談；しゃれ；からかい；からかう

Many a true word is spoken in jest.
「多くのほんとうのことばが冗談として語られる」➤冗談の中にはしばしば本音が隠れているものだという意味のことわざ．

Jesus イエス (★救い主のイエスという意味でイエス・キリスト Jesus Christ とも呼ばれる)

Jesus! / Jesus Christ!
「わっ；なんと；おやまあ」➤非常に驚いたりしたときに用いる．
[補足] 次のものを含むさまざまな異形表現も使われる．
Jesus H. Christ! イエス・H・キリストだ (H は Holy の略か)
Suffering Jesus! 苦悩するイエス
★敬虔なキリスト教徒はこのような表現に Jesus という語を使うのを避けて Gee! / Geez! / Jeepers (Creepers)! などの婉曲表現を使うことが多い．

jig ジグ(★踊りの一種, また工具などを固定する装置)

The jig is up.
「ばれているよ；ネタは上がっているんだよ；観念しろ」➤そういう状況にいるのが自分の場合にも相手の場合にも用いる.

> **Ex.** You've been doctoring the company books for years, haven't you? Well, we now know exactly what you've been doing. The jig's up. きみはもう何年も会社の帳簿をごまかしてきただろう. 私たちはいまやきみが何をやってきたかを把握している. もう観念することだね.

job 仕事；職

Don't quit your day job. / Keep your day job.
「ゆめゆめプロになろうなんて考えは起こさないほうがいいよ；へたくそだね」➤プロになるのはとうてい無理だからいまの昼間の職をやめないほうがいい, という遠回しな嫌味.
[補足] ジェリー・ガルシア (Jerry Garcia) の歌 (作詞は Robert Hunter) に "Keep Your Day Job" がある.

Good job. / Nice job.
「よくやった；りっぱ」➤Good going. / Nice going. とほぼ同じ.

If a job is worth doing, it is worth doing well/right.
「やるだけの価値のある仕事はうまくやる価値がある」➤やるからにはいいかげんにしないできちっとやりなさい, という意味で用いる. A job worth doing is worth doing well/right. ともいう.

I'm just/only doing my job.
「私は自分の仕事をしているだけです；これが私の仕事ですから」➤不満をぶつける相手などに対し, これは務めとしてやっているのでしかたがないという言い訳に用いる.

Never send a boy to do a man's job.
「おとなの仕事に子どもをやるな」➤人に仕事をさせるときはちゃんとそれができる人を選びなさい, という意味のことわざ.

Take this job and shove it.
「こんな仕事はくそくらえだ；こんな仕事はやってられるか」➤下品な俗語表現. shove it は「それ (仕事) をけつの穴に突っ込め」という意味.
[補足] カントリーシンガーのジョニー・ペイチェック (Johnny Paycheck) のヒットソング (1977) の題名に, また1981年のコメディー映画 (ビデオ邦題『ビール工場大パニック』) の原題にも使われている.

join 結合する；加わる

Can/May/Could I join you?
「ごいっしょしてもいいですか；ご相席させていただけますか」➤喫茶店のテーブルなどにすでに人がいるときに使われる表現. Can, May, Could の順により丁寧になる. (Do you) care if I join you? / (Do you) mind if I join you? ともいう.

Would you like/care to join us?

「ごいっしょしませんか；こっちに来ないかい」➤喫茶店などに後から入ってきた知り合いをテーブルに招いたり，パーティーなどの催し物に参加しないかと誘うときに用いる．省略表現で Care to join us? ともいう．

joke ジョーク；冗談（を言う）

Can't you take a joke?
「**冗談もわからないのかい**」➤相手が冗談を真に受けて怒り出したような場合に用いる．「冗談を冗談として受け取れないのか」という意味．He can't take a joke.（彼には冗談が通じない）などの表現もある．「冗談のおかしさを理解する」という意味の「冗談がわかる」は get a joke や understand a joke を用いる．

I'm just/only joking.
「**ただの冗談よ**」➤I'm just/only kidding. ともいう．

Is this a joke? / Is this some kind of joke?
「**これは冗談かね／これは何かの冗談のつもりなの？**」➤冗談ならまだわかるけど，まさか本気でそんなことを言っているのではないでしょうね，というような場合に用いる．

Ex. Is this some kind of joke? Are you telling me this is your job report? It's rubbish. これは何かの冗談かい．これがきみの作業報告だって言うのかい．まったくお話にならない代物じゃないか．

It's a joke.
「**冗談よ；ふざけた話さ；とんだ茶番だ**」➤冗談だから怒ることはないという場合や，取引条件などがまったく話にならない，あるいは無意味などという場合に用いる．

Ex. A: I hear you got a job teaching English at a language school. What's it like? 語学学校で英語を教えているんですって．どんな感じ？
B: It's a joke. Most of the teachers don't know how to teach, and no one learns anything. まったくお話にならないよ．教師のほとんどは教え方を知らないし，だれも何も学ばないんだ．

It's no joke.
「**これは冗談ではない；笑い事では済まされない**」➤冗談のように軽く受け流すことのできない問題だという場合などに用いる．

Ex. A: How do you find living in Tokyo? 東京の住み心地はどうですか．
B: It's no joke, I can tell you. Everything's incredibly expensive and nobody understands you unless you speak Japanese. まったく大変ですよ．物価は何もかもひどく高いし，日本語ができないとこっちの言うことは何も通じないんですから．

You're joking. / You're joking, right? / You must be joking. / You've got to be joking.
「**ご冗談でしょ**」➤You're kidding. / You've got to be kidding. / No kidding! などともいう．

jolly 陽気な；愉快な

For he's a jolly good fellow

「なぜなら彼は陽気でいい人だから」➤アメリカに古くから伝わる歌の題名,およびその出だしの文句.昇進や誕生日などを祝うパーティーで,ケーキを切る前によく歌われる.これは男性を祝うときの歌詞で,女性を祝うときには For she's a jolly good fellow となる. ⇨ **Happy birthday.** (birthday の見出し参照)

[補足] 歌詞は次のとおり.

For he's a jolly good fellow,	なぜなら彼は陽気でいい人だから
For he's a jolly good fellow,	なぜなら彼は陽気でいい人だから
For he's a jolly good fellow,	なぜなら彼は陽気でいい人だから
Which nobody can deny.	それはだれも否定できない
Which nobody can deny.	それはだれも否定できない
For he's a jolly good fellow,	なぜなら彼は陽気でいい人だから
For he's a jolly good fellow,	なぜなら彼は陽気でいい人だから
For he's a jolly good fellow,	なぜなら彼は陽気でいい人だから
Which nobody can deny.	それはだれも否定できない

journey 旅

A journey of a thousand miles begins with a single step.

「千里の道も一歩から」➤ことわざ.老子(Lao-tzu)のことば「千里の行は足下に始まる」の英語訳. The longest journey starts with a single step. ともいう.

Have a safe journey.

「**安全なご旅行を**;道中ご無事で」➤Have a safe trip. ともいう.

Jove ジョブ,ジュピター (★ローマ神話の主神)

By Jove!

「**おやまあ**;なんと」➤非常に驚いた時などに用いる古めかしい表現.

joy 喜び;歓喜

There is no joy in Mudville.

「マッドビルには喜びがない」➤1883年アーネスト・L・セイヤー (Ernest L. Thayer) が作った野球についてのユーモア詩 "Casey at the Bat" (「打席のケイシー」) の一節.マッドビル (「泥の町」の意) という架空の町で行われている試合で,地元チームの期待の打者ケーシーが肝心な場面で三振して負けたときの観客の落胆ぶりを描いている.一般に「期待はずれの結果に終わる」という状況で引用される.

judge 判断 (する);裁く;裁判官;判定者

I'll be the judge (of that).

「それを**判断するのは私です**;それは私が決めます」

Ex. A: I'm going home now, boss. I thought today's meeting was

really useful. では,帰ります.きょうの会議はほんとうに有意義でしたね.
B: You did? Well, I'll be the judge of that.
そうかい. まあ, 有意義だったかどうかは私が判断するよ.

I'm not here to judge. / It's not for me to judge. / It's not my place to judge.
「私がとやかく言う筋合いではない;私はどうこう言う立場にはありません」

Judge not, that ye be not judged.
「人を裁くな.あなたがたも裁かれないようにするためである」➤新約聖書 (New Testament) の「マタイによる福音書」(Matthew 7:1) にあるイエス・キリスト (Jesus Christ) のことば. 山上の説教 (Sermon on the Mount) の中で語られている.「ルカによる福音書」(Luke 6:37) にもほぼ同じことばがある. Judge not lest ye be judged. ともいう. [類似] Let him who is without sin cast the first stone.

Who am I to judge?
「私はどうのこうの言う立場にない;私に人を裁く権利などない」➤「判断したり裁いたりする私はいったい何者なのか」が原義. Who am I to judge anyone? もほぼ同じ. 相手に対して 「(私のことを)とやかく言えた義理か」という場合には Who are you to judge (me)? という.

Ex. You're asking me what I think? Who am I to judge? He had too much to drink and spoke out of turn, that's all. 私の考えを聞きたいの? どうのこうの言える立場にはないわ. 彼は飲みすぎて口が滑っただけよ.

You are the best judge of something/someone.
「…についてはあたながいちばんよくおわかりでしょう」

Ex. A: Do you think we should go ahead with this project?
このプロジェクトを進めるべきだと思いますか.

B: You're the best judge of that. I don't have enough experience to express a useful opinion. それはあなたがいちばんよくおわかりでしょう. 私には的確な意見を言えるほどの経験はありませんから.

You'll be the judge (of that).
「それはあなたが判断して;判断はお任せするわ」➤私はこう思うが,ほんとうにそうかどうかはあなたが自主的に考えて判定を下してくださいという場合に用いる.

jungle   ジャングル;密林

It's a jungle out there.
「物騒な世の中だ;この世は弱肉強食の世界だ」➤この世界や業界はジャングルと同じで,いつ何があるかわからない危険に満ちている,という場合に用いる.「外の世界はジャングルだ」が原義.

Ex. The pay's good but I tell you, it's a jungle out there. Be really careful, because everyone's out to get you! 給料はいいけど, 恐ろしい世界だよ. 十分に用心しろよ. みんながきみをねらっているからね.

[補足] イギリスの歌手ボニー・タイラー (Bonnie Tyler) の歌の題名にも使われている.

junk 廃品；がらくた；くず

One man's junk is another man's treasure.
「**十人十色**；人それぞれ；捨てる神あれば拾う神あり」➤ある人にとってくずでもほかの人にとっては宝ということもある，という意味のことわざ．One man's trash is another man's treasure. というほうが多い．

jury 陪審（員団）

The jury is (still) out.
「**まだ評決は出ていない**；まだわからない」➤裁判で法廷審理が終わり，陪審団が有罪（guilty）か無罪（not guilty）かの評決（verdict）について別室で討議するために法廷を出たまま，まだ評決に至らずに法廷に戻ってきていない，という状況を表す．ここから一般に，問題の最終的な結論はまだ出ていない，という場合に用いる．

Ex. A: He was President for four years — how is he going to be remembered? 彼は4年間大統領だったけど，どう記憶されるのだろう．
B: The jury is still out on that. It's too early to say.
それはまだわからないわね．判断を下すには早すぎるわ．

justice 正義；司法；裁判

Justice has been done/served.
「**これで正義が達成された**」➤犯罪や非道な行為などを行った者が適正に処罰されたという場合に用いる．

Justice is blind.
「**正義は盲目だ**」➤真の正義は外面的なものに惑わされず，公正中立に双方の主張に耳を傾けて行わなければならないという意味のことわざ．

[補足] これを象徴するイメージとしてギリシャ神話の正義と法の女神テミス（Themis）の像がよく用いられる．テミスは目隠しをして，片手には剣，もう一方の手には秤（はかり）を持ち，2つの皿に双方の主張を載せて量ろうとしている．この彫像は，無実の罪で死刑宣告されて脱走した医師リチャード・キンブル（Richard Kimble）の逃亡生活を描いた古いテレビドラマ『逃亡者』（*The Fugitive*, 1963-67）の冒頭にも映し出されていた．

K, k

keep 保有する; 持ち続ける; (…の) ままでいる

Keep in there.
「がんばって; くじけないで」➤そのままそこに留まっていれば, そのうちにうまくいくからと励ます場合に用いる. [類似] Hang in there.

Keep it down.
「静かにしなさい」[類似] Be quiet.

Keep it/this to yourself.
「それ/これは自分の胸に秘めておきなさい; だれにも言わないで」➤ないしょの話をするときなどに用いる表現で, Don't tell it/this to anyone. と同じ.

Keep it up.
「その調子でがんばれ; いつまでもそうしているがいい」➤励ましのことば. また, そんな態度をとっていると承知しないぞ, という反語としても用いる.

Keep on keeping on.
「あきらめずにがんばって」➤困難などにめげずに続けなさい, という励まし.
[補足] オノ・ヨーコ (Yoko Ono) の歌 "Old Dirt Road" の中にも出てくる.

Keep out of this.
「余計な口出しするな; 引っ込んでいなさい」➤Stay out of this. ともいう.

What's keeping someone?
「…はなんで遅れているんだろう; 何ぐずぐずしているのかしら」

Ex. A: We're going to be late. What's keeping you?
遅れちゃうよ. 何をぐずぐずしているんだい.
B: I just need to fix my hair. 髪を直さないといけないのよ.

Where have you been keeping yourself?
「いままでどこに隠れていたのよ」➤久しぶりに会ったり, 連絡をもらった場合に用いる. Where have you been hiding yourself? ともいう.

kick ける (こと); キック

I'll kick your ass/butt.
「ただじゃおかないぞ」➤脅し文句に用いる.「おまえのけつをけとばしてやる」が原義.

Kick me.
「ぼくをけって」➤子どもがいたずらで人の背中に張りつける紙に書く文句.

kid からかう；冗談を言う；子ども　　kidder 冗談をいう人

Are you kidding? / Are you kidding me?
「**本気なの？**；冗談じゃない；ばかを言ってもらっちゃ困る」➤特に，「それどころの話じゃない」という意味で，実際は相手の想定の正反対だったり，それをずっと上回るものだというときに使うことが多い．「あなたは（私を）からかっているのか」が原義．

Ex. A: Have you ever watched *Columbo*?
『刑事コロンボ』を見たことはありますか．
B: Are you kidding? I'm a huge fan of the show. I even have a complete DVD set. 見たことがあるなんてもんじゃないよ．あの番組は大好きで全巻そろいのDVDセットも持っているんだ．

Don't kid yourself.
「**ばかを言っちゃいけない**」➤現実から目をそむけて自分に都合のよいように考えている人に対して用いる．「自分をからかってはいけない」が原義．Who are you kidding? もほぼ同じ．

Ex. A: If I work hard I'll be a millionaire one day.
一生懸命に働けばいつか百万長者（日本円では億万長者）になれるよ．
B: Don't kid yourself. ばか言っちゃいけないよ．

I kid you not. / I'm not kidding.
「**ほんとうだよ；うそじゃないよ**」➤I'm serious. / I mean it. などとほぼ同じ．

Just kidding.
「**冗談だよ**」➤I'm just kidding. の省略表現．穏やかに言うこともあれば Just kidding! と力を込めて言うこともある．

Kids will be kids.
「**子どもは子どもだ**」➤子どもがやんちゃだったり聞きわけがないのはしかたがない，という意味のことわざ．[類似] Boys will be boys. / Girls will be girls.

Let's not kid ourselves.
「**冗談を言ってはいけない**」➤現実から目を背けて自分に都合のよいように考えるのはやめよう，という場合に用いる．「自分たちをからかわないようにしよう」が原義．

No kidding!
「**まさか；冗談でしょう；うっそー**」➤相手から信じられないような話を聞いたときに用いる．「からかっているということはないですね」が原義．

Who am I kidding?
「**こんなばかを言っている場合じゃないや；そんなことあるわけないか**」➤厳しい現実に気づいたような場合に用いる．「私はだれをからかっているのか」が原義．

Ex. A: So you are planning to quit work and start your own business? それで，仕事を辞めて事業を起こすことを計画しているの？
B: Yes, but who am I kidding? そうだよ．でも，しょせん夢物語か．

Who are you kidding? / Who do you think you're kidding?
「**冗談を言ってはいけない；何寝ぼけたこと言っているのさ**」➤Don't kid yourself. とほぼ同じ．「あなたはだれをからかっている（と思っている）のか」が原義．

You're kidding (me). / You've got to be kidding (me).

「**冗談でしょう；まさか**」➤No kidding! にほぼ同じ. You're joking. / You must be joking. などともいう.「あなたはからかっている（に違いない）」が原義.

Ex. A: They are getting married next week, you know.
あの2人は来週結婚するのよ.
B: You're kidding! うっそー!

You're not kidding. / You aren't kidding.

「**あなたは冗談を言っているのじゃないのね；そのとおり；まったく**」

Ex. A: It seems like it rained every day this month.
今月は毎日雨が降っているみたいね.
B: You're not kidding. I can't remember what the sun looks like. まったくだね. 太陽がどんな姿だったかも忘れちゃったよ.

You're such a kidder.

「**まったく冗談ばっかり言っているんだから；またまたそんな冗談を**」

Ex. A: Did you hear? Alice is getting married to her boss.
ねえ, 聞いた? アリスが上司と結婚するんですって.
B: You're such a kidder. また冗談ばっかり言って.

kill 殺す

Thou shalt not kill.

「**殺してはならない；汝（なんじ）, 殺すなかれ**」➤旧約聖書（Old Testament）の「出エジプト記」（Exodus 20:13）に出てくることば. 神がシナイ山（Mount Sinai）でモーセ（Moses）に与えた10の掟である十戒（Ten Commandments）の1つ. Honor thy father and thy mother.（父と母を敬え）の次に出てくる.

Kilroy キルロイ（★架空の米軍兵士の名前）

Kilroy was here.

「**キルロイはここに来た**」➤特に第二次世界大戦（World War II）中に米軍兵士たちが自分の通ったところに書き残した落書きの文句. キルロイがだれかは不明.

kind 親切な；種類

It takes all kinds (of people) to make a world.

「**世の中が成り立つにはあらゆる種類の人が必要だ；世の中にはいろんな人がいるものだ**」➤特に, 困った人たちについて「そういう人がいるのもしょうがない」という意味で使うことが多い. しばしば It takes all kinds. と後半を省略して用いられる. It takes all sorts (of people) to make a world. ともいう.

Kind of.

「**まあね；ちょっとね**」➤Sort of. ともいう.

Ex. A: Did you like the movie? 映画はよかったかい.
B: Kind of. There was a lot of action, but it was too long.
まあね. アクションは盛りだくさんだったけど, ちょっと長すぎるね.

That's very kind of you.
「それはどうもご親切に」➤相手の親切な行為やほめことばなどに感謝するときに用いる．You are too/so kind.（あなたはほんとうに親切ね）もほぼ同じように用いる

Ex. A: Let me carry that suitcase for you.
　　　　そのスーツケースは私がお持ちしましょう．
　　　B: That's very kind of you. それはどうもご親切に．

kiss　キス（する）

It's like kissing your sister.
「**妹にキスするようなものだ；気の抜けたビールみたいなものだ**」➤十分に楽しめない，感激がないという意味の比喩表現．同点引き分けの試合について用いることが多い．

Kiss it better.
「**キスして治して**」➤けがをした子どもが母親や父親などに包帯を巻くなどの治療をしてもらった後で，おまじないとしてその部分をキスするようにねだるときに用いる．日本語の「痛いの痛いの，飛んでいけーをして」に相当する．母親や父親が「痛いの痛いの，飛んでいけーをしてあげる」という場合は I'll kiss it better. / Let me kiss it better. などと言う．ブロンディー (Blondie) の歌の題名にも使われている．

Kiss off!
「**うせろ；あっちへ行け**」➤Go away! / Get lost! とほぼ同じ意味の口語表現．

kissing under the mistletoe
「**ヤドリギの下のキス**」➤クリスマスの時期の慣習として，部屋につるしてあるヤドリギの下に立っている人（異性）にはキスしなくてはいけないとされている．

[補足]「ヤドリギの下にいる女性には男性がキスしてもよい」と説明している英和辞典が多いが，この説明は正確でない．

You may kiss the bride.
「**では花嫁にキスをしてよろしい**」➤教会の結婚式で，新郎新婦が結婚の誓い (wedding vow) と指輪の交換を終えた後に，司祭が I now pronounce you husband/man and wife.（ここに2人が夫婦であることを宣言します）と2人が正式に夫婦となったことを宣言してから新郎 (bridegroom) にこう言う．⇨ **I now pronounce you husband and wife.** (pronounce の見出し参照)

kitty 子猫；猫

Here kitty, kitty.
「はい，こっち来なさい」➤猫を呼び寄せるときの発声．Here kitty, kitty, kitty, ... のように何度も繰り返すことも多い．Hey kitty, kitty. ともいう．
[補足] 日本では猫の名前を連呼するのがふつうだが，英米人は猫に名前があってもこのように言うことが多い．ただし，最初は名前を呼ぶこともある．

knock たたく（こと）；ノック（する）；批判する；文句を言う

Don't knock it.
「文句を言うな；けちをつけるな」➤Don't knock it till/until you've tried it. または Don't knock it till/until you try it. (自分でやってもみないで批判するな) ということも多い．

Don't you ever knock? / Don't you know how to knock?
「ノックくらいしたらどうなのよ；いきなり人の部屋に入ってくるなよ」➤「あなたはノックするということがないのか/あなたはノックのしかたを知らないのか」が原義．

Knock, and it shall be opened unto you.
「たたきなさい．そうすれば開けてもらえるだろう」➤新約聖書 (New Testament) の「マタイによる福音書」(Matthew 7:7) に出てくるイエス・キリスト (Jesus Christ) のことば．どんなものも粘り強く求め続ければ得ることができる，という意味．
⇨ Ask, and it shall be given you. (ask の見出し参照)

Knock it off.
「やめなさい；よしてよ；いい加減にしてよ」➤Cut it out. ともいう．

Knock, knock.
「コンコン」➤ドアをノックする音を表す擬音語．ドアのない部屋に入るときや，ドアがあいているときなどにこう言って相手の注意を引く．次のフレーズを参照．

Knock, knock. — Who's there?
「コンコン―どなたですか」➤有名なジョークの一形式であるノックノックジョーク (knock-knock joke) の出だしの問答．このジョークは次の例のように自分 (A) と相手 (B) の掛け合いで行われ，3段目で名乗る名前をいろいろに変えて最後がおもしろい落ちになるようにする．

    A: Knock, knock. コンコン．　　B: Who's there? どなたですか．
    A: Will. ウィルだよ．　　　　　　　B: Will who? ウィル何さんですか．
    A: Will you let me in? ウィル・ユーレットミーインです（＝中に入れてくれないかい）．

Knock on wood.
「この後も何事もないことを祈ろう」➤おまじないのことば．自分はまだ1度も病気をしたことがないなどと自分の幸運を自慢するように言ったとき，こう言ったために災いを引き寄せて病気になってしまうことがないように，Knock on wood. と言って近くにある木や木製品を軽く握った拳(こぶし)でたたく．また，この先無事にいきますように，という場合にもこうする．近くに木のものがない場合には，その代用として頭をたたく．イギリス英語では Touch wood. と言って，近くにある木や木製品に触れる．

[補足] これは運命の女神を挑発するようなことを言ってしまったときに, 魔力のある木でそれを無効にするという迷信から出たものとされる.

Knock yourself out.
「**お好きなだけどうぞ**」➤相手が飲食物などを求めたとき, それを心ゆくまで堪能するがいいという意味で用いる. 例えば, 自分がポテトチップスを食べているところに友だちが来て,「ぼくにもそれをちょうだい」と言ったときに, ポテトチップスを袋ごと渡してこのように言う. また「そのファイルを見せてくれませんか」のような非物質的な求めに対しても用いられる.「(存分にそれをして)自分をノックアウトしなさい」が原義.

Ex. A: That pie looks delicious. Do you mind if I have some?
そのパイはおいしそうだね. ちょっと食べてもいい?
B: Knock yourself out. お好きなだけどうぞ.

You could have knocked me over/down with a feather.
「**びっくり仰天した；あぜんとしてことばも出なかった**」➤非常に驚いて立っているのがやっとだったという意味.「羽1つでも私をノックダウンできただろう」が原義.

know 知る；知っている；わかる

Anybody/Anyone I know?
「**私の知っている人?**」➤話題に上った人が自分の知っている人かを尋ねる表現.

Hell if I know.
「**そんなこと知るもんか**」➤I don't know. の意味を強めた俗語表現. そんなことは知らないし, 知ろうとも思わないというニュアンスがある.

Don't I know it!

「**わかっているよ；まったくそのとおりね**」➤私がそれを知らないことがあろうか（いや，そんなことはない），という意味の反語表現．

Ex. A: The food at that restaurant is great.
   あのレストランの料理はすごくおいしいわね．
   B: Don't I know it. I've already eaten there twice.
   まったくだよ．あそこではもう2回食べたよ．

[補足] ギルバート・オサリバン (Gilbert O'sullivan) の歌の題名にも使われている．

Don't/Do I know you from somewhere?

「**どこかでお会いしたことはありませんか**」➤特にパーティーなどで，知り合いになりたいと思う人に声をかけるときによく使われる．Have we met? とほぼ同じ．

Don't you know it!

「**まったくそのとおり**」➤相手のことばを強く肯定するときに用いる．「あなたがそれを知らないことがあろうか（いやそんなことはない）」という反語表現．

Ex. A: This train is so crowded. I can hardly breathe.
   この電車はすごく込んでいるね．息もできないほどだよ．
   B: Don't you know it! まったくね．

Everything you've always wanted to know about ... but were afraid to ask.

「**…についてこれまでずっと知りたいと思っていたけど，恥ずかしくて聞けなかったことのすべて**」➤本の題名などによく使われる表現．精神科医デビッド・ルーベン (David Reuben) の著書 *Everything You Always Wanted to Know about Sex, But Were Afraid to Ask* (1969) で有名になった．1972年にはウッディ・アレン (Woody Allen) が同名の映画（邦題は『ウディ・アレンの誰でも知りたがっているくせにちょっと聞きにくいSEXのすべてについて教えましょう』）をつくった．Everything you wanted to know, but were afraid to ask. ともいう．

God/Heaven/Lord only knows.

「**神のみぞ知る；だれにもわからない**」

How do you know?

「**どうしてそうだとわかるの；どうしてあなたが知っているの**」➤文字どおりにどういうわけで知っているのかと尋ねる場合と，あなたにそれがわかるのですかと挑戦的に言う場合がある．この後の場合には How do YOU know? と you を強く発音する．

How should I know?

「**そんなこと私が知るもんですか；私にわかるわけないでしょ**」

How will I know you?

「**どうしたらあなたがわかりますか**」➤初めて会う人と電話で待ち合わせる約束をしたような場合に尋ねる．How will I recognize you? ともいう．

I don't know.

「**知りません；わかりません；さあね**」[類似] I have no idea. / Beats me. / You got me (there).

I knew it.

「**そんなことだろうと思った；思ったとおりだ**」

I know.

「**そうね；そうだ；わかった**」➤相手のことばに対して「それはわかっている」というとき

に用いる．この場合 know を強く発音する．また，I を強く発音して，答えがわかったり，何かいい案が浮かんだりした場合にも用いる．

I should have known.
「**やっぱり**；うかつだった；こうなることくらいわかっていなきゃいけなかったのに」

Ex. A: I'm afraid your car won't start.
あなたの車はエンジンがかからないみたいよ．
B: I should have known. It was sounding funny yesterday.
やっぱりね．きのう変な音がしていたんだ．

I should have known better.
「**思慮が足りなかった**；うかつだった」➤こうなると予想できたのに軽率だった，と後悔する場合に用いる．「もっとよくわかっているべきだった」が原義．

Ex. A: Why did you give John a loan? He'll never pay you back.
どうしてジョンにお金を貸したんだい．彼は絶対に返さないよ．
B: I should have known better. そうか，ばかなことをしてしまったよ．

[補足] ビートルズ (Beatles) の歌の題名にも使われている．

I wouldn't know.
「**私に聞かれてもわかりません**；さあ，どうでしょう」➤私にはそれについて知りようがない，という意味の仮定法表現．

It takes one to know one.
「**その種の人とわかるためにはその種の人である必要がある**；類は友を知る；それはお互いさま」➤しばしば相手に批判されたときに，そう言えるのは自分もそうだからでしょうと切り返すことばとして使われる．

Ex. A: You are such a liar! この大うそつきが．
B: It takes one to know one. そう言えるのは自分も同類だからだろ．

It's not what you know, it's who you know. / It's not what you know, but who you know.
「**何を知っているかではなく，だれを知っているかだ**」➤特にビジネスで使われることわざ．どんな情報をもっているかでなく，どんなコネをもっているかが重要という意味．

Just so you know, ...
「**言っておきますけどね…**；断っておくけど」➤あなたに知ってもらうためにこれを言うのですが，という場合に用いる．

Ex. A: Just so you know, I've decided to cancel my vacation plans.
断っておくけどね，休暇の計画はキャンセルすることにしたよ．
B: Really? What happened? あら，どうしたの？

Know yourself. / Know thyself.
「**自分を知れ**；汝(なんじ)自身を知れ」➤古代ギリシャのデルフィの神殿 (Oracle of Delphi) に刻まれていたことばとして知られる．自分が何者であるのか自己探求しなさい，あるいは自分の力量をわきまえなさいという忠告として使われる．

More than you'll ever know. / More than you know.
「**あなたには想像できないくらいに**；ものすごく」

Ex. A: I know you think I'm not honest. ぼくが誠実でないと思っていますね．
B: More than you'll ever know. ええ，それはもう．

Not that I know of.

「私の知る限りそういうことはない；そうじゃないと思うけど」 類似 Not that I recall. / Not that I remember.

Ex. A: Do we have any appointments scheduled for tomorrow?
あしたは何か予定が入っていたかしら．
B: Not that I know of. 何も入ってなかったと思うけど．

We know better than you.
「私たちのほうがあなたよりよくわかっている」 ▶親が子どもに自分の考えを押しつけるような場合に用いる．しばしば，そのような高慢な態度を批判する文脈で使われる．

What do you know?
「何も知らないくせに；お前に何がわかる；やってみなきゃわからないでしょ；おやおや；これは驚いた；やあ」▶あなたが何を知っているというのか，何も知らないでしょうという反語として，また特に Well, what do you know? で驚きのことばとして用いる．さらに，友だちなどと出会ったときのくだけたあいさつとして使うこともある．

Ex. A: She's not going to want to marry you.
彼女はきみと結婚したいと思うようにはならないよ．
B: What do you know? Maybe I'm her type.
そんなのわからないさ．ぼくは彼女のタイプかもしれないよ．

Ex. A: Hi, Bill. What do you know? やあ，ビル．どうしているの．
B: Not much. How are you doing? ぼちぼちだね．そっちはどうだい．

補足 女優・マルチタレントのオプラ・ウィンフリー (Oprah Winfrey) はテレビトーク番組 (*The Oprah Winfrey Show*) や雑誌の対談でゲストによく What do you know for sure? (あなたが確実に知っていることはなんですか) と尋ねる．

What someone doesn't know won't/can't hurt them.
「人は自分の知らないことでは傷つかない；知らぬが仏と言うから」▶特に，人に知らせると心配させてしまうから黙っていよう，という場合に用いる．一般的なことわざとして What you don't know won't/can't hurt you. が使われることもある．Ignorance is bliss. とほぼ同じ．

What's there to know? / What's to know?
「知るべきことなど何もない；簡単なことさ」▶それには特別な知識や技術など必要ない，という場合に用いる．

Ex. A: I want to know how you made this dessert.
このデザートどうやって作ったか知りたいわ．
B: What's there to know? It only takes 30 seconds to make it.
簡単よ．たった30秒でできちゃうよ．

Who knows?
「さあね；知らないよ；(やってみなければ) わからないでしょ」▶だれが知っていようか，いやだれも知らない，という反語表現．

You don't know anything.
「あなたには何もわかっていない；おまえに何がわかる；何も知らないくせに」

You don't know the half of it.
「それどころの話ではない；まだまだあるんだよ」▶あなたの知っていることは全体の半分にも満たない，実際はもっとひどい，またはもっと複雑な経緯があるということ．

You don't want to know.

「聞かないほうがいいよ」▶相手の質問に対して、その答えは知らないほうがいいと思いますという場合に用いる.

You know better. / You know better than that.
「そんなばかじゃないだろう」▶それが間違っていることはあなたもわかっているでしょう、という場合に用いる. I know better. (それほどばかじゃないよ) なども使う.

You know me better than that.
「私がそんなことしない [そんなふうにはならない] ことは知っているでしょう」▶相手が注意したときに、私についてそんな取り越し苦労は無用だという場合に用いる.「あなたは私をそれよりもよく知っている」が原義.

Ex. A: I'm sorry. I thought you broke my computer.
すみません. あなたが私のコンピューターを壊したのかと思っていました.
B: You know me better than that.
私がそんなことするはずないでしょ.

You know what/something?
「ねえ知ってるかい; あのね; いいかい; そうだ; じゃあこうしよう」▶会話を始めるときや、新しい話題や自分の提案を持ち出すときなどに用いる. Do you know what/something? の省略表現で、さらに主語を省略して Know what/something? ともいう. You want to know what/something? もほぼ同じ.

You never know.
「どうなるか [何があるか] わからないからね; 何があっても不思議じゃない」▶予想外のことも十分ありえるという場合に用いる. 特定の状況や人については You never know with him. (彼のことだからわからないよ) というように with を使う.

Ex. A: I don't think Mary will be on time.
メアリーは時間どおりには来ないと思うよ.
B: You never know. Miracles do happen.
さあ、わからないわよ. 奇跡が起こることもあるから.

knowledge 知識

A little knowledge is a dangerous thing.
「少しの知識は危険なものだ; 生兵法はけがのもと」▶A little learning is a dangerous thing. ともいう.

Knowledge is power.
「知識は力なり」

It's common knowledge.
「そんなのは常識だ」 [類似] It's common courtesy. / It's common sense.

koochie koochie koo こちょこちょ

Koochie koochie koo.
「こちょこちょ」▶幼児などをくすぐるときの発声. Koochy koochy koo. / Coochie coochie coo. ともつづる.

[補足] "Koochie Koo" はクリスティーナ・アギレラ (Christina Aguilera) の歌.

L, l

ladder はしご

Never/Don't walk under a ladder.
「はしごの下を歩くな」➤はしごの下を歩くのは縁起が悪い (It's bad luck to walk under a ladder.) という迷信 (superstition) に基づく注意.

lady 女性；淑女；貴婦人

Act like a lady.
「**女性らしくふるまいなさい；女の子らしくしなさい**」➤おとなの女性に対しても使われるが，特に親などがおてんばな女の子によく注意することば.

Ladies first.
「**レディーファーストでどうぞ**」➤ドアのところで女性を先に通すような場合に用いる.

land 陸地；土地；国

a land flowing with milk and honey
「**乳と蜜(みつ)の流れる土地**」➤旧約聖書 (Old Testament) の「出エジプト記」(Exodus 3:8) に出てくることば. 神はモーセ (Moses) に，イスラエルの民をエジプトから脱出させてこの土地に導くと告げた.

the land of free and the home of the brave
「**自由の国，勇者の故郷**」➤アメリカ国歌「星条旗」("The Star-Spangled Banner") の一節で，同国を象徴することば.

language 言語；ことば

Watch your language. / Mind your language.
「**ことばに気をつけなさい；口を慎みなさい**」➤Watch your mouth/tongue. や Mind your mouth/tongue. などともいう. 子どもが悪いことば遣いをしたときには特に母親が Watch your language, or I'll wash your mouth out with soap. (そんなことばを使うなら，口をせっけんで洗ってやるよ) と言うこともある.

last 最後の (もの)；最後に；続く

Last one in is a rotten egg.

「最後のやつは腐った卵だ；びりっけつはだーれだ」➤特に子どもがどっちが速いか競走しようという場合に言う．ただし，校庭で遊んでいて校舎の中に入る場合や，海水浴に行って海の中に入る場合のように，必ずどこかの中に入るときに用いる．⇨ I'll race you.

[補足] 英和辞典では rotten egg に「悪いやつ」というような訳語を与えているが，ふつうこのフレーズ以外では用いられない．

Nothing lasts forever. / Nothing can last forever.
「永遠に続くものはない」➤All things must come to an end. / All things must end.（あらゆるものに終わりがある）とほぼ同じことわざ．Nothing good lasts forever.（よいことはどれも永遠には続かない）ということわざもある．

The last shall be first.
「後にいる者が先になる」➤新約聖書（New Testament）の「マタイによる福音書」（Matthew 20:16）などにあるイエス・キリスト（Jesus Christ）のことば．天国に迎えられる順番についてのたとえ話で出てくる．

late 遅い；遅れた；遅れて   later もっと遅い；後で

Better late than never.
「遅くなっても何もしないよりはいい」➤約束の日時に間に合わなくてもやるべきことはやったほうがいい，ということ．相手が遅刻して謝ったときの返事によく使われる．

I'm sorry I'm late.
「遅れてすみません」➤遅刻したときに言う謝罪のことば．

It's a little late for that.
「それにはちょっと遅い；ちょっと手遅れだね」

Ex. A: I'm sorry for wrecking your car. 車を壊して申し訳ありません．
B: It's a little late for that. いまさら謝ってもらっても遅いよ．

It's getting late.
「遅くなってきましたね」➤もう帰らなくてはいけないという場合などに用いる．

It's never too late.
「いつでも遅すぎるということはない」➤It's never too late to learn.（学ぶのに遅すぎることはない）のように to 不定詞を続けて用いることが多い．

Later. / Till later. / Until later.
「じゃあまた（後で）」➤See you later. や Goodbye till/until later. の省略形．

Maybe a little later. / Perhaps a little later.
「もう少ししたらわからないけど」➤飲食物などを勧められたり，何かに誘われたりしたときに，もう少し時間がたてばいいかもしれないが，いまはだめだと断る表現．

laugh 笑う   laughter 笑い

Don't make me laugh.
「笑わせないでくれ；ばかを言ってもらっちゃ困る」[類似] You make me laugh.

He who laughs last, laughs best.
「最後に笑う者が最もよく笑う；最後に笑った者の勝ち」➤途中経過がどうあろうと

最終的に勝者になればよい，ということわざ.

It's no laughing matter.
「笑いごとではない」
> **Ex.** A: I saw Jane trip and fall. It was so funny.
> ジェーンがつまずいて転ぶのを見たよ．すごくおかしかったな．
> B: It's no laughing matter. She was seriously hurt.
> 笑いごとじゃないわよ．大けがしちゃったんだから．

Laugh, and the world laughs with you; weep, and you weep alone.
「**あなたが笑うと世界じゅうがあなたとともに笑い，あなたが泣くときはひとりで泣く**」
➤詩人エラ・ウィーラー・ウィルコックス (Ella Wheeler Wilcox) の詩 "Solitude" (孤独) の出だしの一節．明るく朗らかな人のところにはみな寄っていくが，悲しそうにしている人は敬遠される，ということわざとして用いられる．

Laughter is the best medicine.
「**笑いは最良の薬；笑う門には福来たる**」➤笑うと元気が出るということわざ．

That's a laugh.
「**笑っちゃうね；ちゃんちゃらおかしい**」➤文字どおりにおもしろおかしいという場合にも，とんだお笑いぐさだという場合にも用いる．

You make me laugh.
「**笑わせてくれるじゃないか；ちゃんちゃらおかしい；へそが茶を沸かすとはこのことだ**」
➤相手をややばかにして言うことば．[類似] Don't make me laugh.

league　リーグ；連盟

You're out of your league.
「**きみには無理だ；出すぎたまねはするな**」➤あなたの実力では太刀打ちできない，あなたは身の程知らずのことをやっているという場合に用いる．意味を強めるときは You're way out of your league. という．「自分の所属するリーグを出ている」が原義．
> **Ex.** A: I'm going to play tennis with Jane today.
> きょう，ジェーンとテニスをするのよ．
> B: You're out of your league. She used to be a professional player. 身の程知らずだね．彼女はプロの選手だったんだよ．

[補足] She's way out of your league. (彼女はおまえにはまるっきりムリ目だ) などの表現もよく使われる．

learn　学ぶ；知る　　learning　学問；学習

A little learning is a dangerous thing.
「**少しの学習は危険なものだ；生兵法はけがのもと**」➤イギリスの詩人アレクサンダー・ポープ (Alexander Pope) の『批評論』(*An Essay on Criticism*) からの引用句．A little knowledge is a dangerous thing. ともいう．

I learned from the best.

「最高の先生に教わりましたから」➤相手にほめられたときなどに,「あなたに習っただけです」という意味で用いる.

[補足] ホイットニー・ヒューストン (Whitney Houston) の歌の題名にも使われている. この歌では自分を振った男が寄りを戻そうとしたときに, 今度はあなたが泣く番だ, 私は最高の先生から習って泣かせ方は知っているという女性の気持ちが歌われている.

It's never too late to learn.
「学ぶのに遅すぎることはない/学ぶのに歳をとりすぎていることはない; 六十の手習い」➤ことわざ. You're never too old to learn. ともいう.

Never stop learning.
「学ぶことを決してやめるな」➤新しい知識や技能を貪欲に吸収しなさいという忠告.

There is no royal road to learning.
「学問に王道なし」➤学問を修めるためにはみな同じように地道な努力をしなくてはいけない, ということわざ. 紀元前3世紀ごろ, 古代ギリシャの数学者ユークリッド (Euclid) に幾何学を習っていたエジプト王プトレマイオス (Pharaoh Ptolemy) がもっと簡単に学べる方法はないか, と尋ねたときにユークリッドが答えたことばとされる.

You never learn.
「こりない人だね」➤相手に対してあきれて言う.

Ex. A: I failed another math test. また数学のテストが不合格だった.
B: You never learn. You should have studied.
まったくこりないやつだな. ちゃんと勉強しておかないからだ.

[補足] 一般的事実として「何度言ってもだめな人っているのよね; こりない人っているんだね」という場合には Some people never learn. を用いる.

least 最も少ない; 最も少なく

It's the least I can do. / It's the least I could do.
「私にできることはそれくらいです; それくらい何でもありません」➤ほんとうはもっとお役に立てればよいのですが, という場合に言う. 特に相手のお礼に対する返事としてよく使われる.「それは私ができることの最小限のものです」が原義.

Ex. A: Thank you so much for your advice.
アドバイス, ほんとうにありがとう.
B: It's the least I can do. You've done so much for me.
それくらい何でもないわ. あなたにはずいぶんお世話になっているから.

leave 去る; 残す; ほうっておく; 任せる

Are you leaving already? / Are you leaving so soon?
「もうお帰りですか」➤特に客がいとまごいをしたときによく使われる.

Don't leave home without it.
「出かける時は忘れずに」➤アメリカン・エクスプレス (American Express) のクレジットカードの宣伝文句. 英語・日本語とも商標登録されている.

Leave well enough alone.
「十分によいものはそのままにしておきなさい」➤へたにいじくって台なしにするなという

leg 脚（★股から下の部分）

Break a leg!
「がんばって」➤特に舞台に立つ俳優などを激励することば．なぜ Good luck! の意味で「脚を折れ」と言うようになったのか，その由来については確かなことは不明．

less より少ない；より少なく；より少ないもの

Less is more.
「より少ないほうがより多い；簡素なものほど豊かである」➤余分なものをそぎ落として必要不可欠なものだけに絞ったほうがより効果的である，ということわざ．Simple is best. とほぼ同じ．出典は19世紀のイギリスの詩人ロバート・ブラウニング (Robert Browning) がイタリア・ルネッサンスの画家アンドレア・デル・サルトを歌った詩 "Andrea del Sarto" の一節．

lesson 学課；授業；レッスン；教訓

I learned a lesson.
「私は教訓を学んだ；いい勉強になった；もうこりた」

I'll teach you a lesson.
「思い知らせてやる；痛い目に遭わせてやる」

Let this/that be a lesson to you.
「これ/それを教訓にしなさい」➤この経験を今後の人生に生かしなさいという忠告．

> **Ex.** A: Ouch, you pinched me. 痛いっ，ぼくをつねったね．
> B: Let that be a lesson to you. Stop lying to me.
> それを教訓にして，私にうそをつくのはもうやめることね．

let 許す；…させる

Let it be.
「そのままにしておきなさい；ほうっておきなさい」➤Leave it alone. ともいう．
[補足] ビートルズ (Beatles) の歌の題名に使われている．

Let well enough alone.
「十分によいものはそのままにしておきなさい」➤Leave well enough alone. に同じ．

liar うそつき

All men are liars.
「人は必ず欺く；人間はみなうそつきだ」➤旧約聖書 (Old Testament) の「詩編」(Psalms 116:11) にあることば．人は当てにならなくても，唯一主なる神は信じることができるという文脈で出てくる．「男なんてみんなうそつきよ」という意味で女

性が使うこともある.

Liar, liar, pants on fire.
「うそつき,うそつき,ズボンから火が出ている;この大うそつきめ」➤うそをついている(と思われる)相手をはやしたり,なじったりするときに言う.おもに子どもが使う.これは Liar, liar, pants on fire, hanging on a telephone wire. (うそつき,うそつき,ズボンから火が出て,電話線からぶらさがっている)の後半を省略した言い方.単に Liar, liar. も使われる.また,この句を踏まえて Are somebody's pants on fire? (だれかさん,うそついてないかい)などの表現も用いられる.

[補足] Liar, liar, pants on fire, | hanging on a telephone wire. と前半・後半とも4拍のリズムからなり,liar, fire, wire が韻を踏んで口調がよくなっている.

★ジム・キャリー(Jim Carrey)が口八丁の弁護士を演じたコメディー映画『ライアーライアー』(*Liar Liar*, 1997)の題名はこの句から来ている.

liberty 自由

Give me liberty or give me death!
「我に自由を,さもなくば死を」➤植民地時代のアメリカに,イギリスに対して立ち上がるように促すパトリック・ヘンリー(Patrick Henry)の演説の締めくくりに使われた文句.アメリカ独立戦争時,またそれ以後のアメリカの標語となった.

lie うそ(をつく);横になる

Ask me no questions and I will tell you no lies.
「何も質問をしなければ私がうそを言うことはない」➤詮索や追及が過ぎると相手は困ってうそを言うことになるから,やめたほうがよいということわざ.

I cannot tell a lie.
「ぼくはうそをつけません」➤初代大統領ジョージ・ワシントン(George Washington)の伝説「ワシントンと桜の木」(Washington and the cherry tree)で,ワシントン少年が言うせりふ.新しい斧(おの)をもらって桜の木を切り倒したワシントンは父親にだれがやったのかと聞かれたとき,I cannot tell a lie. I did cut it with my hatchet. (ぼくはうそはつけません.ぼくが自分の斧で切ったのです)と言ったとされる.このフレーズは自分の過ちを正直に認めるときによく引用される.

I'd be lying if I said ...

「…と言えばうそになる」 ➤意味・用法とも日本語とほとんど同じ.
   Ex. A: You didn't like the book? その本はよくなかったの?
         B: Well, I'd be lying if I said it was interesting.
            そうね, おもしろかったと言えばうそになるね.

If I'm lying, I'm dying.
「**絶対にうそなんかじゃない**; これがうそだったら針千本飲んでもいいよ」 ➤自分のことばが真実であることを強く保証するときに用いる. 「もし私がうそをついているとしたら, 私は死ぬ」が原義. lying と dying が韻を踏んでいることに注意.

No lie.
「**うそじゃなく**; **ほんとうに**」➤自分のことばが真実であることを保証するときに用いる. No lie? (ほんとうに?; まじで?) と尋ねることもある.
   Ex. A: I don't believe you. You don't know how to ride a horse.
            信じられないわね. あなた, 乗馬なんかできないでしょう.
         B: I do. No lie. できるさ. ほんとうだよ.

One lie leads to another.
「**うそはうそを呼ぶ**」➤1つうそをつくとつじつまを合わせるためにどんどんうそをつかなくてはいけなくなる, ということわざ.

---

life 生命; 命; 生活; 人生; 世の中   lifetime 一生(の間)

Do something with your life.
「**自分の人生について何かしなさい**」➤人生を無為に過ごさないで, 何か意義のあることをしなさいという場合に用いる.

Get a life!
「**(有意義な)人生をもて**; **このひま人め**」➤自分のことにあれこれ口出しする相手に対して「うるさいな. ほかにやるべきことがあるだろう, このひま人めが」という意味で用いることが多い. また, 仕事中毒の人, くだらないことで人生をむだにしていると思われる人に対しても使われる. I have a life. (私はそんなひま人ではない), I don't have a life. (私には生きがいがない; 私の人生はむなしい)などの表現もある.
[補足] シャロン・ストーン (Sharon Stone) 主演のサスペンス映画『ガラスの塔』(*Sliver*, 1993) のラストで, マンションの各部屋に隠しカメラを備え付けてそれを録画して見ている男に対して主人公のシャロンが言ったことばが Get a life! だった.

Get out of my life! / Stay out of my life!
「**私にかかわらないでくれ**; **私の前に顔を出さないで**」➤相手が自分のことにうるさく口出ししたときなどにいらだちを込めて言う.

Have a nice life.
「**いい人生を送ってください**; **さようなら**」➤もう一生会わない, または会いたくないという相手に対して言う. [類似] See you in the next life.
   Ex. A: I'm leaving and I'm not coming back.
            ぼくは出て行くよ. もう戻らないから.
         B: Have a nice life. せいぜいお達者で.

How's life with you?
「**どうしていますか**」➤相手のようすを聞くあいさつ. How are things with you?

などとほぼ同じ.「あなたの人生はどうですか」が原義.

I'm having the time of my life.
「いまが人生最高の時; もう最高」

In the midst of life we are in death.
「生のただ中にあって私たちは死の中にいる」➤英国国教会祈禱書 (Book of Common Prayer) にあることば. 死者を埋葬するときなどに読まれる.

Isn't that life?
「それが人生ではないでしょうか; 人生なんてそんなものでしょ」➤人生や世の中はとかくままならないものだ,というような場合に用いる. That's life. とほぼ同じ.

Life begins at forty.
「**人生は40歳から始まる**」➤40歳になる [なった] 人が「人生これからだ」だという感じで使う. ウォルター・B・ピトキン (Walter B. Pitkin) が1932年に書いた本 *Life Begins at Forty* から一般に広まった. 1935年には同名の映画も作られている. Life begins at 40. とつづることが多い.

[補足] ジョン・レノン (John Lennon) の歌の題名にも使われている.

Life goes on.
「**人生は続いていく; 人生はまだ長いのよ**」➤不幸や挫折などがあっても命ある限りしっかり生きていかなければならない, というような場合に用いる.

[補足] ダウン症 (Down syndrome) のコーキー (Corky) を主人公にしたテレビドラマ『コーキーとともに』(1989-93) の原題にも使われている.

Life has its ups and downs.
「**人生は山あり谷あり; 浮き沈みは世の習い**」➤人生にはよい時もあれば悪い時もあるということわざ. Life is full of ups and downs. ともいう.

Life is a journey.
「**人生は旅だ**」➤人生はある目的に向かって一直線に進むものではなく, 新しい経験をしてそこから学ぶことに意義があるというような意味で用いられる. Life is a journey, not a destination. (人生は旅であって目的地ではない) という表現もよく使われる.

Life is but a dream.
「**人生は夢に過ぎない; 人生はうたかたの夢**」➤人生ははかないということわざ. 輪唱歌の "Row, Row, Row Your Boat"(「こげ, こげ, こげよ」) にも出てくる.

Life is cheap.
「**命は安い**」➤権力者や企業などによって人命が粗末に扱われるようすを表す.

Life is full of surprises.
「**人生は驚きに満ちている**」➤生きているといろいろなことがあるという意味.

Ex. A: Can you believe that George is now a doctor?
　　　　ジョージがいま医者になっているって信じられる?
　　　B: Life is full of surprises. 人生はわからないものだね.

Life is hard.
「**人生は楽じゃない; 世の中甘くない**」.

Life is just a bowl of cherries.
「**人生はすばらしい**」➤しばしば皮肉を込めて使われる.「人生はボウル1杯のサクランボだ」が原義. 1931年, ブロードウェーミュージカル *George White's Scan-*

dals の挿入歌の題名として用いられたのが最初.

Life is no bed of roses. / Life is not a bed of roses.
「人生は楽ではない」➤しばしば His/Her life is no bed of roses. などとして特定の人について使われる.「人生はバラの寝床ではない」が原義.

Life is short. / Life is too short.
「人生は短い」➤だから有意義に過ごそう,もっと楽しもうという場合に用いる.

Life is what you make it. / Life is what you make of it.
「人生は自分で切り開くものだ」➤自分次第で人生はよくも悪くもなるという意味.

Life isn't fair.
「人生は公平ではない;世の中は公平ではない」➤Life isn't always fair. ともいう.

life, liberty, and the pursuit of happiness
「生命,自由,そして幸福の追求」➤1776年につくられたアメリカの独立宣言 (Declaration of Independence) に出てくることばで,人が生まれながらに持っている権利をさす. ⇨ **All men are created equal.** (equal の見出し参照)

Life sucks.
「人生はひどいものだ」➤この suck は「ひどい;悪い」という意味のくだけた動詞.

Life's been good.
「人生はうまくいっている」➤Life's been good to me. ともいう.

> **Ex.** A: I heard you're getting married and your company's doing great. あなた,もうすぐ結婚で会社もうまくいっているんですって.
> B: Well, life's been good. まあ,順調に来ているわ.

[補足] イーグルス (Eagles) の歌の題名にも使われている.

Never in my life. / Never in my lifetime.
「生まれてこのかた1度もない;死んでもごめんだ」➤私の人生においてこれまでにそのような経験は1度もしていない,またはこれからそのような経験をすることは絶対にない(嫌だ)という場合に用いる. Not in my life. / Not in my lifetime. ともいう.

Not in this life. / Not in this lifetime.
「この人生では絶対にない」➤生まれ変わってからならわからないがこの現世においてはそういうことはない,という意味で用いる.

Not on your life.
「絶対にだめだよ」➤それは絶対にしない,またはするべきでないなどの意味で使う.

> **Ex.** A: Wouldn't you like to live in the center of the city?
> 町の中心部に住みたいとは思いませんか.
> B: Not on your life. 絶対にお断りですね.

See you in the next life.
「生まれ変わったら会いましょう;これが今生のお別れですね」➤もう一生会わない,または会いたくないという相手に対して言うおどけた表現. [類似] Have a nice life.

That's life. / Such is life.
「人生はそんなものさ;世の中そんなものよ」➤それが人生の現実だという意味で,特に思うようにことが運ばないと嘆く相手を慰める場合に使うことが多い.フランス語の C'est la vie. も用いられる.

There are no guarantees in life.
「人生に保証はない」➤何が起こるかわからないのが人生だから安心確実を得ようと

This is the life!
「これこそ人生だ；人生こうでなくちゃね；極楽極楽」➤心から満足できる時を過ごした場合などに言う. [類似] This is living.

Where have you been all my life?
「私が生まれてからいままでどこにいたんだい」➤もっと早く出会いたかったのにという意味で, 特に男性が女性をナンパするときや恋人同士になったときなどに用いる.

You saved my life. / You're a life saver.
「あなたは命の恩人です；ほんとうに大助かりです；恩に着るわ」➤文字どおりに命を救ってもらった場合のほか, お礼のことばとして用いる.

light 光；明かり；(タバコなどをつける)火

Don't leave the light on for me.
「私のために電気をつけて待っていなくていいからね」➤今夜は[しばらくは；もう2度と]帰らないから玄関や部屋の明かりは消して寝ていていいよ, という場合に用いる.
[補足] 低料金のモーテルチェーン Motel 6 の有名な宣伝文句に We'll leave the light on for you! (私たちはあなたのために明かりをつけておきます) がある.

Got a light? / Have you got a light? / You got a light?
「火はありますか」➤タバコの火を借りるときの表現.

Let there be light.
「光あれ」➤旧約聖書 (Old Testament) の「創世記」(Genesis 1:3) で神が天地を創造してから発したことば.

Lights out.
「明かりを消して；消灯」➤電気を消して寝なさいという命令.

The lights are on but nobody's home.
「ぼうっとしている」➤起きてはいるが頭がぼんやりしている, または頭が弱いなどの意味で用いる.「電気はついているが家にはだれもいない」が原義.

There's always (a) light at the end of the tunnel.
「トンネルの出口にはいつでも明かりがある；明けない夜はない」➤どんなに苦しくても, いつかはそこから脱出することができるということわざ.

lightning 稲光；稲妻

Lightning never strikes twice in the same place.
「雷は同じ所には落ちない」➤同じ人が大きな不幸や事故に何度も見舞われることはない, ということわざ. ただし, 実際には雷は何度でも同じ所に落ちることがある. Lightning never strikes the same place twice. ともいう.

like 好きだ；…のような；…のように；似た人, 似たもの

How do you like it/that?
「それはどうですか；どうしますか；どうだ, わかったか」➤プレゼントなどを渡して感想

を聞く場合や，どのように料理してほしいかと尋ねる場合，また相手を殴ったりして「どうだ，思い知ったか」という場合などに用いる．

I hope you like it. / I hope you'll like it.
「気に入ってもらえるといいのですが」 ➤プレゼントをするときなどに用いる．

[補足] 相手がプレゼントを見た後では Do you like it? / Did you like it? (気に入ってくれましたか) と聞くことが多い．また，相手が気に入ってくれたときは I'm glad you like it. / I'm glad you liked it. (気に入ってもらえてよかった) という．

I like that!
「何を言っているんだい；何抜かすか」 ➤聞いてあきれる場合の反語表現．

I never met a man I didn't like.
「私は好きでない人に会ったことがない」 ➤アメリカの西部劇・喜劇俳優・ユーモア作家ウィル・ロジャース (Will Rogers) のことば．

[補足] これは彼の正確なことばではないと記している参考文献 (*America's Popular Sayings* など) があるが，ウィル・ロジャース記念館 (Will Rogers Museum) によると，彼の著作にこの句が7回使われているという．

Just like that.
「そんなものさ；あっけないものね」 ➤途中に踏むべき手続きがありそうなのにそれがないという状況で用いる．非常に簡単でよいという場合も，またちょっと簡単にことを運びすぎると非難を込めて使う場合もある．

Ex. A: Did Bill really quit? ビルはほんとうに辞めたの？
　　　B: Just like that. He just said, "I quit," and walked out.
　　　ああ，さっさとね．「辞めます」って言ってそのまま出て行ったよ．

Just like that?
「たったそれだけなの；そんなに簡単なのかい；ずいぶん聞き分けいいじゃないの」

Ex. A: I've decided to quit my job and move to Alaska.
　　　仕事を辞めてアラスカに移住することにしたよ．
　　　B: Just like that? What about your family and your friends?
　　　ずいぶん簡単に言うけど，家族や友だちはどうするのさ．

Like attracts like.
「似たもの同士は引かれ合う；類は友を呼ぶ」 ⇨ **Opposites attract.** (opposite の見出し参照)

Like begets like.
「似たものは似たものを生む；蛙(かえる)の子は蛙」 ➤子は親に似る，生徒は先生に似る，親切な行為は親切を生むなど，同類のものの再生産を表すことわざ．

Like cures like.
「似たものは似たものを治す；毒をもって毒を制す」 ➤病気の人に，健康な人に与えたときにその病気と同じ症状を引き起こす薬を投与して治す，というホメオパシー (homeopathy 同類療法；同種療法) の原理として知られる．

That's more like it.
「そうそう，そうこなくちゃ」

Ex. A: I've changed my mind. I've decided to accept your help.
　　　考え直したよ．やっぱりきみの助けを借りることにした．
　　　B: That's more like it. Let's get started.

そうでなくちゃ．さっそく始めましょう．

lily ユリ

Consider the lilies of the field.
「**野の花を注意して見なさい**」➤新約聖書 (New Testament) の「マタイによる福音書」(Matthew 6:28) に出てくるイエス・キリスト (Jesus Christ) のことば．野の花は働かなくてもちゃんと育つ，神はそのようにちゃんと配慮してくれるのだから衣食などの物質的な必要について心配するな，という文脈で語られている．

limit 制限；限界；制限する

Know your limits.
「**自分の限度を知りなさい；身の程をわきまえろ**」➤自分の実力ではどこまでならだいじょうぶかを知り，それを越えるような無謀なことはするなという場合に用いる．

The sky is the limit.
「**制限はない；何もかも望みのままだ**」➤空が限界だ，すなわち行こうと思えばどこまでも上に行くことができる，やろうと思えばなんでもできるという意味．

There is a limit. / There are limits.
「**(ものには) 限度というものがある**」➤いいかげんにしてほしいという場合によく用いる．

line 線；行；せりふ；一筆

Don't give me that line.
「**そんなことは言わないで**」➤そのようなうそや気休めはやめてほしい，という場合に用いる．Don't give me that. / Don't give me that story. などともいう．

That's where I draw the line.
「**そんなことはできないよ**」➤この線までは譲歩するけどそれを越えたらお断りだ，またはそれは私の許容範囲を超えるのでできないという場合などに用いる．「それは私が線を引くところだ」が原義．

> **Ex.** A: I need to borrow $50. 50ドル貸してもらいたいんだけど．
> B: That's where I draw the line. I never lend money.
> それはだめね．お金は貸さない主義なの．

There's a fine line between A and B.
「**AとBの間は紙一重**」➤両者の間には細い線があるだけで区別をつけにくい，ということ．

> **Ex.** There's a fine line between frugal and cheap.
> 倹約とけちは紙一重．

lip 唇；生意気なことば

Button your lip/lips.
「**口にチャックをしなさい**」➤余計なことは言わないように，またはおしゃべりをしない

ようにと命じる表現.「唇をボタンで留めなさい」が原義.
> **Ex.** A: I got in a fight with my wife and ... 女房とけんかしちゃってね…
> B: Button your lip. I'm not interested in your personal problems. そこでやめて. 私はあなたの個人的な問題に興味はないの.

Keep a stiff upper lip.
「**しっかりがんばれ**」▶「上唇をきゅっと硬く引き締めていなさい」が原義.

Loose lips sink ships.
「**ゆるい唇は船を沈める; 口は災いのもと**」▶兵士が軍についての情報を軽々しく人に話すことを戒めた第二次世界大戦 (World War II) 中の米軍の標語から一般に広まった表現.

My lips are sealed.
「**このことはだれにも言いません**」▶この秘密は守ると約束することば.「私の唇は封印されています」が原義で, しばしば唇にかぎをかけるジェスチャーを伴う.

None of your lip. / Don't give me any of your lip.
「**生意気言うな; 何をこしゃくな**」▶特に親や教師が子どもに対してよく用いる.

Read my lips.
「**私の言うことをよく聞きなさい; 私のことばにうそ偽りはない**」▶1988年の大統領選挙戦で, ジョージ・ブッシュ (George Bush, Sr.) が増税はしないと約束したときにこのことばを使った.
> **Ex.** A: I want you to be here at 9:00 every morning.
> 毎朝9時にここに来てよ.
> B: Read my lips. You're not my boss.
> よく聞きなさい. あなたは私の上司じゃないのよ.

Zip your lip. / Zip your lips. / Zip up your lip.
「**うるさい; 黙れ**」▶日本語と同じ発想で「口にチャックをしなさい」が原義.

listen 耳を傾ける; 聴く; 聞く

Are you listening to yourself?
「**自分の言うことに耳を傾けているのか; 自分で何を言っているのかわかっているの**」▶Listen to yourself. とほぼ同じ. 類似 Do you hear yourself?

I'm listening.
「**私は聞いています**」▶あなたの話に耳を傾けているからどうか話してください, という

場合に用いる. [類似] I'm all ears.

Listen.
「**ねえ，聞いてよ；そうだ**」➤会話の途中で話題を変えるときや，新しい提案をするときなどに用いる．「よく聞いてくれ」は Listen up. / Listen carefully. という．

Listen to yourself.
「**自分の言うことに耳を傾けなさい；自分が何を言っているのかわかっているのか**」➤非現実的なことを言っている相手に客観的に自分の主張を考えなさいという場合や，自分の内なる声に耳を傾けなさいという場合などに使われる．

little 小さい；少しの；少し

How's every little thing?
「**調子はどうですか**」➤相手の調子を尋ねるだけのあいさつ．

It's too little, too late.
「**少なすぎて遅すぎる；いまとなっては焼け石に水だ**」➤問題への対処などが不十分で後手に回っている状況を表す．Too little, too late. と省略することが多い．

> **Ex.** A: I'm going to write a letter of apology.
> 謝罪の手紙を書くことにするよ．
> B: It's too little, too late. いまさらそんなことしてもだめよ．

live 生きる；生活する　　living 生活；生存；生計

And they lived happily ever after.
「**2人はその後末永く幸せに暮らしましたとさ（めでたし，めでたし）**」➤おとぎ話の締めくくりによく使われる文句．

I can live with that.
「**それでも構わない；それで手を打つよ**」➤それくらいは我慢できる，とりたてて異論はないという場合に用いる．「私はそれとともに生きていくことができる」が原義．

> **Ex.** A: If you take that job I'll never speak to you again.
> もしきみがその仕事を引き受けるなら，ぼくは2度ときみと口をきかないよ．
> B: I can live with that. 私はそれでもかまわないけど．

I know where you live.
「**おまえがどこに住んでいるのか知っているんだよ**」➤住所を知っているから約束を守らなかったらただじゃおかないぞ，という脅し文句．冗談で友人同士の間でも用いる．

Live a little.
「**少しくらいは楽しみなさいよ**」➤仕事のことで頭がいっぱいの人などに対して，息抜きするように勧める場合などに用いる．「少し生きなさい」が原義．

Live and learn.
「**習うは一生；人生何事も勉強；失敗は成功のもと**」➤何かに失敗した人に対して，失敗から学べばよいという場合に用いる．「生きて学べ」が原義．

> **Ex.** A: Oh, no! I've burned the turkey. あらあ．七面鳥をこがしちゃったわ．
> B: Well, live and learn. この失敗を次に生かせばいいさ．

Live and let live.

「**自分も生きて相手も生かす；人生いろいろ**」➤人それぞれだから人の生き方をとやかく言わずに寛容になりなさい，ということわざ．

[補足] ジェームズ・ボンド (James Bond) 映画『007/死ぬのは奴らだ』(*Live and Let Die*, 1973) の原題はこれをもじったもの．

Live every day as if/though it were your last.

「**毎日が人生最後の日であるかのように生きなさい**」➤あしたがあると思わずに毎日を精いっぱい生きなさい，という意味．every day の代わりに each day も使われる．

Live for the moment. / Live for the present (moment).

「**この瞬間/現在のために生きなさい；いまを生きよう**」➤将来のために現在を犠牲にするのではなく，いまこの瞬間をたいせつにして生きようという意味で用いる．

Live in the present. / Live in the present moment.

「**いまを生きなさい**」➤将来を思いわずらったり，過去を引きずったりしないでいま現在をたいせつにして生きようという意味で用いる．

Live it up.

「**人生を楽しみなさい；人生を謳歌(おうか)しなさい**」➤特に，はでにお金を使って遊び回るのを勧めるような場合に用いる．

> **Ex.** A: I'm going drinking with my friends from college.
> 大学時代の友だちと飲みに行くのよ．
> B: Live it up. But be careful. 大いに楽しんできて．でも注意してね．

Live like you mean it.

「**真剣に生きなさい**」➤生に対してまじめに向き合って生きなさいという意味．

Live long and prosper.

「**末永く生きて繁栄するように**」➤テレビSFドラマ『スタートレック』(*Star Trek*) でミスター・スポック (Mr. Spock) などバルカン人 (Vulcans) がするあいさつ．宣誓するときのように右手を上げ，親指と中指と薬指の間をあけてW字形をつくって言う．日本語版では「長寿と繁栄を」と訳している．

Live well, laugh often, love much.

「**よく生き，よく笑い，多く愛しなさい**」➤よく使われる処世訓またはモットー．これを記した飾り物やカレンダーなどの製品が数多く売られている．

Man shall not live by bread alone.

「**人はパンだけで生きるものではない**」➤新約聖書 (New Testament) の「マタイによる福音書」(Matthew 4:4) と「ルカによる福音書」(Luke 4:4) に出てくるイエス・キリスト (Jesus Christ) のことば．人間は物質的な欲求だけでなく，霊的な

欲求も持ち合わせて生きるものだという意味で引用される．

[補足] 40日間何も食べずに荒野をさまよって空腹を覚えたイエスに悪魔 (devil) が来て, If thou be the Son of God, command that these stones be made bread. (神の子なら，これらの石がパンになるように命じたらどうだ) と誘惑のことばをかけると, It is written, Man shall not live by bread alone, but by every word that proceedeth out of the mouth of God. (『人はパンだけで生きるものではない．神の口から出る一つ一つの言葉で生きる』と書いてある) とイエスが答える (Matthew 4:3-4).

★一般には Man does not live by bread alone. として広まっている．

No one owes you a living.
「だれもあなたの生活のめんどうを見る義理はない；だれも世話してくれはしない」➤人はみな自分で生計を立てなくてはいけない，ということわざ．

This is living.
「これこそ生きるということだ」➤非常に満足できる生活状況だという場合に用いる．

[類似] This is the life!

> **Ex.** I have a beautiful girlfriend and all the money I could spend. This is living.
> ぼくには美人の恋人もいるし，お金を使い切れないほどある．この世の春だね．

What do you do for a living?
「お仕事は何ですか」➤何をして生計を立てているのかという意味で，職業を尋ねるときによく使われる．Where do you work? もほぼ同じ．

You only live once.
「人生は1度だけだ」➤1度きりの人生を悔いのないように生きなさい，という意味．

[補足] ジェームズ・ボンド映画『007は二度死ぬ』(*You Only Live Twice*, 1967) はこれをもじったもの．

location 位置；立地条件；(野球で) 制球

Location, location, location.
「一にも二にも立地条件」➤不動産の物件選びでは立地条件が何よりもたいせつだ，という意味．野球で投手には制球が何よりも大事だ，という場合にも使われる．

long 長い；長く

It's been so long. / It's been a long time.
「しばらくぶりだ；久しぶりね」➤It's been ages. とほぼ同じ．

> **Ex.** A: John Smith? We went to high school together!
> ジョン・スミスじゃない? 高校でいっしょだったでしょう．
> B: Mary Jones! It's been so long. メアリー・ジョーンズかい．久しぶり．

So long.
「さようなら；ではまた」➤Goodbye. の意味の口語表現．

What took you so long?
「ずいぶん遅かったじゃないの；何をそんなに手間取っていたんだい」

You've come a long way, baby.

「ずいぶん長い道のりだったね，ベイビー；ずいぶん遠くまで来たね」▶1970年代にフィリップモリス (Phillip Morris) 社が女性向けタバコとして発売したバージニアスリム (Virginia Slims) の宣伝文句．長いフェミニスト運動の末にやっと女性も男性と同様に堂々とタバコを吸える時代になった，という意味が込められている．長い苦闘の末にやっと自由を手に入れた，という意味で引用される．

look 見る；見える；見ること；見掛け；容姿

Here's looking at you.

「乾杯」▶Bottoms up. などとほぼ同じ．「こちらはあなたを見ているよ」が原義．
[補足] ハンフリー・ボガート (Humphrey Bogart) とイングリッド・バーグマン (Ingrid Bergman) 主演の映画『カサブランカ』(*Casablanca*, 1942)で，ボガートがバーグマンと乾杯するときに Here's looking at you, kid. と言うせりふが有名．

How do I look?

「この格好どう？」▶特に新しい服や髪型などの感想を人に求める表現．

If looks could kill.

「ものすごい形相だ（った）」▶敵意に満ちた表情を表す比喩表現．現在のことについても過去のことについても用いる．

Ex. A: How do you know Alice was mad? I didn't hear her say anything. どうしてアリスが怒っていたとわかるんだい．彼女は別に何も言ってなかったけど．
B: If looks could kill. あの顔を見ればわかるわよ．

I'm just looking. / I'm only looking.

「見ているだけです」▶店の人に May I help you? (何かお探しでしょうか) などと聞かれたときの答え．

It's always the last place you look.

「いつも最後に探すところだ；意外なところにあるものよね」▶探し物が見つからないで困っているときに，思ってもいないところにあるものだという意味でよく使われる．

It's not what it looks like.

「これは違うからね」▶まずいところを見られた場合の言い訳．誤解を与えそうな状況だが，実際はそうではないという意味．[類似] It's not what you think.

Ex. A: Are you stealing a book from me? 私の本を盗むつもりなの？
B: It's not what it looks like. I'm just looking at it.
誤解だよ．ちょっと見ていただけさ．

Look.

「見てよ；ねえ；そうだ；いいかい」▶文字どおりに何かを見なさいという場合のほか，会話で相手の注意を引く場合にも用いる．

Look at me.

「私を見てよ；ちゃんと私のほうを見なさい」▶自分に注意を向けさせるときに用いる．「どうこの姿」と自慢したり，「このざまだよ」と自嘲(じちょう)したりする場合もある．

Look at you. / Look at yourself.

「自分を見てみなさい」▶すっかり見違えるほどだ，ずいぶんご機嫌じゃないか，なん

てざまだ，何をばかなことを言っているのか，などさまざまな場面で用いられる．

Look before you leap.
「跳ぶ前に見なさい；石橋をたたいて渡れ」➤重大な決断をするときにはよく考えてからしなさい，ということわざ．

Look both ways before crossing the street/road.
「道路はよく右左を見てから横断しなさい」➤Look both ways when you cross the street/road. ともいう．しばしば Look both ways. と略して用いる．

Look here.
「ねえ；いいかい；ほら」➤自分の主張に相手の注意を向けさせるときに用いる．

Ex. A: Bring me a cup of coffee. コーヒーを1杯持ってきて．
B: Look here. I'm not your secretary.
いいこと．私はあなたの秘書じゃないのよ．

Look me up when you're in town.
「こっちに出てきたときは連絡してね」➤I'll look you up when I'm in town. (こっちに出てきたら連絡するよ) という表現もある．

Look on the bright side.
「(状況の)明るい側面を見なさい；前向きに考えなさいよ」➤落ち込んでいる相手を励ます表現．どんな状況でも悲観的にならず，希望をもち続けなさいという場合は Always look on the bright side. (いつも明るい面を見なさい) という．

Ex. A: I can't believe Mary left me.
メアリーに捨てられちゃったなんて信じられない．
B: Look on the bright side. Now you're free.
前向きに考えたら．いまはフリーだよ．

Look out!
「危ない！」➤Watch out! ともいう．

Look who's here.
「これは，これは，こんな所に珍しい人が；おやおやだれかと思ったら」➤意外な人を見かけたような場合に用いる．[類似] Look what/who the cat dragged in.

Looks are deceiving/deceptive.
「見かけは当てにならない；人は見かけによらぬもの」➤見かけに惑わされることを戒めたことわざ．Appearances can be deceiving/deceptive. に同じ．

Looks aren't everything.
「見かけがすべてではない；人は見かけではない」➤見た目で判断することへの戒め．

Made you look.
「わあい引っかかった；うそだよー」➤子どもがいたずらで「靴の紐がほどけてる」などとうそを言って相手が靴を見たときなどに言う．I made you look. の省略表現．

Never look back. / Don't look back.
「決して後ろを振り返るな」➤文字どおりの意味のほか，過去を振り返らずに将来に目を向けて進みなさい，という意味で用いる．

You don't look a day over ...
「どう見ても…歳にしか見えない」➤その年齢より1日でも上には見えないという意味で，若く見えるという場合に用いる．「お若いですね」というお世辞としてよく使われる．

Ex. You don't look a day over 40. What do you do to keep so young?

40歳にしか見えませんよ．若さを保つ秘訣はなんですか．
You should have seen the look on his/her face.
「あの顔を見せてやりたかったよ；あの驚きようったらなかったよ」

lord 主人；君主；主，神

Oh, my Lord! / Oh, dear Lord! / Dear Lord!
「あらまあ；何とまあ」➤非常に驚いたりしたときに使われる．Oh my God! / Oh, dear God! / Dear God! の言い換え表現．
[補足] このような間投詞に lord という語を使うのを避けて，Lordy, lordy! / Oh my lordy! / Oh, lordy, lordy(, lordy)! などの婉曲表現を使うこともある．

The Lord gave, and the Lord hath taken away.
「主が与えて，主が奪われた」➤旧約聖書（Old Testament）の「ヨブ記」（Job 1:21）で，神に対する信仰をサタンに試されたヨブが持てる財産や家族をすべて失ったときに言ったことば．一般に The Lord gives, and the Lord takes away. (主は与え，主は奪う) の形で不幸に見舞われた人を慰めるときなどに使われる．

The Lord is my shepherd; I shall not want.
「主は羊飼い，わたしには何も欠けることがない」➤旧約聖書（Old Testament）の「詩編」（Psalms 23:1）に出てくることば．葬式のときによく読まれる．

The Lord works in mysterious ways. / The Lord moves in mysterious ways.
「主は不可思議な働きをする」➤人間には不合理と思われるできごとも神の意図が働いた結果である，ということわざ．God works in mysterious ways. に同じ．

Thou shalt not take the name of the Lord thy God in vain.
「あなたの神，主の名をみだりに唱えてはならない」➤旧約聖書（Old Testament）の「出エジプト記」（Exodus 20:7）で，神がモーセ（Moses）に語ったことば．モーセの十戒（Ten Commandments）の第3の戒め．一般には Don't take the name of the Lord in vain. (主の名をみだりに唱えてはならない) ともいう．
[補足] この戒めのため，敬虔(けいけん)なキリスト教徒（あるいはユダヤ教徒）は God, Lord, Jesus などの語を避けて言い換え表現を用いることが多い．

lose 失う；負ける；迷わせる　　loser 敗者；失敗者；負け犬

Loser!
「このだめ人間が」➤相手をばかにして言う．日本語の「敗残者；負け犬；おちこぼれ」などよりも幅広く，「どうしようもないだめなやつだ」という感じで用いられる．
[補足] しばしば右手を自分の額のところにもっていき，人差し指と親指だけを伸ばして相手から見た場合にL字型になるようなジェスチャーをして言う．

Losers weepers.
「なくしたやつは泣けばいい；なくすほうがばかなのさ」➤拾い物をして，落とし主に返してくれと言われたときに用いる．⇨ Finders keepers.

What do I/we/you have to lose?

「だめでもともとだ」➤失うものは何もないから思い切ってやってみよう，という場合に用いる．「失うべきものの何を持っているのか」が原義．I/We/You have nothing to lose. や Nothing to lose. ともいう．

Ex. A: I'm thinking about asking Gail to marry me. But maybe she'll say no. ゲイルに結婚を申し込もうと思ってるんだけど断られるかもね．
B: What do you have to lose? だめでもともとだよ．

You lost me there. / You lost me now.

「そこがよくわからない」

Ex. A: According to Einstein, time is like a river that slows down and speeds up. アインシュタインによれば，時間は川みたいにゆっくり流れたり速くなったりするんだって．
B: You lost me there. ぼくにはそれがどういうことかわからないな．

loss 失うこと；損失；敗北；むだ   lost 失った；道に迷った

Get lost.

「あっちへ行け；うせろ」➤相手にその場を去りなさいといらだちを込めて用いる．

One man's loss is another man's gain.

「甲の損は乙の得」➤人からものをもらったり，反対に人にあげたりする場合に，Your loss is my gain. (あなたの損は私の得) や My loss is your gain. (私の損はあなたの得) などと言うことも多い．

loud (音声が)大きい；大きく；はでな

Loud and clear.

「はっきりと聞こえる；よくわかった」➤I read you loud and clear. の省略表現．無線で相手の声がよく聞き取れるという場合に用いる．また，一般に「あなたの言おうとしていることは承知した」という意味でも用いる．相手に自分の言うことが聞き取れるか，わかったかという場合には Do you read me? という．

Ex. A: I need you to be here on time tomorrow. Do you read me? あしたは時間どおりに来るんだよ．わかったかい．
B: Loud and clear. はい，よくわかりました．

love 愛；恋；恋人；愛する；大好きだ

All's fair in love and war.

「恋と戦争ではあらゆることがフェアだ；恋と戦争では何でもありだ」➤恋のさや当てと戦争ではフェアプレーの精神は無用だ，ということわざ．どんな手段を使っても恋敵に勝つ，という意気込みを表すときによく使われる．

I love you so much I could eat you up.

「食べちゃいたいほど愛しているよ」➤特に親などが小さい子どもに対してよく言う．
[補足] モーリス・センダック (Maurice Sendak) の絵本『かいじゅうたちのいるところ』(*Where the Wild Things Are*) では，怪獣たちが主人公の少年にこう言う．

I'd love to.

「ぜひそうしたいです；ええ喜んで」➤誘いを進んで受けるときの表現．I'd like to. よりも意味が強い．I'd love to, but ... (ぜひそうしたいところだけど…) の形で誘いを断る場合にも用いられる．

[補足] この用法を女性語としている英会話本や英和辞典があるが男性もふつうに使う．

It's better to have loved and lost than never to have loved at all.

「恋して失恋したほうが**1度も恋したことがない**よりはよい」➤人を愛する経験のたいせつさを説いたことわざ．19世紀のイギリスの詩人アルフレッド・テニスン (Alfred Tennyson) の詩 "In Memoriam"（「追憶の詩」）の一節 'Tis is better to have loved and lost, Than never to have loved at all. から．

Love comes and goes like the wind.

「愛は風のように来て去る；恋は気まぐれ」➤ことわざ．

Love conquers all.

「愛はすべてを克服する」➤愛する人たちに解決不能な問題はないということわざ．

Love hurts.

「愛は痛みを伴う；愛は厳しいものだよ」➤愛しているがゆえに傷ついたり，厳しくしなければならないこともある，という場合などに用いる．

Ex. A: When he's here, we always fight, but when he's gone, I miss him so much. 彼がいるといつもけんかだけど，いないとさびしいの．
B: Love hurts. 愛はつらいね．

[補足] シェール (Cher) ほかの歌の題名にも使われている．

Love is blind.

「恋は盲目；あばたもえくぼ」➤恋すると相手の欠点が見えなくなる，ということわざ．

Love is where you find it.

「愛は見つけた所にある；愛は出会い」➤人は意図してだれかを愛するようになるわけではない，という意味．

Ex. A: I wish Jim would hurry and get married.
ジムが早く結婚してくれるといいんだけど．
B: Love is where you find it. Don't push him.
愛は出会いだから．うるさく言わないほうがいいよ．

Love makes the world go round.

「愛が地球を回転させている；世界を動かしているのは愛だ」➤マドンナ (Madonna) などの歌の題名にも使われている．⇨ **Money makes the world go round.** (money の見出し参照)

Love me, love my dog.

「私を愛しているなら私の犬まで愛して；あばたもえくぼ」➤人を愛するならそのすべてを愛さなくてはいけない，ということわざ．

Love will find a way.

「愛はいつか通じる」➤心からの愛はきっと相手に伝わる，または愛があれば問題が生じても解決策が必ず見つかるということわざ．「愛は道を見つけるだろう」が原義．

[補足] ディズニーのアニメ『ライオン・キング 2 シンバズ・プライド』(*The Lion King 2: Simba's Pride*, 2004) の挿入歌など，これを題名とする歌がいくつかある．

Love your neighbor as yourself. / Love thy neighbor as thyself.
「自分のように隣人を愛しなさい」➤他者に対してどのように接すべきかを説いた格言. 出典は旧約聖書 (Old Testament) の「レビ記」(Leviticus 19:18) に出てくることば thou shalt love thy neighbour as thyself (自分自身を愛するように隣人を愛しなさい).

Make love, not war.
「戦争せずに, 愛をしよう」➤1960年代, アメリカのベトナム戦争反対運動で用いられたスローガン. make love は「セックスする」という意味.

Money can't buy (you) love. / You can't buy love.
「愛はお金では買えない」

Not for love or/nor money.
「絶対にだめ; まっぴらごめんだ」➤I wouldn't do it for love or/nor money. などの省略表現.「愛情のためでもお金のためでもしない」が原義.

The course of true love never did run smooth.
「真の愛が波風なく進行することはなかった」➤どんなに深く愛し合っている人たちの間にも問題は生じるものだ, ということわざ. シェークスピア (Shakespeare) の『真夏の夜の夢』(*Midsummer Night's Dream* I. i.) に出てくるせりふ. True love never runs smooth. ともいう.

There's a fine line between love and hate.
「愛と憎しみは紙一重; 愛憎は表裏一体だ」➤ことわざ.

There's no love lost between A and B.
「AとBはひどく憎しみ合っている; 犬猿の仲だ」➤失われる愛情がない, すなわちまったく愛情が存在しないということから.

You can't hurry love.
「愛を急がせることはできない」➤女性トリオのシュープリームス (Supremes) のヒット曲の題名 (邦題は「恋はあせらず」, 1966年). 一般にも用いる.

You can't live on love alone.
「人は愛だけでは生きてはいけない」➤どんなに愛し合っていてもかすみを食べて生きていくわけにはいかない, ということわざ.

---

luck 運命; 運; 幸運; つき

All the luck (to you). / Lots of luck (to you).
「幸運をお祈りします; がんばって」➤Good luck. を強調した言い方. I wish all the luck (in the world). / I wish you lots of luck. ともいう.

Any luck?
「どうだった?; うまくいったかい」➤首尾よくいったかどうか尋ねる質問. Have you had any luck? の省略表現. Any luck finding the book? (探していた本は見つかった?) のように用いることもある. No luck? ともいう.

> **Ex.** A: I went to three job interviews this week.
> 　　　今週は就職の面接に3つ行ったよ.
> 　　B: Any luck? で, どうだった?

Bad luck. / Hard luck. / Tough luck.
「ついてないね；残念だったね；困ったね」➤俗語で Tough bananas. ともいう.

Best of luck (to you).
「幸運をお祈りします；がんばって」➤Good luck. を強調した言い方. The best of luck (to you). / I wish you the best of luck. ともいう.

Better luck next time.
「この次はうまくいくといいね；この次はがんばってね」➤不本意な結果に終わった人を慰める表現.「次はせいぜいがんばってね」と嫌味っぽく言うこともある.

Damn my luck. / Damn the luck.
「まったくついてないや；これだよ」➤婉曲的には Darn my luck. / Darn the luck. という. Just my luck. とほぼ同じ.

Don't push your luck.
「調子に乗らないほうがいいよ」➤あまり欲張らずに，要求はほどほどにしなさいというような場合に用いる. Don't push it. / Don't press your luck. などともいう.

Good luck.
「幸運をお祈りします；がんばって」➤よいことがありますようにという意味で，試験など必ずしも運が働く要素がない場合にも広く使われる. 日本語では「がんばって」になる場合が多い. I wish you good luck. の省略表現. 相手に「幸運を祈ってほしい」と願う場合は Wish me luck. / Wish me good luck. という.

> **Ex.** A: Good luck on your math test tomorrow.
> あしたの数学の試験，いい結果になるようにがんばって.
> B: Thanks, I'll need it. ありがとう. そうなるようにがんばるよ.

Just my luck.
「まったくついてないよ」➤身の不運を嘆く表現.「それはまさに私の運だ」が原義.

> **Ex.** A: I'm sorry, but your flight's been canceled.
> あいにくですが，お客様の便は欠航になりました.
> B: Just my luck. Now I'll have to spend Christmas in the airport.
> これだものね. これでクリスマスは空港で過ごすはめになっちゃった.

Luck is the residue of design.
「運は計画の残りかすだ」➤きっちりと計画をしてことを進めれば，その結果として幸運が訪れるという意味. もと野球選手でドジャース (Dodgers) のオーナーでもあったブランチ・リッキー (Branch Rickey) のことば.

[補足] ブランチ・リッキーは大リーグのチームとして始めて黒人選手ジャッキー・ロビンソン (Jackie Robinson) と契約して人種の壁を破ったことで知られる.

No such luck.
「残念ながらそうはならなかった；だめだった」

> **Ex.** A: So, what happened? Are they going to hire me?
> で，どうなった? 私を雇ってくれるって?
> B: No such luck. They said you don't have enough experience.
> 残念ながらだめだったよ. 経験が足りないってことでね.

Some guys have all the luck.
「世の中には幸運を独り占めにしているような人もいる」➤富や名声など多くの面で恵まれている人がいる，とうらやむような場合に用いる.

[補足] ロッド・スチュワート (Rod Stewart) の歌の題名にも使われている.

lucky 幸運な; 縁起のよい

Lucky for you, ...
「ついていますね, …とは; 運がいいですね」➤後に文を続けて, ついている理由を述べる.
  Ex. A: Is John still waiting for me? ジョンはまだ私を待っているの?
  B: Lucky for you, he called and said he'd be late too.
   ついているわね. 彼も遅れるって電話があったわ.

Lucky you.
「きみはついているね; よかったね」➤自分については Lucky me. (ラッキー) という.

You lucky dog.
「ついてやがるな; このラッキーもの」➤運のいい人をねたんで, またはからかって言う.

You should be so lucky!
「そうそううまくはいかないわよ; まず無理でしょうね」➤もしそのようなことになったとしたら, それはあなたがたいへん幸運に恵まれていることだ, という意味から.
  Ex. A: I'm sure I'll pass the CPA test the first time.
   公認会計士の試験は一発で通ると思うよ.
  B: You should be so lucky! うまくいったらお慰みね.

lunch 昼食; お昼の弁当

Let's do lunch.
「お昼でもいっしょに食べよう」➤Let's have lunch together. のくだけた言い方. 友だちと久しぶりに会ったときなどに Let's do lunch sometime. (いつかお昼でもいっしょに食べましょうよ) と言ったりする.

Lunch is getting cold.
「お昼ごはんが冷めちゃうわよ」➤お昼ごはんができた (Lunch is ready.) と知らせてもなかなか食べに来ない子どもなどに対して用いる.「あなたの分が冷めてしまう」ということで, しばしば Your lunch is getting cold. という.

Lunch is ready.
「お昼ごはんができたよ」➤Your lunch is ready. ともいう.

There is no free lunch. / There is no such thing as a free lunch.
「ただのランチなどない; ただほど高いものはない」➤ただで手に入るものはない, ということわざ. 口語で There ain't no such thing as a free lunch. ともいう.

What's for lunch?
「きょうのお昼ごはんは何?; お昼のお弁当は何」➤昼食の献立について尋ねる表現.

Why don't you stay for lunch?
「お昼ごはんでも食べていったらどうですか」➤訪問客に対して用いる.

M, m

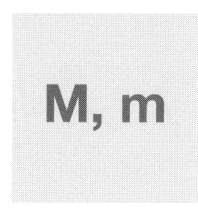

make 作る; する; 成功する

How are you making out?
「**調子はどうですか**」➤仕事の進み具合や全般的な状況について尋ねる表現.

Ex. A: How are you making out? どうですか.
B: Not too bad. I finally finished that big project.
まあまあですね. やっとあの大プロジェクトを終えたところです.

If you can make it here, you can make it anywhere.
「**ここで成功できれば,どこへ行っても成功できる**」➤特にニューヨーク市について言われる格言だが,ほかの場所などについても使われる. If you can't make it here, you can't make it anywhere. (ここで成功できなければ,どこへ行っても成功できない) という言い回しもある.

I'll make it up to you.
「**この埋め合わせは後でするよ**」➤約束を守れなかったりしたときにいう.

It's make or break.
「**のるかそるかだ**」➤成功か失敗かの2つに1つだという状況を表す. またそのようなときだという場合には It's make or break time. という.

Make me. / Try and make me.
「**やれるものなら私を従わせてみなさい; だれがそうするか**」➤相手の命令などに反発して,私は進んでは従わないからやれるものなら力ずくでやりなさい,という場合に用いる. 似たような状況で You can't make me. (私を無理に従わせることなんてできるもんですか) も使われる.

Ex. A: I want you to apologize to Mary. メアリーに謝ってもらいたいね.
B: Try and make me. It's her fault, so I'm not going to apologize.
だれが. 彼女が悪いんだから,ぼくは謝らないよ.

Show me what you're made of.
「**実力のほどを見せてもらおうか; お手並み拝見**」➤意味は Show me how good you are. に同じ.「あなたが何で作られているのか見せてくれ」が原義.

They don't make them like they used to.
「**いまのものは昔のものほどよくないね**」➤最近の製品には昔のようにじょうぶで長持ちするようなものがない,という場合に用いる.

[補足] ケニー・ロジャース (Kenny Rogers) の歌の題名にも使われている.

You can't make this up.
「**こんな話はでっちあげられない; これはほんとうだ**」➤俗語で You can't make this shit up. ともいう.

You made me do this/that.
「これ/あれはおまえのせいだ」➤自分がこう/ああしたのはおまえのせいだという言い訳. 家庭内暴力 (domestic violence) などで暴力を振るった側がよく使う.

mama　ママ；お母ちゃん

Come to Mama.
「さあお母ちゃんの所においで；さあ，お母ちゃんに話してごらん」➤母親が子どもを慰める表現. また，おどけておとなの女性が友だちなどに対して使うこともある. [類似] Come to Daddy/Papa.

man　男；人間

A man's gotta do what a man's gotta do.
「人はしなくてはいけないことはしなくてはいけない」➤You gotta do what you gotta do. / You have to do what you have to do. などともいう.

Be a man. / Act like a man.
「男らしくしなさい」➤正々堂々とふるまいなさいという場合に用いる.

I'm your man.
「私に言ってください；私に任せてください」➤もしこの手の人物を探しているのなら私が適任ですよ，というときに用いる. おもに男性が使うが女性が使うこともある. 女性の場合には I'm your woman. ともいう.

> **Ex.** A: I need someone to start up a new marketing department.
> 　　　　新しくマーケティング部を立ち上げる人が必要なんだが.
> 　　　B: I'm your man. That's what I studied in college.
> 　　　　私に任せてください．マーケティングは大学で勉強しましたから.

It's a man's world. / This is a man's world.
「世の中は男社会だ」➤現在の社会は男中心に動いているという意味.

Man alive! / Man sakes alive!
「おやまあ；なんと」➤非常に驚いたときなどに用いる.

Man is the measure of all things.
「人間は万物の尺度である」➤古代ギリシャの哲学者プロタゴラス (Protagoras) のことば.

Oh, man! / Man, oh man!
「あれまあ；いやはや；なんとまあ；おやおや」➤驚いたときなどに発することば. Boy! / Boy, oh boy! とほぼ同じ.

So you call yourself a man?
「それでも男か」➤男らしくないぞ，という意味の挑発的なことば.

Take it like a man.
「男らしく受けてみろ」➤相手が泣き言を言ったような場合に「男だろ．それくらいで弱音を吐くな」という意味で用いることが多い.

> **Ex.** A: My boss wants to talk to me. I'm so worried I can't sleep.
> 　　　　社長がぼくに話があるんだって．心配で眠れないよ.

B: Take it like a man. All he can do is fire you.
男だろ，情けないこと言うなよ．最悪でも首になるだけさ．

[補足] イギリスの歌手ボーイ・ジョージ (Boy George) の自伝の題名にも使われている．

Who's the man?

「頼りになるのはだれだ」 ▶やっぱり頼りになるのは私だろう，という意味で男性が仲間などにいう．相手は You are. / You're the man. などと返すのがふつう．

manner やり方；態度；行儀作法

Manners make the man.

「行儀作法が人をつくる」 ▶人は行儀作法で判断できるということわざ．

Mind your manners.

「行儀作法に気をつけなさい；礼儀正しくふるまいなさい」 ▶無作法なことをした人をたしなめる場合や，パーティーに呼ばれて行く子どもに親が注意を与える場合などに使われる．ほぼ同じ意味で Remember your manners. / Don't forget your manners. (礼儀作法を忘れないように) も使われる．

Where are your manners? / Where's your manners?

「ちゃんとお行儀よくしなさい；ずいぶん失礼じゃないの」 ▶無作法をたしなめる表現．

[補足] manners は複数形なので文法的には Where are your manners? が正しいが，口語では Where's your manners? もよく使われる．Here's ... や There's ... も複数形名詞を伴うことが多い．

many 多くの (もの，人)

Out of many, one. / From many, one.

「多くからなる1つ；多州からなる1つの国家」 ▶ラテン語 E pluribus unum. の英語訳．このラテン語は1782−1956年の間アメリカ合衆国のモットーだった (現在のモットーは In God We Trust). Out Of Many One People (多民族からなる1つの国民) はジャマイカのモットー．

mark 印 (をつける)

On your mark. Get set. Go!

「位置について，用意，ドン」 ▶徒競走などのスタート時の号令．On your marks. と複数形が使われることもある．また，On your mark. Get ready. Go! ともいう．

[補足] 陸上競技や競泳での正式な号令は On your marks. Set. (位置について．用意) のみで，後は笛やブザーなどの合図でスタートとなる．

mass かたまり；多数；大衆；民衆

Give me your tired, your poor

「あなたの疲れた，貧しい (民衆) を与えよ」 ▶アメリカ人の詩人エマ・ラザラス

(Emma Lazarus, 1849-87) の詩 "The New Colossus"（「新しい巨像」）の有名な一節. 移民を歓迎する自由の女神 (Statue of Liberty) をうたったもので, その台座にこの詩が刻まれている.

[補足] この詩の最後の部分は次のとおり.
"Give me your tired, your poor,
Your huddled masses yearning to breathe free,
The wretched refuse of your teeming shore;
Send these, the homeless, tempest-tossed to me,
I lift my lamp beside the golden door!"
「自由を渇望してやまぬおまえたちの疲れた, 貧しい
身を寄せ合う群集を私に与えよ
おまえの混雑した海岸の悲惨な廃物
それを私に送るがいい, 家のない, 嵐で打ち寄せられたものたちを
私は黄金のドアの横に明かりを掲げる!」

The mass of men lead lives of quiet desperation.
「大多数の人は静かな絶望の生活を送っている」 ▶作家・思想家のヘンリー・デビッド・ソロー (Henry David Thoreau) の『ウォールデン 森の生活』(*Walden*) にあることば. この後に What is called resignation is confirmed desperation. (あきらめと呼ばれるものは強められた絶望である) と続く.

match マッチ; 試合; 組み合わせ; 縁組み; 結婚相手

It was a match made in heaven.
「それは天国でつくられた縁組みだ; 赤い糸で結ばれていたんだね」 ▶結ばれる運命にあったカップルだという意味. It's a match made in heaven. と現在形も用いられる. 人に限らず, 一般に「最高の組み合わせだ」という場合にもよく使われる.

math 数学; 計算 (★mathematicsの略)

Do the math. / You do the math.
「自分で考えなさい; 後は考えればわかるでしょう」 ▶少し考えれば結論は明らかだろう, という場合に用いる.「(自分で) 計算をしなさい」が原義.
Ex. A: Do you think we'll lose money? お金を損することになるのかな.
B: You do the math. The hall costs $500 to rent and only three people are coming. 考えればわかるでしょ. ホールを借りるのに500ドルかかるのに, 3人しか来ないのよ.

matter 物質; ことがら; 事件; 重要である

It doesn't matter.
「それはどうでもよい; それは大したことではない」 ▶特に「私にとっては」という場合は It doesn't matter to me. ともいう.
Ex. A: John said he's not going to come to the meeting.

ジョンは会議には出ないって言ってました.
B: It doesn't matter. We'll have the meeting without him.
構わないさ. 彼抜きで会議をしよう.

What does it matter?

「それがどうしたというの」➤そんなことはどうでもいいじゃないか, という反語表現.

Ex. A: This book was written 10 years ago. 10年前に書かれた本よ.
B: What does it matter? Things haven't changed that much in 10 years. それがどうしたのさ. この10年, あまり変わってないじゃない.

What's the matter?

「どうしたの; いったい何やって [考えて] いるのよ」➤何か問題でもあるのかと尋ねる場合や, どうかしているのではないかと相手を非難する場合などに用いる. 特に相手に対する質問や非難の場合は What's the matter with you? ともいう.

Ex. A: What's the matter? どうしたの?
B: I lost my car keys. You haven't seen them, have you?
車のキーをなくしてね. 見なかったかい.

may …かもしれない; …してよろしい

I may and I may not.

「そうするかもしれないし, そうしないかもしれない」➤まだはっきりと決断していないという場合などに用いる. 相手や第三者については You may and you may not. や He/She may and he/she may not. などという.

Ex. A: Are you going to buy my computer or not?
私のコンピューターを買うの, それとも買わないの?
B: I may and I may not. Don't pressure me.
買うかもしれないし, 買わないかもしれない. そうせっつかないでよ.

May I?

「よろしいでしょうか; お願いできますか」➤後に続く語句を省略した言い方で, その場の状況から何の許可を求めているのかが明らかな場合に用いる.

maybe もしかしたら

I don't mean maybe.

「これは**命令**だ; これは絶対だぞ; これは確かよ」➤通例, 命令を下した後で ..., and I don't mean maybe. と付け加えて, それが絶対的なものであることをはっきりさせる. また, それは間違いのないことだという場合にも用いる.「私はもしかしたらという意味で言っているのではない」が原義.

Ex. If you're late again, I'm going to fire you. I don't mean maybe!
今度また遅刻したら首だ. これは脅しじゃないからな.

[補足] マドンナ (Madonna) の歌 "Papa Don't Preach" にもこの句が出てくる.

Maybe and maybe not.

「そうかもしれないし, そうでないかもしれない」➤まだはっきりとはわからないという場合に用いる.

Maybe not today, maybe not tomorrow, but soon and for the rest of your life.

「きょうではないかもしれないし,あしたでもないかもしれない.でも,すぐにそして一生だ」➤ハンフリー・ボガート (Humphrey Bogart),イングリッド・バーグマン (Ingrid Bergman) 主演の映画『カサブランカ』(*Casablanca*, 1942) のラスト近く,ボガートがバーグマンを飛行機に乗せるときに言うせりふ.If that plane leaves the ground and you're not with him, you'll regret it. (あの飛行機が地上を飛び立って,きみが彼といっしょでなかったら後悔するだろう) の後にこのせりふが出てくる.⇨ **We'll always have Paris.** (Paris の見出しを参照)

mayday メーデー (★救難信号)

Mayday.
「メーデー」➤船舶や航空機の救難信号だが,一般に救助を求める場合に使う.

me 私に;私を

Is it just me or ...?
「これは私だけの気のせいなのかな,それとも…」➤私にはそのように感じられるのだけれど,ほかの人も同じだろうかと尋ねる場合に用いる.

Ex. Is it just me or is it really hot in this room?
これは私だけかしら.なんだかこの部屋暑いような気がするけど.

It's me.
「私です」➤電話や戸口でだれですかと聞かれたときの返事や,「それをやったのは私です」という場合などに用いる.

Me neither. / Me either.
「私も」➤相手の否定の意味の発話に同意する表現.どちらも口語表現だが,文法的には Me neither. の形が正しく,Me either. はよりくだけた言い方になる.

Ex. A: I don't like *natto*. 私,納豆は好きじゃないわ.
B: Me neither. ぼくも.

Me too.
「私も」➤相手が肯定の意味の発話をしたときに同意する表現.なお,次の人がさらに「私もそうだ」と同意する場合に (おどけて) Me three. ということがある.おそらく Me too. を Me two. と誤解して3人目は Me three. と言うと勘違いした子どもが使い始めた表現.4人目以降が Me four. などと続けることもある.

Ex. A: I'm hungry. おなかすいた.
B: Me too. 私も.
C: Me three. ぼくも.

[補足] 類似表現の Same here. は相手の発話が肯定・否定のどちらでも使える.

What's in it for me?
「私にとってどんな利点があるというのか;私が得るものは何か」➤その計画や状況から私はどんな利益を得られるのか,という場合に用いる.

[補足] フェイス・ヒル (Faith Hill) ほかのミュージシャンの歌の題名にも使われている.

meal 食事

Eat a balanced meal.
「バランスのとれた食事をしなさい」➤健康を保つための方法としてよく言われる.

Enjoy your meal.
「では(ごゆっくり)お食事をお楽しみください」➤特にウェイターやウェイトレスなどが食事を出したときに言う.

mean 意味する；本気で言う   meaning 意味

Do you know what I mean?
「私が言おうとしていることがわかりますか」➤省略表現で You know what I mean? / Know what I mean? ともいう.

How do you mean?
「それはどういうことですか」➤具体的にどういうことを言っているのかを知りたい, という場合に用いる.
   Ex. A: If we don't leave now, Jane won't marry me.
           もしいまぼくたちが立ち去らないと, ジェーンはぼくと結婚してくれないよ.
       B: How do you mean? それはどういうわけだい.

I know what you mean.
「わかります」➤相手に共感する表現.
   Ex. A: When I see a dirty desk, it drives me crazy.
           きたない机を見ると気がおかしくなるわ.
       B: I know what you mean. わかります.

I mean it.
「これはほんとうです；うそじゃないよ」➤うそや冗談, お世辞などでなく, 本気でそう言っているのだという場合に用いる.

I see what you mean.
「あなたの言わんとすることはわかります」➤相手の話に理解を示す表現.

If it's meant to be, it'll happen.
「そういう定めならばそうなる」➤余計な心配をせずにできることをして, 後は運命を待ちなさいという場合などに使われる.

... if you know what I mean.
「…私の言うことがわかるなら」➤あいまいな表現などをして自分のことばが正しく理解されるか心配な場合や, 「ね, そうでしょう」と同意を期待するような場合に用いる.
   Ex. A: We can't afford to buy everyone lunch, if you know what I mean. みんなにお昼をおごる余裕は私たちにはないでしょう.
       B: Yeah, I see. そうだね.

... like you mean it.
「本気で…しなさい」➤いい加減な気持ちでなく心を込めてしなさい, ということ.
   ⇨ Live like you mean it. / Say it like you mean it.

Meaning what?
「それはどういう意味ですか；どういうつもりなの」➤それには裏の意味がありそうだと

> いう場合によく用いられる.
>
> **Ex.** A: I'm not going to go to your party tomorrow.
> あしたのきみのパーティーには行かないよ.
>
> B: Meaning what? You're no longer my friend? Well, good!
> それはどういうことよ. もう友だちじゃないってこと? それなら, いいわ.

What do you mean?

「**どういう意味ですか; どういうことでしょう**」 ➤ 「それはどういう意味ですか」は What do you mean by that? という.

> **Ex.** A: I've decided not to go with you to the concert.
> あなたといっしょにコンサートには行かないことにしたわ.
>
> B: What do you mean? I've already bought the tickets.
> どういうことだい. もうチケットを買っちゃったんだよ.

What's that supposed to mean?

「**いったいそれはどういう意味ですか**」 ➤ 相手のことばに皮肉や当てこすりなどを感じたときなどに用いる.

> **Ex.** A: I want you to give me back that tablecloth.
> あのテーブルクロスを返してもらいたいわね.
>
> B: What's that supposed to mean? Are we enemies now?
> それはどういう意味なの? 私たち敵同士になったの?

What's the meaning of this?

「**この意味は何か; これはどういうことだ**」 ➤ ことばの意味などを尋ねる場合や, 相手の言動の真意を問いただす場合に用いる.

> **Ex.** A: Where's my desk?! What's the meaning of this?
> ぼくの机はどこだい? これはいったいどういうことなのさ.
>
> B: I'm sorry, but you've been replaced.
> ごめんなさい. あなたは人員交代になったのよ.

You can't mean that!

「**まさか; うそでしょう**」 ➤ 相手のことばが信じられないという場合に用いる.「本気でそう言っているはずはないでしょう」が原義.

> **Ex.** A: I think it's time that we break up.
> 私たちもう別れたほうがいいと思うわ.
>
> B: You can't mean that! We're getting along so well.
> まさか, うそでしょう. こんなにうまくいっているじゃないか.

---

means 手段; 方法

By all means.

「**ぜひそうしてください; ぜひそうしましょう**」 ➤ 相手が「こうしたらどうでしょう; こうしてもいいですか」などと言ったときに強く同意する表現.

> **Ex.** A: Can I link my homepage to yours?
> 私のホームページをあなたのホームページとリンクしてもいいですか.
>
> B: By all means. I'll send you my URL.
> ぜひどうぞ. 私のURLを送りますよ.

means, motive and opportunity
「手段，動機，機会」▶犯罪の行為者であることを疑わせる3要素．その犯罪を行う手段，動機，機会のすべてがそろわないと容疑者とは見なせないとされる．

meat 食肉；肉

One man's meat is another man's poison.
「ある人の肉は別の人の毒だ；十人十色」▶ある人にとってよいものがほかの人にとっては悪いこともあるように，好みなどは人それぞれだということわざ．

medium 中庸；媒体；中間の

The medium is the message.
「メディアはメッセージである」▶カナダの社会学者マーシャル・マクルーハン (Marshall McLuhan) のことば．印刷媒体か映像媒体かなど，どの伝達媒体 (メディア) を使うかがメッセージとなるという意味．*Understanding Media: The Extensions of Man* (邦題『メディア論』) の第1章の章題として出てくる．

meek 柔和な

The meek shall inherit the earth.
「柔和なものは地を受け継ぐだろう」▶温厚な人たちが最終的には栄える，ということわざ．出典は新約聖書 (New Testament) の「マタイによる福音書」(Matthew 5:5) に出てくるイエス・キリスト (Jesus Christ) のことば Blessed are the meek: for they shall inherit the earth. (柔和な人々は，幸いである，その人たちは地を受け継ぐ)．

meet 会う；知り合う

Fancy/Imagine meeting you here!
「こんな所で会うとは；まあ奇遇ですね」▶意外な場所で出会ったときに用いる．

Have you met someone?
「…とはお知り合いでしたか；もう紹介は済んでいますか」▶パーティーなどで初対面同士の人を紹介するときの表現．Harry, have you met Sally? (ハリー，サリーにはもう紹介されていますか) のように用いる．一般に，その人に会ったことがあるかという意味でも使われる．

Have we met (before)? / Haven't we met (before)?
「前にお会いしていますか/前にお会いしたことはありませんか」▶初対面の人と知り合いになりたくてこう声をかけることが多い．

I'd like you to meet someone.
「…をご紹介しましょう」▶パーティーなどで初対面同士の人を紹介するときの表現．I'd like for you to meet *someone*. ともいう．

Ex. A: I'd like you to meet Mary, my coworker.

私の同僚のメアリーを紹介しましょう．
B: Hi, Mary. Nice to meet you. やあ，メアリー．初めまして．

Nice meeting you.
「お会いできてよかったです」➤It was nice meeting you. の省略表現で，初対面の人と別れるときに用いる．

Nice to meet you.
「初めまして；お会いできてうれしいです」➤It's nice to meet you.の省略表現で，人を紹介されたときに用いる．I'm glad to meet you. / I'm pleased to meet you. / I'm delighted to meet you. などともいう．

Ex. A: Hi, I'm Alice and this is my friend, Hiroshi.
こんにちは．私はアリスでこちらは友人の博です．
B: Nice to you meet you. 初めまして．

Till we meet again. / Until we meet again.
「ではまた」➤別れのあいさつ．Goodbye till we meet again. ともいう．

melt 溶ける；うだるほど暑い

I'm melting.
「暑さで溶けちゃいそうだ；暑くてたまらない」➤この反対に「寒くてたまらない」という場合は I'm freezing. / I'm frozen.という．

memo メモ

I didn't get the memo.
「そんな話は聞いてない」➤そういうことなら前もって言ってくれたらいいのに，というような場合に用いる．「私はそのメモをもらっていない」が原義．

Ex. A: Why weren't you at the meeting? どうして会議に出なかったのよ．
B: I didn't get the memo. 会議があるなんて聞いてなかったよ．

Was there a memo I didn't get?
「私の知らない所で話ができていたの?」➤いつそんな話が決まったのか，またはどうしてみんな知っているのに私だけが知らないのかという場合などに用いる．「私がもらってないメモがみんなに回っていたのか」が原義．

Ex. A: The meeting's already started. もう会議は始まっているよ．
B: What meeting? Was there a memo I didn't get?
会議って，なんの?いつそんな話になったのよ．

memory 記憶（力）；思い出

If I have a good memory, ... / If my memory serves me right, ...
「私の記憶が正しければ…」➤文の最初に用いることも，後ろに用いることもある．
If my memory serves me correctly/well, ... ともいう．

It brings back memories.

mend 直す；つくろう

It's never too late to mend.
「直すのに遅すぎることはない；過ちを改むるにはばかることなかれ」➤欠点に気づいたらいまからでも遅くはないから直したほうがよい，ということわざ．

mention 言及する

Don't mention it.
「礼を言うには及びません；どういたしまして」➤お礼に対する返答．You're welcome. などに同じ．また，一般に「それについては話すな」という場合にも使われる．
Ex. A: Thanks for helping me move. 引っ越しの手伝いありがとう．
B: Don't mention it. I was just paying you back for helping me move last year. どういしたしまして．去年は引っ越しを手伝ってもらったからそのお返しだよ．

[補足] アメリカではお礼に対する返事にはこの表現ではなく You're welcome. を使うと注記している英和辞典が多いが，アメリカでもごくふつうに使われる．

Now that you mention it, ...
「その話が出たところで；そう言えば」➤あなたの話で思い出した，または気がついたという場合に用いる．Yes, now that you mention it. (そう言われれば確かにそうね) ということもある．
Ex. A: Have you seen a woman with a green hat?
緑の帽子をかぶった女性を見なかった？
B: Now that you mention it, I did see a woman with a green hat just yesterday. そう言えば，きのう確かに見たよ．

mercy 慈悲；哀れみ

Lord have mercy!
「主よ，ご慈悲を；おやまあ」➤文字どおりに神に慈悲を請う場合と，一般に驚きなどを表す間投詞として用いる場合がある．

[補足] テレビドラマ『フルハウス』(*Full House*, 1987-95) のジェシー (Jesse) は Have mercy! をよく使う．

Mercy me! / Mercy sakes!
「おやまあ；なんと」➤非常に驚いたときなどに用いる．Holy cow! などとほぼ同じ．

The quality of mercy is not strained.
「慈悲の本質は強制されないことだ」➤シェークスピア (Shakespeare) の『ベニス

の商人』(*The Merchant of Venice* IV. i.) で裁判官に扮 (ふん) したポーシャがシャイロックに言うせりふ.

[補足] 映画『デッドマン・ウォーキング』(*Dead Man Walking*, 1995) のために作られたミッシェル・ショックト (Michelle Shocked) の歌 "Quality of Mercy" にもこの句が出てくる.

message 伝言；メッセージ
messenger メッセンジャー；使者；伝達人

Can I take a message?
「何かことづけはありますか」➤電話で代わりに出た人が尋ねる表現. Can の代わりに May, Could も用いる. Would you like to leave a message? ともいう.

Could I leave a message?
「ことづけをお願いできますか」➤電話で用いる丁寧な表現. Could の代わりに May, Can も使われる. また, I'd like to leave a message. などともいう.

Do you get the message?
「わかったかい；いいかい」➤省略表現の Get the message? も使われる.
- **Ex.** A: Why did Jane say she's going to be busy for about a year?
  どうしてジェーンは1年くらいは忙しいって言ったんだろう.
  B: Do you get the message? She's going to have a baby.
  どういうことかわかった? 赤ちゃんが生まれるのよ.

Don't shoot the messenger.
「メッセンジャーを撃つな」➤悪い知らせをもたらした人に八つ当たりするな, の意.

middle 真ん中 (の)

I'm in the middle of something.
「いまちょっと都合が悪いんだけど；いま手が離せないの」
- **Ex.** A: Jack is on the line. ジャックから電話よ.
  B: Could you ask him to call back? I'm in the middle of something. 後でかけ直すように言ってくれない? いまちょっと都合が悪いんだ.

might …かもしれない；力

I might and I might not.
「そうするかもしれないし, そうしないかもしれない」➤I may and I may not. とほぼ同じ.

Might makes right. / Might is right.
「正義は力だ」➤力の強いものが支配するということわざ.

million 百万 (の)

I wouldn't do it for a million dollars.

「百万ドルもらってもそれはしない；絶対にお断りだわ」➤強く拒否する表現．

Someone/Something **looks like a million bucks.**
「とても**魅力的**だ；すごく具合よさそうだ」➤とてもよさそうに見えるという意味の口語表現．「百万ドルのように見える」が原義．buck は「ドル」の意．

mind 心；頭脳；気にする；気をつける

A mind is a terrible thing to waste.
「**頭脳は浪費するにはひどいもの**だ；頭脳を活用しないのはひどくもったいない」➤黒人の高等教育を支援する黒人連合大学基金 (United Negro College Fund) のスローガン．

Are you out of your mind?
「**気は確か**か；どうかしているんじゃないの」➤Are you crazy? などに同じ．より断定的に You're out of your mind. / You've got to be out of your mind.（きみはどうかしているね；正気の沙汰 (さた) とは思えないわ）ということもある．

Clear your mind.
「**頭をすっきりさせて**；雑念を取り払って」

Do you mind? / Would you mind?
「**すみませんが**（お願いできますか；遠慮してもらえますか）」➤動詞以下を省略した言い方で，状況からお願いする内容が明らかなときに用いる．

Don't mind if I do.
「**いいですね**；そうするか」➤物を勧められて受け入れるときなどに用いる．I don't mind if I do. の省略表現で「私はそうしても構わない」が原義．

  Ex. A: Would you like to join me for a cup of coffee?
  　　　　コーヒー，いっしょにどう？
  　　　B: Don't mind if I do. It smells great. そうだね．すごくいい香りだよ．

Don't mind me.
「**私のことは気にしないで**；私のことはお構いなく」

  Ex. A: Can I help you find something? 探し物を手伝おうか．
  　　　B: Don't mind me. I just need to find a report.
  　　　　お構いなく．レポートを探しているだけだから．

I hope you don't mind.
「**構いませんよね**；いいですよね」➤相手の承諾を得るときに用いる．I hope you don't mind, but ... / I hope you don't mind if ... として後に文を続けることも多い．

  Ex. A: I need to use the conference room from 2:00. I hope you don't mind. 2時から会議室を使いたいんだけど，いいかな．
  　　　B: No, no problem. ええどうぞ．

If you don't mind.
「**もし差し支えなかったら**（お願いします）」➤この後または前に文を置いて「もしよろしかったら…（したい，してください）」という意味を表すのがふつうだが，相手のことばを受けて単独で用いることもある．

[補足] テレビコメディー『ソープ』(*Soap*, 1977-81) で，玄関のチャイムが鳴ったとき

使用人のベンソン (Benson) が You want me to get that? (私に出てもらいたいんですか) と聞き，奥様のジェシカ (Jessica) が If you don't mind. と言うのがよく知られている．

I'll give someone a piece of my mind.
「…にはっきり言ってやる；ひとこと言ってやるわ」➤不満や文句などを言ってやるという場合に用いる．

I'll keep that/it in mind.
「覚えておくわ」➤相手の忠告などをしっかり心に留めておこう，という場合に用いる．

It blows my mind.
「驚きだね；信じられない」➤非常に驚いたりショックを受けたりしたときに用いる．この後に that 節を続けることも多い．

> **Ex.** It blows my mind. All I eat is cucumbers, but I keep gaining weight. ショック！ キュウリしか食べてないのに体重が増えているわ．

Make up your mind. / Make your mind up.
「はっきりしなさい；どっちかに決めなさい」➤迷っている相手に決断を促す表現．

Mind your p's and q's.
「細心の注意を払いなさい；礼儀に気をつけなさい」➤Watch your p's and q's. ともいう．

> **Ex.** This is an important guest, so I want you children to mind your p's and q's. 大事なお客様だから，おまえたちは礼儀正しくするんだよ．

[補足] p's and q's が何に由来するのかについては諸説がある．一説には，子どもが字を書くときに p と q を間違えないようにという先生の注意からという．

Never mind.
「気にしないで；いいよ；もう結構」➤相手を慰めるときや，私の頼みは忘れてよいという場合などに用いる．

> **Ex.** A: I'll help you if you pay me $50 up front.
>   50ドル前金で払ったら手伝ってあげるよ．
>   B: Never mind. I'll ask someone else. いいわ．他の人に頼むから．

Nothing could be further from my mind. / Nothing is further from my mind.
「そのようなことはまったく考えていない [いなかった]」➤私の心からそれよりも遠いものはない，つまり「それは私の心からいちばん遠いものだ」ということから．

You can do anything if you set your mind to it.
「その気になればなんでもできる」➤親や教師などが子どもを励ますときなどに用いる．

mingle 混ざる

Go mingle.
「さあ，みんなと話をして」➤パーティーで，1か所にいないであちこち動いていろいろな人と話をしなさい，という場合に用いる．

minute 分；ほんの少しの間

Do you have a minute?
「ちょっとお時間をいただけますか；ちょっといいですか」 ➤相手と少し話をしたいときに用いる．Do you have a second? などともいう．

In a minute.
「すぐにね；はい，ただいま」 ➤相手に促されて，いますぐ行く [する] などという場合に用いる．In a second. / In a bit. などともいう．

Ex. A: We need to leave now or we'll miss the train.
もう出ないと電車に乗り遅れちゃうよ．
B: In a minute. I just need to fix my hair.
すぐすむわよ．ちょっと髪を直すだけだから．

Just a minute. / Wait a minute.
「ちょっと待って」 ➤Just a moment. / Just a second. などともいう．

---

mirror 鏡

Breaking a mirror brings seven years of bad luck.
「鏡を割ると7年間不運に見舞われる」 ➤よく言われる迷信 (superstition) の1つ．

Mirror, mirror, on the wall, who's the fairest of them all?
「鏡よ鏡，この世でいちばん美しいのはだれ」 ➤童話の「白雪姫」("Snow White") で白雪姫の継母 (stepmother) であるお妃 (きさき) が鏡に向かって言うせりふ．Mirror, mirror, on the wall, who is the fairest one of all? ともいう．Mirror, mirror (on the wall) は本の題名などさまざまなところに引用されている．

[補足] 前半と後半が4拍で，wall と all が韻を踏んでいる．

---

misery みじめさ；悲惨；不幸

Misery loves company.
「みじめさは仲間を愛する；同病相哀れむ」 ➤不幸な人は同じような境遇にある人と知り合うことで慰められる，ということわざ．自分が不幸なのだから相手も同じように不幸にしてやれ，という場合にも用いる．

---

miss (目標を) 外す；欠席する；しそこなう；いなくてさびしい；ミス

A miss is as good as a mile.
「外れは外れ；失敗は失敗；負けは負け」 ➤的をねらって惜しくも外したような場合でも，的に当たらなかったという意味では1マイル外した場合と同じだということわざ．

Am I missing something (here)?
「どういうことかよくわからないけど；どうしてなの」 ➤私の理解が足りないのでしょうか，という場合に用いる．「私が (知るべきことを) 何か見逃しているのですか」が原義．

Ex. A: So don't forget to bring the photographs to the meeting.
会議には写真を持ってくるのを忘れないで．
B: Am I missing something here? What meeting?
どういうこと？ 会議ってなんの？

Did I miss something?
「何かあったかい」➤会合に遅れて来て「私は重要な話を聞きもらしましたか」と尋ねる場合や,みんなが笑っているところに来て「何を笑っているのですか」と尋ねる場合などに用いる.
- **Ex.** A: Everyone has to work around the clock this week.
  今週はみんな徹夜しないといけないな.
  B: Did I miss something? What's all the commotion about?
  どういうことなの. なんでそんなにあわてているのよ.

Don't miss it.
「お見逃しなく」➤テレビの宣伝などによく使われる.

I miss you already.
「もう寂しくなっている」➤恋人などが別れ際や,別れたすぐ後で言う.

I wouldn't miss it for the world.
「絶対にこの機会は逃さない;絶対に行くわよ」➤世界(じゅうのもの)をあきらめてもその機会は逃さない,ということから. I wouldn't miss it. ともいう.

You can't miss it.
「行けばすぐにわかるよ;それは必見よ」➤道を教えるときや,それを見逃す手はないという場合に用いる.「あなたはそれを見逃すことはできない」が原義.

You never miss the water till the well runs dry.
「井戸が干上がるまでは水のありがたさがわからない」➤それがなくなってから初めてそのたいせつさがわかる,ということわざ. You don't miss the water till the well runs dry. ともいう.

Mississippi ミシシッピ(州, 川)

One Mississippi, two Mississippi, three Mississippi, ...
「いーち, にーい, さーん, …;ひとーつ, ふたーつ, みーっつ, …」➤ゆっくり数を数えるときの言い方. Mississippi という4音節の語を挿入することによって時間がかかるようにしたもの. One hippopotamus, two hippopotamus, three hippopotamus, ... / One one thousand, two one thousand, three one thousand, ... ともいう.

Missouri ミズーリ(州)

I'm from Missouri. You've got to show me.
「私はミズーリ出身です. 見せてください」➤私は疑い深いから証拠なしでは信用しないという場合に用いる. この句からミズーリ州の別名を Show Me State という.

mistake 間違い;過ち;失敗;間違う

Don't make the same mistake twice.
「同じ失敗を繰り返すな」➤1度失敗した人への注意.

Everyone is allowed one mistake.

「だれでも1度の失敗は許してもらえる」➤1度目の失敗は仕方ないということ.
Everyone makes mistakes.
「だれにも間違いはある」➤相手を慰めたり,自分を弁護したりするときの表現.
If you think ..., you are sadly mistaken.
「もし…と思っているのなら,とんだ思い違いよ」
- Ex. A: Pick me up at 3:00, okay? 3時に迎えに来てね.
  - B: If you think I'm your chauffeur, you're sadly mistaken. Catch a bus. ぼくをお抱え運転手だと思っているならとんだ勘違いだよ. バスを使いなさい.

It's an honest mistake.
「わざとやったわけじゃないから;悪気があってしたことじゃないから」➤間違いや失敗が不注意などによるもので,悪意があってのことではないという意味.
- Ex. A: I'm so sorry for misspelling your name.
    名前のつづりを間違えてしまってほんとうに申し訳ありません.
  - B: It's an honest mistake. Don't worry about it.
    別にわざと間違えたわけじゃないから,気にすることはないわよ.

Learn from my mistakes. / Learn from the mistakes of others.
「私の過ちを教訓にしなさい/ほかの人の過ちを教訓にしなさい;他山の石としなさい」➤私やほかの人と同じ間違いをするなという場合に用いる. Learn from my mistake. と単数形も使われる.

Make no mistake.
「よく肝に銘じておきなさい;はっきり言っておく;言っておきますが」➤これから発言することや,たったいま発言したことを強調する場合に用いる. Make no mistake about it. ともいう.
- Ex. Make no mistake, if you fail on this project, you'll be asked to quit. はっきり言っておくけど,このプロジェクトが失敗したら辞めてもらうことになるよ.

[補足] ブッシュ大統領 (George Bush, Jr.) がよく使う.

My mistake.
「私の失敗です;私の間違いでした」➤自分の失敗や誤りを認める場合に用いる.

moderation 節度;中庸

Everything in moderation. / All things in moderation.
「何事も節度が肝心だ」➤あらゆる面で極端に走らず,ほどほどにしておくのがよいということわざ.

modest 控えめな;謙遜(けんそん)した;慎み深い

Don't be so modest. / You're too modest.
「そう謙遜しないで/またまたご謙遜を」➤もっと誇っていいでしょうということ.
- Ex. A: My house must feel like a rabbit hole to you.

私の家はあなたにはきっとウサギの穴みたいでしょう.
B: Don't be so modest. It's beautiful.
そう謙遜することはないでしょう. きれいなお宅じゃないですか.

moment 瞬間;短時間

Half a moment.

「ちょっと待って」 ➤Just a moment. とほぼ同じだが, こちらのほうが「ほんのちょっと」を強調している. moment の省略形を使い Half a mo. ともいう.

I was caught up in the moment.

「**瞬間に心を奪われていた**; ついものの弾みでしたことです; 我を忘れていました」➤その瞬間のことに心が捕らわれて, 冷静・客観的に状況を把握できない状態だったという意味で, 特に衝動的に何かをしてしまったような場合によく用いる.

Ex. A: Hiroshi, are you listening? 博, ねえ聞いてるの?
B: Sorry. I was caught up in the moment.
ごめん. ちょっと気をとられていてね.

Just a moment.

「ちょっと待って」 ➤Just a second. / Just a minute. とほぼ同じ. moment の省略形を使い Just a mo. ともいう.

One moment, please.

「**少々お待ちください**」➤相手を待たせるときの表現で, 特に電話でよく使われる.

Seize the moment.

「**瞬間をつかめ**; いまを生きろ」 ➤将来のことはわからないからいまこの瞬間をたいせつにしなさい, ということわざ. [類似] Seize the day. / Carpe diem.

money お金;貨幣

Bad money drives out good.

「**悪貨は良貨を駆逐する**」➤悪質なものが出回って良質なものが姿を消す, ということわざ.

I'm not made of money.

「**私はお金でできてはいない**」➤私は金持ちではないという意味. 特に子どもが小遣いをねだったり, 電気をつけっぱなしにするなどのむだをしているときに親がこう言って注意する. Do you think I'm made of money? / What do you think I am, made of money? (私がお金でできているとでも思っているのか)ともいう.

It takes money to make money.

「**お金をもうけるにはお金が要る**」➤ビジネス界で使われる格言で, 金もうけにはそれなりの資金が要るという意味. You need money to make money. ともいう.

Money burns a hole in someone's pocket.

「**…は金遣いが荒い**; お金があるとみんな遣ってしまう」➤その人のポケットにあるお金はポケットを燃やして穴を開けてしまうかのようにどんどんなくなっていく, ということ.

Money comes and goes.

「**金は天下の回り物**」➤お金は入ってくるけれどまた出て行くものだ, ということわざ.

Money doesn't grow on trees.

「金は木にならない; 金は生えてくるわけじゃないよ」➤金は苦労して働いて得るものだという意味で, 特に親が金遣いの荒い子どもに注意するときによく言う.

Money has no smell.

「お金ににおいはない; お金に色はない」➤どこから得たものであろうとお金の価値は変わらない, ということわざ. Money doesn't smell/stink. ともいう.

[補足] 古代ローマの故事に由来する. 紀元1世紀の皇帝ウェスパシアヌス (Vespasian) が公衆トイレのふん尿に税をかけたことに息子が異議を唱えた. 皇帝は税収のお金を息子にかがせてにおいがするか尋ねたところ, 息子は「においはない」と答えたという.

Money has wings.

「お金には翼が生えている」➤お金は飛ぶように消えて行くということわざ.

[補足] 出典は旧約聖書 (Old Testament) の「箴言」(Proverbs 23:5) のことば riches certainly make themselves wings; they fly away as an eagle toward heaven (富は消え去る. 鷲のように翼を生やして, 天に飛び去る) という.

Money is hard to come by.

「お金はなかなか入って来ない; お金を稼ぐのは大変だ」

Money isn't everything.

「お金がすべてじゃないわよ」➤富以外に人生には大事なことがある, と人を諭すような場合に使われることが多い.

[補足] エリザベス・テーラー (Elizabeth Taylor), ジェームズ・ディーン (James Dean), ロック・ハドソン (Rock Hudson) 主演の映画『ジャイアンツ』(Giant, 1956) で, エリザベス・テーラーがジェームズ・ディーンにこう言うと, ディーンが Not when you've got it. (持っている人にとってはね) と答える場面がある.

Money is power.

「金は力だ」➤財力のある人が影響力をもつということわざ.

Money is the root of all evil.

「金は諸悪の根源だ」➤お金が原因で犯罪その他の悪が生じるということわざ. ⇨ The love of money is the root of all evil.

Money makes money. / Money begets money.

「金が金を生む」➤お金のない人にはお金がたまらないが, お金のある人はさらにお金がたまるということわざ. [類似] It takes money to make money.

Money is no object.

「お金は問題ではない; 金に糸目はつけない」➤お金がいくらかかろうとかまわない, という場合に用いる.

Money makes the world go round.

「金が世界を動かす; 地獄の沙汰も金次第」➤人間社会は金を中心に動いているということわざ. ⇨ Love makes the world go round. (loveの見出し参照)

Money talks.

「金がものを言う; 地獄の沙汰も金次第」➤人に何かやってもらいたかったらそれなりのお金を払うのがよい, ということわざ.

Ex. A: This restaurant is always crowded. I don't think we're going to get in. このレストランはいつも込んでいるわね. 入れそうもないわ.

B: Don't worry. Money talks. 心配無用だよ．金にものを言わせるから．

Not for my money.

「私はそうは思わない」 ▶ほかの人はどうか知らないが私に関してはそうではない，という場合に用いる．[類似] Not in my book.

Ex. A: That was a great movie. あれはすごくいい映画だったね．
B: Not for my money. I fell asleep halfway through.
　　ぼくはそうは思わないな．途中からずっと寝ちゃったよ．

Put your money where your mouth is.

「口先だけでなく実行しなさい」 ▶身銭を切って実践しなさいという場合などに使われる．「おまえの口のあるところにお金を入れろ」が原義．

Ex. A: You're not going to make a single point.
　　きみには1ポイントだって取れないよ．
B: Let's bet on it. Put your money where your mouth is.
　　じゃあ賭(か)けようよ．そこまで言うのならお金を賭けられるだろう．

That's where the money is.

「そこには金があるから」 ▶銀行強盗のウィリー・サットン (Willie Sutton) がなぜ銀行強盗 (bank robbery) をするのか，と聞かれたときに言ったことば．正確には Because that's where the money is. (なぜならそこには金があるから)．

The love of money is the root of all evil.

「金銭欲は諸悪の根源だ」 ▶聖書に由来することわざ．金銭欲ではなくお金そのものを悪と見る Money is the root of all evil. (金は諸悪の根源) ということわざもある．出典は新約聖書 (New Testament) の「テモテへの手紙一」(1 Timothy 6:10) にあることば．

You can't eat money.

「お金は食べられない」 ▶いくらお金があっても腹の足しにはならないという意味．食糧確保の重要性を説く場合によく使われる．

You pays your money, and you takes your choice.

「どうとでもお好きなように」 ▶好きなものを選びなさい，ただしそれがどんなものだろうと自分の責任ですよ，というような場合に用いる．ロンドンの下町ことばであるコックニー (Cockney) の言い回しで，2人称に pays, takes という形が使われている．You pays your money, and you takes your chances. ともいう．「お金を払って好きなものを選びなさい」が原義．

Ex. A: Which one of these used computers is best? What do you recommend? ここの中古コンピューターの中ではどれがいちばんいいんだい．どれがお勧めかな．
B: Well, I don't know. You pays your money, and you takes your choice. さあ，私にはわからないわ．自分で好きなのを決めて．

Your money, or your life.

「おまえの金か命か; 命が惜しけりゃ金を出せ」 ▶追いはぎのことばとして知られる．

---

monkey 猿

Monkeys will/can fly.

「何をばかな；そんなことあるわけないだろ」➤強い不信を表す俗語表現．しばしば And monkeys will/can fly (out of my butt/ass). (そうなれば猿が (私のしりの穴から) 飛び出すだろう) として用いる．Pigs will fly. などともいう．

Ex. A: John is going to be an opera singer.
ジョンはオペラ歌手になるんだって．
B: And monkeys can fly. へそが茶を沸かすよ．

I'll be a monkey's uncle.
「こいつは驚いた；たまげたね」➤「私は猿のおじになるだろう」が原義．
[補足] テレビドラマ『刑事コロンボ』(*Columbo*) のコロンボがよく言う．

Monkey see, monkey do.
「猿真似 (もいいところだ)」➤日本語と同じ発想．「猿は見て，猿は行う」が原義．

Ex. A: All of Bill's friends have yoyos and now he wants one.
ビルは友だちがみんなヨーヨーを持っているから，自分も欲しいのよ．
B: Monkey see, monkey do. まったくすぐ人のまねをするんだから．

When monkeys fly!
「あり得ないね」➤永久にないという意味のおどけた言い方．それがあるとしたら猿が空を飛ぶときだ，ということから．When pigs fly! ともいう．

moon 月

Shoot for the moon.
「月を目指して撃て；目標は高く持て」➤望み得る最高のものを目指しなさい，または非常に困難な課題に挑みなさいという場合に用いる．

mop モップ

That's the way the mop flops.
「世の中そんなものだ；しかたないわよ」➤「モップはそのように倒れるものだ」が原義．That's the way the ball bounces. / That's the way the cookie crumbles. ともいう．

more より多く(の)；もっと；より多くのもの

Have some more.
「もっと召し上がれ」➤特に飲食物のお代わりを勧めるときの表現．強調するときは Do have some more. という．Would you like some more? (もう少しいかがですか) というほうが丁寧．

More is better.
「より多いほうがよい；より大きいほうがよい」➤増えること，大きくなることはよいことだという考え方．なるべく多く盛り込もうとする態度についても使われる．

No more than I have to.
「特にこれといったことはしていない；必要最低限度です」➤何をしているか，この人を知っているかなどの質問に対し，特別なことは何もしていない，深くは知らないとい

うような場合に用いる．あいさつの答えとしても使われる．「そうしなくてはならない最低限でそれ以上はしていない」が原義．
  Ex. A: Do you sometimes take work home with you?
          たまには仕事を家に持ち帰ることはあるの?
        B: No more than I have to. どうしてもという時だけね．

Once more. / One more time.
「(では) もう1度」➤相手に同じことを繰り返すように催促する表現．「もう1度言ってください」という意味では I beg your pardon? / Pardon? などのほうが丁寧．

One more thing.
「もうひとつ」➤会話の最後に注意や質問をする場合に用いる．

[補足] テレビドラマ『刑事コロンボ』(*Columbo*) のコロンボがよく言うせりふに Just one more thing. (後ひとつだけ) がある．

The more the merrier.
「**人数が多いほうが楽しい**」➤パーティーに人を誘うときなどに，おおぜいのほうが楽しいから友だちなどをたくさん連れてきてください，という場合によく用いる．

morning 朝；午前

Good morning.
「**おはよう**」➤午前中に出会ったときのあいさつ．特に子どもが目を覚ましたときには親などが Good morning, sunshine. と言うことも多い．くだけた言い方では単に Morning. ともいう．

mother 母；母親

Go tell your mother she wants you.
「**お母ちゃんの所に泣きつきに行け；とっととうせろ**」➤おまえなんかどこかへ行ってしまえ，という場合に用いる．「お母ちゃんの所に行って，お母ちゃんはおまえをほしがっていると言え」が原義．

Like mother, like daughter.
「**あの母にしてこの娘あり；子は親に似る；蛙 (かえる) の子は蛙**」➤女の子が容姿や性格の点で母親とよく似ている，ということわざ．[類似] Like father, like son.

Mother knows best.
「**母親がいちばんよく知っている**」➤一家を切り盛りしている母親が何かにつけてよく知っているものだ，という意味．[類似] Father knows best.

What are you, my mother? / Since when did you become my mother?
「**あんたは私の母親か/あなたはいつから私の母親になったのか**」➤母親でもないのに余計なお節介をするな，というような場合に用いる．

mountain 山

Don't make a mountain out of a molehill.

「つまらないことで騒ぎ立てるな」➤小さな問題に大騒ぎするなということわざ.「モグラ塚から山を作るな」が原義.

If the mountain won't come to Mohammed, then Mohammed must/will go to the mountain.

「山がムハンマドの所に来ないなら,ムハンマドが山に行かなければならない」➤自分の思いどおりにならないときは自分が折れるしかない,ということわざ.ムハンマドと山を入れ替えた If Mohammed won't come to the mountain, then the mountain must/will go to Mohammed. という句も使われる.

[補足] イスラム教 (Islamism) の開祖ムハンマドの故事に由来する.ムハンマドが山に来いと命じたが,山は動かなかった.すると彼は「山がここに来ていたら自分たちは押しつぶされてしまっただろう.神に感謝しよう」と言って自分から山に行ったという.

mouse ネズミ

The second mouse gets the cheese.

「2匹目のネズミがチーズをとる」➤最初の人の失敗を見届けて2番目がうまい汁を吸う,ということわざ.ネズミ捕りに仕掛けられたチーズを食べようとした最初のネズミは捕まってしまうが,2匹目は安心してチーズをさらっていくということから.しばしば The early bird catches the worm. (早起きは三文の得) と対比して用いる.

mouth 口; 言うことば

I'll wash your mouth out with soap.

「せっけんで口を洗ってやるよ」➤子どもが悪いことば遣いをしたり,生意気な口をきいたときに母親などが言う脅し文句. Say that again and I'll wash your mouth out with soap. (もう1度言ってみな…) / Watch your language, or I'll wash your mouth out with soap. (ことば遣いに気をつけないと…) などと言うことが多い.

I've had enough of your mouth.

「もうおまえの話は聞きたくない」➤相手が小言を言ったり口答えをしたりした場合に,もうそれは十分に聞いたからそれ以上言うな,という場合に用いる.

Keep your mouth shut.

「黙っていなさい; だれにも言わないで」➤一般に沈黙していなさいという場合と,こ

れについて他言するなという場合がある．

Keep your mouth shut and your eyes open.
「口は閉じて，よく目を見開いていなさい」➤おしゃべりは慎んで，しっかり見聞きしなさいという忠告．Keep your eyes open and your mouth shut. ともいう．

Out of the mouths of babes. / From the mouths of babes.
「子どもながら賢いことを言う」➤子どもは時としておとな顔負けの賢明なことを発するものだ，ということわざ．子どもがずばり本質を突いたことを言ったりしたときに用いる．Out of the mouths of babes and sucklings. ともいう．由来は旧約聖書 (Old Testament) の「詩編」(Psalms 8:2) のことば．

Shut my mouth.
「失言でした；口は慎まないといけないね」➤自分に対して「口を閉じなさい」と言わないといけないという意味で，自分の言ったことを恥じる場合に用いる．
> **Ex.** Jane said she's pregnant. Oh! Shut my mouth. I was supposed to keep that a secret.
> ジェーンが妊娠したんだって．あら，いけない．これは秘密だったんだ．

Shut your mouth. / Hush your mouth.
「黙れ；うるさい」➤Shut up. などとほぼ同じ．

Watch your mouth.
「口に気をつけなさい」➤相手が悪いことば遣いをしたり，生意気な口をきいたりしたときに言う．Watch your language. / Watch your tongue. に同じ．

---

move　動く；動き；動かすこと

But it does move! / Nevertheless, it does move. / Still, it moves.
「それでもそれは動く；それでも地球は動く」➤ガリレオ (Galileo Galilei) が宗教裁判で地動説 (heliocentrism) を撤回させられたときにつぶやいたとされることば．

I have to move along (now).
「もう行かなくては」➤辞去するときの表現．I have to go now. などともいう．

I'd better get moving. / I have to get moving.
「もう行かなくては」➤辞去するときの表現．I'd better get going. / I have to get going. などともいう．また，仕事などに取りかからなくてはいけない，という場合にも用いる．相手に対して You'd better get moving. (もうそろそろ出かけた / 仕事を始めたほうがいいですよ) と言うこともできる．

It's time to move along.
「もう行かなくてはいけない時間です」➤辞去するときの表現．また，新しい段階に進まなくてはいけないという場合にも用いる．

It's your move.
「あなたの番です」➤チェスなどのゲームで相手がやる番だという場合や，一般に私は自分のすることをやったから，今度はあなたがする番だという場合に用いる．

Move it.
「さっさとしろ；早くしなさい」➤相手に早く行動するように促す表現．
> **Ex.** I want all these files organized by 2:00. Move it!

2時までにこのファイルを全部整理しといて. さあ, 取りかかって.

Move on back.
「後ろのほうに詰めてください」➤特に, バスの運転手が乗り込んだ乗客に言う.

Move over.
「ちょっと詰めて」➤車の座席やソファーに座っている人に詰めてもらうときに用いる.

Nobody move!
「みんな動くな」➤特に強盗や警察などがよく言うせりふ. 命令形なので move と原形が使われている.

One false move, and ...
「一歩間違うと…; ちょっとでも変なまねをしたら…」➤しばしば脅しや警告の文句として使われる. One false step, and ... ともいう.

Ex. A: You can trust me. 私を信用してもらってだいじょうぶですから.
B: Okay, but one false move, and I'll call my lawyer.
わかったわ. でも, ちょっとでも変なまねをしたら弁護士を呼ぶわよ.

much ずっと; とても; たくさん (の); いっぱい (の)

Not much. / Not too much.
「あんまり; それほどでもない; 特にないね」➤相手の質問に対して否定的に答える表現. あいさつで「どうしているのか」と聞かれたときにも用いる.

Ex. A: I haven't seen you in years. What have you been up to?
あなたに会うのは何年ぶりかしらね. どうしていたの.
B: Not much. I'm still working at my father's store.
これといって特別なことはないね. まだ父親の店で働いているよ.

So much for that.
「これまでね; はいそれまでよ」➤それはもうおしまいだ, だめになった, 用なしだという意味で, しばしば Well, so much for that. として用いる.

Ex. A: Mr. Johnson told me that he thinks our idea is stupid.
ジョンソンさんは私たちのアイデアはくだらないと思うって言ったよ.
B: Well, so much for that. We'll just have to think of something else. じゃあ, それはだめだね. 何か別なのを考えないといけないな.

That's too much.
「それはあんまりだよ; たまらないよ」➤それは私の許容限度を超えているという意味. 不快で我慢ならないという場合や, おかしくてたまらないという場合などに用いる.

You're too much.
「まったくやってられないよ; すごいね」➤相手にあきれたり, 愛想を尽かしたりして言うことが多いが, 非常に感心したという場合にも用いる.

mud 泥

Here's mud in your eye.
「乾杯」➤「あなたの目に泥がある」が原義だが, その由来については不明らしい.
[類似] Here's looking at you.

murder 殺人(事件);ひどいもの

Murder will out.
「**殺人はいずれ露見する**;悪事はいつかはばれる;闇(やみ)夜に目あり」➤殺人その他の犯罪,あるいは一般に隠された悪い行いは遅かれ早かれ明るみに出る,ということわざ.「殺人は外に出る」が原義.

[補足] ミステリー作家のジェシカ(Jessica)が殺人事件を解決するテレビドラマ『ジェシカおばさんの事件簿』(1984-96)の原題 *Murder, She Wrote* はこの句を連想させる.

★日本語の「殺人」は英語では murder, manslaughter, homicide に大別される.おおまかに言うと,murder は意図的に不法に人を殺す場合,manslaughter は悪意がなくて殺してしまう場合,homicide は広く一般に人が殺される場合を指す.刑事ドラマなどに出てくる「殺人課」は homicide (section) と呼ばれる.自殺や事故死も homicide なので殺人課が出動する.

music 音楽

Stop the music.
「(みんな)**手を止めて**;ちょっと待った」➤その場の活動を一時中断させるときに用いる.Stop the presses. に同じ.

That's music to my ears.
「**いい響きですね**;それはすばらしい」➤いい知らせを聞いて喜ぶときの表現.また,そういう音は大好きだという場合にも用いる.It's music to my ears. ともいう.

must …しなければならない;…に違いない;必要不可欠なもの

If you must.
「**そうしなければいけないのなら**(どうぞそうしてください)」

Ex. A: Do you mind if I use your car? I need to take my dog to the hospital. 車を借りていい? 犬を病院に連れて行かなくちゃいけないの.
B: If you must. そういうことならどうぞ.

It's a must.
「**それは絶対です**;それは欠かせません」➤それは必須のものだというときに用いる.

Ex. We need to have all these reports ready by Monday morning. It's a must.
月曜の朝までにこの報告書を全部仕上げないといけない.これは絶対だ.

my 私の

My! / Oh my! / My, my! / My, oh my!
「**おやまあ**;なんと;これはこれは」➤少し驚いたときなどに用いる.Holy cow! などよりも穏やかな言い方.

N, n

name 名前; 名づける; 名前を言う

I didn't catch your name. / I didn't catch the name.

「**なんと言うお名前でしたっけ**」➤紹介されたときに名前をしっかり聞き取れなかったり, 忘れたりしてまた聞くときに用いる. I didn't catch the name. は一般に「その名前を聞きもらした/忘れた」という場合にも用いる. 類似 What's your name again?

Something is my middle name.

「**…が私のミドルネームだ; …が私のモットーだ**」➤私はそれを生きがいにしている, またはそれが私の持ち味だというような場合に用いる. 主語の部分には名詞以外の語も入る. Language is her middle name. (彼女は語学が生きがいだ) のように自分以外の人についても用いる.

My name is Legion: for we are many.

「**名はレギオン. 大勢だから**」➤新約聖書 (New Testament) の「マルコによる福音書」(Mark 5:9) からの引用句. イエス・キリスト (Jesus Christ) が人にとりついていた霊を追い出し, その霊に名前を聞いたときに, その霊が答えて言ったのがこのことば. *Someone's* name is legion. は「…は大勢いる」という意味でよく使われる.

Someone's name is mud.

「**評判はがた落ちだ; みんなに総すかんを食っている**」

補足 この句は *Someone's* name is Mudd. が正しいとする説がある. 1865年, リンカーン (Abraham Lincoln) 大統領の暗殺犯ブース (John Wilkes Booth) が足を骨折して逃亡したとき, 医師サミュエル・マッド (Samuel Mudd) がそれと知らずに彼を治療したために暗殺の共謀犯として起訴され, 有罪になった. ここから「評判を落とす」という意味でこの句が使われるようになったというのだが, 実際にはその事件以前から定着していた表現らしい.

Name it.

「**言ってごらん**」➤頼みや条件があるなどと言われたときの返事. Name it and it's yours. (なんでも言ってくれればするよ) と相手の願いを快諾する表現もある.

Ex. A: Can I ask you a favor? お願いがあるのですが.
B: Name it. 言ってください.

Not in my name.

「**私の名においてするな**」➤自分の国家や民族, 宗教などの名の下に他者を弾圧する政府などに反対する人たちが用いる標語.

Names will never hurt me.

「何と言われようと気にしないよ」➤特に子どもが悪口を言われたときに返すことば．
⇨ Sticks and stones may break my bones, but words/names will never hurt me. (stick の見出し参照)

The name says it all.
「その名のとおりだ；名は体を表す」➤その名前を聞けばどんなものかすぐにわかる，ということ．

What's in a name?
「名前がなんだというの」➤シェークスピア (Shakespeare) の『ロミオとジュリエット』(*Romeo and Juliet* II. ii.) でジュリエットが言うせりふ．名前ではなく中身が大事だというような意味でよく引用される．

What's your name?
「お名前はなんですか」➤May I have/ask your name? などのほうが丁寧．
[補足] この言い方はきつく響くので避けたほうがよいとする英和辞典や英会話教本などがあるが，相手が明らかに敬意を示すべき目上の人でなければ特に失礼にはならない．

What's your name again? / What was your name again?
「お名前はなんて言いましたっけ」➤紹介されて相手の名前を忘れてしまったときなどに尋ねる．特に店員や係員などが客に聞き返す場合は What was the name again? ということも多い．[類似] I didn't catch your name.

You name it.
「なんでも言ってください」➤You name it, I'll do it. (なんでもおっしゃっていただければやります) や You name it. I've done it. (あなたが言うことはみんなやりました；私はありとあらゆることを経験しています) のように，I (または we) で始まる文とセットにして「どんなことであろうと」という副詞句的な意味で用いる．特に店の人が品ぞろえに自信があることを客に保証することば You name it, we have it. (なんでもおっしゃってください．うちにはなんでもそろっていますから) はよく使われる．

nature 自然；本性

Go back to nature.
「自然に帰れ」➤人間の本性に立ち返れという意味の，フランスの思想家ルソー (Jean-Jacques Rousseau) のことば．自然に触れる旅をしようという宣伝文句などにもよく使われる．

Let nature take its course.
「自然に任せよう」➤病気や問題などが発生したときに，余計な手を出さずになりゆきを見守ろうという場合に用いる．

Nature abhors a vacuum.
「自然は真空を嫌う」➤自然には何もない空間を満たそうとする性質がある，という意味．

You can't fool Mother Nature.
「自然をごまかすことはできない」➤マーガリンのテレビコマーシャルで使われたことば．一般に，自然の摂理に逆らった科学技術や農業などを批判する場合に使われる．

necessity 必要(性);必需品

Necessity is the mother of invention.
「**必要は発明の母**」➤必要に迫られて新しいものが生み出される,ということわざ.
[補足] プラトン (Plato) の『国家』(*Republic*) の中でソクラテス (Socrates) が言うせりふに, Then, I said, let us begin and create in idea a State; and yet the true creator is necessity, who is the mother of our invention. (それから,私は言った,イデアの中で国家をつくることから始めよう.と言っても,真の創造者は必要であり,それは発明の母であるのだが) とある.

Necessity knows no law.
「**必要は法律を知らない;背に腹は代えられない**」➤せっぱ詰まったときには法律や道徳などは無視される,ということわざ. Necessity has no law. ともいう.

need 必要とする;必要性

I need it yesterday.
「**すぐに頼む;大至急ね**」➤いまでは遅すぎる,きのう必要なくらいだという意味.

I need that like I need a hole in my head.
「**まったく要らない;まっぴらごめんだわ**」➤頭に穴があくのを必要とするのと同じようにそれを必要とする,つまりまったく必要としないという意味.

There is no need.
「**その必要はないよ**」➤相手がこうしたほうがいいですか,などと聞いた場合の返事.省略表現の No need. も使われる.

neighbor 隣人   neighborhood 近隣;界隈

Good fences make good neighbors.
「**よい垣根がよい隣人をつくる**」➤しっかり垣根をつくり,お互いに相手の所有地に干渉しないことが近所づきあいの秘訣だ,ということわざ.ロバート・フロスト (Robert Frost) の詩 "Mending Wall" (「垣直し」) で隣の人が言うせりふ.

I was (just) in the neighborhood.
「**ちょっと近くに来たものだから**」➤近くに来たついでに寄ってみたという意味で,その人に会いに来たのをごまかす口実としてよく使われる.

neither …も…でない

Neither am I. / Neither do I.
「**私もそうです**」➤相手が否定形で言ったときに用いる.相手が be 動詞を使った場合は Neither am I., 一般動詞や助動詞を使った場合は Neither do/can/will/have I. などとなる.口語の Me neither. はこのいずれの場合にも用いる.なお,相手が肯定形で言った場合には So am I. / So do I. など so を用いる.
Ex. A: I'm not going to the party. 私はそのパーティーには行かないわ.
B: Neither am I. ぼくも.

[補足] 2004年8月5日の演説でブッシュ (Bush) 大統領が語った次のことばは，はなはだしい言い誤りの例として大きな話題になった．

Our enemies are innovative and resourceful, and so are we. They never stop thinking about new ways to harm our country and our people, and neither do we.

私たちの敵は先進的で資力もあるが，私たちだってそうだ．彼らは私たちの国家と国民に危害を加える新しい方法を絶えず考え続けているが，私たちだってそうだ．

neutral 中立の

Go to your neutral corners.
「ニュートラルコーナーへ」➤ボクシングで一方の選手がノックダウンしたときにレフェリーがもう一方の選手に言うことば．一般に，言い争いをしている人たちの間に割って入るような場合にも使われる．

nerve 神経

Some nerve! / What nerve! / Of all the nerve!
「どういう**神経**だい；いい根性しているよ」➤相手などの厚かましさにあきれ果てたときに用いる．What a nerve! ともいう．

never 絶対に [永久に] …ない；1度も…ない

Never in a million/thousand years!
「**百万年/千年たってもそれはない**；絶対にお断りだ；絶対に無理ね」➤強く拒否または否定する場合に用いる．Not in a million/thousand years! に同じ．

Never is a long, long time.
「**永久にというのは非常に長い間だ**」➤相手が never を使って「永久に [絶対に] …しない」などと言ったときに，そのように意地を張るのはよくない，または時間がたてばどう変わるかわからないよという意味で使われる．

Ex. A: I'm never going to talk to her again after the way she acted.
あんなふるまいをするなんて，もう彼女とは絶対に口をきくもんか．
B: Never is a long, long time, you know. Don't do something you might regret later on.
絶対だなんてことは言わないで．後で後悔するようなことはしないほうがいいよ．

Never say never (again).
「**絶対だめだなんて (2度と) 絶対に言ってはいけない**」➤相手が never を使って「絶対…しない」などと言ったときに返すことば．もっと前向きに考えなさい，将来どう変わるかわからないからそのようなことは言ってはいけないという場合などに用いる．

Well, I never!
「とんでもない；信じられない；まあ (驚いた)；これはこれは」➤I never! ともいう．

nevermore   2度と…しない

Nevermore.
「**2度とない**」➤エドガー・アラン・ポー (Edgar Allan Poe) の詩「大鴉」("The Raven") で大ガラスが言うことば. 恋人のレノーア (Lenore) を失って悲しみにくれる作者の部屋の窓に大ガラスがやってきて, Nevermore. と鳴く.

new   新しい

Anything new?
「**何か新しいことはありますか**」➤特に友だちと久しぶりに会った場合などのあいさつとして, また仕事などで何か新しい展開はあるかと尋ねる場合などに用いる.

Out with the old, in with the new.
「**古いものを捨て, 新しいものを入れる**」➤古いものや方式を捨て去り, 新しいことを始めたり取り入れたりする場合に用いる. Off with the old, on with the new. ともいう.

There's nothing new under the sun.
「**太陽の下に新しいことなし**」➤世の中は同じことの繰り返しで, ほんとうに新しいことなどないということわざ. しばしば Nothing new under the sun. と省略して用いられる. 出典は旧約聖書 (Old Testament) の「コヘレトの言葉」(Ecclesiastes 1:9) の句 The thing that hath been, it is that which shall be; and that which is done is that which shall be done: and there is no new thing under the sun. (かつてあったことは, これからもあり, かつて起こったことは, これからも起こる. 太陽の下, 新しいものは何ひとつない).

What else is new?
「**そんなことわかっているわよ; 毎度のことさ**」➤相手の話に対して, それは何も今回が初めてではないという場合にいう. しばしば So what else is new? の形で用いる.
- **Ex.** A: Did you hear that Rodger Clemens changed his mind again about retiring from baseball? Apparently, he's going to play "one more season"! ロジャー・クレメンスが現役を引退するのを撤回したって聞いたかい. どうやらまた「もう1シーズン」現役を続けるようだね.
  B: Yeah, what else is new? ああ, 毎度のことさ.

What's new?
「**何か変わったことあるかい; 変わりないかい**」➤友だちと久しぶりに会った場合によく使われるあいさつ. 特に相手のことについて尋ねる場合は What's new with you? ともいう.

news   知らせ; 便り; ニュース

Any news is good news.
「**どんな知らせもいい知らせだ**」➤何も知らせがないよりは何か知らせがあったほうがよい, という意味. No news is good news. の反対.

Bad news travels fast.

「**悪事千里を走る**」➤悪い知らせは速く伝わるということわざ．

I have good news and bad news. The good news is ... The bad news is ...
「**よい知らせと悪い知らせがあります．よい知らせは…．悪い知らせは…**」➤一般に使われる表現だが，特にジョークにこのパターンがよく出てくる．

> **Ex.** I have good news and bad news. The good news is you've been moved to the same department as that cute girl you had your eye on last year. The bad news is she's going to be your boss!
> いい知らせと悪い知らせがあるよ．いい知らせは，きみが去年目をつけていたかわいい子と同じ部署に移動になったということだね．悪い知らせは彼女がきみの上司になったことさ．

I have news for you. / I('ve) got news for you.
「**あなたに知らせることがあります；言っておきますけどね**」➤文字どおりの意味の場合と，「あなたは何か勘違いしているようだから言いましょう」という場合がある．

It's yesterday's news. / That's yesterday's news.
「**昔の話だよ；もう過去のことだよ**」➤それは旧聞に属する，いまとなっては関係ないというような場合に用いる．

No news is good news.
「**便りのないのはよい便り**」➤何もなく順調に行っているときには知らせや便りがないものだ，ということわざ．⇨ Any news is good news.

That's news to me. / It's news to me.
「**それは初耳だ**」➤いまそれを聞いて初めて知ったという場合に用いる．この逆の場合は That's not/no news to me. や It's not/no news to me.（それは前から知っている）などと言う．

When a dog bites a man that is not news, but when a man bites a dog that is news.
「**犬が人をかんでもニュースにはならないが，人間が犬をかめばニュースになる**」➤ジャーナリズムでよく言われる格言．

---

next 次の；次に

Next, please.
「**次の方，どうぞ**」➤窓口の係員が並んでいる客などにかけることば．

Until next time. / Till next time.
「**ではまた（この次に）**」➤別れのあいさつ．Goodbye until/till next time. の省略表現．

What's next?
「**次はなんだい；次は何があるのだろう**」➤次は何があるのか，または何をしたらよいのかなどと尋ねる質問．

---

nice よい；素敵な

Nice and easy.

「**そうっとね；ゆっくりね**」➤ものを扱うときなどに，ゆっくりと丁寧・慎重に行うように注意することば．

Nice guys finish last.
「**いいやつはびりっけつになる**」➤勝負事は非情に徹しないと勝てない，ということわざ．野球選手・監督のレオ・ドローチャー (Leo Durocher, 1905-91) のことば．

nickel ニッケル；5セント硬貨

If I had a nickel.
「**そんなのはいやと言うほどあるよ**」➤これだけでも使うが，例えば相手が何かを言った場合に，If I had a nickel for every time I heard that. (それを聞いたときに毎回5セント硬貨を持っていたらなあ；出ましたお得意のフレーズ) のように言うことが多い．If I had a nickel for every time I heard that, I would be rich by now. (そしたらいまごろは金持ちになっていたのに) という意味で，そのようなことが数え切れないほどあるということを表す．

Ex. If I had a nickel for every time I spilled my coffee …!
まったくわれながらよくコーヒーをこぼすよ．

night 夜

Good night.
「**お休みなさい**」➤夜に別れるときや就寝時に用いるあいさつ．くだけた言い方では単に Night. ともいう．⇨ **Night night.**

I have to say good night. / I must say good night.
「**もうおいとましなければなりません**」➤夜に相手のところなどから去る場合に用いる．

Let's call it a night.
「**今夜はこの辺にしておこう；もうおしまいにしよう**」➤夜に仕事などを切り上げるように呼びかけることば．(It's) time to call it a night. もほぼ同じ．[類似] Let's call it a day.

Night night. / Nighty night.
「**お休み**」➤特に子どもに，または子どもが言う就寝時のあいさつ．Night night. Sleep tight. Don't let the bedbugs bite. (お休み．ぐっすり眠りなさい．トコジラミに食われないでね) というセットフレーズでも用いられる (Night night. の部分は Nighty night. / Good night. ともいう)．

The night is young. / The night is still young.
「**まだ宵の口だよ；夜はまだこれからだよ**」➤もう帰ろうなどと言う相手に用いる．

nightmare 悪夢

I'm your worst nightmare.
「**おれはおまえの最悪の悪夢だ；おれと会ったが運の尽きだ**」➤私はあなたにとって最も恐ろしい，またはいやな相手だという意味．

[補足] 映画『48時間』(*48 Hrs.*, 1982) でエディ・マーフィ (Eddie Murphy) が

刑事役のニック・ノルティ (Nick Nolte) から警察手帳を借りてバーに入り, 荒っぽい白人の男たちに I'm your worst nightmare. A nigger with a badge.(おれはおまえらにとっては最悪だぜ. 警察手帳を持った黒人だからな) という場面がある.

no　いいえ; いや; だめ; ない; ノーということば

A thousand times no!
「絶対にだめ」➤強く拒否するときのややおどけた表現. しばしば No, no, a thousand times no! の形で用いる.
[補足] ベティ・ブープ (Betty Boop) が主人公の1935年のアニメに *No! No! A Thousand Times No!!* (邦題『ベティの過激な舞台』) がある.

I won't take no for an answer.
「いやとは言わせないよ」➤相手に無理やり承諾させるときの表現.

No can do.
「だめだね; それは無理だ」➤依頼などにまったく応じられないという場合に用いる.

"No" means "no"!
「だめと言ったらだめ」➤相手がしつこく食い下がるような場合に用いる.

No siree.
「絶対にだめ; とても無理ね」➤強く拒否または否定するときのややおどけた表現. siree は sir の意味. 女性に対しても用いる. No siree, Bob. ともいう.

No way.
「絶対にだめ; とんでもない; まさか; うっそお」➤強く拒否または否定する表現. There's no way I'll do it. (私がそうすることはあり得ない) などの意味. また, それは信じられないという場合にも用いる.
[補足] 俗語で No way, Jose. ともいう. これは No way. に way と韻を踏む Jose (スペイン系男性の名前で発音は /houséi, -zéi/) を付け加えたもの.

When a lady says no, she means perhaps/maybe.
「レディーがノーと言うときは, もしかしたらという意味だ; いやよいやよもいいのうち」➤男性が女性に性的関係を強要するときに使う身勝手な論法. また, When a lady says no, she means perhaps/maybe. When she says perhaps/maybe, she means yes. When she says yes, she's no lady! (レディーがノーと言うときはもしかしたらという意味だ. もしかしたらと言ったら, それは OK という意味だ. そして OK と言ったら, その女性はレディーではない) というジョークにも使われる. When a woman says no, she means perhaps/maybe. ともいう.

none　だれも…ない; 何も…ない

None taken.
「いいえ, だいじょうぶです」➤相手が No offense (intended). (お気を悪くされないといいのですが) などと言ったときの返答. No offense taken. などの意.

nose　鼻

Don't cut off your nose to spite your face.
「顔に意地悪しようとして鼻を切るな」➤人を困らせるために自分に害が及ぶようなことをするな,または腹立ち紛れに後で自分が困るような行動はとるなということわざ.

Got your nose. / I've got your nose.
「ほら,鼻を取っちゃったよ」➤子ども相手の遊びで言うことば.軽くこぶしを作るようにして曲げた人差し指と中指とで相手の鼻をつまみ,それを引きちぎるようにして手を引き,人差し指と中指の間から親指を出して鼻が取れたと思い込ませる.

Keep your nose clean.
「品行方正にしていなさい;おとなしくしていなさい」➤問題などを起こさず,まじめにしていなさいという意味.「鼻をきれいにしていなさい」が原義.

Keep your nose to the grindstone.
「身を粉にして働きなさい;こつこつと勉強しなさい」➤仕事や勉強などを一生懸命にやり続けなさい,ということ.「研磨機に鼻を押しつけたままでいなさい」が原義.

not …ではない

Not in a million/thousand years!
「百万年/千年たってもそれはない;絶対にお断りだ;絶対に無理ね」➤強く拒否または否定する場合に用いる.Never in a million/thousand years! ともいう.

nothing 何も…ない;無;ゼロ

I have nothing further.
「それだけです;これで質問は終わります」➤それ以上言いたいことや質問などはないという意味で,特に法廷で検察や弁護側が証人に対する質問を終えるときに使われる.省略表現で Nothing further. ともいう.

It's better than nothing.
「何もないよりはましだ」➤不本意でも何もないよりはいいという場合に使われる.

Ex. A: I can't believe they're only offering us $400 for the living room couch. It's worth at least $700. 居間のソファーが400ドルだなんて信じられないわ.最低でも700ドルの価値はあるのに.

B: I know, but we need to sell it before we move out tomorrow. If you think about it that way, it's better than nothing. ああ.でもあした引っ越す前に売らなくちゃいけないんだから,そう考えたら,安くても金になるだけましじゃないかな.

It's nothing. / It was nothing.
「なんでもないわよ;どうってことありません」➤広く一般に使われるが,特にお礼を言われたときの返事としてよく用いられる.

Ex. A: Thanks for serving all that food today. It really helped tide us over until lunch. きょうは食べ物をたくさんありがとうございました.おかげさまでお昼まで持ちこたえることができました.

B: Oh, it was nothing. Those were just some leftover cold-cuts from yesterday's party. I was glad to help out.

なんでもないわよ．きのうのパーティーの残り物のコールドカットだから．お役に立ててよかったわ．

It's nothing to write home about.
「**大したことない**；取り立ててどうということはない」➤人やものなどについて用いる．There's nothing to write home about. (特に何もない) などの表現もある．「家に手紙で書いて知らせるほどのものではない」が原義．

Nothing.
「**別に**；何も」➤何をしているのかなどと聞かれたときの返事．

Nothing about us without us.
「**私たちを抜きにして私たちについて何も決めるな**」➤国や社会が一方的に障害者政策を決めるのではなく障害者も参加することを求めたスローガン．

Nothing doing.
「**だめだね**；見込みはない」➤相手の依頼などに対する拒否や否認を表す俗語表現．

Nothing for me, thanks.
「**私は結構です**」➤特に飲食物などを勧められて断るときの表現．I'm fine, thank you. などともいう．

Nothing gets by you.
「**あなたは何でもお見通しね**；慧眼(けいがん)だね」➤何もあなたを素通りして行かない，ということ．自分について Nothing gets by me. (何でもお見通しさ) と言うこともある．

> **Ex.** A: About that report that you wanted by Tuesday — would it be all right if I e-mailed it to you instead of sending you a printout in the mail? 火曜日までにほしいとおっしゃっていた報告書ですが，郵送でなくEメールで送ってもいいですか．
> B: Actually, I specifically said I needed it by Monday.
> ちょっと，月曜日までに必要だからとはっきり言っておいたはずだよ．
> A: Well, I can see that nothing gets by you!
> あれ，ごまかしは通用しませんね．

Nothing much.
「**大したことない**；ぼちぼちだね」➤特にあいさつで，これといって変わったことはないという場合などに用いる．

> **Ex.** A: Hi, John, what's up? やあ，ジョン．どうしているの？
> B: Nothing much. 別に変わりないね．

Nothing will come of nothing.
「**無からは何も生じない**」➤何もしなければ何も得られない，ということわざ．

[補足] シェークスピア (Shakespeare) の『リア王』(*King Lear* I. i.) でリア王が三女のコーデリア (Cordelia) に言うせりふ．王は領土を3人の娘に分け与える際に，私をどれだけ愛しているか聞かせてくれと迫る．コーデリアがNothing. (何も言うことはありません) と答えたとき，Nothing will come of nothing: speak again. (何も言わないと何ももらえないぞ．改めて言いなさい) と言う．

There's nothing to it.
「**簡単だよ**；どうってことないわよ；くだらないね」➤それは容易にできるという意味の表現．省略表現の Nothing to it. もよく使われる．どちらも前置詞の to を強く

発音する．そのうわさ話や言い争いは根拠のないものだ，という意味でも用いる．

You don't get something for nothing.
「無から何かを得ることはできない；労なくして益なし」➤何もしないで何かを手に入れることはできない，ということわざ．

You get nothing for nothing.
「ただでは何も手に入らない」➤何かを得るにはそれなりの対価が必要だ，ということわざ．

notice 気づく

In case you haven't noticed, ...
「気がついてないようなので言うけどね…」➤そんなのんきなことを言っている場合ではないくらいはわかりそうなものなのに，といらだちを込めて用いることが多い．

Ex. In case you haven't noticed, we are in the middle of a major recession. We can't afford to have employees spending half the monthly budget on parties. うちがいまたいへんな不景気に見舞われていることはわかっているだろうが．パーティーに月の予算の半分も使ってしまうような社員を雇っておく余裕はないんだよ．

Thank you for noticing.
「気づいてくれてありがとう」➤相手に何かをほめられたときなどに用いる．

Ex. A: By the way, Linda, those earrings look really nice on you. ところで，リンダ，そのイアリングはよく似合っているよ．

B: Oh, well thank you for noticing! You're the first one to say that. あら，気がついてくれたのね．ほめてくれたのはあなたが最初よ．

now いま；さて；さあ

It's now or never.
「いましかないよ」➤いまを逃がしたらチャンスは2度とない，という場合に用いる．

Not right now.
「いまはだめ；後でね」➤相手の依頼などにいまは応じられない，というときに用いる．飲食物などを勧められて「いまは結構です」という場合は Not right now, thanks. などと言う．

Now is the time.
「いまがその時だ；思い立ったが吉日だ」

Ex. Now is the time to act if you ever want to have a chance with her. 彼女といい仲になりたいのならいまが行動を起こすチャンスだよ．

Now is the time for all good men to come to the aid of their country.
「いまはすべての人が自分たちの国に救いの手を差し伸べる時だ」➤タイプの練習として使われる文．⇨ **The quick brown fox jumps over the/a lazy dog.** (fox の見出し参照)

Now isn't a good time.

「いまは都合が悪いんですが」➤相手の誘いなどを断るときの表現.

Now, now.

「まあまあ；さあさあ，心配しないで」➤泣いたり興奮したりしている相手を慰め，落ち着かせるときに言う．特に年配の女性がよく用いる．

Ex. Now, now, it's not as bad as you think. It'll work out.
さあさあ，そんなに悲観することないよ．うまく行くわよ．

Now what?

「今度は (いったい) なんだい；次はどうするの」➤相手がまたお願いがあるなどと言ってきたときにあきれ気味に尋ねる場合や，料理の仕方など一連の手順を踏むものについて教わっていて，今度はどうしたらよいかと尋ねる場合などに用いる．What now? ともいう．

Ex. A: Paul, Tim's on the phone again for you. He's got another problem, it seems.
ポール，またティムから電話よ．また問題があって，どうやら…
B: Oh, great. Now what? まったく．今度はなんだい．

Right now.

「はい，ただいま」➤特に，すぐに実行しますという返事として用いる．Right away. ともいう．

number   数字；番号

Numbers don't lie.

「数字はうそをつかない」➤実績や統計として出てくる数字は現実を正しく反映している，という意味で用いる．Figures don't lie. に同じ．The numbers don't lie. ともいう．

[補足] はっきりした数字として出ている事実は無視できないという場合には You can't argue with (the) numbers. (数字とは議論できない；数字には勝てない) という．

Take a number.

「番号札をお取りください」➤サービス窓口などで使われる．

There's safety in numbers.

「多数の中には安心がある；人数が多いほど安心だ」➤ほかの人たちといっしょにしているほうが安心感がある，ということわざ．

nunnery   女子修道院；尼僧院

Get thee to a nunnery.

「尼寺へ行け」➤シェークスピア (Shakespeare) の『ハムレット』(*Hamlet* III. i.) でハムレットがオフィーリア (Ophelia) に言うせりふ．このことばは Get thee to a nunnery: why wouldst thou be a breeder of sinners? (尼寺へ行け．どうして罪人を生み増やそうとするのか) と Get thee to a nunnery, go: farewell. (尼寺へ行け，尼寺へ．さらばだ) と2回使われている．

O, o

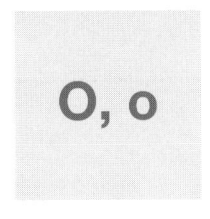

oak オーク; カシ (の木)

Little strokes fell great oaks.
「小さな打撃が大きなカシの木を倒す; 点滴石をうがつ」 ➤地道に努力すればいつかは目的を達成できる, という意味のことわざ.

Mighty/Great oaks from little acorns grow.
「大きなカシの木も小さなどんぐりから育つ」 ➤偉大な人物や組織, 業績などもみな最初は小さなものから始まる, ということわざ. 成功をあせらずに一歩一歩進んで行け, という場合などに使われる. ふつうは Mighty/Great oaks grow from little acorns. となるところだが, oaks と grow の母音がリズムよく韻を踏むように語順が入れ替わっている.

oblige 義務づける; 恩恵を施す

I'd be obliged if ...
「…だとありがたいのですが」 ➤丁寧に依頼するときなどの表現.
   Ex. I'd be obliged if you could turn down the volume of your radio. It's really loud.
   ラジオの音が大きいので, 小さくしてもらえるとありがたいのですが.

Much obliged. / I'm much obliged.
「ありがとうございます」 ➤恩義を感じるという意味のかしこまった感謝の表現.

observe 気づく; 観察する

Observe and learn.
「よく観察して学びなさい」 ➤特に, 自分が手本を見せるからよく見てやり方を覚えなさい, という場合によく使われる. Watch and learn. ともいう.

occasion 機会; 時; 行事

What's the occasion?
「特別なわけでもあるのですか」 ➤例えば, みんなが集まって話をしているところへ来たときなどに, この集まりは何か理由があるのですかという感じで尋ねる. また, 特別な日でもないのにプレゼントをもらったりしたときなどにも用いる.
   Ex. Hello Mary. I'm surprised to see you here today.

What's the occasion? やあ，メアリー．きょうこんなところで会うなんて驚きだね．何か特別なことでもあるの?

off 離れて

Be off. / Off with you.
「さあ行きなさい; 出かけなさい」▶相手に退去を促す表現.

I must be off. / I'd better be off.
「もう行かなくてはいけません」▶辞去するときの表現. I have to go (now). などに同じ. くだけた言い方では I'm off. ともいう.

offense 違反; 感情を害すること; 侮辱; 攻撃

No offense (intended).
「気分を害するようなことを言おうとしたのではありません; 気を悪くしないでもらいたいのだけど」▶失礼なことを言ってしまったような場合に用いる. これから言うことばが失礼に響くかもしれないときは No offense (intended), but ... と切り出す.
Ex. No offense intended, but that pink necktie you're wearing really doesn't suit you.
けちをつけるわけじゃないけど，そのピンクのネクタイは似合わないね.

Offense is the best defense.
「攻撃は最大の防御」▶The best defense is a good offense. / A good offense is the best defense. などともいう.

official 公式の; 正式な

It's official.
「それは正式決定です; もう議論の余地はない」▶文字どおりにそれは正式に決まったことだという場合のほか, それはもう公認の事実と言ってよいという場合にも用いる.
Ex. It's official. You're a moron! もう間違いなくおまえは大ばかだ.

oil 油; 石油

Oil and water don't mix.
「油と水は混じらない; 水と油だ」▶like oil and water (まるで水と油だ) という表現も使われる. 日本語と語順が反対であることに注意.

OK, okay 問題ない; だいじょうぶ; よい

Are you doing OK?
「何も問題なくやっていますか」▶あいさつなどで相手のようすを尋ねる場合に用いる.
「問題なくやっている; だいじょうぶ」という場合は I'm doing OK. という.

Are you OK?

「だいじょうぶですか」➤健康や気分のほか，全般的に問題はないかと尋ねる表現．道で困っているようすの人にもこう尋ねることがある．

Have you been okay?
「**問題なくやっていましたか**」➤相手のようすを尋ねるあいさつ．「問題なくやっている」という場合は I've been okay. という．

Is that OK?
「**それで構いませんか**」➤相手に許可を求めたり，その条件でよいかと尋ねる場合に用いる．「あなたはそれでよいですか」と尋ねる場合は Is that OK with you? という．

Ex. I've been under a lot of stress recently and I need a break. I'd like to take a week's vacation from next Monday. Is that OK?
最近，ストレスがたまっていて休みが必要です．来週の月曜から1週間休暇をとりたいのですが，よろしいでしょうか．

OK.
「**いいよ；わかった；だいじょうぶ；よし**」➤相手に許可や承諾を与える場合や，あいさつで「問題なくやっている」という場合などに用いる．また，「よし；じゃあ」と話を切り出す場合にも用いる．

OK with me. / OK by me.
「**私はそれで構わない**」➤That's OK with/by me. の省略表現で Fine with/by me. に同じ．

Ex. You want to take a week off? Sure, that's OK with me.
1週間の休暇がほしいだって．いいとも．私は構わないよ．

That's OK.
「**いえ結構です；それには及びません；だいじょうぶです**」➤ものを勧められて断るときや，謝罪に対して「別に問題ありません」という場合などに用いる．

Ex. A: Sorry, I was just giving you my honest opinion. I didn't mean to hurt your feelings. すみません．率直な意見を言っただけで，お気を悪くさせるつもりはなかったんです．

B: That's OK. I prefer you to be honest.
だいじょうぶです．正直に言ってくれたほうがいいですから．

old 古い；年老いた；古びた

Everything old is new again.
「**古いものはみな再び新しくなる**」➤古い流行などは新鮮なものとして復活する，ということわざ．

It never gets old.
「**このおもしろさはいつまでも変わらないね**」➤ゲームやいたずらなど，何回やってもおもしろいというような場合に用いる．逆に「それはもうおもしろくないよ；ちょっとしつこいよ」と相手にいう場合は It's getting old. という．

Ex. I first learned the tango when I was ten, and I'll still be dancing it when I'm ninety. It never gets old, and it keeps me young.
10歳のときに初めてタンゴを習ったんだけど，90歳になっても踊っているでしょうね．タンゴはあきないし，おかげでいつまでも若くいられるわ．

We grow too soon old and too late smart.
「あまりにも早く年寄りになるが，利口になるのはあまりにも遅い；少年老いやすく学成りがたし」➤歳はすぐにとるが，なかなか利口にはならないということわざ．

You are only as old as you feel.
「歳は自分の気持ち次第だ；若いと思えば若い」➤You are as old as you feel. / A man is only as old as he feels. ともいう．

You'll understand when you're older.
「大きくなればわかるよ；おとなになったらわかるよ」➤親が子どもによく言うことば．

omelet, omelette　オムレツ

You can't make an omelet without breaking (a few) eggs.
「卵を割らずにオムレツはできない」➤目標達成に何らかの犠牲や不都合はつきものだ，ということわざ．

on　(…の)上に；(…に)接して；行われていて

I'm on it.
「すぐやります；いまそれに取りかかっているところです」➤命令や依頼を受けて，すぐに取りかかるという場合や，いまそれをやっているという場合などに用いる．

Ex. You're asking about the report? I'm on it already. It should be finished in a couple of days.
あの報告書ですか．もう取りかかっていますから2, 3日で仕上がります．

It's on me. / This one's on me.
「これは私が払います；私のおごりです」➤特に飲食物について用いる．店員が客に対して It's on the house. (これは店のサービスです) などと言うこともある．

What's on?
「何をやっているんだい」➤テレビや映画などで，いま何を放映・上映しているのかと尋ねる表現．

You're on.
「その話 [賭 (か) け] に乗った；よしきた」➤相手の提案や賭けの挑戦などに応じる表現．You're ON. と on を強く発音する．

Ex. A: If you agree, I'd like to join you on your trip to the States. We could rent a car and share expenses. もしよかったら私もアメリカ旅行に参加したいんだけど．車を借りて費用を出し合えばいいじゃない．
B: That's a great idea. You're on! いい考えね．それでいこう．

once　1度；かつて

Once a …, always a …
「1度…だったものはいつまでも…だ」➤Once a liar, always a liar. (うそつきはどこまでいってもうそつきだ) や Once a fool, always a fool. (ばかは死んでも治らな

one ひとつ(の);一人(の);もの

One for all, and all for one.
「一人はみんなのために,みんなは一人のために」 ➤ All for one, and one for all. (allの見出し参照)に同じ.

One for the money, two for the show.
「ひとつでお金のため,ふたつでショーのため」 ➤ 何かをするときのカウントダウンに使われる文句の前半部分. 全体では One for the money, two for the show, three to get ready, and four to go. (ひとつでお金のため,ふたつでショーのため,みっつで用意して,よっつで行くよ)という. おもに子どもが,または子どもに対して使われる.

[補足] カール・パーキンス (Carl Perkins) 作で,1956年のエルビス・プレスリー (Elvis Presley)のヒット曲「ブルー・スエード・シューズ」("Blue Suede Shoes")の出だしにもこの句が使われている.

One out of two isn't bad.
「ふたつにひとつなら悪くない;確率5割ならよしとすべきだ」 ➤ 両方ともなら最高だが,どちらかひとつでも悪くはないという場合に用いる.

Ex. We beat them once and they beat us once. Well, it's not what we were aiming for, but one out of two isn't bad.
彼らには1勝1敗さ. 計算どおりではないけど,五分ならよしとしなくちゃね.

One thing at a time.
「1度にひとつずつ」 ➤ 問題などを一挙にすべて解決してしまおうとせず,地道にひとつずつ片づけていきなさいということわざ. [類似] One day at a time.

That's a good one. / Good one.
「それはいいね;そいつは傑作だ;おもしろいね」 ➤ 一般にそれはいいものだという場合のほか,特に相手のジョークなどが傑作だという場合に用いられる.

Ex. That's a good one. You actually succeeded in making me laugh this time, though I've heard most of your terrible jokes before.
おもしろい. 今回はほんとうに笑ったわ. これまでのジョークはひどかったけど.

You can't have just one.
「ひとつだけではやめられない;もっとほしくなる」 ➤ ひとつ食べたらもっとほしくなる,または1回やったらもっとやりたくなるという意味. しばしば They're like potato chips. You can't have just one. (ポテトチップみたいなもので,ひとつだけではやめられない)として用いられる.

[補足] 1960年代,レイズ (Lay's) 社がポテトチップスの宣伝に使った Betcha can't eat just one. (ひとつだけ食べることはできないでしょう)がよく知られている. Betcha は bet you の発音つづりで I bet you can't eat just one. に同じ. この句は商標登録されている.

open 開く;開ける

Open, sesame!

「開け, ごま」 ➤ 『アラビアン・ナイト』(*The Arabian Nights*) の中の「アリババと40人の盗賊」("Ali Baba and the Forty Thieves") で, 盗賊が宝の隠し場所である洞くつの扉を開けるときの呪文.

operation 手術; 操作; 作戦

The operation was successful, but the patient died.

「手術は成功したが, 患者は亡くなった」 ➤ 医者の間でよく言われるジョーク. 一般に, 技術的には成功したが当初の目的を考えれば大失敗だ, という場合に使われる.

opinion 意見; 考え

Everyone is entitled to their (own) opinion.

「だれでも意見をもつことは自由だ; どう思うかはその人の自由だからね」 ➤ あなたの意見には賛成しかねるという場合や, 私がどう思おうと勝手だろうという場合などに用いる. You are entitled to your opinion. ともいう.

Keep your opinions to yourself.

「自分の考えは自分の胸の中にしまっておきなさい」 ➤ 差し出がましいことは言わないほうがよいという意味. 特に, 私はあなたの意見などは聞きたくないという場合によく用いる. この場合 I'll thank you to keep your opinions to yourself. (口出ししないでもらいたいね) などともいう. 類似 Who asked you?

That's a matter of opinion.

「それは考え方の違いだ; 見解の相違です」 ➤ それをどうとらえるかは人それぞれだ, という場合に用いる.

opportunity 機会; 好機

Opportunity only knocks once./Opportunity knocks but once.

「チャンスは1度しかノックしない」 ➤ 同じチャンスは2度とない (だからそれを逃すな), ということわざ. Opportunity seldom knocks twice. ともいう.

Someone **never misses an opportunity to miss an opportunity.**

「ことごとく機会を逃す」 ➤ チャンスがいくつもありながら, それを生かせないことを表す. 「機会を見逃す機会をけっして見逃さない」が原義.

opposite 反対 (の)

Opposites attract.

「反対は引かれ合う」 ➤ 性格的に正反対と思われる人たちは互いに引かれる, ということわざ. これと反対の Like attracts like. (似たものは引かれ合う) ということわざもある. 類似 Extremes meet.

order 命令 (する); 注文 (する)

Are you ready to order?
「**注文は決まりましたか**」➤レストランなどで注文をするときの表現．給仕が客に対してよく使うが，同席の客同士の間でも使われる．

May I take your order?
「**ご注文はお決まりでしょうか**」➤レストランなどで給仕が客に尋ねる．

That's an order.
「**これは命令だ**」➤特に上司が部下に，また親が子どもに対して何か指図した後で，念を押すようにして言う．... and that's an order. と言うことも多い．

Ex. From now on I want you to arrive at the office by 9 o'clock at the latest. And that's an order!
今後は遅くとも9時までには出社するように．これは命令だよ．

original 原始の (もの); 最初の (もの); オリジナル (の)

You can't beat the original. / Nothing beats the original.
「**オリジナルに勝るものなし**」➤模作やリメーク作品はしょせん，本家本元には及ばないという意味．You can't replace an original. (本物には替えられない) ともいう．

ouch 痛い; しまった

Ouch!
「**痛い；あちち；おっと**」➤痛かったり熱かったりしたときの発声．また，痛いところを突かれた，参ったというような場合にも用いる．

out 外に; 外で; 終わって

I'm out.
「**降りた；私はやめる**」➤ポーカーで勝負から降りるときの宣言．一般に，私はそれには参加しないという場合にも用いる．

Ex. You're suggesting we join a sky-diving club? Well, go ahead and join one, but don't expect me to follow you. I'm out.
いっしょにスカイダイビング・クラブに入らないかって言うのかい．人を引きずり込もうとせずに1人で入れば．ぼくはお断りだよ．

Out with it.
「**しゃべってしまいなさい**」➤隠し事や不満を胸に秘めているような人に対して用いる．

Ex. Something's on your mind, isn't it? I think you've been seeing Elizabeth behind my back. Come on, out with it!
何か気になっていることがあるわね．私に隠れてエリザベスと会っているんでしょう．さあ，白状しちゃいなさい．

over (…を)越えて; 終わって

It ain't over till it's over.
「(勝負は)終わるまでは終わらない;勝負はげたを履くまでわからない」➤特に最終的な決着がつくまであきらめるな、という場合によく使われる．大リーグのニューヨーク・ヤンキースのもと選手・監督のヨギ・ベラ (Yogi Berra) のことばとされる．It's never over until it's over. / It's never over till it's over. ともいう．

It ain't over till the fat lady sings. / The opera isn't over till the fat lady sings.
「それ/オペラは太った女性が歌を歌うまでは終わらない;まだ決着はついてない」➤It ain't over till it's over. に同じ．

It's all over but the crying.
「もうだめだ;後は泣くだけだ」➤勝負などに負けた，または負けるのが確実だという場合に用いる．「泣くのを除いてみな終わった」が原義．

It's all over but/bar the shouting.
「もう勝ったも同然だ;後は祝杯をあげるだけだ」➤勝負などに勝った，または勝つのが確実だという場合や，一般にもう成功間違いなしのところにきたという場合に用いる．「叫ぶのを除いてみな終わった」が原義．

Over and out.
「これにて交信終了」➤無線の交信を終了するときのことば．交信途中に「どうぞ」と相手に送信を呼びかける場合は Over. という．

owe 借りがある

How much do I owe you?
「いくらですか」➤店で買い物をしたときに金額を尋ねる表現．「借りはいくらですか」が原義．俗語では What's the damage? ともいう．

I owe you one.↔You owe me one.
「ひとつ借りができたね↔これは貸しね」➤無理に頼み込んで願いを聞いたもらったり，その反対に頼みを聞いてやった場合などに用いる．

Ex. Thanks to your recommendation, I've been offered a job at IBM. You really helped me. I owe you one.
あなたの推薦状のおかげでIBMから仕事のオファーがあったわ．ほんとうに大助かりよ．ひとつ借りができたわ．

[補足] アバ (ABBA) の歌に "You Owe Me One" がある．

own 自分自身の; 所有する

You're on your own.
「勝手にやってよ;自分の力でやって」➤私は力を貸さないから独力でやりなさい，というような場合に用いる．

P, p

papa パパ；お父ちゃん

Come to Papa.
「さあ，お父ちゃんの所へおいで」➤父親が子どもを慰めるときの表現．また，おどけておとなの男性が友だちなどに対して使うこともある．Come to Daddy. に同じ．

par パー

That's par for the course.
「それは普通のことだ」➤それは当然予想されることで，別に珍しくはないという場合に用いる．ゴルフで，そのスコアはこのコースではパーだということから．
- **Ex.** A: Tom was late again to the meeting this morning.
  トムはけさ会議にまた遅刻したよ．
  B: That's par for the course. He's late for everything!
  いつものことね．彼はなんにでも遅れるもの．

pardon 容赦（する）；赦免（する）

I beg your pardon.
「ごめんなさい；失礼します」➤丁寧な謝罪の表現．Beg your pardon. / Beg pardon. / Pardon (me). ともいう．
- **Ex.** A: That "dirty politician" that you are criticizing is my cousin.
  あなたが「汚い政治家」と批判しているのは私のいとこよ．
  B: I beg your pardon. I certainly did not mean to offend you!
  ごめんなさい．あなたを侮辱するつもりではなかったんです．

I beg your pardon?
「何ですって」➤相手のことばを聞き返す表現．「いまのことばは聞き捨てならないね」という場合にも用いる．Beg your pardon? / Beg pardon? / Pardon (me)? ともいう．Excuse me? / I'm sorry? とほぼ同じ．

I beg your pardon, but ...
「失礼ですが…」➤相手に話しかけたり，注意を引いたりするときの丁寧な言い方．Beg your pardon, but ... ともいう．Excuse me, but ... とほぼ同じ．
- **Ex.** I beg your pardon, but I think you're sitting in my seat.
  失礼ですが，あなたが座っているのは私の席だと思うのですが．

Pardon me for breathing! / Pardon me for living!

「息をしてて悪かったね/生きてて悪かったね；悪うございましたね」➤相手に批判されたときなどに皮肉を込めて用いる．Pardon ME for breathing! などと me を強く発音する．Excuse me for breathing/living! ともいう．

parent 親

Listen to your parents.
「親の言うことをよく聞きなさい」➤子どもがよく言われること．

You can't choose/pick your parents.
「親は選べない」➤この親のもとに生まれてきたのは運命として受け入れるしかない，という意味．[類似] You can't choose/pick your family.

Paris パリ

We'll always have Paris.
「私たちにはいつでもパリの思い出がある」➤ハンフリー・ボガート（Humphrey Bogart），イングリッド・バーグマン（Ingrid Bergman）主演の映画『カサブランカ』(*Casablanca*, 1942) のせりふ．飛行機に乗らないときは後悔すると言うボガートにバーグマンが「私たちはどうなるの」と尋ねたときにボガートがこう答える．⇨ **Maybe not today, maybe not tomorrow, but soon and for the rest of your life.** (maybeの見出し参照)

parting 別れ

Parting is such sweet sorrow.
「別れはこんなにも甘い悲しみなのね」➤シェークスピア（Shakespeare）の『ロミオとジュリエット』(*Romeo and Juliet* II. ii.) でジュリエットがロミオにお休みを言うときのせりふ．ことわざとしても用いられる．この部分全体は Good night, Good night! Parting is such sweet sorrow, that I shall say good night till it be morrow. (お休みなさい，お休み．別れはこんなにも甘い悲しみなのね．あしたまでお休みなさいと言うのは) となっている．

party パーティー；宴会；団体；パーティーに行く；浮かれ騒ぐ

Let's party!
「大いに盛り上がろうぜ」➤飲み食いなどして大いに楽しもう，というときのくだけた言い方．

The party's over.
「パーティーは終わった；お楽しみは終わりだよ」➤パーティーは終わったから帰りなさい，もう遊びの時間は終わったから仕事や勉強などに真剣に取り組みなさいという場合などに用いる．

pass 通過する;合格する;過ぎ去る;追い越す;パス(する)

All things must pass.
「**すべてのものは過ぎ去らなくてはならない**;みんないつかは終わる」➤永続するものはないということわざ. Everything must pass. / All things must come to an end. などともいう. All good things must pass.(いいことはみな終わりが来る)という格言もある.

[補足] ビートルズ (Beatles) の歌の題名にも使われている.

I'll pass.
「**遠慮するよ**」➤飲み会などの誘いを断るときの表現. I'll pass this time. (今回は遠慮するわ) や I'll pass on this one.(これはパスだね) などとしても用いる.

Ex. A: Tracey, would you like to join us for drinks after work?
ねえトレーシー,仕事の後でぼくたちといっしょに飲みに行かないかい.
B: Sorry, but I'll pass this time. My daughter has a baseball game this evening.
悪いけど今回はパスするわ.今晩は娘の野球の試合があるの.

This too shall pass. / This too will pass.
「**これもまた過ぎ去る**」➤逆境も順境もいつかは過ぎ去る,ということわざ.一説には,ユダヤのソロモン王 (King Solomon) の故事が出所とされる.幸せな者が見ると悲しくなり,悲しんでいる者が見ると幸せになる指輪を探し出すようにと家臣が王から命じられた.困り果てた家臣があるとき貧しい露天商に尋ねると,露天商は指輪にこのことばを刻んだものを差し出した.家臣がそれを王に持って行くと,王はたいそう感心したという.

---

past 過去(の);過ぎて

Forget the past.
「**過去は忘れなさい**」➤過ぎたことにとらわれずに前向きに考えなさい,ということ.

It's all in the past.
「**それはもう過去のことだ**;いまは昔」➤それは昔の話でいまは無関係だ,というような場合に用いる.

Ex. A: I still feel badly about our disagreement last year.
去年の言い争いのことはまだ悪いと思っているわ.
B: Don't worry. It's all in the past. I've forgotten all about it.
気にしないで.もう過去のことよ.私はすっかり忘れたわ.

Let the past be past.
「**過去は過ぎ去らせなさい**;過ぎたことは忘れなさい」➤Forget the past. とほぼ同じ. [類似] Let bygones be bygones.

The past is past. / What's past is past.
「**終わったことは終わったことだ**」➤過去ではなく現在または将来に目を向けなさい,というような場合に用いる.

Those who cannot remember the past are condemned to repeat it.

「**過去を覚えていられない者はそれを繰り返すことになる**」➤スペイン生まれのアメリカの哲学者ジョージ・サンタヤナ (George Santayana) のことば (*Life of Reason*, 1905). 歴史を学び, その過ちから教訓を学ぶべきだという意味. 一般には「歴史から学ばない者は同じ過ちを繰り返すことになる」と訳されることが多い.

What's past is prologue.
「**過去は序曲だ**」➤過去のできごとは始まりに過ぎず, これからが本番だというような場合に用いることわざ. 出典はシェークスピア (Shakespeare) の『嵐』(*The Tempest* II. i.) に出てくるせりふ.

You can't change the past.
「**過去は変えられない**」➤いまさら悔やんでも仕方ない, というような場合に用いる.

> **Ex.** What happened happened. You can't change the past.
> やってしまったことは仕方ないよ. 過去は変えられないよ.

patience 忍耐；辛抱

Patience is a virtue.
「**忍耐は美徳なり**」➤ことわざ.

Patience, my friend(, patience).
「**辛抱が肝心だよ；そうあせらないで**」➤じれる相手をなだめる表現.

> **Ex.** A: I keep hoping he'll call me for another date.
> 彼からまたデートしようって電話がかかってこないかと待っているんだけど.
> B: Patience, my friend, patience. It's only Monday, and I'm sure he'll call with weekend plans. まあ, そうあせらないで. まだ月曜よ. 週末はいっしょにどうですかってきっと電話してくるわよ.

pause 中止（する）；休止（する）

The pause that refreshes.
「**さわやかな憩いのひととき**」➤コカコーラ (Coca-Cola) が1929年から使っている宣伝文句.

pay 支払う；賃金；報酬

Pay up.
「**さあ払ってもらおうか**」➤借金などの支払いを催促する表現.

You get what you pay for.
「**支払ったものを得る；安物買いの銭失い；ただより高いものはない**」➤低価格や無料の品物やサービスはそれなりのものでしかない, ということわざ.

You'll pay. / You're gonna pay.
「**ただじゃすまないわよ；後で覚えていろよ**」➤後でこの報いを受けることになるよと注意したり, 脅したりする場合に用いる. You'll pay for this/it. (こんなこと/そんなことをして後が怖いよ) などともいう.

> **Ex.** A: Our soccer team is so much better than yours. You all are so

bad, you hardly scored a point.
うちのサッカーチームのほうがおたくよりずっと上だね．おたくはみなへたくそで，ほとんど点を入れられなかったじゃないか．
B: Your team was just lucky today. Tomorrow you're gonna pay for this.
なあに，きょうはそっちがついていただけさ．あしたは借りを返してやるよ．

peace 平和；静寂；沈黙

Give peace a chance.
「平和にチャンスを与えよ」▶戦争や紛争をやめて平和にかけてみよう，という平和運動のスローガン．ビートルズ (Beatles) 時代のジョン・レノン (John Lennon) の歌 (1969, 邦題は「平和を我等に」) から．

If you want peace, prepare for war.
「平和を望むなら，戦争の準備をせよ」▶軍事力で潜在的な敵の攻撃意欲をそいで平和を達成せよ，という兵法の格言．

pearl 真珠

Don't cast your pearls before swine. / Cast not pearls before swine.
「豚の前に真珠を投げるな」▶価値のわからない者に高価なものを与えるな，ということわざ．新約聖書 (New Testament) の「マタイによる福音書」(Matthew 7:6) にあるイエス・キリスト (Jesus Christ) のことばが出典．
[補足] この箇所のイエスのことばは次のとおり．
> Give not that which is holy unto the dogs, neither cast ye your pearls before swine, lest they trample them under their feet, and turn again and rend you.
> 神聖なものを犬に与えてはならず，また，真珠を豚に投げてはならない．それを足で踏みにじり，向き直ってあなたがたにかみついてくるだろう．

peekaboo, peek-a-boo いないいないばあ

Peekaboo. / Peek-a-boo.
「いないいないばあ」▶赤ん坊から顔を隠し，またその前に顔を現すときに言う．「のぞき見する」の peek に boo という発声を表す語を合体させてできた語という．

pen ペン pencil 鉛筆 (で書く)

I'll pencil it in. / I'll pencil you in.
「一応，予定に入れておきましょう」▶確定ではないが，予定しておくという場合に用いる．確定事項として予定に入れるという場合は I'll ink it in. などという．
Ex. A: I may be in L.A. next week. Shall we have lunch next Tues-

day? 来週はロスに行くかもしれないんだ．火曜日にお昼でもどうだい．
B: I know how unpredictable travel schedules are, so I'll pencil it in. 旅行だと予定がどう変わるかわからないから，クエスチョンマークつきとして予定しておくよ．

Pencils down. / Put your pencils down.
「はい，鉛筆を置いてください」➤テストなどで，制限時間がきたときに先生が言う．

The pen is mightier than the sword.
「ペンは剣よりも強し」➤書きことばの持つ力は武力よりも強い，ということわざ．

penny ペニー（硬貨）；1セント（硬貨）；はした金

A bad penny always turns up.
「悪い1セント硬貨はいつでも現れる；いやなやつに限って必ず現れる」

A penny for your thoughts.
「何を考えているの；何を思案投げ首しているの」➤相手が物思いにふけっているような場合に用いる．

A penny saved is a penny earned.
「節約した1ペニーは稼いだ1ペニーだ；倹約は蓄財」➤倹約のたいせつさを説いたことわざ．

Give a penny, take a penny.
「1セントを出し，1セント取りなさい」➤コンビニなどのレジ脇に置いてある瓶やお皿に書いてある文句．小銭が不要な人はそこに入れ，小銭が足りない人はそこから自由に取って使ってよいという仕組みになっている．

In for a penny, in for a pound.
「どうせやるならとことんやってやれ；毒を食らわば皿まで」➤1ペニーのために入るなら，1ポンドのために入れ，ということから．

See a penny, pick it up.
「1ペニー［1セント］硬貨を見たら拾いなさい」➤幸運を呼ぶという迷信（superstition）．この文句は See a penny, pick it up, (and) all day long you'll have good luck. （1ペニー［1セント］硬貨を見たら拾いなさい．1日じゅう幸運に恵まれるでしょう）と続く．

[補足] もとは See a penny ではなく See a pin といい，次のような伝承童謡 (nursery rhyme) として伝わっている．

 See a pin and pick it up, all the day you'll have good luck.
 See a pin and let it lay, bad luck you'll have all the day.
 ピンを見て拾えば，1日じゅう幸運に恵まれるでしょう
 ピンを見てそのままにしておいたら，1日じゅう悪運に恵まれるでしょう

people 人々；民族；人民；国民

Let my people go.
「私の民を去らせなさい」➤旧約聖書（Old Testament）の「出エジプト記」(Exodus 5:1) でモーセ (Moses) がエジプト王に対して，イスラエルの民を奴隷か

ら解放しなさいという意味で言うことば.

[補足] この箇所の聖書の記述は次のとおり.

> And afterward Moses and Aaron went in, and told Pharaoh, Thus saith the Lord God of Israel, Let my people go, that they may hold a feast unto me in the wilderness.

その後, モーセとアロンはファラオのもとに出かけて行き, 言った.「イスラエルの神, 主がこう言われました.『わたしの民を去らせて, 荒れ野でわたしのために祭りを行わせなさい』と.」

pepper コショウ; カラシ

If you spill pepper, you will have a serious argument with your best friend.

「コショウをこぼすと親友と大きな口論になる」➤よく知られた迷信(superstition).

Peter Piper picked a peck of pickled peppers.

「ピーター・パイパーはカラシのピクルスを1ペックつかんだ」➤伝承童謡(nursery rhyme)として伝わる代表的な早口ことば(tongue twister)の出だしの文句. peck は乾量単位で約9リットル, またその升.

[補足] マザーグース版の全文は次のとおり.

> Peter Piper picked a peck of pickled peppers;
> A peck of pickled peppers Peter Piper picked.
> If Peter Piper picked a peck of pickled peppers,
> Where's the peck of pickled peppers Peter Piper picked?

ピーター・パイパーは1ペックのカラシのピクルスをつかんだ
ピーター・パイパーがつかんだカラシのピクルス1ペック
もしピーター・パイパーがカラシのピクルスを1ペックつかんだなら
ピーター・パイパーがつかんだカラシのピクルスの1ペックはどこか

perfect 完全な; 完ぺきな　　perfection 完全; 完ぺき

Nobody is perfect.

「完全な人間はいないよ; だれにでも欠点はあるさ」➤批判された人をかばう場合によく使われる.

Nothing is perfect.

「何事も完全なものはない; そうそううまくはいかないよ」➤少し難点があるのは仕方ない, という場合に用いる.

You can't improve on perfection.

「完全なものをよりよくすることはできない」➤文句のつけようがないものをいじるな, という意味.

period 期間; ピリオド; 終止符

... Period.

「**わかったかい**；…**と言ったら…だ**」➤言うことはそれだけだ，または反論や文句は言わせないという場合に用いる．

Ex. A: I'm tired of this homework assignment, and I don't want to do any more. この宿題あきちゃった．もうやりたくないよ．
B: You are going to finish the project you started. I don't want to hear any excuses or complaints. Period. いったん始めたことは最後までやり通しなさい．言い訳や文句は聞きたくないわ．いいわね．

permit 許す

Permit me.

「**ちょっと失礼；私にさせてください**」➤自分から進んで相手を助けようとするときなどに用いる．Allow me. に同じ．

personal 個人的な；個人攻撃の
personally 個人的に(は)；個人攻撃として

Don't get personal.

「**個人攻撃はやめなさい**」➤特定個人の人となりを問題にした批判や悪口はしないように，という場合に用いる．

Ex. A: Some of the people on the street like you are just lazy and don't properly sort their trash. この通りの人たちの中にはあなたのように不精で，ちゃんとリサイクルごみを分別しないのがいるんだよね．
B: I know that you are upset about the situation with the garbage on our streets, but when you criticize my wife for being lazy, you're going too far. Don't get personal! 私たちの通りのごみの出し方に文句があるのはわかるけど，妻を不精だなんて非難するのは言いすぎだよ．人身攻撃しないでもらいたい．

Don't take it personally.

「**あなたのことを言っているのではないよ；悪く思わないでね**」➤あなた個人を批判したものではない，またはあなた個人に問題があるから拒否したのではないというような場合に用いる．

Ex. Don't take it personally, but we have decided to let you go at the end of the month. 悪く思わないでもらいたいのですが，あなたには今月いっぱいで辞めてもらうことに決まりました．

Nothing personal.

「**別に個人的な恨みがあるというわけじゃないよ；別にあなたがどうのこうのじゃないのよ**」➤取引を打ち切る，解雇を言い渡すなど，相手にとって好ましくない決定をした際に言い訳のように告げる．It's nothing personal. の省略表現．

Ex. Nothing personal, but we are moving your office to the end of the hall to make more space for a conference room. きみには悪いけど，会議室を広くするためにきみのオフィスは廊下の突き当たりに移動するよ．

phase 様相；段階；時期

It's just a phase.
「そういう**時期**なのよ；はしかみたいなものさ」➤反抗期や思春期を迎えた子どもや，倦怠(けんたい)期を迎えた夫婦などについて用いる．この後に It'll pass. や He'll/She'll grow out of it. (じきに収まるよ) などを続けることも多い．He/She is going through a phase. ともいう． [類似] It's just a stage.

Ex. I know your teenage daughter is being rude to you and wearing outrageous clothes, but it's just a phase that every child goes through. 10代のお嬢さんがぶしつけな態度をとったり，まゆをしかめたくなるような服を着たりしているのは知っていますが，子どもはみんなそういう時期があるんですよ．

phone 電話 (する) (= telephone)

Hold the phone.
「**ちょっと待った**；そう早まらないで」➤早く行動しようと気がせいている人や，自分の話に夢中になっている人を落ち着かせるときなどに用いる．「電話を持っていろ」が原義．Hold your horses. ともいう．

Ex. Hold the phone! I understand what you are saying, but I still do not agree with you, and to continue to discuss this is pointless. ちょっと待って．あなたの言うことはわかるけど，賛成できないわ．これ以上議論してもむだよ．

Put someone on the phone.
「**…と電話を代わってください**」➤Put John on the phone. (ジョンと電話を代わってください) のように用いる．

Thanks for the phone call. / Thank you for the phone call.
「**電話をどうもありがとう**」➤電話をもらった人が話の終わりに用いるお礼．Thanks for calling. / Thank you for calling. ともいう．

Who's on the phone?
「**だれと話しているんだい；だれからなの?**」➤電話の相手を尋ねる表現．Who's on the line? ともいう．

physician 医者；内科医

Physician, heal thyself.
「**医者よ，汝**(なんじ)**自身を治せ**」➤人の世話を焼く前にまず自分の問題を片づけなさい，ということわざ．新約聖書 (New Testament) の「ルカによる福音書」(Luke 4:23) に出てくる．

[補足] 聖書の記述は次のとおり．

And he said unto them, Ye will surely say unto me this proverb, Physician, heal thyself: whatsoever we have heard done in

Capernaum, do also here in thy country.
イエスは言われた.「きっと,あなたがたは,『医者よ,自分自身を治せ』ということわざを引いて,『カファルナウムでいろいろなことをしたと聞いたが,郷里のここでもしてくれ』と言うにちがいない.」

pick 選ぶ(こと); 摘み取る(こと); つつく(こと)　　picky えり好みする

Pick on someone your own size.
「自分と同じ体格のやつをいじめなさい」➤弱い者いじめはするな,ということ. pick on *someone* で「人をいじめる」という意味. Why don't you pick on someone your own size? (自分と同じ体格のやつをいじめたらどうだい) ともいう.

Pick up or drop off? / Drop off or pick up?
「お受け取りですか,それともお預かりですか」➤クリーニング店や写真屋などで店員が客に尋ねる表現.

Pick yourself up.
「くじけるな; がんばれ」➤倒れてもまた自分の体を起き上がらせろ,ということから.

Picky, picky, picky.
「まったくうるさいんだから」➤食べ物などにうるさく注文をつける人にいう. あきれたように1語1語ゆっくり発音する.

Ex. A: They put too much soy sauce on my fish and the rice is too salty! 魚にしょう油をかけすぎだね. ご飯もしょっぱすぎるよ.
B: Picky, picky, picky. This is a top-rated restaurant, and I'm sure you are just not used to the cuisine. まったくうるさいわね. ここは一流のレストランよ. あなたがこの料理に慣れていないだけよ.

Take your pick.
「好きな物を選んで; なんなりと好きにしなさい」

Ex. A: The blue scarf is beautiful, but the green and yellow ones match so many of my clothes. その青いスカーフきれいね. でも,緑と黄色のは持ってる服に合わせやすいわ.
B: Take your pick. It's your birthday present.
好きなのを選んでよ. 誕生日のプレゼントだから.

picture 絵; 写真

A picture is worth a thousand words.
「1枚の絵[写真]は1000語の価値がある; 百聞は一見にしかず; 論より証拠」➤絵や写真は雄弁に語りかけるという意味で,絵や写真を見せたら一目瞭然(りょうぜん)だという場合に用いることが多い. One picture is worth a thousand words. / A picture paints a thousand words. ともいう.

Do I have to paint you a picture?
「まだこれ以上説明しないとわからないのかい; これだけ言えば十分でしょう」➤絵にかいてあげないと理解してもらえないのか,ということから. Do I have to paint a picture (for you)? ともいう.

Ex. A: I still don't understand how you want the job done.
その仕事をどうやってもらいたいのかまだわからないのですが.
B: This is the third time I'm explaining it to you! Do I have to paint you a picture? もう3回も説明しているじゃないか. かんで含めたように言わないといけないのか.

Do you get the picture?
「わかったかい」➤どんな状況か理解できたかという意味. 省略表現で Get the picture? も使われる.
Ex. He is not the most honest person. Many people do not trust him, including his friends. Do you get the picture?
彼はあまり正直じゃないわよ. 友人を含めて周りの人からほとんど信用されていないの. それがどういうことかわかった?

Every picture tells a story.
「どの絵[写真]も物語を話す」➤絵や写真には思い出や裏話があるという意味.
[補足] ロッド・スチュワート (Rod Stewart) の歌の題名にも使われている.

If a picture falls off a wall, it is a sign of death.
「絵[写真]が壁から落ちるのは人が死ぬ予兆だ」➤よく知られた迷信.

piece 1片; ひと切れ; ひとつ

You want a piece of me?
「オレとやろうってのか」➤私にけんかを吹っかけているのか (ならばやってやろうじゃないか), という挑戦的なことば.

pig 豚　piggy 子豚; 豚さん

Don't buy a pig in a poke.
「袋に入った豚を買うな; よく調べないで買うな」➤この poke は「袋」の意で, 袋に入っているのは豚だということばをうのみにして中を見ずに買うな, ということ. 昔, 悪徳商人が子豚 (piglet) だと偽って猫を袋に入れて売っていたことからいう. ⇨
The cat is out of the bag. (cat の見出し参照)

Even a blind pig can find an acorn.
「目の見えない豚でもドングリを見つけることができる; へたな鉄砲も数打ちゃ当たる; 犬も歩けば棒に当たる」➤だれでも努力すればうまくいくこともある, ということわざ.

In a pig's ass!
「うそつけ; ばかも休み休み言え」➤強い不信を表す下品な俗語表現.
Ex. In a pig's ass! I don't believe a word you are saying.
うそつけ. おまえの言っていることなんかこれっぽっちだって信じないぞ.

Never try to teach a pig to sing.
「豚に歌を教えようとするな」➤適性のない人に教えてもむだ骨を折るだけだ, という意味の格言. しばしばこの後に It wastes your time and annoys the pig. (時間のむだで豚を困らせるだけだ) と続ける.

Pigs are pigs.

「豚は豚だ」 ➤人の性根は変わらないということわざ.

Pigs will/can fly.

「何をばかな;そんなことあるわけないだろ」 ➤強い不信を表す俗語表現.しばしば And pigs will/can fly (out of my butt/ass). (そうなれば豚が私のしりの穴から飛び出すだろう)として用いる. Monkeys will fly. などともいう.

This little piggy went to market.

「この小豚さんは市場へ行った」 ➤童謡伝承 (nursery rhyme) で,小さな子どもの足指をつまみながら唱える遊び歌. This little piggy のところで足の親指から順に一つずつつまんでいき,最後の小指のところで足の裏から体全体をくすぐる.

[補足] 全文は次のとおり.

> This little piggy went to market.
> This little piggy stayed home.
> This little piggy had roast beef.
> This little piggy had none.
> This little piggy cried "Wee! Wee! Wee!" all the way home.
> この子豚さんは市場へ行きました
> この子豚さんは家にいました
> この子豚さんはローストビーフを食べました
> この子豚さんは何も食べませんでした
> この子豚さんは家までずっとブーブーブーと鳴きました

When pigs fly!

「ありえないね」 ➤永久にないという意味のおどけた言い方.それがあるとしたら豚が空を飛ぶときだ,ということから. When monkeys fly! ともいう.

Ex. A: Will you call your ex-girlfriend and apologize?
別れたガールフレンドに電話して,謝る気はないの?
B: When pigs fly! 絶対にないね.

pinch つねる (こと);つまむ (こと)

Pinch me.

「信じられない;夢みたい」 ➤すごくうれしいときに「まさか夢じゃないでしょうね.つねってみて」という意味で用いる.

Ex. A: Here we finally are, drinking champagne in Paris.
こうしてやっとパリでシャンペンを飲めるところまできたね.
B: Pinch me. 夢のようね.

pinkie, pinky 小指

Pinkie swear? / Pinky swear?

「指切りげんまんする?」 ➤約束を絶対に守ることを相手に誓わせるときに用いる.やり方は日本の指切りげんまんと同じ.自分から約束を厳守することを請け合うときに, I promise, pinkie swear. のようにいうこともある.また, Let's pinkie swear. (指切りしよう) のように動詞として用いることもある.

Ex. A: Pinkie swear? 指切りげんまんする?
B: Pinkie swear. うん，するよ．

[補足] この語は英米の辞典にも採録されていないが，かなり広く知られている．この名をもつ化粧品ブランドや，ロックバンドもアメリカにある．スティーブン・キング (Stephen King) の短編小説 (*The Body*, 1982) の映画化作品『スタンド・バイ・ミー』(*Stand by Me*, 1986) の中でも，主人公のクリス (Chris) が友だちのゴーディー (Gordie) に銃を撃たせたとき，それに弾が入っていたことは知らなかったと誓わせられる場面で，上の用例と同じやりとりが出てくる．

★この pinkie swear の習慣がもともとアメリカやイギリスなどにあったのか，それとも日本（または他のアジアの国）から伝わったものかは不明．

pipe パイプ; 笛 (を吹く)　　piper 笛を吹く人; 笛吹き

He who pays the piper calls the tune. / The one who pays the piper calls the tune.

「笛吹きに金を払う者が曲を指定する」➤金を出す人に決定権があるということわざ．
[補足] piper は笛吹きの遍歴芸人のこと．「ハーメルンの笛吹き男」は "The Pied Piper of Hamelin" (ハーメルンのまだらの服を着た笛吹き) といい，ロバート・ブラウニング (Robert Browning) の詩にもなっている．

Pipe down.

「うるさい; 黙れ」➤Be quiet. に同じ．Shut your pipehole. ともいう．

Put that in your pipe and smoke it.

「そういうのはどうだい; わかったか」➤私の言うことをよく考えてみなさい（そして，自分の言っていることがどんなにばかげたものか反省しなさい），という場合に用いる．「それをパイプに詰めて吸え」が原義．

Ex. A: Go back to the construction site and finish the job.
工事現場に戻って仕事を仕上げろ．
B: The job site is not safe, and I won't risk my health. I may even report this to the union and government, so you can just put that in your pipe and smoke it.
現場は安全じゃないし，自分の健康を損なう危険を冒すつもりはないね．これを組合と政府に報告するかもしれない．わかったか．

pity 哀れみ; 同情

What a pity!

「かわいそうに; お気の毒に; 残念」➤同情や残念な気持ちを表す場合に用いる．What a shame! とほぼ同じ．

Ex. A: I can't believe the tournament was canceled because of bad weather. 悪天候でトーナメントが中止になったなんて信じられないよ．
B: You trained for months and had a big chance of winning. What a pity!
何か月も練習して勝つチャンスも大いにあったのにね．残念ね．

place 場所；置く

A place for everything and everything in its place.
「すべての物に場所があり，すべての物がその場所にある；整理整頓(せいとん)」➤散らかさないで，きちんとしかるべき所に置きなさいという意味で用いる．

Everything falls into place.
「すべてが収まるべき所に収まる」➤何もかもがうまくいくという場合や，それまで理解できなかったものがはっきり理解できるようになるという場合などに用いる．

Ex. A: In the final episode, you learn the identity of the actual murderer and his motive becomes clear.
最終回で殺人の真犯人とその動機が明らかになるんだ．
B: Finally, everything falls into place.
やっと全容が明らかになるのね．

He/She is in a better place.
「いい所に行った；天国にいる」➤肉親などが亡くなったときに親が子どもにこのように説明する．

Nice place you have here.
「いいお住まいですね」➤相手の住居に招待された客が言う．

You can't be in two places at the same time.
「1度に2か所にいることはできない」➤体は1つしかないから，やれる仕事には限りがあるという場合などに用いる．

Your place or mine?
「あなたの所にしますか，それとも私の所にしますか」➤デートした後で今晩はどちらの部屋に泊まろうか，という場合に用いる．

plan 計画(する)

Failing to plan is planning to fail.
「計画を立てないのは失敗する計画を立てることだ」➤計画の重要性を説いた格言．

Nothing ever goes according to plan.
「何事も計画どおりにいくことはない」

Plan ahead.
「前もって計画を立てなさい」

planet 惑星

What planet are you from?
「あなた，何言っているのよ；ちょっと，どうかしているんじゃないの」➤相手が常識はずれのことを言ったような場合に用いる．「あなたはどの惑星の出身なのか」が原義．

Ex. A: You can send an e-mail directly to Tokyo, and it arrives right away?
Eメールを直接東京に送ると，それがすぐに着くのかい．
B: What planet are you from? Don't you use the Internet?

> 何時代遅れのことを言っているのよ．インターネットを使ったことないの?

plate 皿

Clean your plate.
「皿の物をきれいに食べなさい」➤食べ残すなという意味で，親が子どもに言う．

My plate is full.
「いまは手いっぱいです」➤やることがたくさんあってこれ以上はできない，という場合に用いる．「私の皿はいっぱいだ」が原義．

play 遊び；劇；遊ぶ；プレーする；（楽器を）演奏する

It's not whether you win or lose but how you play the game.
「問題は勝ち負けではなく，どのようにゲームをするかだ」➤スポーツの世界で言われる格言．真剣なプレーやフェアプレー精神のほうが勝敗よりも大事だということ．

Play it again, Sam.
「サム，またあれを弾いて」➤ハンフリー・ボガート (Humphrey Bogart)，イングリッド・バーグマン (Ingrid Bergman) 主演の映画『カサブランカ』(*Casablanca*, 1942)で，バーグマンがピアノ奏者のサムに言うせりふとして一般に広まっている文句．ただし，正確なせりふは Play it once, Sam. For old times' sake. (サム，あれを1度弾いてよ．昔のよしみで).
[補足] 1972年のウッディ・アレン (Woody Allen) の映画『ボギー！ 俺も男だ』の原題にも使われている．

You can't win if you don't play.
「買わなければ当たらない；やってみなければ何も始まらない」➤宝くじ (lottery) の宣伝文句．一般に，やってみなければ可能性さえ生じないから，だめもとでやってみなさいという場合にも使われる．

You play, you pay. / If you play, you pay.
「遊んだらお金を払え；楽は苦の種」➤楽しい思いをしたら，そのつけを払わなくてはいけないという意味．

player 競技者；選手；演奏者

You can't tell the players without a scorecard.
「スコアカードがなければ選手がわからない；海図のない航海はできない」➤野球から生まれた格言．基本的な事実を抑えておかないと状況などを正しく把握できない，または何がどうなっているのかわからない混乱状態になるという場合などに用いる．

please どうぞ；どうか；喜ばせる；満足させる

If you please. / Yes, if you please.
「もしよろしかったらお願いします」➤相手がこうしましょうかと尋ねたときの応答．If

you would, please. / Yes, if you would, please. ともいう．Please. / Yes, please. (ええ，お願いします)よりも控えめで丁寧な言い方．また，文の最初または最後につけて「もしよろしかったら…してください」という意味を表す．

Ex. A: You must be tired with the newborn twins. Would it help if I brought over dinner? 双子の赤ちゃんのことで疲れているでしょう．夕食を持っていったら少しは楽になるかしら．
B: Yes, if you please. It would be a great help!
ええ，できればお願いします．すごく助かるわ．

Oh, please!

「よしてよ；何言っているのよ」➤相手のことばにあきれたり，ほめられて照れたような場合に用いる．2語をゆっくり強く発音する．

Ex. A: I'll finish this project on time. I promise.
このプロジェクトは期限には仕上げます．約束します．
B: Oh, please! You always say this, and you have been late for the past five deadlines. 何言っているんだ．いつだってそう言って，もう5回も締め切りに遅れているじゃないか．

Please yourself.

「好きにしたら；どうぞご勝手に」➤Suit yourself. ともいう．

We aim to please.

「私たちは喜ばせることを目指しています」➤商店などの標語によく使われる．

You can't please all of the people all of the time.

「すべての人をずっと満足させることはできない」➤どんなことをしても，いつかどこかから不満は出てくるものだ，ということわざ．しばしば You can please some of the people some of the time, but you can't please all of the people all of the time. (一部の人を一時的に満足させることはできるが，すべての人をずっと満足させることはできない)という対句で用いる．You can't please all the people all the time. や You can't please everyone/everybody (all the time). また You can't please them all. ともいう．

pleasure 喜び

I don't believe I've had the pleasure.

「まだお会いしたことはありません；お初にお目にかかります」➤初対面の人に対するあいさつ．まだお会いする光栄に浴していなかったですね，ということから．

Ex. A: I'm sure you know my wife, Cynthia.
女房のシンシアは知っているよね．
B: I don't believe I've had the pleasure.
いいえ，これが初対面です．

My pleasure. / It's a pleasure.

「どういたしまして；喜んで；私もうれしいです」➤お礼に対する返答．また，依頼に対して Sure. My pleasure. などと応じる場合や，出会ったときのあいさつとしても用いる．

Ex. A: Thanks again for escorting me to the dinner party.

ディナーパーティーにエスコートしてくださってありがとう.

B: My pleasure. どういたしまして.

To what do I owe this pleasure?
「どのようなご用でしょうか」▶意外な人からの訪問や電話を受けたような場合に用いる. To what do I owe this visit/honor/call? や To what do I owe the pleasure of this visit/call? などともいう.「何のおかげで私はこの喜びを受けているのでしょうか」が原義.

With pleasure.
「喜んで」▶依頼に快く応じる表現.

Ex. A: So you'll be my date for the prom next Friday? 来週の金曜日はプロム (学年末ダンスパーティー) にぼくと行ってくれるんだね.

B: With pleasure. ええ, 喜んで.

pledge 誓約 (する); 保証 (する)

I pledge allegiance to the Flag of the United States of America, and to the Republic for which it stands.
「私はアメリカ合衆国の国旗と, それが象徴する共和国に対して忠誠を誓います」▶アメリカ人が自国に対する忠誠を誓うときの文句. この忠誠の誓い (Pledge of Allegiance) は公立学校や幼稚園で毎日生徒に課されている. また, 外国人が市民権を取得する際にも暗唱させられる.

[補足] この文言は1954年以後のもので, 全文は次のとおり.

> I pledge allegiance to the Flag of the United States of America, and to the Republic for which it stands: one Nation under God, indivisible, with Liberty and Justice for all.
>
> 私はアメリカ合衆国の国旗と, それが象徴する共和国, 神のもとにあり, 不可分で, すべての人に自由と正義が与えられたひとつの国に対して忠誠を誓います.

plot たくらみ; 筋; プロット; たくらむ

The plot thickens.
「ややこしいことになってきたぞ; だんだんおもしろくなってきたね」▶錯綜(さくそう)した状況だということがわかってきた, あるいは興味深い展開になってきた場合に用いる.

Ex. A: You couldn't have seen my boyfriend at the movie theater last night with Mary. He told me he was going to visit his grandmother. 私のボーイフレンドがゆうべメアリーといっしょに映画館にいたのを見たはずないわよ. おばあさんのところへ行くって言ってたもの.

B: The plot thickens. これはややこしいことになってきたぞ.

plunge 突っ込む (こと); 飛び込む (こと)

Take the plunge.

「思い切ってやってみなさい」 [類似] Just do it.

Ex. A: I've been thinking of asking her to marry me for months, but I keep waiting for the right time.
もう何か月も彼女に結婚を申し込もうと思っているんだけど,うまく切り出すタイミングを待っているんだ.

B: Stop waiting! Just take the plunge.
いつまでも待ってないで,思い切って言ってしまいなさい.

poem 詩

I think that I shall never see A poem lovely as a tree.

「私は詩を1本の木のようにすばらしいものとは決して見なさないだろうと思う」 ➤アメリカの詩人ジョイス・キルマー (Joyce Kilmer) の詩の出だしのことば(原文では A poem 以下で改行). 自然の中の木の美しさや崇高さに比べたら,詩などは取るに足りないものだという内容が歌われている. この句は a poem の部分を変えてさまざまに引用されている.

point 先; 点; 得点; 要点; 目的; 向ける

Get to the point. / What's your point?

「要点を言ってくれ/いったい何が言いたいんだ」 ➤回りくどい言い方をしている人などに用いる.

Good point.

「確かに; なるほど; それもそうだ」 ➤それはいいところを突いているという意味.

I see your point.

「あなたの言いたいことはわかります」

Point taken.

「わかりました」 ➤あなたの言うことは理解した,という場合に用いる.

Ex. A: I don't think it's fair for some employees to have two weeks vacation while others have a month. 従業員に休暇が2週間の人と1か月の人がいるのは公平でないと思います.

B: Point taken. わかりました.

What's the point?

「それにどんな意味があるのよ; そんなことして何になるのさ」 ➤それは無意味じゃないかという意味の反語.

Ex. What's the point? Even if we win this game, we still come in third in this tournament.
意味ないじゃない. この試合に勝ったってこのトーナメントでは3位なんだから.

You've got a point (there). / You got a point (there).

「あなたの言うこともっともね; それもそうだね」 ➤相手の主張に同意する表現.

Ex. A: If you buy the car with financing, the total cost of the car will be higher. その車をローンで買うと,支払い総額は高くなるよ.

B: You've got a point there. それもそうね.

You made your point.
「言いたいことはわかったよ (だからそれ以上言わなくていい)」
Ex. A: Your family, friends, and your doctors have told you. You need to stop smoking and drinking for your health.
家族や友だち,お医者さんから言われているでしょう.健康のためにたばこも酒もやめなくちゃだめよ.
B: Enough already! You made your point.
うるさいな,わかってるよ.

You missed the point.
「**わかってないわね；そういう話じゃないんだよ**」➤あなたは肝心な点を理解し損ねている,という場合に用いる.
Ex. A: I won't stay out past curfew again.
もう門限を破ることはしません.
B: You missed the point. We are not punishing you for coming home late, but for having lied about where you were last night.
そういう問題じゃないんだよ.遅く帰ったから罰しているんじゃなくて,ゆうべどこにいたのかについてうそをついたことが問題なんだよ.

poison 毒；酒

Name your poison. / What's your poison?
「**酒は何にする？**」➤相手が飲む酒の種類を尋ねる表現.西部開拓時代の酒場でバーテンが使ったせりふとして知られる.一般に,「どれでも好きなのを選びなさい；どうするか決めて」という場合にも用いる.Choose your poison. / Pick your poison. などともいう.

politics 政治

Politics as usual.
「**いつもながらの政治だ**」➤政治や政治家に対する不信・不満を表すことば.It's politics as usual. の省略表現.

Politics makes strange bedfellows.
「**政治は奇妙な縁をつくる**」➤政治の世界ではまったく異なる考え方の人たちが結びつくことがある,ということわざ.

poop うんち (する) (★幼児語)

Poop or get off the pot.
「**やるのかやらないのか,はっきりしなさい**」➤早く態度を決めなさい,という意味のくだけた言い方.「うんちするか,さもなければおまるから離れろ」が原義.Shit or get off the pot. というほうがふつう.

Pope 法王; 教皇

Is the Pope Catholic? / Is the Pope a Catholic?
「聞くだけやぼよ; 愚問だね; 当然よ」➤あなたの質問は「法王はカトリックなのか」と聞くようなものだということから. Is the Pope Polish? (法王はポーランド人か) / Does the Pope talk to God? (法王は神と話をするか) などともいう.

positive 確固たる (もの); 肯定的な (もの); 積極的な (もの)

Accentuate the positive.
「いい点を強調しなさい」➤作詞作曲家・歌手ジョニー・マーサー (Johnny Mercer, 1909-76) の歌 "Ac-Cen-Tchu-Ate the Positive" (1944) から広まった表現. マーサーは映画『ティファニーで朝食を』(*Breakfast at Tiffany's*, 1961) の主題歌「ムーンリバー」("Moon River") の作詞で知られる.

possession 所有 (物)

Possession is nine-tenths of the law.
「所有は法律の9割を占める」➤所有権争いになった場合には, たとえ借り物でも現に占有している人が9割方有利だ, ということわざ.

possible 可能な; あり得る

Anything is possible.
「どんなことでも可能だ」➤どんなにありそうもないことでも絶対にないとは言い切れない, という場合に用いることが多い.

It can't be possible. / That can't be possible.
「まさかそんなことあるはずないわ; うそだろう」➤驚き・不信の表現.

Ex. A: The jury found him innocent of all charges despite the overwhelming DNA evidence. 陪審団はあれだけDNAの証拠があったのにすべての罪状について彼を無罪にしたよ.
B: It can't be possible. まったく信じられないわね.

It's possible. / That's possible.
「その可能性はある; それも考えられる」

postcard 葉書; 絵葉書

Send me a postcard. / Don't forget to send me a postcard.
「(忘れずに) 絵葉書を送ってね」➤旅行に行く人によく用いる.

pot なべ; ティーポット; コーヒーポット

A watched pot never boils.
「見られている鍋は沸かない；待つ身は長い」➤期待して待っていると時間がたつのがひどく遅く感じられる，ということわざ．

Talk about the pot calling the kettle black!
「自分のことを棚に上げてよく言うよ；目くそ鼻くそを笑うってやつだ」➤慣用句の the pot calling the kettle black（なべがやかんを黒いと呼ぶ）を使った表現．ほかに That's the pot calling the kettle black. / You are the pot calling the kettle black. / It's a case of the pot calling the kettle black. などともいう．

potato じゃがいも

Potato, potato, potato, potato, ...
「ブルン，ブルン，ブルン，ブルン，…」➤オートバイのエンジン音を表す擬音語．

One potato, two potato, three potato, four.
「1ポテト，2ポテト，3ポテト，4」➤子どもがゲームの鬼（it）を決めるときなどに使う数え歌の文句．[類似] Eenie meenie minie mo
[補足] 全員が輪になって握ったこぶしを前に出し，1人が次のように唱えながら手のひらでこぶしを1つずつたたいていく．

> One potato, two potato, three potato, four,
> five potato, six potato, seven potato more.
> Icha bacha , soda cracker, icha bacha , boo.
> Icha bacha , soda cracker, out goes you!

power 力；権力

Fight the power.
「権力と戦おう；体制と戦おう」
[補足] パブリック・エネミー（Public Enemy）の歌の題名にも使われている．

More power to you.
「がんばって；成功を祈るわ；やったね；こりっぱ」➤相手を激励・賞賛する表現．

Ex. A: I got a raise and a promotion all in one week!
1週間で昇給と昇進があったわ．
B: More power to you! やったじゃない．

Power corrupts, and absolute power corrupts absolutely.
「権力は腐敗する．そして絶対的権力は絶対的に腐敗する」➤支配的な力を手に入れると傲慢(ごうまん)になって道徳的に堕落する，ということわざ．イギリスの歴史家アクトン卿（Lord Acton）のことば Power tends to corrupt, and absolute power corrupts absolutely. Great men are almost always bad men, even when they exercise influence and not authority.（権力は腐敗しがちであり，絶対的権力は絶対的に腐敗する．偉大な人物は，権威ではなく影響力を行使するときでも，ほぼ例外なく悪人である）から．

practice 練習(する);実行(する)

Practice makes perfect.
「**練習は完ぺきをもたらす;習うより慣れろ**」➤繰り返し練習することで上達する,ということわざ.

Practice what you preach.
「**自分の説くことを実践しなさい;隗(かい)より始めよ**」➤人に説教するなら自分でもそのようにしなさい,ということわざ. [類似] Lead by example.

preach 説教する

You're preaching to the choir.
「**あなたは聖歌隊に説教をしている;釈迦(しゃか)に説法だ;もうわかっているよ**」➤すでに同調(改宗)している人を説得しようとむだなことをしている,という場合に用いる.

pregnant 妊娠した

A pregnant woman glows.
「**妊娠している女性は輝いている**」➤妊娠している女性は生気に満ちて美しいということ.

barefoot, pregnant and in the kitchen
「**素足で妊娠して台所にいる**」➤女性に対する一昔前の固定観念(stereotype).

How pregnant are you?
「**妊娠何か月ですか**」➤How far along are you? ともいう.

You can't be a little bit pregnant.
「**ちょっとだけ妊娠したというようなことはありえない**」➤白か黒か,したかしないかのどちらかで中間状態というものはない,ということわざ.

prepare 準備する;用意する

Be prepared.
「**備えあれ;用意を怠りなく**」➤ボーイスカウト(Boy Scout)・ガールスカウト(Girl Scout)のモットー.日本のボーイスカウト・ガールスカウトでは「そなえよつねに」と訳している.

Come prepared.
「**しっかり準備を整えてきなさい**」➤テストや就職面接などのときによく使われる.

present 現在(の);プレゼント;いる

No time like the present.
「**いまにまさる時はない;思い立ったが吉日**」➤There's no time like the present. の省略表現.後回しにせずいますぐ始めようという場合に用いる.

Present.

press 押す; 出版物; 印刷機; 報道機関

Stop the presses!
「ちょっと待った」➤作業を一時中断させる場合に用いる.「そんなことは驚くべきことではない」と皮肉を込めて使われることも多い. もとは, 重大ニュースが飛び込んできて, 新聞記事を差し替えるために「輪転機を止めろ」ということから.

Ex. A: Last night I proposed to Ann, and guess what? She said yes.
ゆうべアンにプロポーズしたら, どうなったと思う? 彼女, OKだってさ.
B: Stop the presses! She's been wanting to marry you for the past ten years.
何をいまさら. 彼女はもう10年もあなたと結婚したがっていたのよ.

pretty きれいな; かわいい

Pretty is as pretty does.
「行いのりっぱな人が美しい」➤Handsome is as handsome does. に同じ.

prevention 予防

An ounce of prevention is worth a pound of cure.
「1オンスの予防は1ポンドの治療の価値がある; 転ばぬ先のつえ」➤Prevention is better than cure. (予防は治療にまさる)と同じ意味のことわざ. 1オンスは約28グラムで1ポンドはその16倍の重さ. [類似] A stitch in time saves nine.

price 値段; 代価

Every man has his price.
「だれにも値段がある; 地獄の沙汰も金次第」➤だれでも金で動く, だれにでもわいろがきくということわざ. Everyone/Everybody has his/their price. ともいう.

pride 高慢; 自尊心; プライド

It's a matter of pride.
「それはプライドの問題です」

Pride comes before a fall. / Pride goes before a fall.
「失墜の前に自尊心が来る/行く; おごれる者は久しからず」➤慢心すると落とし穴が待っているということわざ. 出典は旧約聖書 (Old Testament) の「箴言」(Proverbs 16:18) のことば Pride goeth before destruction, and an haughty spirit before a fall. (痛手に先立つのは驕(おご)り. つまずきに先立つのは高慢な霊).

Swallow your pride.
「プライドを捨てろ；恥を忍べ」➤屈辱的でも我慢しなさいという意味.

principal 校長

Go to the principal's office.
「校長室に行きなさい」➤授業中に悪質な悪さをした生徒に教師が罰として言い渡す．[類似] Go stand in the corner.

problem 問題

A problem shared is a problem halved.
「分かち合った問題は半分になった問題だ」➤問題を1人で抱え込まずに人に相談すれば気持ちも落ち着き，解決の道も見えてくるということわざ．

Houston, we have a problem.
「ヒューストン，問題が発生しました」➤1970年，月に向かって航行中のアポロ13号 (*Apollo 13*) で爆発事故が起こったときに宇宙飛行士が地上の管制室に送ったことばとして広まっているもの．一般に，「問題発生」という場合によく引用される．[補足] 正確には，宇宙飛行士ジャック・スウィガート (Jack Swigert) が最初に言ったことばは Okay, Houston, we've had a problem here. (ヒューストン，問題が発生しました) で，管制官が聞き返した後にジム・ラベル (Jim Lovell) 船長が Houston, we've had a problem. (ヒューストン，問題発生です) と言っている．

I have no problem with that.
「私はそれで構わない；それでいいよ」➤No problem with that.ともいう．

Ex. A: I'm going to work over the weekend, so that I can take Monday and Tuesday off for my son's graduation from high school. 来週の月曜と火曜は息子の高校の卒業式に出席するために休みをもらいたいので，この週末は出るつもりです．
B: I have no problem with that. I only object when people don't tell me of their vacation plans in advance. 私のほうは構わないよ．休みの予定を前もって教えてくれないのは困るがね．

If you're not part of the solution, you're part of the problem.
「あなたは解決策の一部でないなら問題の一部だ」➤問題を解決しようとしない者はじゃまになるだけだ，ということわざ．

No problem.
「だいじょうぶ；どうってことないよ；心配ない；お安い御用です；どういたしまして」➤It's no problem. / That causes no problem. などの省略表現で，「それは問題ない；簡単にできる」という意味．依頼やお礼に対する返事としてよく用いる．No problem at all. と意味を強めることも多い．俗語で No problemo. (語尾に -o をつけてスペイン語風にしたもので，発音は /prὰblé:mou/) や No prob. ともいう．

Ex. A: Thanks. I really appreciate you giving me a ride home. My car's still in the shop. ありがとう．家まで来るまで送ってくれて感謝

しているわ．私の車はまだ修理工場に出ているのよ．
B: No problem. You're right on my way home.
どういたしまして．どうせ帰り道だから．

Problem solved.
「**問題解決；一件落着**」➤問題が片づいたという意味の口語表現．

What seems to be the problem?
「**どうしました；何かお困りですか**」➤医者が患者を診るときに尋ねる質問．また一般に，困っているようすの人に声をかけるときにも用いる．What seems to be the trouble? ともいう．What's the problem? (どうしたの；何があったんだい) はより断定的な表現．

You can't run away from your problems.
「**問題から逃げることはできないよ**」➤問題があったら正面から取り組みなさい，という場合の忠告として用いる．

You got a problem with that? / Do you have a problem with that?
「**何か文句ある?**」➤ややけんか腰のことば．

> Ex. A: Let me get this straight. Now you say you won't split the profit with me?
> つまりこういうことかい．利益をぼくと分けないって言うのかい?
> B: Yeah. You got a problem with that? そうよ．何か文句ある?

procrastination (やるべきことを) 先延ばしにすること

Procrastination is the thief of time.
「**先延ばしは時間のどろぼうだ**」➤やるべきことはさっさとやるべきだ，ということわざ．

promise 約束 (する)

A promise is a promise.
「**約束は約束だ；約束したからには守ってもらおう**」

I can't promise anything.
「**約束はできないよ**」➤努力してみるが結果は保証できない，という場合に用いる．

> Ex. A: Please can you repair this broken teacup? It's a family treasure.
> どうかこの割れた茶碗を直してもらえませんか．うちの家宝なものですから．
> B: I can't promise anything, but I'll try my best.
> 約束はできませんが，やれるだけやってみましょう．

I promise. / That's a promise.
「**約束します**」➤自分が言ったことについて，それは必ず守るという場合に用いる．

Promises, promises.
「**口先ばかりなんだから；そんなこと言って1度も実行したことないくせに**」

> Ex. A: I won't betray you again. This time I've changed.
> もう2度ときみを裏切らないよ．今度は心を入れ替えたんだ．

B: Promises, promises. I've heard it all before.
口先ばっかりなんだから. そのせりふは前にも聞いたわよ.

pronounce 発音する；宣言する

I now pronounce you husband and wife.
「ここに2人が夫婦であることを宣言します」➤キリスト教の結婚式で新郎新婦が誓いのことばを述べて指輪の交換をした後で司祭などが言うことば. 伝統的には I now pronounce you man and wife. と言っていたのを男女同権の立場から husband and wife に代えたもの. 伝統を守っていまも man and wife を使っている教会も多い. 司祭はこの後に新郎に You may kiss the bride.（花嫁にキスしなさい）と言う.

prophet 預言者；予言者

A prophet is not without honor, save in his own country.
「預言者が敬われないのは, その故郷だけである」➤新約聖書（New Testament）の「マタイによる福音書」(Matthew 13:57) ほかにあるイエス・キリスト (Jesus Christ) のことば. 一般に, ほかでは認められているのに地元での評価が低い人について引用される. save は「…を除いては」の意.
[補足] ほかでは多くの奇跡を起こしたイエスだが, 生まれ故郷のナザレ (Nazareth) では地元の人たちが「あれは大工の息子ではないか」などと言ってその力を認めなかったために奇跡を行うことができなかった. そこでイエスが言ったことばがこれ. この個所の聖書の記述は次のとおり (Matthew 13:57-58).

> And they were offended in him. But Jesus said unto them, A prophet is not without honour, save in his own country, and in his own house. And he did not many mighty works there because of their unbelief.

このように, 人々はイエスにつまずいた. イエスは, 「預言者が敬われないのは, その故郷, 家族の間だけである」と言い, 人々が不信仰だったので, そこではあまり奇跡をなさらなかった.

Beware of false prophets.
「偽預言者を警戒しなさい」➤新約聖書の「マタイによる福音書」(Matthew 7:15) にあるイエス・キリストのことば. ここは Beware of false prophets, which come to you in sheep's clothing, but inwardly they are ravening wolves.（偽預言者を警戒しなさい. 彼らは羊の皮を身にまとってあなたがたのところに来るが, その内側は貪欲な狼である）と続く.

protest 抗議（する）；言明（する）

The lady doth protest too much, methinks.
「あの女性は強く断言しすぎだと思うわ」➤シェークスピア (Shakespeare) の『ハ

ムレット』(*Hamlet* III. ii.) でハムレットの母ガートルード (Gertrude) が芝居を見ていてハムレットに言うせりふ. 芝居の中で,「あなたが死んだら私は一生再婚しない」と王妃が王に誓う. ハムレットの母親は夫である国王が死亡した直後に再婚したため, この芝居の中の王妃のことばに動揺してこう言う.「あれは口先ばかりだ」または「それほど強く否定するのは図星を指されたからだろう」という場合に引用される.

proud 誇りに思う; 鼻が高い

I'm proud of you.
「あなたを誇りに思います; りっぱ, りっぱ; 私も鼻が高いよ」

Make me proud.
「私にいいところを見せて; しっかりやりなさい」▶特に親が子どもによくいう.

> Ex. A: I'm going to play my hardest and best even though the competition is stiff.
> 競争は激しいけれど, 一生懸命やって最高のプレーをするよ.
> B: Make me proud. しっかりな.

prove 証明する

Prove it.
「証明してみなさい; 証拠を見せてよ」▶そのことばが本当だという証拠がほしいという場合や, 相手に非難されたときに「そんなことを言っても証拠はないだろう」という場合などに用いる.

> Ex. A: This car has never been involved in an accident or had any major repairs. この車は無事故で, 大きな修理をしたこともありません.
> B: Prove it. I need to see it in writing.
> その証拠がほしいね. 書類を見ないとね.

Prove me wrong.
「私が間違っていることを証明してください」▶私の考えなどが間違っているというのなら, それを証明してほしいという場合に用いる.

What does that prove?
「だからなんだと言うのか」▶それが何を証明するのか, それは何も決定的な意味をもたないではないか, という場合に用いる.

publicity 宣伝; 評判

Any/All publicity is good publicity.
「どんな宣伝もいい宣伝だ」▶どんなことでも人に知られることは宣伝になっていいことだ, という意味の格言. There's no such thing as bad publicity. (悪い宣伝というものはない) もほぼ同じ.

pudding プディング

The proof of the pudding is in the eating.
「プディングの味は食べてみないとわからない；ものは試し」➤うまくいくかどうかは実際にやってみないとわからない，ということわざ．「論より証拠」と訳されることが多いが，用法はややずれる．単に The proof of the pudding. ということも多い．

pull 引く（こと）

Pull yourself together.
「しっかりしなさい；気を強くもって」➤動揺したり落ち込んだりしている人にいう．
- **Ex.** A: I'm still so down about having lost my job.
    まだ失業の痛手から立ち直れないよ．
    B: I understand how you feel, but pull yourself together. It's been six months, and I know you can find another if you start looking. 気持ちはわかるけど，しっかりしないとだめよ．もう半年もたつんだから，職探しをすれば何か見つかるわよ．

punishment 罰

Let the punishment fit the crime.
「犯罪に応じた罰を与えよう」➤犯罪の軽重に合った処罰を与えるべきだということ．オペレッタ『ミカド』(*Mikado*) の中の歌の文句から．

purse ハンドバッグ；財布

You can't make a silk purse out of a sow's ear. / You can't make a silk purse from a sow's ear.
「雌豚の耳から絹の財布を作ることはできない」➤材料が悪ければ良質のものはできない，ということわざ．purse はいまではハンドバッグを指すことが多いが，昔は財布の意で用いるのが普通で，大きさも形も豚の耳に似ていたことから連想されたものらしい．You can't make a silk purse out of a sow's ass. ともいう．

push 押す（こと）

Don't push it.
「調子に乗らないで」➤Don't push your luck. に同じ．

Don't push me.
「うるさく言わないでよ」➤せき立てられたりしたときに言う．
- **Ex.** A: For the fifth time, I want a written apology and double my money back. これで5回めになるけど，ちゃんと謝罪文を書いて，倍にして返金してもらいたいね．
    B: It was an honest mistake. I've already apologized and given you your money back. Don't push me.
    ただの手違いじゃないですか．もうすでに謝って返金もしてあるんですから，

これ以上ことを荒立てないでください.

put 置く; 述べる

I couldn't put it down.
「その本は読み出したらやめられなかった」➤非常におもしろい本だったという意味. You can't put it down.（1度読み始めたら最後までやめられないよ）などの表現もある.

Let me put it this way. / Let's put it this way.
「こう言っておこう」➤ストレートには言いにくい場合に用いる.

Ex. A: Did your roommate cheat in the poker game last night?
きのう, きみのルームメイトはポーカーでインチキをしたのかい.

B: Let me put it this way. He is not the most honest person you will ever meet. まあこう言えばわかるんじゃないかな. 彼はきみが出会う人の中でもっとも正直な人間ってわけじゃあないってことだね.

Put her there. / Put it there.
「手を出して」➤握手を求めるときのくだけた言い方. her/it は相手の手を指す. her はしばしば語頭の h が落ちて Put 'er there. と発音される.

Put them up.
「手を上げろ」➤警察や強盗などがよく用いる. しばしば Put 'em up. と発音される. Stick them up. ともいう.

Put up or shut up.
「やらないのなら黙っていろ; ぐだぐだ言わずにやってみろ」➤口先ばかりで少しも実行しないような相手にいらだちを込めて用いる. ポーカーで参加料 (ante) を払ってゲームに入るか, さもなければ黙って降りなさいということから生まれた表現という. [類似] Put your money where your mouth is.

Ex. I'm sure you are bluffing with your client's allegations of sexual harassment. Put up or shut up.
おたくの依頼人が申し立てているセクハラというのははったりだね. 証拠を出すか, さもなければ訴えを取り下げたらどうだ.

Stay put.
「そこを動かないで」➤その場から移動するなという場合に用いる. この put は過去分詞.

Well put. / Very well put.
「(非常に) うまく表現されている; 言えてる」➤That's well put. などの省略表現. 表現や論理展開が見事だという意味で, 必ずしもその意見に賛成とは限らない. Well said, well put. ということもある.

Ex. A: Democracy can only work if citizens are politically informed and active voters. 民主主義というのは市民が政治に関してよく知っていて, 積極的に投票する場合にのみ機能するものです.

B: Very well put, John. ジョン, 非常にうまく表現できましたね.

You're putting me on.
「かついでいるんでしょ」➤You're kidding me. とほぼ同じ.

Q, q

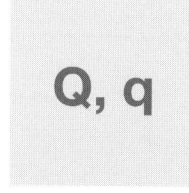

quality 特性；品質；性質

Quality before quantity.
「**量より質**」 ➤ 高品質を目指す企業などのモットー．「量より質を優先する」は put quality before quantity という．

Quality first.
「**品質第一**」 [類似] Safety first.

quarter 4分の1；25セント（硬貨）

Here's a quarter, call someone who cares.
「**そういうことはほかの人に言ってくれ；そんな愚痴は聞きたくない**」 ➤ 25セント硬貨をやるからだれか愚痴を聞いてくれる人に電話しろということ．単に Here's a quarter. または Call someone who cares. ともいう． [類似] I couldn't care less.

question 質問（する）；問題

Ask a silly question, get a silly answer.
「**ばかな質問をすればばかな答えが返ってくる**」 ➤ silly の代わりに stupid, dumb も使われる．

Can I ask a stupid question?
「**ばかなことを質問してもいいですか；くだらないことを聞いてもいいですか**」 ➤ Can I ask you a stupid question? ともいう．stupid の代わりに dumb, silly も使う．

Good question.
「**いい質問だね；痛い所を突くね**」 ➤ 文字どおりの意味の場合と，答えに窮している場合とがある．

Just one more question.
「**あとひとつだけ質問を**」 ➤ 一般に使われる表現だが，特にテレビドラマ『刑事コロンボ』(*Columbo*) のコロンボのせりふとして知られる．

Out of the question.
「**だめだね；問題外だ**」 ➤ It's/That's out of the question. の省略表現．

Ex. A: Hey Dad, I'm a bit short. Can you lend me fifty dollars?
ねえお父さん，ちょっとお金が足りないんだけど，50ドル貸してくれない？
B: What? Fifty dollars? Out of the question!
なに，50ドルだって？ 冗談じゃない．

That's the $64,000 question.
「それが大問題だ」➤それは非常に難しい質問［問題］だ，または最大の疑問だという意味．テレビのクイズ番組 *The $64,000 Question* (1955-58) から広まった表現．That's the $64 question. ともいう．

[補足] このクイズ番組の解答者は最初の問題に正解するとその賞金をもらってそこでやめるか，それとも倍の賞金を狙って次の問題に進むか決める．不正解の場合にはそれまでの賞金がすべてゼロになるが，最後の問題に正解すると 64,000ドル（当時の為替レートで2,304,000円）がもらえるという仕組みになっていた．

★同番組は1941年に始まったラジオのクイズ番組 *Take It or Leave It* が原形で，そこでは賞金は1ドルから始まって最後が64ドルだった．ここから That's the $64 question. という句が最初に使われていた．

The only stupid question is the one that isn't asked.
「ばかな質問というのは聞かない質問だけだ」➤意味・用法は There's no such thing as a stupid question. とほぼ同じ．The only stupid question is the one you don't ask. ともいう．

There's no question about it.
「それに疑問の余地はない；それに間違いない」➤No question about it. ともいう．

There's no such thing as a stupid question.
「ばかな質問というものはない」➤積極的に質問しなさいという意味で，教師が生徒によくいう．stupid の代わりに dumb, silly が用いられることもある．

quick すばやい；すばやく

Make it quick. / Better make it quick.
「手短に頼むよ；早くしてね」➤すばやく済ませてほしいという表現．Make it brief. / Make it short. などともいう．

Ex. A: I have to make a call. Do you mind if I use your cell phone?
電話しなくちゃいけないんだけど，携帯を貸してもらえないかしら．
B: Go ahead—but make it quick. どうぞ．でも手短に頼むよ．

quiet 静かな；平穏(な)

All quiet on the Western Front.
「西部戦線異常なし」➤第一次世界大戦 (World War I) で，ドイツ陸軍の西部前線司令部が本国に送信したことば．ドイツの作家レマルク (Erich Maria Remarque) の同名小説 (1929)，またその映画化作品 (1930) から広まった．

Anything for a quiet life.
「静かな生活のためならなんでも」➤平穏な生活を最優先することを表す．

Be quiet. / Quiet.
「静かにしなさい；うるさい」．[類似] Keep quiet.

It's always the quiet one.
「おとなしい人に限ってそういうことをするものだ；人は見かけによらないっていうけど」
➤ふだんおとなしい人が実は残忍だったりいやらしかったりする，または大事件を起こ

したりするのは大抵そういう人だという場合に用いる.

Keep quiet.
「静かにしていなさい」➤Be quiet. に対して，こちらは静かな状態を続けなさいという意味合いで用いる.

Keep it quiet. / Keep quiet about it.
「そのことについては黙っていなさい；他言は無用」➤Better keep it quiet. / Better keep quiet about it. などともいう.

Let's go somewhere/someplace quiet.
「静かな所に行きましょう」➤落ち着いてゆっくり話したいときに用いる.

quit やめる；投げ出す　　quitter やめる [投げ出す] 人

Don't quit trying.
「あきらめずにがんばれ」➤Don't give up trying. ともいう.

Never, never, never quit.
「何があっても絶対にやめるな」➤イギリスの元首相ウィンストン・チャーチル (Winston Churchill) のことば.

Quit while you're ahead.
「分のいいところでやめておけ」

Quitters never win. / A quitter never wins.
「途中でやめる者は絶対に勝てない；投げたらあかん」➤しばしば Quitters never win and winners never quit. / A quitter never wins and a winner never quits. (途中でやめる者は絶対に勝てないし，勝者は絶対に途中でやめない) という対句で用いる. [類似] Winners never quit.

Some people (just) don't know when to quit.
「あきらめの悪い人だね；世の中には加減というものを知らない人がいるね」➤Some people (just) don't know when to give up. (give の見出し参照) に同じ. 「一部の人たちはやめるべき時を知らない」が原義.

quote 引用 (する)

Don't quote me on that.
「それを額面どおりに受け取らないでね」➤もしかしたら私は間違っているかもしれない，という場合に用いる. 信頼できる情報源として引用されても困る，ということ.

Ex. YBM shares will have lost half their value by the end of the week. But don't quote me on that. YBMの株価は週の終わりまでには半分になっているよ. もっとも，そうならないかもしれないけど.

Quote ... unquote.
「かっこして…かっこ閉じる」➤ニュースなどで人のことばをそのまま伝えるときの表現. The President said, quote, "I didn't do it," unquote. (大統領はこう言いました. かっこして「私はやってない」かっこ閉じる) のように用いる. またThe President said, quote/unquote, "I didn't do it." のように言うこともある. unquote の代わりに end quote も用いられる.

R, r

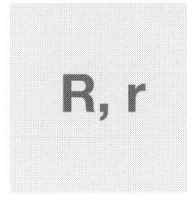

rabbit ウサギ

A rabbit foot is lucky.
「**ウサギの足は縁起がよい**」 ➤よく知られた迷信 (superstition)で,A rabbit's foot will bring luck and protect the owner from evil spirits if carried in the pocket. (ウサギの足をポケットに入れて持ち歩くと幸運が訪れ,悪い霊から守ってもらえる) とも言われ,実際にそうしている人もいる.また,このようなウサギの足を lucky rabbit foot (お守りのウサギの足) と呼ぶ.

The rabbit died.
「**私,妊娠したの**」 ➤特に妻や恋人がパートナーに妊娠を告げるときに用いるやや古めかしい表現.女性の尿をウサギに注射すると,女性が妊娠している場合はウサギが死に,そうでない場合はウサギは死なないという俗説 (myth) から生まれたもの.

race 競走 (する); 競争 (する)

I'll race you.
「**どっちが速いか競走だ**」 ➤よく子供がいう.I'll race you to the park. (公園まで競走だ) のように用いることが多い. [類似] Last one in is a rotten egg.

rain 雨

It never rains but it pours.
「**降れば土砂降り**」 ➤悪いことは重なる,または何か (悪いことが) あるときは大きなものになる,ということわざ.「大雨が降るとき以外は雨は降らない」が原義.
[補足] ギルバート・オサリバン (Gilbert O'Sullivan) の歌の題名にも使われている.

When it rains, it pours.
「**降れば土砂降り; 降ってもよく出ます**」 ➤上のことわざと同じ.もとはアメリカの食塩会社モートン・ソルト (Morton Salt) が1911年に開発した新製品の宣伝文句.それまでの塩と違い,雨が降っても (When it rains) 塩が固まらずに容器からちゃんと出る (it pours) という意味で,上のことわざをもじって作ったものだった.これが一般に浸透して,もとのことわざと同じ意味で使われるようになった.

rainbow 虹

There's a pot of gold at the end of the rainbow.

「**虹の端には金のつぼがある**」➤虹が地面に着くところには金のつぼが埋まっているという俗信．夢を追うことのたとえによく使われる．歌の題名や歌詞にもよく出てくる．

rat ネズミ

I smell a rat.
「**なんか変だぞ；うさんくさいわね；おかしいね**」➤何か不審な点があるという意味．

Rats.
「**ちぇっ；くそっ**」➤軽いののしりや落胆を表す．

Rats desert a sinking ship.
「**ネズミは沈没する船を見捨てる**」➤重大危機にはみな逃げ出すということわざ．船が沈没する前にはネズミが最初に逃げ出すとされることから．

reach 着く；届く；届く範囲；（手などを）伸ばすこと

A man's reach should exceed his grasp.
「**人はつかめるものよりも遠くまで手を伸ばすべきだ**」➤人は達成不可能かもしれないものを目指すべきだという意味．19世紀のイギリスの詩人ロバート・ブラウニング (Robert Browning) がイタリア・ルネッサンスの画家アンドレア・デル・サルトを歌った詩 "*Andrea del Sarto*" の一節 Ah, but a man's reach should exceed his grasp, Or what's a heaven for? (ああ，しかし人はつかめるものよりも遠くまで手を伸ばすべきだ．さもなければ天国はなんのためにあるのか) から．なお，同詩の一節 Less is more. (より少ないほうがより多い；簡素なものほど豊かである) も有名．

Reach out and touch someone.
「**手を伸ばしてだれかに触れてください**」➤アメリカ電信電話会社 (AT&T) の宣伝文句．電話を使えばどんなに遠い相手にも届いて接触できるという意味．

read 読む；聞き取る；了解する

Do you read me?
「**聞こえますか；わかったか**」➤無線でこちらの声が聞き取れるかと質問する表現．また，一般に「私の言うことを理解したか」という意味でも用いる．

I read you loud and clear.
「**はっきり聞こえています；よくわかりました**」➤Do you read me? に対する答え．一般に，「了解しました」という場合にも用いる．省略表現で Loud and clear. ともいう．

> **Ex.** A: I don't want this to happen again! Do you read me?
>   2度とこのようなことがあっては困るよ．わかったかい．
>   B: Yes, I read you loud and clear.
>   はい，よく肝に銘じておきます．

Read them and weep.
「**これを見てせいぜい泣くんだね**」➤ポーカーなどで自分の勝ちだと思った人が手札を相手に見せるときに用いる．

ready 用意して；準備ができて

Any time you're ready. / I'm ready when you are.
「**あなたさえよければ私はいつでもいいです**」➤Anytime you are ready. ともつづる.
- **Ex.** A: Any time you're ready. こっちはいつでも用意できているよ.
  - B: Just a few more minutes, please. I have to finish putting on my makeup. もう少し待って．メークがあと少しで終わるから．

Are you ready for this?
「**用意はいいですか；この心構えはできているのかい**」➤相手に悪い知らせを話すときや，相手が重大な決断を下すときなどに，心の準備ができているかと尋ねる表現．

Ready, set, go!
「**位置について，用意，ドン**；いいですか，用意，始め；いくわよ，1，2の3」➤徒競走やゲームで競争を始めるときの号令．On your mark. Get set. Go! ともいう．

real 本当の；本物の；現実の

Get real. / Be real.
「**現実的になれ；少しは頭を冷やせ；本気になってよ**」➤Be realistic. の意味のくだけた言い方．相手が夢みたいなことを言っていたり，まじめに話を聞いてくれないときなどに用いる．
- **Ex.** A: So, what are your plans for retirement?
  定年退職後はどうするつもりなの．
  - B: I plan to win the big lottery and retire with all the money I get. 宝くじを一発当ててそのお金で悠々と暮らす計画だよ．
  - A: Get real! You can't plan to win the lottery!
  ばか言わないでよ．そうそう都合よく宝くじが当たるわけないでしょ．

It's the real thing. / It's the real McCoy.
「**それは本物だ**」➤偽物ではない，本当の価値のあるものだ，真の実力を備えているなどの意味で用いる．McCoy (発音は /məkɔ́ɪ/) が何に由来するのかについては不明らしい．

You can't beat the real thing.
「**本物には勝てない**」➤コピー製品などはオリジナルに勝てないということ．コカコーラ (Coca-Cola) が1990年に使った宣伝文句としても知られる．

really 本当に；本当は

Not really.
「**そうでもない；ちょっと違う**」
- **Ex.** A: Are you looking forward to the company party on Friday?
  金曜にある会社の宴会は楽しみかい．
  - B: Not really. I don't feel comfortable drinking with people I work with. そうでもないわね．職場の人と飲むのは気が進まないわ．

Really?↔Really.

「**本当に？↔本当だよ**」➤相手の発言を確かめる，または自分の発言を保証する場合に用いる．

reap 刈り取る

You reap what you sow. / As you sow so shall you reap.

「**人はまいたものを刈り取る/人はまいたように刈り取る；自業自得**」➤自分の行為は自分に跳ね返ってくるということわざ．よい意味でも悪い意味でも用いる．出典は新約聖書 (New Testament) の「ガラテヤの信徒への手紙」(Galatians 6:7) にあることば Be not deceived; God is not mocked: for whatsoever a man soweth, that shall he also reap. (思い違いをしてはいけません．神は，人から侮られることはありません．人は，自分の蒔いたものを，また刈り取ることになるのです)．

reason 理由

All the more reason.

「**だったらなおさらだよ**」➤しばしば to 不定詞または for doing を後に続ける．

Ex. A: I'm going to work over the holidays because I can receive extra pay. 手当てが割り増しになるから今度の休日は働くつもりだよ．
B: But everyone else will be on vacation and the office will be empty. でも，ほかのみんなは休むから会社はだれもいないよ．
A: All the more reason to work. Without other people in the office, I can get more work done.
それだから働くのさ．ほかの人がいなければ，それだけ仕事がはかどるからね．

Give me a good reason.

「**それはもっともだという理由を教えて**」➤願い事をされたときなどに，どうして私がそうしなくてはいけないのか納得できる理由を説明してほしいという場合に用いる．

I have my reasons.

「**ちょっと訳があってね**」➤どうしてかと聞かれて，私なりの理由があるとぼかして答えるときの表現．

Ex. A: I don't understand why you want to do this work yourself, instead of delegating it to someone else in the office.
この仕事を会社のほかの人に任せないで，どうして自分でやりたがるのか理解できないわね．
B: I have my reasons. まあ，訳があってね．
A: Can you elaborate? もう少し具体的に言ってくれない？

No reason.

「**別に理由はない**」➤なぜそうするのかと聞かれた場合に用いる．

Ex. A: Why are you so dressed up? どうしてそんなにおめかししているの．
B: Oh, no reason. 特に理由はないよ．

There is a reason for everything.

「**すべてのものには理由がある**」➤人の行為や偶然と思われるできごとにもみな理由が

あるということ．

You have every reason to ...
「あなたが…するのはもっともだ」 ➤ You have every reason to be angry. (あなたが怒るのはもっともだ) のように to 不定詞を続ける．

recall 思い出す（こと）

Not that I recall.
「私の記憶する限りそういうことはない」 ➤ 類似 Not that I remember.

Ex. A: Did anyone else review the report before you submitted it?
この報告書はきみが提出する前にだれかが見たかい？
B: Not that I recall. いいえ，私の記憶する限りだれも見ていません．

recognize 気づく; わかる

Do you recognize me?
「私がだれかわかりますか」 ➤ 私はあなたの知っている人ですが，顔や声でそれとわかるかどうかと尋ねる表現．「あなただと気づかなくてすみません」という場合は I'm sorry I didn't recognize you. という．

How will I recognize you?
「どうしたらあなたがわかりますか」 ➤ 初めて会う人と電話で待ち合わせる約束をしたような場合に尋ねる．How will I know you? ともいう．

record 記録（する）

Let me set the record straight.
「誤解があるようだから言っておきます；はっきり言っておくけどね」 ➤ 誤って言い伝えられていることを正すときに用いる．

Ex. Some people in the press claim that I'm going to retire soon. Well, let me set the record straight: despite my age, I am not planning to retire!
マスコミの中には私がもうすぐ引退すると言っている人もいます．はっきり言っておきますが，この歳でも引退する考えはありません．

Records are made to be broken. / Records are there to be broken.
「記録は破られるためにある」 ➤ スポーツ界で言われることば．

This is off the record.
「これはオフレコだよ」 ➤ 特に政治家などが記者に記事にしないことを条件に話す場合に用いる．

recovery 回復; 快復

Best wishes for a speedy recovery!

「**1日も早い快復をお祈り申し上げます**」➤お見舞いのカード (get-well card) などに添えることば. 病人の家族などに対して Please give him/her my best wishes for a speedy recovery. (1日も早い快復をお祈りしているとお伝えください) ということもある.

Nice recovery.
「**ナイスフォロー**」➤相手が何かまずいことを言って, それを取り繕おうとした場合に用いる. Nice save. ともいう.

regard　みなす; 敬意; よろしくとのことば

Give my (best) regards to someone.
「**…に (くれぐれも) よろしくお伝えください**」➤Give my best to *someone*. や Remember me to *someone*. また, くだけた言い方では Say hello to *someone*. ともいう.

Ex. Please give my regards to your family. ご家族のみなさんによろしく.

Regards.
「**敬具**」➤Eメールやくだけた手紙などの結びの句に使われる.

relate　関係させる; 関係する; 理解する

I can relate.
「**わかるよ**」➤相手のことばに理解・共感を示す表現. I can relate to that. (それはわかる) ともいう.

Ex. A: My mother-in-law will not stop asking me when my husband and I are going to have a baby.
いつ赤ちゃんができるんだって, 姑(しゅうとめ)さんが私たちにうるさく言うのよ.

B: I can relate. Before my first child was born, my mother-in-law did the same thing.
わかるわ. 最初の子どもができるまではうちの姑も同じだったもの.

relative　比較的な; 相対的な; 親戚(しんせき)

It's all relative.
「**それは比較の問題だ**; 上を見れば切りがないし, 下を見ても切りがない」

Ex. A: I'm so upset! My bonus is less this year than it was last year.
がっくりだよ. 今年のボーナスは去年よりも少ないんだ.

B: I understand your frustration, but it's all relative. Bonuses were higher last year because business was better.
不満はわかるけど, そういうのは相対的なものだからね. 去年ボーナスが多かったのは景気がよかったせいだから.

You can pick your friends but not your relatives.
「**友人は選べるが親戚はそうはいかない**」➤家族や親戚は宿命として受け入れるしかないということわざ.

relief (悩みなどの)軽減;安堵(あんど);交代

That's a relief. / What a relief!

「ああよかった;ほっとした;やれやれ」 ➤ What a relief! のほうが安堵感が強い.

Ex. A: I have some great news. I found your wallet in the bedroom!
   すごくいい知らせがあるわよ. あなたの財布が寝室から出てきたの.

  B: That's a relief! I thought it was stolen.
   それはよかった. 盗まれたのかと思っていたからね.

relive 追体験する

Don't make me relive it.

「やめてよ;思い出させないでよ」 ➤ 忘れたいできごとを思い出させるようなことを言われたときに用いる.

Ex. A: I heard that your purse was stolen while you were shopping. What happened?
   買い物中にハンドバッグを盗まれたんですって. 何があったのよ.

  B: Oh, don't make me relive it. It was a terrible experience and I just want to forget about it.
   思い出させないで. すごいショックで忘れたいと思っているんだから.

remember 覚えている;思い出す;よろしくと伝える

Here's something to remember me by.

「これで私を思い出してね」 ➤ 相手にプレゼントを渡すときに用いる.「ここに私を思い出すためのものがあります」が原義.

Not that I remember.

「私の覚えている限りではそうではない」 [類似] Not that I recall.

Ex. A: Did you notice anything different when you entered the office this morning?
   けさ出社して何か変わっていることに気づかなかった?

  B: Not that I remember. Why?
   別に変わったことは何もなかったと思うけど, どうして.

  A: The artwork in the lobby has been changed.
   ロビーの美術品が入れ替わっているのよ.

Remember me to someone.

「…によろしくお伝えください」 ➤ Give my (best) regards to *someone*. とほぼ同じ (regard の見出し参照).

remind 思い出させる

Don't remind me.

「いやなことを思い出させないでよ;その話はしないでくれ」 ➤ それは忘れたいと思って

いるから蒸し返さないでほしい，という場合などに用いる．

Need I remind you that ...?
「…ということを忘れたわけじゃないでしょうね」▶こちらが言わなくてもわかっているだろう，という意味で用いる．「私は…ということをあなたに思い出させる必要があるのか」が原義．Need I remind you of ...? の形もある．

Ex. A: I would like to take a few days off next month, if you don't mind. もしよろしかったら，来月2, 3日休みを取りたいんですが．
B: Need I remind you that we are getting ready for our annual shareholders meeting next month? I need all staff members here in the office to assist with the preparations.
いまはみんな来月の年次株主総会の準備をしているところだって忘れたわけじゃないだろうね．その準備にうちの部署全員の力が必要なんだよ．

Remind me.
「忘れてたら言ってね；また言ってください；いいからまた話してよ」▶予定などを忘れるといけないので前もって注意してください，申し訳ないけど忘れてしまったのでまた言ってくださいなどという場合に用いる．また，「この話は知っているでしょう」などと答えた相手に「それでもいいから話してほしい」という意味でも用いる．より丁寧に Will you remind me? / Would you remind me? などともいう．

Ex. I'm supposed to pick up my shirts from the cleaners on Tuesday, but I'm afraid that I'll forget. Would you remind me?
火曜にクリーニング店にシャツを取りに行くことになっているんだけど，忘れてしまいそうだから，もし忘れてるようだったら言ってね．

That reminds me.
「それで思い出した；あっそうだ」

Ex. A: Would you like some coffee? コーヒーはいかがですか．
B: Yes, please. That reminds me ... my wife asked me to buy some coffee beans on my way home from work tonight.
ええ，お願いします．あっ，そうだ．今晩は仕事の帰りにコーヒー豆を買ってきてくれって女房に頼まれていたんだ．

repay （借りを）返す；報いる

I don't know how to repay you.
「どうしたらこの恩に報いられるのかわかりません」▶恩義に感謝する表現．

Ex. A: I really appreciate your help. I don't know how to repay you.
助けていただいて本当に感謝しています．どう恩返ししたらよいものか．
B: Please don't worry about it. I'm happy to do you a favor.
どうか心配しないでください．あなたのお役に立てるのは私もうれしいですから．

This is how you repay me? / Is this how you repay me?
「これが恩人に対する仕打ちか」▶恩をあだで返すのかと非難するときに用いる．

rest 休み；休む　　restless 落ち着かない

Give it a rest.

「その辺にしておいて；もうそれ以上言うな」➤相手の話などをやめさせるときに用いる.「それに休みを与えなさい」が原義.

Give me a rest.

「うるさいな；いい加減にしてよ」➤うるさく悩ませる相手に対して用いる.「私に休みをくれ」が原義. [類似] Give me a break.

Ex. A: Can you help me in the garden this weekend?
この週末は庭仕事を手伝ってもらえないかしら.

B: Oh, please, give me a rest. I've been helping you in the garden every weekend since we moved in three months ago.
ちょっと勘弁してよ. ここに引っ越してきて3か月になるけど，週末はずっと庭仕事を手伝ってきたじゃないか.

If you rest, you rust.

「休むとさびついてしまう」➤女優ヘレン・ヘイズ (Helen Hayes, 1900-1993) が88歳のときに言ったことば.

May he/she rest in peace.

「どうか安らかに眠りたまえ」➤故人について語るとき，特に話の途中で故人のことを口にしたときにいう. May his/her soul rest in peace. や (God) rest his/her soul. などともいう.

Ex. My father, may he rest in peace, was a very good cook.
父は，もう亡くなっていますが，とても料理がうまかったんですよ.

[補足] 墓石 (gravestone, tombstone) には RIP という文字が刻まれているが，これは Rest in Peace (もとはラテン語 requiescat in pace) を略したもの.

No rest for the weary.

「疲れた者に休みはない」➤疲れていてもまだ働き続けなければならない，という場合に用いる. There's no rest for the weary. の省略表現.

Ex. A: I'm so exhausted from traveling. So far this month, I've had to attend meetings in five different cities. もう出張でくたくただよ. 今月だって，これまでもう会議で5つの都市に行っているんだからね.

B: Well, no rest for the weary. Your client in Korea just called and said that he needs to see you in Seoul within the next few days. 疲れている人には休みはないっていうけど，韓国の顧客から電話があって，2, 3日中にソウルで会いたいって言ってたよ.

No rest for the wicked.

「悪人に休みはない；貧乏暇なし」➤There's no rest for the wicked. の省略表現. ゆっくり休む暇もできないのは日ごろの行いが悪いせいか，と自嘲(じちょう)気味に用いることが多い. 悪人は悪魔にこき使われて働き続けなければならない，または罪業の罰として働き続けなければならないということから.

Ex. A: Ever since I called in sick last month, my supervisor has been giving me a lot of extra work to do. 先月具合が悪いと言って休んでからというもの，上司が余分な仕事をたんまりよこすんだよ.

B: No rest for the wicked. That's what you get for taking a day off when you weren't sick.

悪人に休みなしね．病気でもないのに休んだりするからそうなるのよ．
The natives are restless.
「みんないらいらしているわよ」▶H・G・ウェルズ (H. G. Wells) の小説『モロー博士の島』(*The Island of Dr. Moreau*) の1933年の映画化作品『獣人島』(*The Island of Lost Souls*) のせりふから．The natives are getting restless. ともいう．

return 戻る（こと）；帰る（こと）；再来

I shall return.
「私は戻る」▶第二次世界大戦 (World War II) 中の1942年，フィリピンから撤退するときにマッカーサー元帥 (General Douglas MacArthur) が言ったことば．
Many happy returns!
「誕生日おめでとう；いつまでもお元気で長生きしてください」▶I/We wish you many happy returns of the day. または May you have many happy returns of the day! の省略表現で，「この日の幸せな再来が数多くありますように」という願いを込めた言い回し．

revenge 復讐 (ふくしゅう)

Revenge is a dish best served cold.
「復讐は冷たくして出すと最もおいしい料理だ」▶復讐しようと思ったら冷却期間をおいてじっくり計画を練ってからするのがよい，ということわざ．クウェンティン・タランティーノ (Quentin Tarantino) 監督の映画『キル・ビル Vol. 1』(*Kill Bill Vol. 1*, 2003) の冒頭に出てくることでも知られる．
Revenge is sweet.
「復讐は甘美なものだ」▶復讐は気持ちのよいものだということわざ．

rich 金持ちの；ばかげた

It is easier for a camel to go through the eye of a needle, than for a rich man to enter into the kingdom of God.
「金持ちが神の国に入るよりも，らくだが針の穴を通る方がまだ易しい」▶新約聖書 (New Testament) の「マタイによる福音書」(Matthew 19:24) および「マルコによる福音書」(Mark 10:25) にあるイエス・キリスト (Jesus Christ) のことば．「ルカによる福音書」(Luke 18:25) にもほぼ同じことばがある．
That's rich.
「よく言うよ」▶しばしば That's rich coming from you/him/her. という形で「自分のことを棚に上げてよく言うよ；あんた/彼/彼女に言われたくはないよ」という意味を表す．⇨ **That's ... coming from you.** (come の見出し参照)
The rich get richer and the poor get poorer.
「金持ちはますます金持ちに，貧乏人はますます貧乏になる」▶ことわざ．

riddance　取り除くこと

Good riddance (to bad rubbish).
「いなくなってせいせいしたよ；それがなくなってよかったわ」➤持て余していたような人やものがどこかに行ってくれて助かったという場合に用いる. ⇨ **Goodbye and good riddance.** (goodbye の見出し参照)

ride　乗る (こと)；動く；進行する

Let it ride.
「そのままにしておきなさい」➤干渉するなという意味. 類似 Let it be.

Thanks for the ride.
「車に乗せてくれてありがとう」➤車で送ってもらったときのお礼. Thanks for the lift. ともいう.

right　正しい；ふさわしい；右 (の)；権利

All is right with the world.
「すべて申し分ない；万事順調だ」➤Everything is okay. と同じ. ⇨ **God's in his heaven; all's the right with the world.** (god の見出し参照)

All right.
「わかった；よし；いいぞ；やった」➤相手の命令などに従うときや，これから何かをするとき，あるいは相手の注意を引くときなどに用いる. 自分の望む結果が出たり，相手を励ますときなどには All right! と力強く言う. くだけた発音では All の l の音が薄れて，Alright. / Aright. / Awright. などとつづることもある.

All right already!
「もうわかったよ；わかった，わかった」➤うるさく言う相手にうんざりして言う.

All rights reserved.
「不許複製・禁無断転載」➤本その他の著作物の注意書き.「すべての権利は保有されている」が原義.

Am I right?
「そうでしょう；これでいいですか」➤私の言うとおりで間違っていないかと相手に確認する表現.

Ex. A: I think there is something else besides a headache that's troubling you. Am I right?
頭痛のほかにも問題があるようだけど．違う？
B: Yes, you're right. I'm worried about my presentation this afternoon. そのとおり．午後のプレゼンが心配なんだ．

Can't you do anything right?
「おまえは何一つまともにできないのかい」➤親が子どもに対して行うことばによる虐待 (verbal abuse) の一例.

Damn right. / Darn right.
「そのとおり」➤That's right. の意味の強い言い方. Darn right. のほうが婉曲的.

Do the right thing.
「正しいことをしなさい」

[補足] スパイク・リー (Spike Lee) 監督の映画 (1989) の題名にも使われている.

For once, you're right!
「初めて正しいことを言ったね; 初めて当たったわね」

Ex. A: You see! I told you that the Mets would beat the Yankees.
ほらね. メッツがヤンキースに勝つって言っただろ.

B: For once, you're right! 初めて当たったね.

Right.
「そのとおり; そうだね」 ➤相手のことばに同意する表現.

Right away.
「すぐにそうします; はい, ただいま」 ➤ものを頼まれてすぐに実行する, という返事.

Ex. A: Could you send this fax to my company for me?
このファックスを会社に送ってくれないか.

B: Right away, sir. はい, すぐにやります.

Right on!
「そのとおり; よし; いいね; やった」 ➤相手に同意や励ましを与えたり, それはよかったという場合などに用いる.

Ex. A: Here's the work you requested. I finished it a week early.
はい, ご所望の仕事です. 1週間早く仕上がりました.

B: Right on! Keep up the good work.
よくやった. その調子でがんばってくれ.

That's all right. / It's all right.
「いいんですよ; いえ結構です」 ➤相手が謝罪したときの返事や, 飲食物などを勧められて断るときに用いる. That's OK. と同じ.

Ex. A: Oh, I just spilled my coffee all over the table and onto your newspaper. I'm very sorry about that. あら, コーヒーをこぼしてテーブルもあなたの新聞もびちゃびちゃだわ. ごめんなさい.

B: That's all right. I've already finished reading it.
いいよ. もう読み終わっているから.

That's right.
「そのとおり; それはそうだ」 ➤相手のことばを肯定する表現. You're right. / You got that right. / Right you are. ともいう.

[補足] That's right for you, but not for me. (あなたにとってはそのとおりでも私にとってはそうではない) という表現もある.

You have every right to ...
「あなたには…する権利が大いにある; あなたが…するのはもっともだ」 ➤You have every right to hate me. (あなたが私を嫌っても当然すぎるほど当然だけど) のように to 不定詞を続けて用いる.

You have the right to remain silent.
「あなたには黙秘する権利があります」 ➤警官が被疑者を逮捕したときに被疑者に言い聞かせることば.

[補足] この被疑者に対する注意はミランダ警告 (Miranda warning) と呼ばれ, 通

例次のように読まれる.

> You have the right to remain silent. Anything you say can and will be used against you in a court of law. You have the right to speak to an attorney, and to have an attorney present during any questioning. If you cannot afford a lawyer, one will be provided for you at government expense.

あなたには黙秘する権利があります．あなたが話すことは法廷においてあなたに不利な材料として使われることがあります．あなたは弁護士と相談し，取り調べに際しては弁護士を同席させる権利があります．弁護士を雇えない場合には官費で弁護士をつけることができます．

ring　指輪；輪；鳴る（音）；電話（をかけること）

Give me a ring.
「電話してね」 ➤Give me a (phone) call. に同じ．

ring out the old year and ring in the new
「鐘を鳴らして行く年を送り，来る年を迎える」 ➤大みそかから新年にかけて教会などの鐘を鳴らすことをいう．また，年越しの過ごし方について述べる場合にも用いる．

With this ring, I thee wed.
「この指輪をもって私はあなたと結婚します」 ➤結婚式で新郎新婦が指輪の交換をするときに言うことば．『英国国教会祈禱書』(*The Book of Common Prayers*) にある．ふつうは With this ring, I wed thee. の語順になるところが倒置されている．

rise　上がる；立つ；起きる

All rise.
「**全員起立**」 ➤特に法廷で裁判官が入廷するときなどにかけられる号令．

Rise and shine.
「**さあ起きなさい**」 ➤起きてしゃきっとしなさい，という場合に用いることが多い．一説には，起床して靴を磨くようにという軍隊の命令からという．旧約聖書 (Old Testament) の「イザヤ書」(Isaiah 60:1) にある Arise, shine; for thy light is come, and the glory of the Lord is risen upon thee. (起きよ，光を放て．あなたを照らす光は昇り，主の栄光はあなたの上に輝く) が出典とする説もある．

risk　危険；リスク（を冒す）

I'll take the risk.
「**それは覚悟の上です**」 ➤危険を承知で何かを行う場合に用いる．I'm willing to take the risk. などともいう．

Nothing risked, nothing gained.
「**危険を冒さなければ何も得られない；虎穴に入らずんば虎児を得ず**」 ➤Nothing ventured, nothing gained. とほぼ同じ．

road 道；道路

All roads lead to Rome.
「すべての道はローマに通じる」➤どの道を選ぼうとも行き着く先は1つだ，ということわざ．

Get out of the road.
「じゃまだ，どけ」➤道路の交通のじゃまになっている人などに対して用いる．

It's time to hit the road.
「もう行かなくてはいけない時間です」➤辞去するときの表現．I have to hit the road. / I'd better hit the road. (もう行かなくちゃ)ともいう．

Keep your eyes on the road.
「ちゃんと前を見て運転してよ」➤よそ見運転するなという注意．「視線を道路に向けたままにしておきなさい」ということから．

One for the road.
「出がけの1杯；最後の1回」➤特に飲み屋を出る前などに最後の1杯を飲むときにいう．また，酒以外のもの一般について最後にもう1回やろうという場合にも用いる．

Take the high road.
「正道を進め；正攻法でいけ」➤不正または卑怯な手段をとらずに正しいことをしなさい，という意味．

You'll take the high road, and I'll take the low road.
「きみは高い道を行け，私は低い道を行く」➤どの道を行っても行き着く先は同じだ，ということわざ．スコットランド民謡の「ロッホ・ローモンド」("Loch Lomond")に出てくる一節から．

rob 奪う；強奪する　　robbery 強盗

It's daylight robbery.
「ぼったくりもいいところだ」➤「それは白昼強盗だ」が原義．What a rip-off! ともいう．

We was robbed.
「審判の判定[採点]に負けた」➤試合には勝っていたのに不公平な判定・採点で負けた，という場合に用いる．1932年，ヘビー級タイトルマッチでジャック・シャーキー (Jack Sharkey) に判定で破れたマックス・シュメリング (Max Schmeling) のマネージャー，ジョー・ジェイコブズ (Joe Jacobs) がラジオのマイクに向かって言ったことばが全米に流れて一般に広まった．文法的には We were robbed. となるところだが，この形で使われる．

rock 岩；石

Rock, paper, scissors?
「じゃんけんで決める?」➤やり方は日本と同じだが，「ジャンケン，ポン」というような掛け声はなく，お互いに1，2の3のリズムで手を上下に振って合わせ，3のときに出す．Let's play rock, paper, scissors. (ジャンケンしよう) ともいう．

rocket ロケット

It's not rocket science.
「それほど難しいことではない；簡単なことだ」▶ロケット科学ではなし，簡単にできるという場合に用いる．It's not brain surgery.（脳の手術ではない）ともいう．

[補足] 自分が頭脳明晰(めいせき)ではないという意味で I'm not a rocket scientist. / I'm not a brain surgeon. という表現も使われる．

rod 棒；さお；むち

Spare the rod and spoil the child. / Spare the rod, spoil the child.
「むちを惜しめば子どもをだめにする；かわいい子には旅をさせよ」▶子どもが悪いことをしたら罰しないとわがままな子に育ってしまう，ということわざ．

roger 了解；わかった

Roger. / Roger Wilco.
「了解；わかった；オーケー」▶無線通信のことばから一般に広まった表現．Roger Wilco. はもとは相手の Roger. に対する返事で，「あなたが了解したということを了解した」という意味で通信を切るときに用いられていたという．Wilco は I will comply.（私は応じる）の略．

Ex. A: I will meet you at your office at about 3 p.m.
午後3時におたくの会社でお会いしましょう．
B: Roger. See you then. 了解．では，そのときに．

roll 転がる；転がす；巻いた物

A rolling stone gathers no moss.
「転がる石にはこけが生えない」▶ことわざで，動き回ってばかりいる人は何事も成し遂げられない，というのがもともとの意味．現在では，動き回っている人は余計な責任などを負わずにすむという意味でも使われる．

Let's roll. / Let's get rolling.
「さあ始めよう；さあ行こう」▶行動開始を促す表現．「車輪を回そう」が原義で，もとは車で出かける場合に用いたが，いまでは広く一般に何かを始める場合に用いる．

Ex. A: Are you ready to give the presentation?
プレゼンをする用意はできている？
B: Yes. ええ．
A: Me too. Let's roll. 私も用意できているわ．じゃあ，始めましょう．

[補足] 2001年9月11日，アメリカで起こった同時多発テロで墜落したハイジャック機では，乗客が Let's roll. と言ってハイジャック犯人たちに襲い掛かった．

Roll over.
「転がれ」▶犬への命令．

Rome ローマ

Rome wasn't built in a day.
「ローマは一日にして成らず」➤大きな仕事には時間がかかるということわざ.

When in Rome, do as the Romans do.
「ローマにいるときはローマ人のするようにせよ；郷に入っては郷に従え」➤外国や新しい環境ではそこのやり方に従え，ということわざ.

room 部屋；余裕

Go to your room.
「**自分の部屋に行きなさい**」➤悪いことをした子どもに親が命じることば.

There is always room for one more.
「**いつでもあと1人[1匹など]の余裕はある**」➤部屋に人を入れたり，ペットを飼ったりする場合など，さまざまな状況で用いられる.

There is always room for more.
「**いつでももっと入れられる余裕はある**」➤部屋の収容能力や仕事を入れられる余裕など，さまざまなものについて用いられる. It's like Jell-O, there's always room for more. (ジェローのようなもので，いくら食べても食べられる；いくらあってもまだ欲しくなる)という表現もある (Jell-O はゼリーの商品名).

There's always room at the top.
「**上にはいつでも余裕がある**」➤努力すればどこまでも上に行けるという意味の格言.

This doesn't go beyond/outside this room.
「**ここだけの話だよ**」➤室内でないしょの話をするときに用いる.「これはこの部屋の外には出ない」が原義.

rose バラ

A rose is a rose is a rose is a rose.
「**バラはどこまでいってもバラだ**」➤アメリカの作家ガートルード・スタイン (Gertrude Stein, 1874-1946) のことば. バラはバラであって，ほかのどんなことばで説明しようとしても無理がある，あるいはバラの本質は変わらないという意味.

Everything's coming up roses.
「**万事うまくいっている；何もかもがすばらしい**」➤ミュージカルの『ジプシー』(*Gypsy*) の挿入歌の題名から.「すべてがバラになって芽を出している」が原義.

> **Ex.** Everything's coming up roses. The weather is beautiful, our hotel is great, and the beaches are not very crowded. I can't believe how lucky we are! 何もかも申し分ないわね. 天気はいいし，ホテルは豪華だし，ビーチはそんなに混んでないし. 本当に私たちラッキーね.

Roses are red, Violets are blue
「**バラは赤く，スミレは青い**」➤英語圏で最も有名な詩の最初の2行. バレンタインデー (Valentine's Day) のカードに印刷されていることが多い. もとは伝承童謡 (nursery rhyme) の第2連で，詩は次のとおり. しばしば3行目 (または2行目)

以降を変えてオリジナルの詩を作る.

>   Roses are red,   バラは赤く
>   Violets are blue,   スミレは青い
>   Sugar is sweet,   砂糖は甘く
>   And so are you.   あなたも同じ

Stop and smell the roses. / Take time to smell the roses.

「立ち止まってバラの香りをかぎなさい/バラの香りをかぐ時間を持ちなさい」➤心配や仕事などで心の余裕を失っている人に対する助言. 身の回りの小さな美しいものをめでる余裕をもちなさいということ. ⇨ **Wake up and smell the coffee.** (wake の見出し参照)

rotten 腐った；腐敗した

Something is rotten in the state of Denmark.

「デンマークの国では何かが腐っている」➤シェークスピア (Shakespeare) の『ハムレット』(*Hamlet* I. iv.) で, 亡霊が出た後に衛兵が言うせりふ. 一般に, 不正や腐敗がある, 何かうさんくさいという場合に引用される.

rough 粗い；乱暴な；つらい (こと)

You have to take the rough with the smooth.

「苦楽をともに受け入れなくてはいけない；楽あれば苦あり」➤人生その他について, プラス面もあればマイナス面もあるのはしかたがないということわざ.

rub こする (こと)；こすりつける (こと)；障害

Don't rub it in.

「人が気にしていることをあまり言わないで；そんなに何度も言わなくてもいいだろう」➤おそらく傷口に塩などを擦り込むイメージから. You don't have to rub it in. / No need to rub it in. ともいう.

> **Ex.** A: I heard that you lost the tennis match to a lower ranked player. テニスの試合で格下の選手に負けたんだって?
>
> B: Yes, that's right. But don't rub it in.
> そのとおり. でも, あんまり言わないで.

[補足] 同じような状況で, 落ちこんでいる私をここぞとばかりに痛めつければいいさ, と開き直ったようにして Rub it in. (さあもっと言ってよ) ということもある.

There's the rub.

「そこが問題だ；そこが困ったところだ」➤シェークスピア (Shakespeare) の『ハムレット』(*Hamlet*) の有名なせりふ To be, or not to be: that is the question. (生きるべきか, 死ぬべきか. それが問題だ) の少し後にこの句が出てくる.

rubber ゴム

I'm rubber, you're glue.
「ぼくはゴムで，きみは接着剤だ」▶子どもが悪口を言われたときに言い返すことばで，I'm rubber, you're glue. Everything you say bounces off me and sticks to you. (ぼくはゴムできみは接着剤だ．きみが言うことばはみんな私から跳ね返ってきみにくっつく) と続く．日本語の「ばかって言うのは，そう言うほうがばかなんだよ」と同じようなもの．[類似] Sticks and stones may break my bones, but words/names will never hurt me.

Ex. A: People don't trust you and no one believes what you say is true. みんなきみを信用してないから，きみの言うことが本当だとはだれも信じないよ．
B: You can say what you want, but I'm rubber, you're glue. 好きに言えばいいさ．言っとくけど，それはみんなきみに当てはまることだよ．

rude 失礼な；乱暴な

How rude!
「失礼しちゃうわね」▶テレビコメディー『フルハウス』(*Full House*, 1987-1995) のステファニー (Stephanie) がよくこう言う．また『スター・ウォーズ　エピソード1/ファントム・メナス』(*Star Wars Episode I: The Phantom Menace*, 1999) でジャー・ジャー・ビンクス (Jar Jar Binks) もこのことばを頻繁に用いる．

rule 規則；ルール；支配 (する)

Don't change the rules.
「ルールを変えるな」▶ルールや条件を途中で変えるのは不公平になって不満をもたれるからやめたほうがよい，ということ．Don't change the rules in the middle of the game. (ゲームの途中でルールを変えるな) ともいう．

I didn't make the rules.
「私が規則を作ったわけではない」▶もともとそういう規則で私の自由にはできない，あなたにも従ってもらうしかない，という場合などに用いる．

Rules are made to be broken. / Rules are there to be

broken.
「規則は破られるためにある」➤人の行動を一定範囲に縛るのが規則であるから、それに違反する人間が出てくるのは避けられないということ.

Rules are rules.
「規則は規則ですから」➤規則なので従ってもらいます、というような場合に用いる.

run　走る; 急いで行く

I have to run. / I've got to run.
「もう行かなくちゃ; いま急いでいるから」➤辞去するときの表現. また、食事などに誘われていまは時間がないからと断るような場合にも用いる. 電話を切るときやEメールの最後などにも用いる. It's time to run. などともいう.

Run!
「逃げろ」➤ここは危険だから逃げろという場合に用いる. Run for it. / Run for your life. (命を落とさないために逃げろ) ともいう (it は your life を指す).

Run that by me again. / Run it by me again.
「もう1度言ってよ」➤相手の言ったことを繰り返すように頼むときのくだけた言い方.「それを私のそばにもう1度走らせなさい」が原義.

> **Ex.** A: Management is asking all employees to take fewer vacation days this year. 会社側は従業員全員に対して、今年は休暇日数を少なめにしてほしいって言っているわよ.
> B: Run that by me again. もう1度言ってくれないかい.

rush　突進 (する, させる); 急ぐ; 急がせる; 急ぎ

Don't rush me.
「せかさないでよ」

There's no rush.
「急がなくていいよ; 急ぎません」➤There's no need to rush. ともいう. またその省略表現の No rush. / No need to rush. も使われる.

> **Ex.** A: When do you need this task completed?
>   この仕事はいつまでに終わらせればいいですか.
> B: There's no rush. Just finish it whenever you can.
>   急がなくていいよ. いつでも都合のいいときで.

What's the rush?
「何を急いでいるの?; そう急ぐことはないさ」➤文字どおりに急ぐ理由を尋ねる場合や、そうあわてることはないだろうという場合に用いる. What's the hurry? と同じ. 相手が急いでいるときには What's your rush? ともいう. What's the big rush? (何をそんなに大あわてしているの; そうあわてることはない) という表現もある.

S, s

sacred 宗教的な; 神聖な; 不可侵の

Is nothing sacred?
「何もそこまでしなくてもいいだろうに; そこまでやるか」 ➤そこは聖域にしておいてほしかった, という場合に用いる.「神聖不可侵なものは何もないのか」が原義.

> **Ex.** I can't believe this talk about putting a mini shopping mall inside Fenway Park, America's oldest and most beloved ballpark! Is nothing sacred?
> アメリカで最も古くて最も愛されている球場のフェンウェイパークの中にミニショッピングモールを作る話が持ち上がっているなんて信じられないね. そこまでやるかって感じだよ.

safe 安全な; 安心できる   safety 安全

Better safe than sorry.
「念のためにね; 用心に越したことはない; 備えあれば憂いなし」 ➤日常的に使われることわざ.「後悔するよりは安心できるほうがよい」が原義.

> **Ex.** A: You don't need to take bug spray with you. We're just walking a quarter of a mile down the road!
> 殺虫剤なんて持っていかなくてもだいじょうぶだよ. そこの道を4, 5百メートル歩いてくるだけなんだから.
>
> B: Hey, mosquito bites kept me up all night last Sunday. Better safe than sorry!
> この間の日曜は蚊 (か) に食われて一晩じゅう眠れなかったのよ. 用心に越したことはないでしょ.

It is better/best to be on the safe side.
「安全を期したほうがよい; 用心するに越したことはない」 ➤危険を避けて慎重に行動するほうがよい, という場合に用いる.

Play it safe.
「安全を心がけて行動しなさい」 ➤スポーツやゲームだけでなく, 広く一般に使われる.

Safety first.
「安全第一」 ➤もとは産業界で使われた標語だが, 現在では広く一般に使われる.

salt 塩

Spilling salt brings bad luck.
「塩をこぼすと悪運を呼び込む」▶よく知られた迷信 (superstition). 塩をこぼしてしまったときは, それを一つまみ (左の) 肩越しに後ろに投げると悪運を追い払うことができるとされる.

Take it with a grain/pinch of salt.
「話半分に聞いておくことね; うのみにしないほうがいいよ」▶「少量/ひとつまみの塩とともにそれをとりなさい」が原義. 味のないものに塩をかけると食べやすくなるように, その話はそのままでは飲み込めないから塩をかける必要がある, ということ.

Ye are the salt of the earth.
「あなたがたは地の塩である」▶新約聖書 (New Testament) の「マタイによる福音書」(Matthew 5:13) にあるイエス・キリスト (Jesus Christ) のことば. イエスの教えに従い, 模範的な生き方をする人たちを指していると思われる. ここから, 人格のりっぱな人を the salt of the earth と呼ぶ. Ye は You の複数形主格を表す古語.

same 同じ(もの)

I'll have the same.
「私も同じものを」▶レストランなどで注文するときの表現. The same for me, please. ともいう. Make it two. (それ2つね) も使われる.

It's all the same to me.
「私にとってはまったく同じことです」▶しばしば, 私はどちらでもかまわないからお好きなようにどうぞ, という場合に用いる. It's all one to me. ともいう. また, If it's all the same to you, I'd like to go now. (もし差し支えなければもう出かけたいのですが) のような表現も使われる.

Nothing stays the same. / Nothing remains the same.
「ずっと同じ状態でいるものはない」▶変化は避けられないということ.

Same here.
「私もです」▶意味・用法は Me too. または Me neither. に同じだが, この2つのようなやや子どもっぽい響きはない.

> **Ex.** A: I don't know about the rest of you, but I'm for going straight home. I'm bushed! あなたたちがどうかはわからないけど, 私はまっすぐ家に帰るわ. くたびれちゃったから.
> B: Same here! ぼくもそうする.

Same old, same old.
「相変わらずだね」▶調子はどうなどと聞かれたときの返事. しばしば old の語尾の子音が脱落して Same ol', same ol'. または Same o', same o'. と発音される.

Same to you. / The same to you.
「あなたもね; そちらこそ; こちらこそ; それはこっちのせりふだ」▶相手に言われたあいさつや侮辱のことばなどをそっくり返すときに用いる.

> **Ex.** A: Well, it was really nice seeing you again. Have a safe trip! また会えてほんとうによかったわ. 旅行は気をつけてね.
> B: Same to you!

あなたもね.

Santa Claus サンタクロース

Yes, Virginia, there is a Santa Claus.
「そのとおりだよ,バージニア,サンタクロースはいるよ」➤1897年,友だちにサンタクロースはいないと言われた少女バージニア・オハンロン (Virginia O'Hanlon) がほんとうはどうなのかどうかと新聞に投書したときに,編集者のフランシス・P・チャーチ (Francis P. Church) が書いた返事の一節.一般に,「信じられないかもしれないけどほんとうだよ」という場合に引用される.

Satan サタン (★悪魔の固有名詞)

Get thee behind me, Satan.
「サタン,引き下がれ」➤新約聖書 (New Testament) の「マタイによる福音書」(Matthew 16:23) ほかにあるイエス・キリスト (Jesus Christ) のことば.自分は殺されてよみがえるだろうと言うイエスに対し,ペテロ (Peter) がそんなことはあってはならないと言ったときに,それは悪魔の誘惑だとしてイエスがこう命じる.一般に,誘惑するなという場合に引用される.

[補足] ルカ (Luke 4:8) には荒野で悪魔が誘惑したときのことばとしても出てくるが,その場面のマタイ (4:10) は Get thee hence, Satan. (退け,サタン) となっている.

save 救う(こと); 取っておく(こと)

Nice save.
「ナイスフォロー」➤相手が何かまずいことを言って,それを取り繕おうとした場合に用いる.Nice recovery.ともいう.

Save for a rainy day. / Save it for a rainy day.
「いざというときのために貯蓄しておきなさい」➤「雨の日のために取っておきなさい」が原義.

Save it.
「言わなくてもいいよ; やめておけ」

> **Ex.** A: I really was planning on going to your party. But you see ...
> First, I had to deliver a pizza by 6:30, and then the train
> was late, and then I spilled coffee on my shirt, and then ...
> ほんとうにきみのパーティーに行くつもりだったんだよ.でも,6時半までにピザを届けなくちゃいけないわ,電車は遅れるわ,シャツにコーヒーをこぼしちゃうわで…
> B: Save it. If you had really wanted to come, you would have
> been there on time.
> もういいわよ.ほんとうに来たかったらちゃんと時間までに来たはずよ.

Save one/some for me.
「私の分も1つ/少し取っておいて」➤食べ物などについて用いる.

say 言う

Be careful what you say.
「自分の言うことに気をつけなさい」➤人を傷つけないためや，自分のことばで自分を追い込まないためなど，さまざまな状況で使われる．

Don't make me say it again.
「同じことを何度も言わせないで」➤親が子どもに腹立ちを込めて用いることが多い．

Don't say another word.
「もうそれ以上言わないで；それだけ聞けば十分だ」➤もうわかった，もう黙って，などさまざまな場合に用いる．[類似] Say no more.

Don't say it.
「そんなこと言わないで；言われなくてもわかっているよ」

> **Ex.** A: Lisa, I know we've been going out for a while now, but I've come to realize that we're very different in a lot of ways. I think it might be best if we ...
> リサ，ぼくたちつきあうようになってしばらくたつけど，ぼくたちいろんな点でずいぶん違うことがわかってきたんだ．で，思うんだけど，ぼくたちは…
> B: Don't say it. I can't even imagine what life would be like without you.
> 言わないで．私，あなたなしの人生なんて考えられないの．

Enough said.
「それだけ言えば十分だ；これだけ言えば十分だろう」➤もうわかったからそれ以上言わなくてもよい，という場合に用いる．また，これ以上言わなくてもわかるだろうという意味で用いることもある．

I can't say for sure. / I can't rightly say.
「はっきりしたことは言えない；よくわからない」

> **Ex.** I can't say for sure, but I think it's a good bet she likes you.
> 断言はできないけど，彼女はきみのことを好きなんじゃないかと思うよ．

I can't say (that) I do. / I can't say (that) I have.
「そういうことはないと思うよ；さあどうかしら」➤相手の Do you ...? / Have you ...? という質問に対して，あいまいに否定する場合に用いる．

> **Ex.** A: Have you ever had pizza for breakfast?
> 朝食にピザを食べたことある?
> B: I can't say I have. それはないと思うなあ．

I don't know what to say.
「なんと言ったらよいのかわかりません」➤適当なことばが思い浮かばないという場合に用いる．

I wish I'd said that.
「ずいぶんうまいことを言うね；けだし名言だ」➤相手が気の利いたことを言ったときに用いる．「私がそれを言ったのならよかったのに」が原義．

If you have nothing nice to say, don't say anything at all.
「何かいいことを言えないのなら，いっそのこと何も言わずにいなさい」➤人の悪口な

どを言った子どもに親（特に母親）がよく注意することば．

If you say so.
「あなたがそう言うのなら（そういうことにしておきましょう）」➤それは疑わしいけど，あえて問題にせずにおこうという場合に用いる．

> **Ex.** A: I'm telling you, the price of that stock is going to plummet within the next few days. We should act now. いいかい，あの株は2, 3日のうちに暴落するよ．いま手を打ったほうがいいよ．
> B: Okay, if you say so. I don't think there will be any change, but you're the expert.
> わかったわ，あなたがそう言うのならね．私は別に何もないと思うけど，あなたのほうがよく知っているから．

I'll say.
「そのとおり」➤相手のことばに強く同意・肯定する表現．

I'm not just saying that.
「単に口先で言っているんじゃないよ」➤これは社交辞令などではなく心からそう思って言っているという場合に用いる．なお，相手に対して「それはお世辞［気休め］で言っているんでしょ」という場合には You're just saying that. という．

It goes without saying (that) ...
「…ということは言うまでもない」➤Needless to say, ...（言うまでもなく…）もほぼ同じ．

It's he said, she said.
「水掛け論だ」➤男と女のけんかのようなもので，物的証拠はないからどちらの言い分が正しいか判断できない，という状況を表す．It's he said/she said. とも書く．
[補足] 1991年のロマンスコメディー映画『ヒー・セッド，シー・セッド/彼の言い分，彼女の言い分』の原題（*He said, She said*）にも使われている．

It's not what you say, but how you say it.
「何を言うかではなく，どう言うかだ」➤話す内容よりもその表現方法のほうが大事だということわざ．

Least said, soonest mended.
「最もことば数が少ないほどもっとも早く修復する；口は災いの元」➤相手を怒らせたような場合には黙っているのが最良の策だ，ということわざ．

Need I say more?
「これ以上まだ言わなくてはいけないのですか；これだけ言えばわかるでしょう」

Say it ain't so.
「何かの間違いでしょう；うそだろう；勘弁してよ」➤それは事実ではないと言ってほしいという場合に用いる．「そうではないと言って」が原義．
[補足] この句を用いた有名な引用句に Say it ain't so, Joe. がある．1919年の大リーグのワールドシリーズで八百長疑惑が持ち上がり，その渦中にシューレス・ジョー・ジャクソン（Shoeless Joe Jackson）選手がいた．翌年，同選手のファンの少年が彼に近づいて Say it ain't so, Joe.（あなたが八百長したなんてうそだと言ってよ，ジョー）と言ったとされる．この話が広まって，Say it ain't so, Joe. も広く一般に使われるようになっている．
★テレビドラマ『ER 緊急救命室』（*ER*）の初回エピソードのラストで，一晩じゅう

働いてやっと休憩室で横になる時間のできたマーク・グリーン (Mark Green) 医師が すぐにまた起こされて言ったことばが Say it ain't so, Joe. (うそでしょう) だった.

Say it like you mean it.
「**ちゃんと気持ちを込めて言いなさい**」➤ほんとうは悪いと思っていないのに謝った相手などに対して用いる. Don't say it if you don't mean it. (そのつもりがないのなら言わないことだ; 心にもないことを言わないで) という表現も使われる.

Say no more.
「**わかったわ; だいじょうぶ, 任せておいて**」➤それ以上言わなくてもあなたの望むようにします, というような場合に用いる. 類似 Don't say another word.

Ex. A: Tom, I really hate to ask you this when you're so busy, but if at all possible, I would really appreciate your helping me move this weekend. I really can't afford to pay movers ...
ねえトム, 忙しいところほんとうに悪いんだけど, できたら今度の週末の引っ越しを手伝ってもらえないかな. 業者を頼む余裕がなくてさ…
B: Say no more. What time do you need me be there?
わかった. 何時に行けばいい?

Say what?
「**なんだって?**」➤相手のことばを聞き返す表現. Come again? などに同じ.

Say what you have to say.
「**言うべきことを言いなさい; 言いたいことがあるならはっきりと言いなさい**」

Say what's on your mind. / Say your piece.
「**思っていることを言ってよ; 意見を聞かせて**」➤自分の考えや気持ちを正直に話してほしいという場合に用いる.

Say when.
「**いいというところで言って**」➤特に飲み物を相手に注ぐときに用いる. こう言われた相手はもういいというところで When. (そこでいいよ) などと答える.

Says who?
「**だれがそう言っているのさ**」➤それは同意できない, それに従うつもりはない, というような場合に用いる. こう言われた相手は Says me! (私がそう言っているんだ) などと答える.

補足 Says you! (それはあなたがそう言っているだけでしょ) という表現も使われる. Says you! や Says me! は文法的にはおかしいが, 慣用句として使われる.

That goes without saying.
「**それは言うまでもない; それはまったくそのとおり**」➤相手のことばや自分のことばの正しさを強調するときに用いる.

That's easy for you to say. / It's easy for you to say.
「**あなたがそう言うのは簡単だ; 人ごとだからそんなことが言えるのさ**」➤自分には関係のないことだから, または自分はそのほうが得だからそんなことが言えるのだ, という場合に用いる. 通例 you を強く発音する. That's easy for him to say. (彼がそう言うのは簡単よ) などの表現もある.

That's what I say.
「**私はそう思う; そのとおりだ**」➤自分の考えを述べて締めくくる場合や, 相手のことばに強く同意する場合に用いる.

The hell you say?!
「なんだって；何を言っているんだ；うそだろ」▶驚きや不信を表す俗語表現．What the hell did you say? から．The hell you say! と書くことが多い．

Well said. / Very well said.
「(非常に)うまく言えている；よく言った；確かにそうね」▶That's well said. などの省略表現．Well said, well put. ということもある．

What can I say?
「私に何が言えるだろうか；二言もない」▶言うべきことばが見つからない，特に申し開きできないというような場合に用いる．

> Ex. A: So the young VP was flirting with you at the party last night? Nice! But what would she see in a guy like you?
> で，その若い副社長がゆうべのパーティーできみにべたべたしてたんだって？いいんじゃない．でも，きみみたいな男のどこがいいのかね．
>
> B: Hey, what can I say? The lady has taste!
> まあ，どう言ったらいいかな．彼女は趣味がいいんだね．

What did I say?
「だから私が言ったじゃないの」▶私の言うことをすなおに聞いておけばよかったのに，という場合に用いる．What did I tell you? / I told you (so). もほぼ同じ．

What did you say?
「何だって？；ええ，いまなんと言ったの?」▶聞き取れなかったので聞き返す場合や，それは聞き捨てならないという場合に用いる．

What do you say?
「ねえ，(こういうのは)どうかしら；この案はどうだい；やあどうしているの；おやおや；(こういうときは)なんて言うんだっけ」▶相手に自分の提案についてどう思うかと聞く場合，出会ったときのくだけたあいさつ，驚きあきれるような場合，そして親が小さな子どもに Thank you. や Please. と言わせたいときなどに用いる．

> Ex. A: If you're not busy tomorrow after work, why don't we go see a movie? It'll be my treat. Come on, what do you say?
> あした仕事が終わってから時間があったら映画でも見に行かないかい．ぼくがおごるよ．ねえ，どう？
>
> B: Alright, sure. Sounds good! ええ，いいわよ．

What more can I say? / What else can I say?
「私にはそう言うことしかできない；言えるのはそれだけだ」

> Ex. I'm sorry. What more can I say?
> すみません．ただその一言しかありません．

What say you?
「**評決はどう出ましたか**；どう思いますか」▶裁判官が陪審長（foreman, foreperson）に有罪（guilty）か無罪（not guilty）かを尋ねる表現．一般に，相手の考えなどを聞くときにも用いる．

Whatever you say. / Anything you say.
「あなたの言いつけとあればなんでもします；はい，わかりました」

You can say that again.
「まったくそのとおり；まさしく」▶相手に強く同意する表現．同じことを繰り返し

言ってもよい，ということから．You can say THAT again. と that を強く発音する．

You don't say.
「えー，まさか；それはすごい；ほう」➤驚きを表す表現．また，皮肉を込めてそれは周知のことで驚くべきことではない，という場合に用いることもある．

- **Ex.** A: Oh, did I tell you? I'm having the Secretary General out to my house this weekend. そうだ，この話したっけ？ 今度の週末は事務総長がぼくの家に来るんだよ．
  - B: You don't say! えー，まさか．

You said a mouthful!
「そのとおり；よく言った」➤この mouthful は「的を射たことば」の意．

You said it!
「まったくそのとおり；ほんとうだね」➤相手に強く同意する表現．

- **Ex.** A: Waiting in our cars for three hours just to get out of the parking lot was worse than the traffic on the actual ride home! 駐車場から出るためだけに3時間も車の中で待たされるなんて，実際に家に帰るときよりもひどかったね．
  - B: You said it! まったくそのとおりよ．

school 学校

How do you like school?
「学校のほうはどうだい」➤学校に通っている子どもに尋ねる質問．

How was school today?
「きょう，学校はどうだった」➤特に親が子どもによくこう尋ねる．How was your day at school? ともいう．[類似] How was work today?

It's a school night.
「あしたは学校でしょ」➤子どもが夜に外出しようとしたときなどに，親がよくこう言って注意する．「翌日に学校が控えている夜だ」という意味で，ふつうは日曜日から木曜日までの晩を指して用いる．It's a school day. (きょうは学校のある日だ) という表現もある．

search 探す (こと)

Search me.
「わからない；さあね」➤私を身体検査 (body searching) しても答えは出ない，ということから．[類似] Beats me.

- **Ex.** A: That's so odd! Why would that company suddenly call back and offer me an interview after they practically told me to go jump off a cliff last week? おかしな話だよね．あの会社は先週は門前払い同然だったのに，なんでまた面接に呼び出したんだろう．
  - B: Search me. Maybe they missed something on your resume the first time.

さあね．最初のときに履歴書に見落としていたことでもあったんじゃないの．

season　季節；シーズン；旬

To every thing there is a season.
「**何事にも時期がある**」➤旧約聖書 (Old Testament) の「コヘレトの言葉」(Ecclesiastes 3:1) のことば To every thing there is a season, and a time to every purpose under the heaven (何事にも時があり，天の下の出来事にはすべて定められた時がある) から．一般にことわざとして使われる．

[補足] ポップグループのバーズ (Byrds) が歌ってヒットしたピート・シーガー (Pete Seeger) の歌 "Turn, Turn, Turn" (1965) の歌詞は聖書のこの個所からとられている．

seat　座席；着席させる

Be seated.
「**お座りください；着席**」➤改まった言い方．Please be seated. として一般にも使われるが，特に法廷などでよく聞かれる．

Have a seat. / Take a seat.
「**おかけください**」➤着席を勧める一般的な表現．

Is this seat taken?
「**この席は空いていますか**」➤Is this taken? ともいう．

second　秒；瞬間；短時間

Do you have a second?
「**ちょっとお時間をいただけますか；ちょっといいですか**」➤相手と少し話をしたいときに用いる．Do you have a minute? などとほぼ同じ．second の省略形を使い Do you have a sec? ともいう．

In a second.
「**すぐにね；はい，ただいま**」➤相手に促されて，いますぐ行く [する] などという場合に用いる．In a minute. / In a bit. などとほぼ同じ．In a sec. ともいう．

Just a second. / (Just) one second. / Wait a second.
「**ちょっと待って**」➤Just a moment. / Just a minute. とほぼ同じ．Just a sec. / (Just) one sec. / Wait a sec. ともいう．

secret　秘密 (の)

Can you keep a secret?
「**あなた，秘密を守れる？；あなたは口が堅いほう？**」➤ないしょ話をするときに尋ねる．

It's an open secret.
「**それは公然の秘密だ**」➤この後に that 節を続けて「…ということは公然の秘密だ」という意味を表すことも多い．

It's no secret.
「それは秘密などではない；それはみんな知っていることだ」➤何が秘密でないのかを述べる文を that 節で続けることもある．

Keep it/this a secret.
「それ/これは秘密だよ」➤Don't tell it/this to anyone. に同じ．

Your secret is safe with me.
「秘密はだれにも漏らしません」➤「あなたの秘密は私に関しては安全です」が原義．
[類似] My lips are sealed.

---

see 見る；会う；わかる

Can I see you again?
「また会えますか」➤特に最初のデートの別れ際によく使われる表現．[類似] Will I see you again?

Can't you see? / Don't you see?
「わからないのかい」

Ex. You should have kept it low-key. If you talk to her nicely, she'll always cooperate. I've told you that before. Don't you see?
低姿勢で臨めばよかったんだよ．彼女は丁寧に頼めばいつだって協力してくれるよ．前にそう言ったじゃないか．わからないのかい．

Haven't I seen you (somewhere) before?
「前に（どこかで）お目にかかっていませんか」➤どうも見覚えがあるという場合のほか，知り合いになりたくて話しかけるときの口実としてよく使われる．Haven't we met before? とほぼ同じ．

I can't see for looking.
「じっと目を凝らしていて目がどうかしちゃった；いくら見ても見つからない」➤ほんとうはそこにあるはずなのにどうしても見えないという場合に使われる．

Ex. The solution to the problem is probably staring me in the face, but I still can't find it. I can't see for looking.
問題の解決策はたぶん目の前にあるんだろうけど，それがまだわからないんだ．目を凝らしすぎて見えなくなっているんだね．

I didn't see it coming.
「気がつかなかった；こうなるとは思わなかった」➤それが来るのが見えなかった，そのような事態が起こるとはわからなかったという意味．I should've seen it coming. (そうなることはわかっていなくてはいけなかった；うかつだった) という表現もある．

Ex. I should have sold off my shares in that company a month ago. Now they're worthless. But I didn't see it coming.
あの会社の株は1か月前に売っておくんだった．いまじゃ紙くず同然だけど，こんなになるとはわからなかったよ．

I don't see why not.
「そうですね；いいですよ」➤相手に賛成・了承するときの表現．「そうしていけない理由は見当たらない」が原義．

Ex. You'd like to start your own project and open a branch in Thai-

land? Well, I don't see why not. In fact I think it's a great idea.
自分のプロジェクトを立ち上げてタイに支店を開きたいのかい. そうだね, いいんじゃないか. というか, すごくいいアイデアだと思うよ.

I haven't seen you in a long time.
「長いこと会ってなかったわね；ずいぶん久しぶりだね」▶同じ意味で I haven't seen you in a month of Sundays. という表現もある (month of Sundays は「非常に長い間」という意味の慣用句. 文字どおりには「日曜日の1か月間, つまり30週間」を指す). くだけた言い方では Long time no see. がよく使われる.

I hope to see you again (soon/sometime).
「(近いうちに/いつか) またお目にかかりたいものです」▶別れ際のあいさつ.

I see.
「なるほど；わかりました；そうか」▶相手のことばに納得したり, 事情が飲み込めたという場合などに用いる.

If you've seen one, you've seen them all.
「1つを見たら全部を見たのと同じだ」▶どれも似たり寄ったりだから1つを見れば十分だ, という場合に用いる. them all の部分はしばしば 'em all と th が省略された発音として表記される.

I'll be seeing you. / Be seeing you.
「じゃあまた」▶くだけた別れのあいさつ.

I'll see what I can do. / Let me see what I can do.
「やるだけやってみましょう」▶相手の依頼などに対して, 確約はできないが一応手を尽くしてみるという場合に用いる.「私に何ができるか見てみましょう」が原義.
Ex. You want me to help your brother get a job at IBM? I'll see what I can do, but I can't make any promises.
弟さんをIBMに就職できるように手を貸してほしいというわけね. やるだけやってみるけど, 何も約束はできないわよ.

I'll see you. / See you.
「じゃあまた」▶別れのあいさつ. くだけた発音では (I'll) see ya. となる. ⇨ **See you in the next life.** (life の見出し参照)
[補足] この発展形で次のような表現もよく使われる.

  (I'll) see you again. / (I'll) see you around.   じゃあまた.
  (I'll) see you later.   また後で会いましょう.
  (I'll) see you soon. / (I'll) see you in a little while.
               また近いうちに会いましょう.
  (I'll) see you then/tomorrow. じゃあまたその時に/あした会いましょう.

I'll see you out.
「玄関までお送りしましょう」▶客が辞去するときに主人が用いる. これに対して, 客が「(玄関がどこかわかっているので) ドアまで見送らなくても結構です」という場合には I'll see myself out. という. いずれの表現も映画やテレビなどでは聞かれるが, 実際にはあまり使われないようだ.

I'm glad/happy to see you (again).
「(また) 会えてうれしいよ」▶再会を喜ぶ表現. Glad/Happy to see you (again). ともいう. Am I glad/happy to see you (again)! という強調表現も

使われる.

It's good/nice to see you (again).
「(また) 会えてよかった」▶再会を喜ぶ表現. Good/Nice to see you (again). ともいう.

Let me see. / Let's see.
「ええと；そうですね」▶答えを考えたり，思い出したりするときに用いる.「私に見せてください/見てみましょう；やってみましょう」という意味もある.

Long time no see.
「久しぶりだね」▶I haven't seen you in a long time. の意味のくだけた言い方.

Not if I see you first.
「こっちはあんまりお目にかかりたくないね」▶相手が I'll see you later. (後で会おう) などと言ったときの返事. 私はあなたに会わないようにするから「私が最初にあなたを見て会ってもいいと思わない限り，あなたが私を見ることはない」という意味.

Now you see it, now you don't.
「いまは見えますが，もう見えません；いまここにありますが，あら，消えてしまいました」▶奇術師がものを消すときのことば. 一般に，あるものが急になくなってしまうような場合にも用いられる. Now you see me, now you don't. (いまは私が見えますが，もう見えません) などの表現もある.

補足 クリフ・リチャード (Cliff Richard) の歌に "Now You See Me, Now You Don't" がある.

See? / You see?
「ほらね；わかった?」▶相手が自分の説明などを正しく理解できたか確認する場合や，私の言ったとおりでしょうという場合などに用いる.

Ex. See? He's done it again, he's won the race by five lengths! That horse has real class.
ほらね，またやったよ. 5馬身離しての勝利だ. あの馬はほんとうに強いね.

See for yourself.
「自分の目で確かめたら」

Ex. If you don't believe that Paris is the most beautiful city in the world, go there and see for yourself. パリが世界一美しい都市だというのが信じられないのなら，行って自分の目で確かめなさいよ.

Seeing is believing.
「見ることは信じることだ；百聞は一見にしかず」▶ことわざ.

That's something you don't see every day.
「そういうのはそうざらにあるものじゃない」▶珍しい光景やできごとについて用いる.「それは毎日は見られないものだ」が原義.

There's nothing to see here.
「ここには見るべきものは何もない；見世物じゃないよ」▶騒ぎに集まってきた野次馬たちを追い払うときなどによく使われる.

They must have seen you coming.
「かもられたんだね」▶「彼らはあなたが来るのを見たに違いない」が原義.「これはいいかもが来たと思われたのだ」ということ. They saw you coming. ともいう.

What do you see in him/her?

「彼/彼女のどこがいいの」➤あんな人のどこがいいのかわからない,という場合に用いる.「彼/彼女の中に何を見るのか」が原義. 第三者については What does he/she see in her/him? (彼/彼女はあの人のどこがいいのかしら) という.

What you see is what you get.
「ご覧のとおりです」➤見たままが正真正銘の姿で,うそやごまかしなどはないという場合に用いる. 人についても物についても用いる. もとはセールスマンが客に品質を保証することばだったという.「あなたの見ているものがあなたの得るものです」が原義.

[補足] 略語の WYSYWIG (発音は /wíziwig/) は,コンピューターの画面に表示されているとおりに印刷するシステムなどについて用いられる.

Where do you see yourself in five years?
「5年後はどうしていると思いますか」➤就職面接でよく聞かれる質問.

Will I see you again?
「またお会いできますか」➤特に最初のデートの別れ際によく使われる表現.「私はあなたにまた会うことがあるのでしょうか」という意味で,Can I see you again? (また会えますか) よりもやや控えめな言い方.

You ain't seen nothing yet.
「こんなのはまだ序の口だ; これくらいで驚いてはいけない」➤これから見るのはもっとすごいから,という場合に用いる.「あなたはまだ何も見ていない」が原義.

[補足] ジャズ歌手アル・ジョルスン (Al Jolson, 1886–1950) の十八番のせりふ You ain't heard nothing yet. (本物の歌はこれからだ) から生まれた表現という.

You'll see. / We'll see.
「いずれわかるよ; さあ,どうなりますかね」➤どうするつもりなのか,どうなると予想するのかなどと聞かれたときに,「その時がくればわかる」という意味で答える.

> Ex. How should I know if it's going to be a good party or not? Go and check it out, when you get there you'll see.
> いいパーティーになるかどうかなんてぼくにわかるわけないよ. 行ってみればいいじゃないか. そうすればわかるよ.

> Ex. A: We're going to go for a ride. ドライブに行くわよ.
> B: Where to? どこに行くの? A: We'll see. いまにわかるわよ.

You're seeing things.
「気のせいだよ; 目の錯覚だよ」➤何かが見えると言った相手に対して用いる. [類似] You're imagining things. / You're hearing things.

---

seek 探す; 求める

Seek, and ye shall find.
「探しなさい. そうすれば,見つかる」➤新約聖書 (New Testament) の「マタイによる福音書」(Matthew 7:7) に出てくるイエス・キリスト (Jesus Christ) のことば. ⇨ **Ask, and it shall be given you.** (ask の見出し参照)

---

seem …と思われる; …のようだ

It seems so. / So it seems.

「(どうやら) そのようね」

Nothing is what it seems. / Nothing is as it seems.
「**見かけどおりのものはない**」▶実態は見かけや一般通念とは異なっている、という意味の格言. Things are not always what they seem. (物事は見かけどおりとは限らない) もほぼ同じ.

sense 感覚; 意識

It's common sense.
「**それは常識だ**」▶だれもがもっているべき判断力だ、という場合に用いる. [類似] It's common courtesy. / It's common knowledge.

sentiment 感想; 感情

My sentiments exactly.
「**まったく同感です**」▶相手に強く同意する表現.

Ex. A: That wasn't music, it was just unpleasant noise and the concert was a waste of money. あんなの音楽じゃないね. ただの不快な騒音さ. コンサートはお金をどぶに捨てたようなものだ.
B: My sentiments exactly. まったく同感ね.

September 9月

Thirty days hath September.
「**30日あるのは9月**」▶1月から12月までのそれぞれの月には何日あるかを覚えるための詩 (日本の「西向く侍小の月」に相当) の出だしのことば. ふつうは September hath thirty days. となるところが韻を踏ませるために語順が倒置されている (hath は has の古語).

[補足] この詩は次のとおり.

Thirty days hath September,	30日あるのは9月
April, June, and November;	4月, 6月, そして11月
All the rest have thirty-one,	ほかの月はみな31日ある
February stands alone.	2月だけは別

serve 奉仕する; 給仕する; 注文を聞く; 報いる

Are you being served?
「**ご用は承っておりますでしょうか**」▶店員が客に尋ねる質問.

How may I serve you? / How can I serve you?
「**ご注文は何になさいますか**」▶特にファーストフード店などで店員が客に尋ねる.

No man can serve two masters.
「**だれも、二人の主人に仕えることはできない**」▶新約聖書 (New Testament) の「マタイによる福音書」(Matthew 6:24) にあるイエス・キリスト (Jesus Christ)

のことば.「ルカ」(Luke 16:13) にもほぼ同じことばがある.

[補足]「マタイ」のこの個所の記述は次のとおり.

> No man can serve two masters: for either he will hate the one, and love the other; or else he will hold to the one, and despise the other. Ye cannot serve God and mammon.
>
> だれも, 二人の主人に仕えることはできない. 一方を憎んで他方を愛するか, 一方に親しんで他方を軽んじるか, どちらかである. あなたがたは, 神と富とに仕えることはできない.

Serves you right.

「**当然の報いだ；罰が当たったのよ；ざまあみろ**」➤それは自業自得だという場合に用いる. It serves you right. / That serves you right. の省略表現. 第三者や自分について Serves him/her/me right. などともいう.

[補足] ライオネル・リッチー (Lionel Richie) の歌の題名にも使われている.

To serve and protect

「**奉仕し, 守る**」➤アメリカとカナダの警察のモットー.

You cannot serve God and mammon.

「**神と富とに仕えることはできない**」➤金銭欲があっては清く正しく生きることはできない, ということわざ. イエス・キリストのことばに由来する. mammon は「富」の意. ⇨ **No man can serve two masters.**

set 据える；設置する；セットする

All set.

「**準備万端だよ**」➤I'm all set. などの省略表現. All set? (用意はすっかりできているかい) と聞くこともある.

> **Ex.** A: I'm ready to leave. How about you?
> 私のほうはもう出かける準備ができているけど, そっちはどう？
> B: All set. Let's go! こっちもすっかり用意できているよ. さあ, 行こう.

How much will it set me back?

「**いくらになりますか**」➤値段を尋ねる表現.

settle 決める；落ち着く

Settle down.

「**落ち着いて**」➤Calm down. などとほぼ同じ.

That settles it.

「**それで話は決まった；問題解決だ**」➤That settles the matter. ともいう.

> **Ex.** Everything understood, gentlemen? Good, that settles it. We all understand each other perfectly. みなさん, すべて理解できましたか. では, それで決まりです. 私たちはみな完全にお互いを理解したわけです.

sex セックス；性交；性別

It's better than sex.
「それはセックスよりもいい」➤すごくいい，満足できるという意味の俗語表現．
Sex is dirty.
「セックスはいやらしい；セックスは不潔だ」➤性行為を罪悪視する態度を表すことば．Sex is evil. (セックスは邪悪だ)という表現もある．

shabby 古ぼけた；みすぼらしい

Not too shabby.
「そんなに見劣りしない；悪くはない」➤なかなかいい線いっているという場合に用いる．That's/It's not too shabby. の省略表現．
Ex. Your company made a net profit of 80 million yen last year? That's not too shabby. Congratulations! あなたの会社は去年8000万円の純益を上げたの? なかなかのものね．おめでとう．

shake 揺れる；揺する；振る；握手する

Let's shake on it. / Shake on it.
「それで話は決まりだ；うらみっこなしだ」➤合意に達したり仲直りをする場合に用いる．「それについて握手をしよう」が原義．
Ex. It's a deal then. We share all profits 50-50. Let's shake on it. では利益はすべて折半ということで取引成立だね．合意の握手といきましょう．
Shake it (up).
「急いで；早くしてよ」➤Shake a leg. に同じ．じっとしてないで動き出すために「片足を振り出せ」ということから．
What's shaking?
「何があるんだい；どうなっているの」➤What's going on? の意味の口語表現．

shame 恥ずかしさ；恥；あいにくのこと

For shame!
「まあひどい」➤それは恥ずべきことだ，困ったことだというような場合に用いる．
Ex. Don't tell me you're thinking of leaving her. For shame! You've only been married for six months.
彼女と別れようと思っているなんて言わないでよ．まったくもう．結婚してまだ半年しかたってないじゃないか．
Shame on you!
「恥を知りなさい」➤恥ずべきことや悪いことをした人を責めることば．第三者や自分について Shame on him/me. (彼/私は恥を知るべきだ；いけないね)のようにも用いる．
Shame, shame, shame.
「恥を知りなさい；まったくいけない子ね」➤特に子どもに対してよく用いる．1語ずつゆっくり発音する．このとき，伸ばした左手人差し指を右手人差し指でこする動作

をすることがある.

The shame of it (all)!
「**それはひどい話だ;あいにくね**」➤相手の話などに対して,それは恥ずべきことだ,言語道断だというような場合に用いる.

> **Ex.** John told me what happened at his company. The boss transferred company funds to his bank account and ran off with his secretary! I can't believe it. The shame of it! ジョンが会社のことを話してくれたんだけどね,社長が会社の金を自分の口座に移して秘書と駆け落ちしちゃったんだって. 信じられないね. ひどい話だよ.

What a shame!
「**かわいそうに;お気の毒に;残念**」➤同情や残念な気持ちを表す. What a pity! とほぼ同じ.

shape 形;形作る;よくする

Shape up, or ship out.
「**しっかりやれないのなら辞めろ**」➤仕事や勉強をまじめにしない人などに用いる.

share 分ける;共有する;分け前

Share and share alike.
「**みなに平等に分け与えなさい**」[類似] Fair and fair alike.

Share what you have.
「**自分の持っているものを人に分けなさい**」➤ものや知識,経験について用いる.

Sharing is caring.
「**分かち合うことは気遣うことだ**」➤人からもらってばかりいないで,自分も提供しなさいという場合に用いる.

Thank you for sharing. / Thanks for sharing.
「**その話を聞かせてくれてありがとう**」➤皮肉を込めて,そんな話は別に聞きたくなかったんだけど,という場合に用いることも多い.

> **Ex.** Thank you for sharing. I really didn't need to hear the details of your colonoscopy. ありがたいお話だったよ. あなたの大腸内視鏡検査についてそんな事細かに聞かせてもらわなくてもよかったんだけどね.

she 彼女

Does she ... or doesn't she?
「**彼女はしているのか,それともしていないのか**」➤1964年からPG社の染毛剤 (hair color) クレイロール (Clairol) に使われた宣伝文句. 毛を染めているのかどうかわからないくらい自然な仕上がりになる,という意味. 一般にさまざまな意味で引用される.

She sells sea shells on the sea shore.
「**彼女は海岸で貝殻を売っている**」➤有名な英語の早口ことば (tongue twister).

ship 船；発送する

Don't give up the ship.
「船を見捨てるな；白旗をあげるな；あきらめるな」➤アメリカ海軍のモットー．一般に「くじけずにがんばれ」という意味で使われる．

The captain always goes down with the ship.
「船長は必ず船と共に沈む；船長は船と運命を共にする」➤責任者は最後まで残って責任を果たさなくてはいけない，という意味．船長は最後に退船する義務があるため，しばしば船といっしょに沈んだことから生まれた表現らしい．

shirt シャツ

Keep your shirt on.
「そうあせらないで；まあ落ち着いて」➤じれる相手をなだめるときに用いる．シャツを脱ぎ捨ててけんかを始めようとする相手をなだめる表現から．Keep your pants on. ともいう．

shit くそ (をする)；でたらめ (★下品な俗語)

I don't give a shit.
「構うもんか」➤I don't care. / I don't give a damn. の意味の俗語表現．

No shit.
「ほんとうさ；まじだ」➤うそや冗談ではないという意味の俗語表現．

Shit!
「くそっ；ちくしょう」➤失望などを表す下品な間投詞．

Shit or get off the pot.
「やるのかやらないのか，はっきりしろ」➤早く態度を決めなさい，という意味の俗語表現．「くそをするか，さもなければおまるから離れろ」が原義．Shit の代わりに Poop (うんちをする) や Piss (小便をする) も使われる．Fish or cut bait. に同じ．

The shit hit the fan.
「ひどいことになった」➤大騒動になった，しっちゃかめっちゃかになったという意味の俗語表現．「くそが (天井の) 扇風機にぶつかった」が原義．The fat hit the fan. ともいう．

You can't make this shit up.
「うそみたいだけどほんとうの話だよ」➤You can't make this stuff up. (stuff の見出し参照) に同じ．

shiver ばたつかせる；身震いする

Shiver me timbers!
「なんてことだ」➤海賊 (pirate) が驚いたりしたときに発する叫び声．スチーブンソン (Robert Louis Stevenson) の『宝島』(*Treasure Island*) の中に出てくる表現で，その映画化作品などから広く知られている．原作ではののしりことばとして使われている．

shoe 靴

I wouldn't want to be in your shoes.
「あなたのような立場にはなりたくない」➤I wouldn't want to be in your place/position. に同じ．「あなたの靴をはきたくはない」が原義．第三者についての話題では I wouldn't want to be in his/her shoes. という．

If the shoe fits, wear it.
「思い当たる節があるでしょう」➤この忠告などが自分に当てはまると思ったなら，それを受け入れなさいという場合に用いる．If the shoe fits. と後半を省略することも多い．「靴がぴったりならはきなさい」が原義．童話「シンデレラ」("Cinderella") のガラスの靴 (glass slipper) との連想が働いているらしい．もとは If the cap fits, wear it. といい，イギリス英語ではこちらが使われている．

> **Ex.** I have noticed some people bullying Tom. I won't say who, but if the shoe fits, wear it. 何人かがトムをいじめていましたね．だれとは言いませんが，思い当たる節があるでしょう．

The shoe is on the other foot.
「すっかり風向きが変わった；立場が逆転した；攻守交替だ」➤状況がすっかり逆の方向に変わったことを表す．The boot is on the other foot/leg. ともいう．

Tie your shoes.
「靴のひもをちゃんと結びなさい」➤母親がよく子どもにこう注意する．

shoo しっ，しっ

Shoo!
「しっ，しっ」➤動物を追い払うときに用いる．

shoot 撃つ；射る；シュートする

Shoot.
「話してよ；ちぇっ」➤質問があるなどと言われたときに「どうぞ」という意味で用いる．また，Shoot! の形で Shit! の言い換え語としても用いる．

Shoot first and ask questions later/afterwards.
「まず撃って，その後で質問しろ」➤過剰防衛になってもよいから自分の身を守ることを優先しろ，という警察のやり方．一般に「口より先に手が出る」という場合に用いる．

[補足] 2005年7月22日，ロンドンで起こった警察によるブラジル人誤射事件についてもこの句が使われている．

Shoot to kill.

「**確実に仕留めろ**」➤威嚇のためや負傷させるためではなく，殺すために銃を撃てという命令．映画『アンタッチャブル』(*The Untouchables*, 1987) の中でも使われている．

short 短い；短いもの；ショーツ；パンツ

Eat my shorts!

「**何言ってやがる；うるさい；勝手にほざけ**」➤Kiss my ass! / Bite me! などとほぼ同じ．「私のパンツを食べろ」が原義．テレビアニメ『ザ・シンプソンズ』(*The Simpsons*) のバート (Bart) がよく使う．

Short and sweet.

「**短くて甘美だ**」➤短くてよいという場合に用いる．

Ex. A: That was a nice party, but it ended a bit early, didn't it?
   いいパーティーだったけど，終わるのがちょっと早くなかったかしら．
   B: Yes, short and sweet. Parties shouldn't go on too long.
   ああ，短くてよかったよ．パーティーはあまり長くないほうがいいよ．

shot 発射；銃声；注射；射程；シュート；試み

Give me your best shot.

「**最高のものを私に見せてくれ；力いっぱいかかってきな**」➤実力を遺憾なく発揮してほしいという場合に用いる．しばしば相手を挑発することばとして使われる．

Ex. I'm giving you this opportunity because I have great confidence in you, so give me your best shot, okay?
   きみの力を大いに買っているからこのチャンスを与えるのだよ．だから，持てる力を全部出してくれ．いいね．

It was worth the shot.

「**やってみる価値はあった；言うだけ言ってみたの**」➤だめもとで頼んでみたというような場合に用いる．It's worth the shot. (やってみる価値はあるよ) なども用いる．

Not by a long shot.

「**全然**」➤長い射程の銃や大砲でも届かない，ということから．

Ex. A: Did your son manage to get on the football team?
   息子さんはアメフトの選手に選ばれたんですか．
   B: No, not by a long shot. He didn't train hard enough.
   全然だめだよ．あまり練習しなかったもの．

the shot heard round the world

「**世界じゅうで聞かれた銃声**」➤ラルフ・ウォルドー・エマーソン (Ralph Waldo Emerson) の詩「コンコード賛歌」("The Concord Hymn") の一節．アメリカ独立戦争 (American Revolutionary War) の発端となったレキシントン・コンコードの戦い (Battle of Lexington and Concord, 1775) で，植民地側がイギリス軍に向かって発砲した場面を描写している．この句は，1992年にルイジアナ州で起こった日本人留学生射殺事件を扱ったドキュメンタリー映画の題名など，さ

まざまなものに引用されている.

Take your shot.
「**撃ってみなさい**；やってみなさい；かかってこい」➤一般に，試みなさいという場合のほか，「やれるものならやってみろ」という挑発のことばとしても使われる.

shotgun 散弾銃；助手席

I call shotgun!
「**助手席は私が乗ります**」➤みんなで車で出かける場合に用いる. Shotgun!ともいう.
[補足] 西部開拓時代の駅馬車には御者の横に散弾銃を持った護衛が乗っていたことから shotgun が助手席を指すようになったという.

should …すべきだ；…するのは当然だ

You should be.
「**当然だね**」➤相手が I'm sorry. (申し訳ない) などと言ったときに，そう感じてしかるべきだという場合に用いる.

You shouldn't have.
「**そんなことしてくれなくてもいいのに**；かえって悪いわね」➤プレゼントをもらったときなどに用いる.

> **Ex.** Wow, you've brought us some real French Champagne! You shouldn't have. Thanks so much.
> まあ，本物のフランス製シャンパンを持ってきてくださったのね. こんなことしなくてもよかったのに. どうもありがとう.

shoulder 肩

Pat yourself on the shoulder.
「**自分をほめてあげましょう**」➤よくやったねと自分の肩をたたきなさい，ということ.

Put your shoulder to the wheel.
「**さっさと仕事にかかりなさい**；本腰を入れてやりなさい」➤目的に向かって努力しなさいという場合に用いる.

[補足] 『イソップ寓話』(*Aesop's Fables*) の「牛追いとヘラクレス」("Hercules and the Wagoner") の話が出典. 車輪がくぼみに落ち込んで動かなかったとき，牛追いはヘラクレスに助けてくれと祈ると，ヘラクレスが来て自助努力をしなさいという意味でこう言った.

Shoulders back.
「**両肩を後ろに引いて**；胸を張って」➤姿勢よく立つようにという号令.

shove 押す；突く

I have to shove off.
「**もう行かなければ**」➤辞去するときの表現. I've got to shove off. / It's time

to shove off. (もう行く時間です) などともいう.

Shove it.

「そんなのくそ食らえだ；ふざけるな；やってられるか」 ➤相手の提案などを強く拒否する俗語表現. Shove it up your ass. (それをけつの穴に突っ込め) という意味の下品な言い回し. Stuff it. ともいう. Take this job and shove it. (こんな仕事はくそ食らえだ) のようにしばしば Take ... and shove it. の形で用いる.

- **Ex.** You think you can buy me, don't you? Well, I don't need your God damn money. Shove it!
  私を買収できると思っているんだろうが，あんたの汚い金なんかいらないよ．引っ込めろ．

show   見せる；教える；見える；見世物；ショー

Good show.

「よかったよ；うまいものだ」 ➤パフォーマンスを見せてくれた人をほめる表現.

I'll show you.

「**思い知らせてやる**；目にものを見せてやる」 ➤「見せてあげましょう」が原義だが，そこから「そんなことをしたらどうなるかわからせてやる」という場合にも用いる.

- **Ex.** Beat me at tennis? You haven't got a chance! How about a game right now? I'll show you!
  テニスで私を負かすですって? まあ無理ね. じゃあ，いま一ゲームどう? 一丁もんでやるから.

It just goes to show (you).

「**いい見本だ**」 ➤それは (どういうことになるかを) 例証するものだ，という場合に用いる. 後に that 節などを続けることもある. Just goes to show (you). ともいう.

- **Ex.** John invested $5,000 and lost half of it in a week. See? It just goes to show. Investing in the stock market is the same as gambling on the horses.
  ジョンは5000ドル投資して1週間で半分になっちゃったよ. ね，これでわかるだろ. 株に投資するのは競馬をやるのと同じだって.

It shows.

「よくわかるよ；顔に表れているわよ」 ➤相手のことばを受けて，それは見ていてよくわかるという場合に用いる. 自分から Does it show? (見てわかる?) と聞く場合もある.

It's show time.

「**さあ，始まるよ；よし，行くぞ；さあ，出番だ**」 ➤これから何か仕事を始めるときにいう.「ショーの始まる時間です」が原義.

Let's get the show on the road.

「**さあ始めようか；さあ行こうか**」 ➤仕事を始めたり，出かけるときなどにかけることば. 旅回りの劇団で使われていた「巡業に出る支度をしよう」が原義.

Show me yours, I'll show you mine.

「**私のを見せるからあなたのも見せて；見せっこしようよ**」 ➤子どもが自慢の宝を見せ合うような場合に用いる.

Show them what you've got.

「**実力の程を見せてやれ**; 意地を見せてやれ」➤試合に臨む選手たちを激励するときなどに用いる. Show them what you're made of. もほぼ同じ. Show me what you've got. / Show me what you're made of. (お手並み拝見)などの表現もある.

The show is over. / The show's over.

「**もう見世物は終わりだよ**」➤おもしろい見ものは終わったという意味で, 騒ぎに集まった野次馬たちを追い払うときや, いままでは小手調べだったけどこれからは本気を出すよという場合など, さまざまな状況で用いる. 定冠詞は省略することもある.

The show must go on.

「**ショーは続けなければならない**」➤どんなことがあってもやるべきことは最後までやりとおさなければならない, という意味. ショービジネス以外でも広く使われる.

There's no business like show business.

「**ショーほどすてきな商売はない**」➤ミュージカル『アニーよ銃をとれ』(*Annie Get Your Gun*) の挿入歌の題名から.

You have a funny way of showing it.

「**ずいぶん変わった表現をするのね**」➤相手が反省している, 愛しているなどと言ったときに, そんな風には見えないという皮肉を込めた言い回し.

shut 閉じる; 閉める

Shut up.

「**うるさい**; **黙れ**」➤Shut up about it. (そのことは言うな)や Shut up already! (いい加減に黙れ)などの表現もある. 俗語で Shut (up) your face! ともいう.

Ex. A: Shut up. 黙れ.
B: No, YOU shut up! 何を, そっちこそ黙れ.

shy 恥ずかしがる; 用心深い

Don't be shy.

「**恥ずかしがらないで**」

Once bitten, twice shy.

「**1度かまれたら2倍用心深くなる**; **あつものに懲りてなますを吹く**」➤あることが原因で痛い目に遭った人はそれを遠ざける, ということわざ.

sic 攻撃する; かくして (★ thus の意のラテン語)

Sic 'em!

「**かかれ**」➤特に犬に対する攻撃命令. 'em は them の th が落ちた発音を表す.

Sic transit gloria mundi.

「**かくしてこの世の栄光は過ぎ去る**; **諸行無常**」➤Thus passes away the glory of the world. の意のラテン語で発音は /sík trǽːnsit glɔ́ːriə mʌ́ndiː/. Sic transit. と略しても使われる.

[補足] ローマ法王 (Pope) の戴冠(たいかん)式の際に, はだしの修道士が明かりをともしてこのことばを3回唱えて火が消えるのを待つ習わしがある.

side 側面；片側

Don't take sides.
「どちらの肩ももつな」 ➤他人のけんかなどについて一方に肩入れするな, ということ.

There are two sides to every story.
「どんな話にも2つの側面がある；それぞれに言い分がある」 ➤2者の間で問題が持ち上がったときには双方の主張を聞いて冷静・客観的に判断すべきだ, という場合に用いる.

sight 見る[見える]こと；視力；視界

Out of sight, out of mind.
「**見えなくなれば考えなくなる**；去る者は日々に疎し」 ➤ものや人が視界から消えて時間がたてば忘れ去られるものだ, ということわざ.「去る者は日々に疎し」と訳されることが多いが, ものについても使われることに注意.

sign しるし；合図(する)；署名(する)

It's a sign of the times.
「**それは時代の表れだ**；そういう時代なんでしょうね」 ➤いまの時代をよく象徴している現象だという場合に用いる. the sign of the times (時代のしるし) の句は新約聖書 (New Testament) の「マタイによる福音書」(Matthew 16:3) に出てくる.

Signed, sealed and delivered.
「**正式に決まりだ**」 ➤契約や合意, 計画などについて用いる. 契約書が「署名されて, 厳封されて, 配達された」ということから. スティービー・ワンダー (Stevie Wonder) の歌・アルバムの題名にも使われている (邦題「涙を届けて」).

silence 沈黙；静寂；黙禱(もくとう)

A moment of silence, please.
「**黙禱をお願いします**」 ➤死者を追悼したり, 親族の死亡を通知したりする場合に用いる.

Silence is golden.
「**沈黙は金なり**」 ➤沈黙には大きな価値があるということわざ. 黙っているのがいちばんという場合や, 静寂はありがたいという意味などで使われる. 図書館には「お静かに願います」という意味でこの文句の書かれた掲示が出ている. ⇨ **Speech is silver, silence is golden.** (speech の見出し参照)

Silence means consent.
「**沈黙は同意を意味する**」 ➤異議を唱えない者は同意したとみなされるという意味.

silly ばかげた；くだらない

Don't be silly.
「ばか言わないで；何言っているの」➤そんなばかなことあるはずないでしょうと相手をたしなめる場合のほか，相手のことを気遣ってそんなことはありません，それはいけませんというような場合にも用いる．特に子ども同士が，あるいは子どもに対しては Don't be a silly-billy. ということもある．

> **Ex.** A: This has been such a wonderful visit for me. I'll never be able to thank you enough for your kindness.
> このたびの訪問は私にとってすばらしいものでした．ご親切には感謝のしようもありません．
> B: Don't be silly. We really enjoyed having you here.
> 何言っているのですか．私たちのほうこそあなたに来てもらって楽しい時間を過ごすことができました．

Let's get silly.
「ばかになりましょう；羽目を外そうぜ」➤良識などはかなぐり捨てて楽しもう，というような場合に用いる．

Silly me.
「私ってばかね；あら，いけない」➤2語を同じくらい強く発音する．相手に対して Silly you. (ばかだね) ということもある．

> **Ex.** This is a Japanese newspaper? Oh, silly me, I thought it was Chinese — all those characters look the same to me.
> これ，日本語の新聞なの? 私ってばかね，中国語の新聞かと思ったわ．字が同じように見えるんですもの．

Simon サイモン (★男の名)

Simon says.
「サイモンは言う；サイモンセッズ」➤Simon Says という子どものゲームで命令者のサイモンが言う文句．サイモンが Simon says と言ってから何かを命じたときはほかの子たちはそれに従わなくてはならないが，Simon says と言わないで何かを命じたときに従った子どもはアウトになる．

[補足] 映画『ダイ・ハード3』(*Die Hard 3: With A Vengeance*, 1995) では銀行強盗の首領がマクレーン (John McClane) 刑事たちをこの遊びで翻弄する．

simple 簡単な；単純な

It's as simple as that.
「簡単なことよ；ただそれだけさ」

> **Ex.** All you have to do is to click on "Send" and your e-mail arrives a few seconds later. It's as simple as that.
> ただ「送信」というところをクリックすればメールは2, 3秒後には着いちゃうわよ．簡単なものよ．

Nothing in life is simple.
「この世に単純なことなど何もない；簡単なことなど人生にはない」
Simple is best.
「シンプルがいちばん」➤ものや考え方など，さまざまなものについて用いる．

sing 歌う

Sing along.
「いっしょに歌ってください」➤歌っている人が聞いている人に誘う表現．
Sing before breakfast, cry before night.
「朝食の前に歌うと夜までには泣く」➤朝から浮かれることを戒めた迷信(superstition)．If you sing before seven, you will cry before eleven.（7時前に歌うと11時までには泣くことになる）などともいう．

sit 座る；腰掛ける

Don't just sit there.
「ただそこで座ってないで」➤やるべきことがあるのだから行動しなさい，という場合に用いる．Don't just sit there. Do something!（ただ座ってないでなんとかしなさい）などと行動を命じる文句を続けることが多い．[類似] Don't just stand there.
Sit.
「お座り」➤犬に対する命令．
Sit down.
「座って」➤相手が失礼にならないようにと立ち上がったときに，いいから座ってください，という意味で用いることが多い．強調表現で Do sit down. ともいう．来客に「お掛けください」と勧める場合には Have a seat. などの表現を使うのがふつう．
Sit still, be quiet, and listen.
「じっと座って，静かにして，よく聞きなさい」➤学校で教師が生徒によくいうことば．
Sit up straight.
「背筋を伸ばして座りなさい」➤食事のときのマナー．親がよく子どもにこう注意する．
You'll sit there until all that spinach is gone.
「そのホウレンソウが全部なくなるまでそこにずっと座っていなさい」➤出されたものは全部食べないといけない，という意味で母親が子どもによくいう．状況に応じて後半部分は until all those peas are gone（その豆を全部食べるまで）などにもなる．

size 大きさ；サイズ

One size does not fit all.
「1つのサイズではすべてにフィットしない；1つですべてをカバーすることはできない」➤衣類などの「フリーサイズ」を指す one size fit all に対して，そのように1つのものや方法ですべてをこなすわけにはいかない，という場合に用いる．
Size doesn't matter.
「大きさは問題ではない」➤さまざまなものについて使われるが，特に自分の性器に自

信のない男性を女性が慰めるときのことばとして知られる．It's not the size that counts. (大事なのは大きさじゃない) ともいう．

That's about the size of it.
「だいたいそんなところです；そういうことね」➤自分の話を締めくくる場合や，相手がこういうことですかと確認するように尋ねたときの返事として用いる．

> **Ex.** It seems that they have been overcharging us for the last five years and have also failed to pay their taxes. In other words, they're a bunch of crooks. That's about the size of it.
> あそこはこの5年間うちに対して過剰請求していて，税金も払っていなかったようだね．とんだ悪人集団さ．まあそういうところだね．

skin 皮膚；肌；皮をはぐ

It's no skin off my nose. / That's no skin off my nose.
「そんなのどうってことないね；痛くもかゆくもないわ；いいってことよ」➤私はまったく気にしない，または困らないなどという場合の口語表現．お礼に対する返事としても使われる．しばしば No skin off my nose. と省略される．「私の鼻から皮がむけたわけではない」が原義．It's no skin off my back/teeth/ass. ともいう．ボクシングから生まれた表現とされる．

Slip me some skin. / Give me some skin. / Skin me.
「握手しよう；タッチしよう」➤友だちと会ったときなどに握手または手のひらを打ち合わせるあいさつをしよう，と提案する俗語表現．Give me five. などともいう．

sky 空

Is the sky blue?
「空は青いか」➤当たり前のことを尋ねる質問の典型例．聞くだけやぼだ，という場合に使われる．類似 Is the Pope Catholic?

Red sky at night, shepherds delight.
「**夜の赤い空は羊飼いの喜び**」➤天気占いのことわざで，この後に Red sky in the morning, shepherds warning. (朝の赤い空は羊飼いの注意) と続く．意味は日本語の「夕焼けは晴れ，朝焼けは雨」と同じ．shepherds の代わりに sailors が使われることもある．

[補足] 新約聖書 (New Testament) の「マタイによる福音書」(Matthew 16: 2-3) にほぼ同じ意味のことばがある．

> When in evening, ye say, it will be fair weather: For the sky is red. And in the morning, it will be foul weather today; for the sky is red and lowering.
> あなたたちは，夕方には『夕焼けだから，晴れだ』と言い，朝には『朝焼けで雲が低いから，きょうは嵐だ』と言う．

The sky is falling.
「**空が落ちてくる**」➤1943年のディズニーの短編アニメ *Chicken Little* (『チキン・リトル』) で，臆病で頭の弱いチキン・リトル (Chicken Little) が言うせりふ．キツ

ネにそそのかされて空が落ちてくると信じ込み，仲間の動物たちとキツネの穴蔵に行ってみな食べられてしまうという話．ここから「無用な心配をするな」という意味でThe sky is not falling. / The sky is not going to fall. (空は落ちやしないよ)と言ったりする．また，無用な心配をする人を指して Chicken Little ということもある．

[補足] この句は シドニー・シェルダン (Sidney Sheldon) の小説の題名にも使われている．

sleep 眠る；眠り

How do you sleep?

「(そんなことして)寝つきが悪くないかい；寝覚めが悪くないかい」▶「どのようにして眠るのか」が原義．

Ex. A: My wife thinks we're poor, but I have a million dollars she doesn't know about.
女房はうちは貧乏だと思っているけど，ぼくは女房の知らないお金を100万ドル持っているんだよ．

B: How do you sleep? そんなことして寝つきが悪くないかい．

[補足] ジョン・レノン (John Lennon) の歌の題名にも使われている．アルバム『イマジン』(*Imagine*, 1971) に収録されているもので，ポール・マッカトニー (Paul McCartney) を批判する内容が歌われている．

Let me sleep on it. / I'll sleep on it.

「一晩じっくり考えさせて」▶相手の提案などへの即答を避けるときに用いる．Please sleep on it. (どうか一晩考えてください) と相手にお願いすることもある．

Now I lay me down to sleep.

「これから私は横になって眠ります」▶子どもが寝る前に唱える祈りのことば．全文は次のとおり．

Now I lay me down to sleep,	これから私は横になって眠ります
I pray the Lord my soul to keep.	主が私の魂をお守りくださいますように
If I should die before I wake,	もし目覚める前に死んだなら
I pray the Lord my soul to take.	主が私の魂をお召しくださいますように

Sleep well. / Sleep tight.

「お休み；ぐっすり眠るんだよ」▶Sleep tight. は特に親などが子どもによく用いる．なお，「ゆうべはよく眠れましたか」はふつう Did you sleep well last night? という．

slip 滑る(こと)；滑らせる(こと)；しくじり

It slipped my mind.

「度忘れしていました；ついうっかりしていてね」

Ex. A: Did you tell Mike about the meeting?
会議のことはマイクに言った？

B: Sorry. It slipped my mind. ごめん．うっかりしていたよ．

There's many a slip twixt the cup and the lip.

slow　のろい；遅い；遅くする

Slow and steady wins the race.
「**ゆっくりと確実なのがレースに勝つ**；継続は力なり」➤着実な努力が成功につながる，ということわざ．『イソップ寓話』(*Aesop's Fables*) の話「ウサギとカメ」("The Tortoise and the Hare") の教訓がこれ．Slow but steady wins the race. ともいう．

Slow down.
「**スピードを落として**；そんなにあせらずにもっとゆっくり；落ち着いて」

sly　ずるい

You sly dog.
「**ずるいやつだな**；いやらしいやつだな；隅におけないやつだ」➤相手がずるをしたり，自分だけいい思いをするようなことをした場合に軽く非難するようにして言う．You を強く発音する．

Ex. A: Look, I got the answers to tomorrow's test from the teacher's desk. ねえ，あしたのテストの答えを先生の机から手に入れたよ．
　　　B: You sly dog. 悪賢いやつだ．

small　小さい

Good things come in small packages.
「**いい物は小さな包みでやってくる**；山椒 (さんしょう) は小粒でもぴりりと辛い」➤小さいけれど優秀だ，高品質だという場合に使われることわざ．小柄な人をほめるときにも用いる．The best things come in small packages. ともいう．

It's a small world. / What a small world!
「**世間は狭いね**；これは奇遇だね」➤世間［この業界］は狭いから同じ人によく会うという場合や，意外なところで知り合いに会った場合などに用いる．単に Small

world. ともいう.

Small is beautiful.
「小さいことは美しい；小さいことはよいことだ」➤Bigger is better.（大きくなることはよいことだ）の反対．ドイツ生まれの経済学者 E・F・シューマッハー（E. F. Schumacher）が1973年に書いた本の題名（*Small Is Beautiful: Economics As If People Mattered*, 邦題『スモール イズ ビューティフル：人間中心の経済学』）から．

smart 利口な；頭のよい

Don't get smart (with me).
「こざかしいことを言うな；減らず口をたたくな」➤Don't be a smart mouth. もほぼ同じ．

Get smart.
「しっかりしなさい」➤よく考えて行動しなさい，という場合に用いる．
Ex. A: Look! I took these towels from the hotel room.
見てよ．このタオル，ホテルから持ってきたんだよ．
B: Get smart. That's stealing and they have your name and address. 何ばかなこと言っているのよ．それは窃盗よ．ホテルにはあなたの名前も住所も控えてあるのよ．
[補足] 1960年代のテレビコメディー『それゆけスマート』の原題にも使われている．

If you're so smart, how come you're not rich?
「そんなに頭がいいのなら，どうして金持ちじゃないのさ」➤相手が自分の才能を自慢したような場合に用いる．

Nobody likes a smart ass.
「そういうこざかしいことを言うと嫌われるぞ；利口ぶるな」➤俗語表現．smart ass は smart aleck（利口ぶった生意気なやつ）の意味の下品な俗語．

You think you're so smart.
「自分を買いかぶりすぎだよ」➤自分では頭がよくてなんでも知っているように思っているのだろうが，それは大きな間違いだという場合に用いる．

smile ほほえむ；ほほえみ；笑顔

A smile goes a long way.
「笑顔を忘れなければ何事もうまく行く」➤笑顔の力は大きいという意味．「ほほえみは長い道を行く」が原義．

Keep smiling.
「いつでも笑顔を忘れないで；明るくね」➤別れ際のくだけたあいさつ．

Smile.
「笑って」➤特に写真を撮るときにかけることば．Say cheese. ともいう．

Smile when you say that.
「それは冗談で言っているのでしょうね；冗談はよしてよ」➤「それを言うときには笑いなさい」が原義．

> **Ex.** A: I'm sorry, but you're going to have to work on New Year's Day. 悪いけど, 元日は仕事に出てもらうことになったよ.
> B: Smile when you say that. 冗談も休み休み言ってよ.

Wipe that smile off your face!
「にやにやするのはやめろ」➤「そのほほえみを顔からふき取れ」が原義.

Would it kill you to smile?
「少しくらいはお愛想をふりまいたらどうだい」➤むっつり不機嫌そうな顔をしている人に用いる.「ほほえむとあなたは死んでしまうのか」ということから.

You look so pretty when you smile.
「あなたは笑うとほんとうにかわいいのに」➤もっと笑顔でいるようにしなさい, という意味で親が子どもによく用いる.

smoke 煙; たばこを吸う　smoking 喫煙

Holy smokes!
「おやまあ; なんとまあ」➤非常に驚いたりショックを受けたときに言う. ⇨ Holy ...!

Smoking stunts your growth.
「たばこを吸うと大きくなれないよ」➤青少年の喫煙を戒める表現. Smoking will stunt your growth. ともいう.

Where there's smoke, there's fire.
「煙のある所には火がある; 火のない所に煙は立たない」➤ことわざ. There is no smoke without fire. ともいう.

snap ぽきっと折る[切る](こと); 簡単なこと
snappy きびきびした

It's a snap.
「簡単だよ」➤It's a piece of cake. とほぼ同じ.

Make it snappy.
「早くしてね; 急いでね」

> **Ex.** I need you to correct these mistakes before the meeting. Make it snappy! 会議の前にこの誤りを訂正しておいてくれないか. 大至急ね.

Snap out of it.
「元気を出して; しっかりしなさい; ぼけっとしてないで」➤相手が不機嫌だったり, 落ち込んでいたり, 上の空だったりするときに, 正常な状態に戻りなさいという意味で用いる.「それからさっと抜け出しなさい」が原義.

Snap to it.
「さっさとやりなさい」

snooze 居眠りする

You snooze, you lose. / If you snooze, you lose.
「居眠りすれば負ける; 油断大敵」➤ちょっと油断すると機会を逃したり, 付け入ら

れたりするということわざ. snooze と lose が韻を踏んでいる.

Ex. A: If I'm late, save some pizza for me.
もし遅くなったら，私の分のピザをとっておいてね.
B: Sorry. You snooze, you lose. 悪いけど，遅れてくる人の分はないよ.

so そのように；そこで

How so?
「どういうわけですか」➤それはどのようなことなのか，どうしたらそれが可能なのか説明してほしいという場合の表現.

Ex. A: John is going to buy a new car? ジョンが新車を買うのかい.
B: How so? He doesn't even have a job.
どうやって. 彼は仕事もないのよ.

Is that so?
「そうですか；そうでしょうかね」➤ほんとうですかと関心を持って聞く場合，単にあいづちとして言う場合，それはちょっと違うのではないですかと皮肉を込めて言う場合などがある. Is that right? とほぼ同じ.

So? / So what?
「それがどうしたのさ；だからどうだって言うのよ」➤そんなこと大したことないじゃないかという場合に用いる. So? は「それで?」と相手に話の続きを促す場合にも用いる.

So am I. / So do I.
「私もそうです」➤相手が I'm hungry. (おなかがすきました) / I want to eat something. (何か食べたい) などと肯定文で言った場合に用いる. 相手が助動詞を使った場合には So will I. などとなる. Me too. / Same here. ともいう.
[補足] 否定文の場合は Neither am I. / Neither do I. などという.

So be it.
「じゃあそうなればいい；それならそれでいい」

Ex. A: Bill says he's going to quit and start his own company.
ビルは仕事を辞めて自分の会社を作るんだってよ.
B: So be it. それならそれでいいさ.

So there.
「それで決まりだよ」➤あなたがどう言おうと私の気持ちは変わらない，あなたはその事実を受け入れなさいというような場合に用いる.

Ex. A: I don't have to wear a suit? スーツは着なくていいのかい?
B: The president sent us a memo today. So there.
社長がきょうメモを回してよこしたわよ. それで決まりね.

soldier 兵士

Be a good soldier.
「気持ちよく対応しなさい；機嫌を直して」➤Be a good sport. に同じ.「よい兵士になれ」が原義.

Old soldiers never die; they just fade away.

「老兵は死なず，ただ消え去るのみ」➤1951年，トルーマン (Truman) 大統領に解任されたマッカーサー(Douglas MacArthur)元帥が議会で行った演説のことば．兵舎で歌われていた古い歌の一節を引用したもの．Old ... never die; they just ... の形は広く使われる．

something 何か；あるもの；大した人物

Do you want to make something of it?
「何か文句でもあるのか；いちゃもんつけようってのか」➤けんかを売るときの挑発的なことば．

Here's a little something for you.
「これ，ちょっとあなたにと思って」➤プレゼントを渡すときの表現．

Isn't that something?
「大したものだね；すごいわね」➤感心したときに用いる．

Ex. Mary lost 50 pounds and then won a beauty contest. Isn't that something?
メアリーは22キロもやせて美人コンテストで優勝したよ．すごいね．

Something is better than nothing.
「少しでも何もないよりはまし」➤古めかしいことわざの Half a loaf is better than none. に同じ．

You're something else.
「大した人ね；あきれちゃうね」➤すごいと感心して言う場合と，どうしようもないとあきれて言う場合がある．You're something else again. ともいう．

son 息子

I'll be a son of a gun.
「これは驚いた」➤テレビドラマ『刑事コロンボ』(*Columbo*) のコロンボがよく用いる．I'll be a monkey's uncle. ともいう．

[補足] son of a gun は失望，落胆などを表す軽いののしりことばとして使われるが，son of a bitch ほど下品ではない．

soon まもなく；じきに；早く

It's too soon.
「まだ早すぎる；あまりにも急すぎる」➤結論を出したりするのにまだ十分な時間がたってない，という場合に用いる．It's too soon to tell. (まだそう決めつけるのは早い) のように to 不定詞を続けることが多い．

No sooner said than done.
「はい，ただいま」➤相手の指示などを受けてすぐ行うときのやや古めかしい返事．「言うやいなやすぐさま実行に移した」という場合にも使われる．「行われたよりも言われたほうが早かったということはない」つまり「言われたのとほぼ同時に行われた」が原義．

Sooner than you think.

「あなたが思っている以上に早くそうなるだろう」

Ex. A: When do you think taxes will go up? いつ増税されると思う?
B: Sooner than you think. 思ったより早くそうなるだろうね.

The sooner the better.
「早ければ早いほどよい; 早いに越したことはない」 類似 The more the merrier.

Yesterday wouldn't be too soon.
「いますぐにでも; 大至急」 ➤「きのうでも早すぎることはない」が原義.

sorry すまない; 後悔して; 気の毒な

I'm sorry.
「申し訳ありません; ごめんなさい; お気の毒に」➤謝罪するときや相手に同情するときに用いる.

I'm sorry?
「すみません, どういうことですか」➤相手のことばを聞き返す表現. Excuse me? に同じ. Sorry? ともいう.

Sorry.
「ごめんなさい; 失礼」➤I'm sorry. よりも軽い言い方.

Sorry isn't enough.
「ごめんじゃすまない; 謝って済む問題ではない」➤相手が I'm sorry. などと謝罪したときの返事. Saying sorry is not enough. / Being sorry is not enough. ともいう.

You won't be sorry.
「後悔はしないでしょう; 後悔はさせません」➤やって損はないでしょうと相手に勧める場合や, 迷惑はかけませんから私を信頼してくださいという場合などに用いる.

Ex. A: You really need to rent that video. You won't be sorry.
あのビデオは借りたほうがいいわよ. 後悔しないから.
B: It's really that good? そんなにいいのかい.

sort 種類; 区分けする

It takes all sorts.
「世の中が成り立つにはあらゆる種類の人が必要だ; 世の中にはいろんな人がいるものだ」 ➤It takes all sorts (of people) to make a world. の省略表現. It takes all kinds (of people) to make a world. に同じ.

Sort of.
「まあね; ちょっとね」➤相手の質問などに漠然と肯定する表現. Kind of. ともいう.

so-so まあまあ (の)

So-so.
「まあまあだね」➤よくも悪くもないという状態を表す.

Ex. A: How was the concert? コンサートはどうだった?

B: So-so. They didn't play any of the songs I like.
まあまあね. 私の好きな歌は1つも演奏しなかったの.

sound 音（を出す）；聞こえる；健全な

A sound mind in a sound body.
「**健全なる身体に健全なる精神；心身の健康**」➤心も体も健康である状態，またそれを求めることを表すことわざ．古代ローマの詩人ユウェナリス (Juvenal) の風刺詩 (satire) の一節 You should pray for a sound mind in a sound body.（人は心身の健康を祈るべきである）から，「健全なる精神は健全なる肉体に宿る」と訳されることが多いが，肉体と精神の健全さに相関関係があるという意味ではない．

I don't like the sound of it.
「**ちょっと問題ありそうだ；どうも困ったことになったようね**」➤話を聞いて，あまり思わしくないようだという場合に用いる．

Ex. A: Jack said the defect can't be fixed.
ジャックの話ではその欠陥は直せないって.
B: I don't like the sound of it. 困ったね.

Sounds good. / Sounds great. / Sounds nice.
「**いいね**」➤相手の話にそれはいいと喜ぶときに用いる．

Ex. A: We're going to get a drink after work. Do you want to join us? 仕事の後で飲みに行くけど，いっしょに来る?
B: Sounds good. いいわね.

soup スープ

Soup's on!
「**食事の用意ができたよ**」➤スープだけでなく食べ物一般について使われる．

Ex. A: Soup's on! 食事の用意ができたわよ.
B: Actually, I already had dinner. 実はもう夕食を済ませたんだ.

space 空間；空き；宇宙

Space, the final frontier.
「**宇宙，それは最後のフロンティア**」➤SFテレビドラマ『スタートレック』(*Star Trek* 初放映時の邦題『宇宙大作戦』) の冒頭に流れることば．1966年放送のオリジナル版では Space, the final frontier. These are the voyages of the Starship *Enterprise*. It's five-year mission: to explore strange new worlds, to seek out new life and new civilizations, to boldly go where no man has gone before. (宇宙，それは最後のフロンティア．これは5年間にわたって未知の世界を探検し，未知の生命と未知の文明を探し，勇敢にも人類がまだだれも行っていないところへ行く宇宙船エンタープライズ号の探検の物語である) となっている (訳は私訳).

この見出しの句や最後の boldly go where no man has gone before などはさ

まざまなところに引用されている.

spark 火花 (が散る)

Sparks are flying.
「**熱々だね**」➤カップルのようすを表すことば. また, 心がときめいている, 活動が盛んだなどの意味でも用いられる.

speak 話す

Can I speak to someone?
「…とお話できますか」➤特に電話でその人と話したいという場合に, Can I speak to Jane? (ジェーンとお話できますか) のように用いる. May I speak to *someone*? / Could I speak to *someone*? というほうが丁寧. I'd like to speak to *someone*, please. (…とお話したいのですが) ともいう.

Don't speak too soon.
「まだわからないわよ；さあそれはどうかな」➤そう決めつけるのはまだ早い, という場合に用いる.「あまりにも早く話すな」が原義.

> **Ex.** A: If Sam took the money, I'm going to call the police.
> もしサムがお金を盗んだのなら警察に通報するよ.
> B: Don't speak too soon. No one saw him.
> そう早まらないで. だれも彼を見ていないのよ.

Don't speak unless spoken to.
「話しかけられない限り自分から話しかけてはいけない」➤さまざまな場面で用いられるが, 特に女王など位の高い人に会ったときの心得としてよく言われる.

I spoke out of turn.
「私の言ったことは間違いでした；軽率でした」➤自分の発言の誤りを認める表現.

I spoke too soon.
「そう言ったのは早計だった；早合点だったね」➤まだどうなるかわからないうちに言ってしまい, 結果的に間違いだったという場合に用いる.

> **Ex.** A: Did you say you could finish reading the report by today?
> 報告書はきょうまでに読み終わるって言ってたかな.
> B: I spoke too soon. It'll take me another day.

ちょっと読みが甘かったです.もう1日かかります.

Let him now speak, or else hereafter for ever hold his peace.
「いま申し出なさい.さもなければ今後永久に沈黙を守りなさい」➤キリスト教の結婚式で司祭が結婚する2人に結婚の誓い(wedding vows)をさせる前に,この結婚に異議のある者は申し出るようにと会衆に告げることば.

[補足] この手続きで述べることばは『英国国教会祈禱書』(*Book of Common Prayer*) に次のように定められている.

> If any man can show just cause, why they may not lawfully be joined together, let him now speak, or else hereafter for ever hold his peace.
> この2人が合法的にいっしょになることができない正当な理由を示せる者がいたなら,いま申し出なさい.さもなければ今後永久に沈黙を守りなさい.

Speak.
「ほえろ」➤特に犬に対する命令.「話しなさい」という意味もある.

Speak for yourself.
「私は違いますからね;人をいっしょにするな」➤だれかが We ということばを使ったとき,そう思うのはあなただけだから勝手に私も含めた言い方はするな,という場合に用いる.また「自分で自分を推薦しなさい」という意味もある.

Ex. A: We aren't going to have time to go to the party.
パーティーに行く時間は私たちにはないようです.
B: Speak for yourself. I'll be there.
勝手に決めつけないでよ.私は行きますよ.

Speak up.
「もっと大きな声で言って;何か言ってよ」➤声の小さな人や黙っている人に対して用いる.

Speak your mind.
「思っていることをずばり言って;ほんとうのところを聞かせて」

Speaking.
「はい私です」➤電話で May I speak to Sam? (サムとお話できますか) などと言われて,自分がその本人だという場合に用いる.This is he/she (speaking). などともいう.

When A speaks, B listens.
「Aが話すときBは聞く」➤Aのほうが立場が上で,Bはそれに耳を傾けるしかないという場合に用いる.証券会社 E. F. Hutton Company が1980年代に流したテレビコマーシャルの文句 When E. F. Hutton talks, people listen. (EFハットンが話すとき人々は聞きます) から.When *A* talks, *B* listens. ともいう.

Ex. A: Do I have to go to the meeting? 会議には出なくてはいけませんか.
B: You'd better. When the president speaks, everyone listens.
そうだね.社長が話をするときはみんな聞くものだよ.

Who do you want to speak to?
「どなたとお話しになりますか」➤電話での表現.Who do you want? ともいう.Who would you like to speak to? のほうが丁寧.

specific 特定の; 詳細な

Could you be a little more specific?
「もう少し具体的に言ってもらえませんか」
Ex. A: The prices will have to be changed.
物価はこのままではいけないだろうね.
B: Could you be a little more specific? Are prices going up or down? もう少し具体的に言ってもらえませんか. 物価は上がるんですか, 下がるんですか.

speech 話すこと; 言語運用   speechless ことばが出ない

I'm speechless.
「ことばが見つからない」 ▶非常に驚いてなんと言ってよいかわからない, という場合に用いる.

Speech is silver, silence is golden.
「雄弁は銀, 沈黙は金」 ▶雄弁はりっぱな才能だが, 沈黙はもっと価値があるということわざ.

spell つづる

Do I have to spell it out (for you)?
「まだ説明しないとわからないのかい; これだけ言えば十分でしょう」 ▶語のつづりを言うようにこと細かく説明しないといけないのか, ということから. Do I have to paint you a picture? ともいう.

How do you spell it?
「それはどういうつづりですか」 ▶語や名前のつづりを尋ねる質問. Could you spell it? (つづりを教えてもらえませんか) というほうが丁寧.

spirit 精神; 気持ち

Keep your spirits up. / Keep up your spirits.
「くじけずにがんばって; 元気を出して」 ▶相手を励ますときに用いる.

That's the spirit.
「そうその意気だ; そうこなくちゃ」 ▶相手の前向きな態度をほめる表現.
Ex. A: I'm going to increase my sales by 50 percent!
売り上げを5割アップさせるつもりです.
B: That's the spirit! そう, その意気だ.

The letter killeth, but the spirit giveth life.
「文字は殺しますが, 霊は生かします」 ▶新約聖書 (New Testament) の「コリント人への手紙第二」(2 Corinthians 3:6) にあるパウロのことば. 法律などの文言に忠実であるよりも, その精神をくみ取って従うことが大事だ, ということわざとして使われる.

The spirit is willing, but the flesh is weak.

「**心は燃えても，肉体は弱い**」➤心では抵抗しようと思っていても，肉体は誘惑に弱いということわざ．新約聖書の「マタイによる福音書」(Matthew 26:41) にあるイエス・キリスト (Jesus Christ) のことば Watch and pray, that ye enter not into temptation: the spirit indeed is willing, but the flesh is weak. (誘惑に陥らぬよう，目を覚まして祈っていなさい．心は燃えても，肉体は弱い) から．マルコ (Mark 14:38) にもほぼ同じことばがある．

sport　スポーツ；気晴らし；さっぱりした性格の人

Be a good sport.

「**気持ちよく対応しなさい；機嫌を直して**」➤いつでも明るく前向きな態度を忘れないで，という場合に用いる．ゲームや試合に負けても悪びれるな，気持ちよく自分の頼みを聞いてほしいというときによく使われる．Be a good soldier. ともいう．

Ex. A: I'm not going to Bob's retirement party.
ボブの退職送別会には行かないよ．
B: I know you don't like him, but be a good sport.
彼を好きじゃないのはわかっているけど，そこは割り切って．

spot　場所；しみ；点

Out, damned spot!

「**落ちろ，このいまわしいしみめ**」➤シェークスピア (Shakespeare) の『マクベス』(*Macbeth* V. i.) でマクベス夫人 (Lady Macbeth) が夢中歩行して言うせりふ．夫に殺させた王ダンカン (Duncan) の血が手についてとれない，という意味．

spy　スパイ；ひそかに探る；見つけ出す

I spy with my little eye ...

「**私はこの小さな目で見つけ出す**」➤I Spy という子どものゲームで言うことば．その場にあるものを1つ選び，I spy with my little eye something red. (私はこの小さな目で赤いものを見つけ出す) などとヒントを与えてそれが何かを当てさせる．

stage　段階；時期；舞台

All the world's a stage.

「**この世はすべて1つの舞台だ**」➤シェークスピア (Shakespeare) の『お気に召すまま』(*As You Like It* II. vii.) に出てくるせりふ．All the world's a stage, And all the men and women merely players. (この世はすべて1つの舞台だ．男も女もみな役者に過ぎない) と続く．

It's just a stage.

「**そういう時期なのよ**」➤思春期を迎えた子ども，倦怠(けんたい)期を迎えた夫婦などについて用いる．It's just a stage that everyone goes through. (みんなそうい

う時期を経験していくんだよ)などともいう. 類似 It's just a phase.

stand 立つ; 立っている

Don't just stand there.
「ただそこで立ってないで」➤やるべきことがあるのだから行動しなさい, という場合に用いる. Don't just stand there. Do something! (ぼけっと立ってないでなんかしなさい) などと続けることが多い. 類似 Don't just sit there.

Stand easy.
「休め」➤軍隊などでの号令.

Stand in the corner. / Go stand in the corner.
「教室の隅で立っていなさい」➤先生が悪さをした生徒などに命じることば.

Stand on your own two feet.
「自分の2本の足で立ちなさい; 自立しなさい」

Stand up and be counted.
「自分の立場をはっきりと表明しなさい」➤特に, どの候補や政策を支持するかはっきりさせなさいという場合に用いる.「立って数に入れてもらいなさい」が原義.

star 星; 花形; スター

A star is born.
「スターの誕生だ」➤1937年の映画の題名 (邦題『スタア誕生』) から. 同映画は1954年にジュディ・ガーランド (Judy Garland) 主演で, 1976年にバーブラ・ストライサンド (Barbra Streisand) 主演 (邦題『スター誕生』) でリメイクされている.

I saw stars.
「星が見えた; 目から火花が出た」➤頭を強く打ちつけたりしたときの表現.

My stars!
「これは驚いた; なんとまあ」

Star light, star bright
「星の明かり, 明るい星よ」➤子どもが夜空に最初の星を見つけたときに唱える願かけのことば. 全文は次のとおり. ⇨ **Make a wish.** (wishの見出し参照)

Star light, star bright,	星の明かり, 明るい星よ
First star I see tonight.	今夜見る最初の星よ
(I) wish I may, (I) wish I might,	どうかどうか
Have the wish I wish tonight.	今夜の願い事がかないますように

start 出発する; 始める; 始まる; 始まり

Don't start anything you can't finish.
「仕上げられないことを始めるな」➤自分の力以上のことには手を出すなということ.

He/She started it.
「向こうが先に始めたんだよ」➤子どもが兄弟げんかをとがめられたときなどに, 先にちょっかいを出した相手が悪いという意味でいう.

It's a start. / That's a start.
「まずは第一歩ね；最初はそんなものよ；手がかりはできたね」➤目指すものからはほど遠いかもしれないけれど，第一歩は踏み出せたという場合に用いる．
  Ex. A: Look, I finished cleaning all the windows.
        ねえ，窓ふきは全部やったよ．
     B: That's a start. Now we need to wash all the walls.
        それは第一歩ね．今度は壁をみんな洗うのよ．

Let's get started.
「では始めましょう」➤Let's get cracking. などともいう．

starve 餓死する；餓死させる

I'm starving. / I'm starved.
「おなかがぺこぺこです」➤I'm hungry.（おなかがすいた）の強調表現．満腹のときには I'm full. / I'm stuffed. などという．

stay 留まる；そのままでいる

Don't stay away so long.
「もっと頻繁に顔を見せてね」➤久しぶりに会った相手などに用いる．[類似] Don't be a stranger.

Stay.
「待て」➤犬に対する命令で，そのままの姿勢でいなさいという場合に用いる．

Stay out of this.
「余計な口出ししないで；引っ込んでいなさい」➤Keep out of this. ともいう．

Stay where I can see you.
「私の目の届く所にいるのよ」➤特に母親が子どもに言う．

Stay where you are.
「そこを動くな；そのままそこにいて；その場でそのままお待ちください」➤動くと撃つぞ，逃げるな，そこにいればこちらから捜しに行くから，などさまざまな状況で用いる．事故があったときなどのアナウンスにも使われる．

Stay with us.
「チャンネルはそのままに」➤テレビの司会者などがコマーシャルの中断の前に言うことば．Stay with us. We'll be right back.（チャンネルはそのままに．すぐにまた始まりますから）のように用いることが多い．Stay tuned. ともいう．「私たちといっしょにいてください」という意味でも使われる．

step 足取り；一歩；足を踏み出す

One step at a time.
「一度に一歩ずつ；一歩一歩」➤少しずつ着実に事を進めることを表す．

One step forward, two steps back.
「一歩前進，二歩後退；一歩進んで二歩下がる」➤社会運動などが着実に前に

進まない状況を表す．レーニン (Lenin) の党組織論の題名にも使われている．

Step aside.
「どいてください」➤道を空けてもらうときなどに用いる．

Step forward.↔Step back.
「前に出て↔後ろに下がって」

Step on it. / Step on the gas.
「アクセルをいっぱいに踏んで；飛ばして；早くしてね」➤車のスピードを上げてくれという意味の表現．一般に，スピードを上げてやってくれという場合にも用いる．この it はアクセル (accelerator) を指す．

Step outside.
「外に出なさい；表に出ろ」➤一般に使われるが，特にバーでけんかになった場合などによく用いる．Do you want to step outside? (外に出るか) などともいう．

Ex. Step outside and we'll finish this fight.
　　表に出て，けんかのけりをつけようじゃないか．

That's one small step for man, one giant leap for mankind.
「これは1人の人間にとっては小さな一歩だが，人類にとっては大きな飛躍だ」➤1969年，アポロ11号 (*Apollo 11*) のニール・アームストロング (Neil Armstrong) 船長が史上初めて月に降り立ったときに言ったことば．

[補足] man を無冠詞で使うと mankind と同じ「人類」の意味になってしまうので，That's one small step for a man, one giant leap for mankind. として引用されることが多い．

Two steps forward, one step back.
「二歩前進，一歩後退」➤後戻りしながらも少しずつ前進する状況を表す．

Watch your step.
「足元にご注意ください；慎重に行動しなさい」➤踏み出す足に気をつけなさいということで，比喩的にも用いる．

stew　シチュー；とろ火で煮る；煮える；苦しむ

Let them stew in their own juice.
「自業自得だから勝手に苦しませておけばいい」➤文脈に応じて them, their の部分は him/her, his/her などになる．「自分の汁の中で煮えさせればよい」が原義．

stick　棒；突き刺す；突き出す；くっつく

Speak softly and carry a big stick.
「静かに話して大きなこん棒を持て」➤いざというときのために十分な力をもちながらも，表面上はあくまでも穏やかに交渉しなさいということわざ．1901年，セオドア・ローズベルト (Theodore Roosevelt) 大統領がアメリカの外交政策として演説の中で使った．ここから，この外交政策を big stick diplomacy (こん棒外交) と呼ぶ．Walk softly and carry a big stick. (静かに歩いて大きなこん棒を持て) ということもある．

Stick them up.

「手を上げろ」 ➤強盗などのことば. しばしば Stick 'em up. と発音される. ここから強盗 (行為) のことを stickup という.

Stick with it. / Stick to it.

「辛抱してやり続けなさい; がんばって」 ➤途中であきらめるなという忠告.「それにくっついていろ」が原義.

Ex. A: I don't know if I'll ever finish this report.
このレポートを仕上げられるかどうかわからないよ.
B: Stick with it. You can do it. がんばって. やればできるから.

Sticks and stones may break my bones, but words/ names will never hurt me.

「棒と石なら私の骨が折れるかもしれないが, ことば/悪口では絶対に傷つくことはない」 ➤特に子どもが悪口を言われて「何と言われようと気にしないよ」という意味で返すことば. Words/Names will never hurt me. ともいう. [類似] I'm rubber, you're glue.

stitch 一針; 一縫い; ステッチ

A stitch in time saves nine.

「早めの一針は九針の手間を省く」 ➤問題は大きくなる前に早めに対応すれば後で苦労しなくて済む, ということわざ. A stitch in time. と省略することも多い.
[類似] An ounce of prevention is worth a pound of cure.

stomach 胃; 腹

The way to a man's heart is through his stomach.

「男の心に至る道は胃から」 ➤おいしい料理を食べさせれば男の心をつかめる, ということわざ.

stone 石

Are you made of stone?

「血も涙もないの?; 冷たいじゃないか」 ➤What are you, made of stone? とも

いう.「あなたは石でできているのか」が原義. また, 頼みをむげに断れないという場合に What am I, made of stone? (私だって血も涙もないわけじゃないから) ということもある.

Leave no stone unturned.
「**徹底的に探せ；八方手を尽くしてやりなさい**」➤やれることはすべてやりなさい, という場合に用いる.「裏返さない石を残すな；すべての石を裏返せ」が原義.

Let him who is without sin cast the first stone.
「**罪を犯したことのない者が最初の石を投げなさい**」➤安易に人を断罪するなということわざ. 新約聖書 (New Testament) の「ヨハネによる福音書」(John 8:7) にあるイエス・キリスト (Jesus Christ) のことばに由来する.

[補足] イエスを陥れようとする人たちが姦通 (adultery) の罪を犯した女を連れてきて, こういう女は石で撃ち殺せと定められているがどうするか, とイエスにしつこく迫った. イエスが He that is without sin among you, let him first cast a stone at her. (あなたたちの中で罪を犯したことのない者が, まず, この女に石を投げなさい) と答えると, その場の人たちはだれも石を投げることができずに立ち去った.

Nothing is set in stone. / Nothing is etched in stone.
「**何も確定していない；絶対不変のものはない**」➤手を加える余地などがあるという場合に用いる.「石の中に据え付けられた/刻まれたものは何もない」が原義.

stop 止まる (こと); 止める (こと)

I'll put a stop to it/that.
「**それはやめさせよう**」➤好ましくないことを私の力で終わらせるという場合に用いる.

Ex. A: I just saw Ben drinking at his desk again.
ベンが机でまた酒を飲んでいるのを見たわよ.
B: I'll put a stop to that. ぼくがやめさせよう.

Please stop by.
「**立ち寄ってください；訪ねて来てください**」

[補足] 訪ねて来た人が帰るときには Thank you for stopping by. / Thanks for stopping by. (立ち寄ってくれてありがとう) や I'm glad you could stop by. (立ち寄ってくれてうれしいよ) などとお礼をいう.

Some people (just) don't know when to stop.
「**あきらめの悪い人だね；世の中には加減というものを知らない人がいるね**」➤Some people (just) don't know when to give up. (give の見出し参照) に同じ.「一部の人たちはやめるべき時を知らない」が原義.

story 話

Don't give me that story.
「**そんなことは言わないで**」➤そのようなうそや気休めはやめてほしい, という場合に用いる. Don't give me that. / Don't give me that line. などともいう.

End of story.
「**それでおしまいだ；だめといったらだめ；問答無用**」➤それ以上言うことはない, も

うそれで決まりだという場合に用いる．That's the end of the story. の省略表現．[類似] End of conversation.

Ex. A: I don't have time to clean my desk.
　　　　机をきれいにするひまがないよ．
　　　B: Today's cleaning day. End of story.
　　　　きょうは掃除の日よ．わかったわね．

It's a long story.
「**話せば長くなるから**；まあいろいろあってね」➤相手の質問に対して，それを話すと長くなるからやめておきたいという場合に用いる．単に Long story. ともいう．

Long story short ... / To make a long story short ...
「**早い話がだね…；要するに；手っ取り早く言えば**」

Ex. A: So why are you canceling the project?
　　　　どうしてプロジェクトを中止するんですか．
　　　B: Long story short, it's the only way we can stay in business.
　　　　早い話，うちが存続するためにはそれしか方法がないんだよ．

Same old story.
「**相変わらずだよ；よくある話よ；毎度のことさ**」

Ex. A: George said his computer crashed and he lost the data.
　　　　ジョージのコンピューターがクラッシュして，データが消失したそうです．
　　　B: Same old story. 毎度のことよ．

That's not the whole story.
「**話はそれで終わりじゃないんだ；それだけじゃないのよ**」➤「それが話のすべてではない」が原義．

That's the story of my life. / It's the story of my life.
「**いつもこの調子さ**」➤私はいつもそういう目に遭う，と身の不運を嘆く表現．「それが私の人生の物語だ」が原義．

Ex. A: Our flight has been canceled.
　　　　私たちのフライト，キャンセルよ．
　　　B: That's the story of my life. It's happened three times this month.
　　　　ぼくはいつもそうさ．今月でもう3回目だよ．

straight　まっすぐな；率直な；まっすぐに；率直に

Give it to me straight.
「**率直に言ってください**」➤持って回った言い方はしないで，という場合に用いる．「正直に答えて」という場合は Give me a straight answer. という．

Let me get this straight.
「**ちょっと確認させてください；つまりこういうことですか**」➤相手の話を正しく理解しているか確認する際に用いる．

Ex. A: Let me get this straight. You're going to make your own computer?
　　　　ちょっと確認するけど，あなたが自分でコンピューターを作るの?

B: That's right. そのとおり.

strange 奇妙な; 知らない　　stranger 知らない人

Don't be a stranger.
「また近いうちに寄ってね; これからもときどき顔を見せてよ」➤久しぶりに訪ねてきた友人や, 引っ越しや転職で去っていく人に対して用いる.「見知らぬ人になるな」が原義.

Don't talk to strangers. / Never talk to strangers.
「知らない人と話をしちゃだめよ」➤親や教師などが子どもにする注意.

[補足] *Never Talk to Strangers* はサスペンス映画『ストレンジャー』(1995)の原題.

Hello, stranger.
「ずいぶん久しぶりだね; 顔を忘れちゃったよ」➤久しぶりに会った人などに用いる. 文字どおりに, 知らない人に対して使うこともある.

I'm a stranger here.
「ここは不案内なんです」➤道を聞かれたときなどに「私もここはよく知らない」という意味で用いる.

Strange but true.
「うそみたいだけどほんとうの話よ」

That's strange.
「それは奇妙だね; それはおかしいわね」➤That's funny. ともいう.

straw わら

That's the last straw!
「もう我慢ならない; 堪忍袋の緒が切れた」➤軽いワラでも1本ずつラクダの背に積んでいけば, 最後にはラクダも耐え切れなくなるということわざ It's the last straw that breaks the camel's back. (ラクダの背を折るのは最後のワラだ) から.

Ex. A: Sorry, I can't come to the meeting.
すみませんが, 会議には出られません.
B: That's the last straw! You're fired! もう許さん. おまえは首だ.

[補足] I'm at the last straw. (もう限界だ) などの表現も使われる.

strike 打つ; ストライク

Three strikes and you're out.
「ストライク3つでアウト」➤3度失敗すればもうチャンスはないという場合に用いる. 野球のルールから. 球審のコールをまねて Strike one, strike two, strike three—you're out. ということもある.

[補足] 重罪 (felony) で3度有罪となった者には終身刑などの重い罰を科すというカリフォルニア州の法律 (1994年施行) は Three Strikes and You're Out law と通称されている.

strong 強い

You're only as strong as your weakest link.
「人は最も弱い部分の強さしかない」➤体の他の部分がどんなに強くても、いちばん弱い部分が耐えられる以上の強さを発揮することはできない、ということわざ。肉体的な疲労などのほか、精神的なものについても用いられる。 ⇨ **A chain is only as strong as its weakest link.** (chain の見出し参照)

stuff もの;詰める;ふさぐ

Get stuffed!
「ふざけるな;ばかやろう」➤強い反発を表す俗語表現.

I'm stuffed.
「おなかいっぱいです」➤I'm full. ともいう.

Stuff it.
「くそ食らえだ」➤強い拒否を表す俗語表現. Shove it. に同じ.

That's the stuff.
「そう、その意気だ;よくやった」➤相手の態度や行いをほめるときに用いる.

You can't make this stuff up.
「うそみたいだけどほんとうの話だよ」➤信じられないようなことだが、事実だという証拠があるという場合に用いる. You can't make this (shit) up. ともいう.「こんな話はでっち上げられない」が原義.

Ex. Ken was homeless a year ago, and now he's a millionaire. You can't make this stuff up.
ケンは1年前はホームレスだったのに、いまじゃ百万長者だよ. うそみたいだけどほんとうだよ.

stupid 愚かな;ばかな

Don't be stupid. / Don't be so stupid.
「ばか言わないで」➤Don't be silly. とほぼ同じ.

I may be stupid, but I'm not dumb.
「私は愚かかもしれないが、ばかではない」➤いくらなんでもそこまでばかではない、という場合に用いる.

Stupid is as stupid does.
「ばかなことをするやつがばかなのだ」➤愚かさは頭のよしあしではなく、行いによって判断されるということ. [類似] Handsome is as handsome does.

Ex. A: You don't think I'm stupid, do you?
ぼくのことをばかだとは思わないでしょ?
B: Stupid is as stupid does. ばかなことをするのがばかなのよ.

[補足] 映画『フォレスト・ガンプ』(*Forrest Gump*, 1994) で数回出てくる.

You can't fix stupid.
「ばかにつける薬はない;ばかは死ななきゃ治らない」➤There's no cure for stu-

pidity. ともいう.

subject 話題；主題

Don't change the subject.
「話をそらさないでよ」
Drop the subject.
「その話はもういいよ」 ➤ Drop it. ともいう.

succeed 成功する；続く　success 成功

If at first you don't succeed, try, try again.
「**最初うまくいかなかったら，何度でもやってみなさい**」 ➤ あきらめずに，できるようになるまで根気よく何度でも挑戦しなさいという助言. [類似] Keep trying.
Success breeds success.
「**成功は成功を生む；成功が成功を呼ぶ**」 ➤ 1度何かに成功するとその後は成功することが容易になる，ということわざ.
Nothing succeeds like success.
「**成功のように続くものはない；1度成功してしまえばしめたもの**」 ➤ 1度成功して名声を確立すると，その名声がものを言ってうまくいくことが多いということわざ.
Success has many parents.
「**成功には多くの親がいる**」 ➤ 事業などが成功すると自分の手柄だと主張する人が多い，ということわざ. しばしば Success has many parents but failure is an orphan. (成功には多くの親がいるが，失敗は孤児だ) として用いる.

suck 吸う(こと)　sucker だまされやすい人；かも

Suck it up.
「**それくらい我慢しろ；弱音を吐くな**」 ➤ 愚痴や弱音などを言う相手に用いる.
Ex. A: I can't work in this office. It's too dirty.
　　　このオフィスでは働けないよ. 汚すぎるもの.
　　B: Suck it up. It's not that bad. 我慢して. それほどひどくないわよ.
Never give a sucker an even break.
「**かもれる相手はどんどんかもれ；ばかとはさみは使いよう**」 ➤ 「ばかには五分のチャンスをやるな」が原義.
[補足] W・C・フィールズ (W. C. Fields) 主演の喜劇映画 (1941) の題名にも使われている.
There's a sucker born every minute.
「**世の中にはだまされやすい人が多い**」 ➤ 「毎分かもが1人生まれている」が原義. There's one born every minute. ともいう.

sue 訴える

Sue me. / So sue me.
「悪かったね」➤私のやり方などが気に入らないのなら訴えればいいじゃないか, と開き直って言うことば. 相手に文句を言われたり, 冷やかされたようなときに用いる.
Ex. I like younger men, so sue me.
私は年下の男が好きなのよ. 悪かったわね.

suit —そろい; 都合がよい; 似合う

Suits me (just) fine.
「いいね; 申し分ない」➤相手の提案や状況などについて, 私のほうはそれでまったく問題ないという場合に用いる. Suits me. ともいう. It suits me (just) fine. などの省略表現.
Ex. A: We made reservations at an Italian restaurant. Is that okay?
イタリア料理の店を予約したけど, それでいいかしら.
B: Suits me fine. いいですね.

Suit yourself.
「お好きなように; どうぞご勝手に」 類似 Have it your (own) way.
Ex. I don't think you should buy a new computer now, but suit yourself.
いま新しいコンピューターを買わないほうがいいと思うけど, でも好きにしたら.

summer 夏 summertime 夏季

One swallow does not make a summer.
「1羽のツバメが夏をつくるわけではない; 早合点は禁物」➤兆候が1つあるからといって結論を急いではいけない, ということわざ.

Summertime and the living is easy.
「夏で暮らしは楽だ」➤ジョージ・ガーシュイン (George Gershwin) のオペラ『ポーギーとベス』(*Porgy and Bess*) の挿入歌「サマータイム」("Summertime") の出だしのことば. さまざまなところで引用されている.

suppose 仮定する; 思う

I suppose (so).↔I suppose not.
「そうだろうね↔違うんじゃない」➤はっきりとはわからないがそう思う, または思わないという場合に用いる. I guess (so).↔I guess not. とほぼ同じ.

Suppose I do? / Supposing I do?
「だったらどうだと言うの?」➤この反対に「もし私がそうしなかったらどうなるのか」という場合は Suppose I don't? / Supposing I don't? という.
Ex. A: Do you want me to set you up with Bill?
ビルといっしょの機会をセッティングしてもらいたいかい?
B: Suppose I do? What do we do next?
そうだと言ったら, その次はどうするの?

sure 確信して；確かな

Are you sure?
「**それは確かですか；ほんとうですか**」➤相手の発言を確かめる質問．それに対して「間違いありません」と強く肯定する場合には I'm very sure. や I'm positive. などと答える．

Don't be so sure. / Don't be too sure.
「**あまり決めつけないほうがいいよ**」➤Don't be so certain. に同じ．

Oh, sure!
「**そうでしょうとも**」➤強い調子で言い，相手のことばに対する不信や反発を表す．「もちろんです」の意味でも使われる．

Ex. A: I'm going to be on TV today. ぼくはきょうテレビに出るんだ．
B: Oh, sure! Why would you be on TV?
またまた．なんでテレビに出るのよ．

Sure. / For sure. / Sure thing.
「**もちろん；いいですよ；どういたしまして**」➤相手の質問や提案に同意する表現．お礼に対する返事としても使われる．Sure as shooting. ともいう．

Ex. A: Thanks for talking to Ben for me.
ベンに話をつけてくれてありがとう．
B: Sure. I just hope everything goes well.
いいえ．うまくいくといいね．

surprise 驚き；驚かす

I have a surprise for you.
「**驚かせることがあるの**」➤大ニュースがあるという場合や，プレゼントをするときなどに用いる．

I'm not surprised.
「**私は驚かない；当然でしょうね**」➤それは意外なことではない，という場合に用いる．

Ex. A: Did you hear that Alice and Hiroshi are getting married?
アリスと博が結婚するって聞いた？
B: I'm not surprised. They're a perfect match.
私は驚かないわ．2人はぴったりよ．

Surprise!
「**サプラーイズ!**」➤何も知らずにパーティーの会場に入った主賓に，「どう，驚いたでしょう」という意味でみんなが一斉にかけることば．不意のプレゼントをするときなどにも用いる．

Surprise me.
「**お任せするよ**」➤飲食物は何がいいですかと聞かれて，「私が驚くようなものを持って来て」という場合などに用いる．

Ex. A: Do you want me to bring anything to the barbeque?
バーベキューには何か持ってきたほうがいいかしら．
B: Surprise me. But I'll bring the drinks.

適当に任せるよ．でも，ぼくは飲み物を持ってくるよ．

Surprise, surprise.
「**こいつは驚いた**；さあ，驚かせるものがあるわよ」▶皮肉を込めて「これはこれは」とやや冷ややかに言うことが多い．意外な知らせを告げる場合に用いることもある．

Ex. A: Surprise, surprise! Here's that purse you lost five years ago.
驚かせるものがあるよ．はい，きみが5年前になくしたハンドバッグ．
B: Oh, my goodness! Where did you find it?!
あらまあ．どこで見つけたの?

What a pleasant surprise! / What a nice surprise!
「**なんてうれしい驚きでしょう**」▶意外な人が突然訪ねて来た場合などに用いる．皮肉で言うことも多い．

survival 生き残ること；生存

It's survival of the fittest.
「**適者生存だ**」▶競争社会で，その環境になじめないものは落伍するという状況を表す．もとはダーウィン (Darwin) の進化論における自然選択 (natural selection) の仕組みを指して使われた．

suspect 疑う；容疑者

I suspect (so).↔I suspect not.
「**そうじゃないかな↔違うんじゃないの**」▶はっきりとはわからないがそう思う，または思わないという場合に用いる．I guess (so).↔I guess not. とほぼ同じ．

Ex. A: Do you really think that Steve hates me?
ほんとうにスティーブは私のことを嫌いだと思う?
B: I suspect so. He's been spreading rumors about you.
そのようだね．きみのうわさを撒き散らしているもの．

Round up the usual suspects.
「**いつもの容疑者連中をしょっぴけ**」▶ハンフリー・ボガート (Humphrey Bogart)，イングリッド・バーグマン (Ingrid Bergman) 主演の映画『カサブランカ』(*Casablanca*, 1942) のラスト近く，ドイツ軍のシュトラッサー少佐がボガート演じるリック (Rick) に撃たれたとき，フランス警察署長のルイス (Louis) が部下に命じたことば．一般に，何か事件があったときに警察が日ごろマークしている連中を署に連行することを指して使われる．

[補足] 映画『ユージュアル・サスペクツ』(*The Usual Suspects*, 1995) の題名もここからとられている．

suspense 気がかり；緊張感；サスペンス

The suspense is killing me.
「**この緊張感で頭がおかしくなってしまいそうだ；はらはらどきどきしている**」▶どうなるのか気がかりでいても立ってもいられない，という場合に用いる．

Ex. A: Do you want to know who Midori is getting married to?
　　　ミドリがだれと結婚するか知りたい?
　　B: The suspense is killing me. うん, 知りたい, 知りたい.

swear 誓う

I swear.
「**誓うよ; 誓ってほんとうだよ**」➤(I) swear to God. (神に誓ってほんとうだ)などともいう. また, 相手に「誓うか」と聞く場合は Do you swear (to God)? などという.

Swear not at all.
「**一切誓いを立ててはならない**」➤新約聖書 (New Testament) の「マタイによる福音書」(Matthew 3:34) にあるイエス・キリスト (Jesus Christ) のことば.

sweat 汗 (をかく)

Don't sweat it.
「**心配ない; だいじょうぶ**」➤「それについて汗をかくな」が原義の俗語表現.
　Ex. A: I promise I'll pay you back on my next payday.
　　　　次の給料日に返すって約束するよ.
　　　B: Don't sweat it. Just pay me back when you have time.
　　　　心配しなくていいよ. 返せるときに返してくれればいいから.

Never let them see you sweat.
「**汗をかいているところを見せるな**」➤内心の不安などを相手に悟らせるな, という意味.

No sweat.
「**心配無用**; だいじょうぶ; お安い御用よ; どういたしまして」➤それは簡単にできるから安心しなさい, というような場合に用いる. お礼や謝罪に対する返事としても用いる. No problem. とほぼ同じ.
　Ex. A: Do you think you'll be able to finish this on Friday?
　　　　金曜日にはこれを仕上げられそうかな.
　　　B: No sweat. I'll probably have it done on Thursday.
　　　　だいじょうぶです. たぶん木曜にはできるでしょう.

swing 振り回す; 振る

Swing for the fences.
「**ホームランをねらえ; 一発大当たりをねらえ**」➤野球で「フェンス越えをねらってバットを振れ」ということから. 一般に「大きいのをねらえ; 山を当てろ」という意味でも用いる. また, Don't swing for the fences. (大物ねらいをするな) という表現もよく使われる.

sword 刀; 剣

Live by the sword, die by the sword.
「**剣に生きる者は剣に滅ぶ**」➤ことわざ. He who lives by the sword shall die by the sword. ともいう.

[補足] 出典は「マタイによる福音書」(Matthew 26:52)にあるイエス・キリスト (Jesus Christ)のことば. イエスをとらえようとやってきた大祭司の手下たちにイエスといっしょにいた者の1人が剣で切りかかり, 片耳を切り落とした. イエスは Put up again thy sword into his place: for all they that take the sword shall perish with the sword. (剣をさやに納めなさい. 剣を取る者は皆, 剣で滅びる)と言ってそれをいさめた.

system システム; 制度; 体制

All systems go. / All systems are go.
「**すべて準備完了**; いつでもOK」➤すっかり準備ができていつでも始められる, という場合に用いる. 宇宙ロケットなどが発射準備OKということから.

Ex. A: Our proposal starts at 3:00. Are we ready?
　　　私たちの企画は3時からよ. 用意はいい?
　　B: All systems go. いつでもOKです.

You can't beat the system.
「**体制にはかなわない**; お上には逆らえない」 [類似] You can't fight city hall.

T, t

ta-da, ta-dah じゃじゃーん

Ta-da!
「じゃじゃーん」➤すごいものを披露するよというときの発声.
Ex. A: I'm so excited to see you in your wedding dress.
あなたのウェディングドレス姿を見られるのでわくわくしているのよ.
B: Ta-da! Here it is. What do you think?
じゃじゃーん.これがそうよ.どうかしら.

take とる

All the good ones are taken.
「いい人にはみんな決まった相手がいる」➤恋人(または配偶者)のいない人がよく言うせりふ.

Don't take it out on me.
「私に八つ当たりしないで」

I have to take off (now).
「もう行かなくては」➤辞去するときの表現.相手に対して「あっちへ行け;失せろ」という場合は Take off. を用いる.
[補足] take off には「(飛行機が)離陸する;(跳躍競技で)踏み切る;(野球で走者が)スタートする;(一般に,急いで)立ち去る」などの意味がある.

I, ..., take thee ... to be my lawfully wedded wife.
「私…はあなた…を法律上の正式な妻とします」➤キリスト教の結婚式で新郎・新婦が結婚の誓い (wedding vow) として言うことば.教会や宗派によって多少異なるが,一般的なのは司祭が先に I, Jack, take thee Jill to be my lawfully wedded wife, to have and to hold from this day forward, for better, for worse, for richer, for poorer, in sickness and in health, to love and to cherish, till death do us part. (私ジャックはあなたジルを法律上の正式な妻とし,きょうこの日よりよいときも悪いときも,富めるときも貧しいときも,病めるときも健やかなるときも,死が2人を分かつまで共に過ごし,愛し,いつくしみます) などと言い,新郎に同じことばを繰り返させる.次に新婦に I, Jill, take thee Jack to be lawfully wedded husband ... (以下の文句は同じ) と言って,同じことばを繰り返させる.

Is this taken?
「この席は空いていますか」➤ Is this seat taken? に同じ.

Let me take you away from all this.
「ここからきみを連れ出してあげよう」▶ロマンス映画・小説のヒーローが不幸な境遇にあるヒロインに言うせりふ.

Take it back.
「いまのことばは取り消せ」

Take it from me.
「私の言うことを信用しなさい; 悪いことは言わないから」[類似] Trust me.
 Ex. A: How early should I get to the airport?
   空港にはどれくらい早く行ったほうがいいかな.
 B: Two hours is fine. Take it from me, I do this every week.
   2時間前で十分よ. 私は毎週行っているからわかるけど.

Take it or leave it.
「それを受け入れるか, さもなければあきらめなさい; いやならやめておくんだね」▶交渉で相手にどうするか最終決断を迫るような場合によく使われる.

Take that!
「思い知ったか; いい気味だ」▶それは自業自得だというような場合に用いる.
 Ex. A: Bob is being so nasty to me. ボブは私にすごく意地悪なのよ.
 B: Take that! You're getting what you deserve after how you treated him. 仕方ないね. 彼にひどい扱いをした報いだよ.

You can take that to the bank.
「それは間違いない」▶銀行に持って行っても受け取ってもらえるほど確実なものだ, ということから. テレビドラマ『刑事バレッタ』(*Baretta*, 1975–78) で主人公のバレッタがよく使うせりふ.

You can't take it with you.
「お金はあの世へは持っていけない」▶お金は生きているうちに有意義に使うべきだ, という意味のことわざ.

take-back, takeback 取り消し; 撤回

No take-backs.
「いったん言ったことを撤回することはできない; 待ったはだめよ」
 Ex. A: I wish I hadn't called her all those horrible names.
   彼女をあんなにひどくののしらなければよかったと思っているよ.
 B: No take-backs. She probably won't forgive you anytime soon. いまさら遅いわ. たぶんすぐには許してくれないでしょうね.

talk 話す(こと); 話

Are you talking to me?
「おれに話しているのか」▶一般に使われる表現だが, 映画『タクシードライバー』(*Taxi Driver*, 1976) で主人公のロバート・デニーロ (Robert De Niro) が鏡に向かって You talkin' to me? を繰り返すシーンが有名で, それをまねて用いられることが多い.

Don't talk back.
「口答えするんじゃない」➤親や教師などが子どもによく用いる.
Don't talk to me like that.
「そんな言い方しないで」➤相手が感情的になって声を張り上げたような場合に用いる. Don't talk to me that way. ともいう.
Don't talk with your mouth full.
「物をかみながらしゃべるんじゃないの」➤親が子どもによくこう注意する.
I'll talk to you soon/later.
「じゃあまた近いうちに/後で話しましょう」➤電話を切る前のあいさつ. Eメールでも使われる. Talk to you soon/later. ともいう.
I'm talking to you!
「あなたに話しているのよ」➤相手が自分の話を真剣に聞いてないときに用いる.
It's been nice/good talking to you.
「お話できてよかったです」➤相手と別れる前や電話を切る前に言うあいさつ. 省略表現で Nice/Good talking to you. ともいう.
It's just talk.
「口で言っているだけだ；話としてあるだけだ」➤実行や実体が伴わないことを表す.
- **Ex.** A: He keeps threatening to sue me.
  彼に訴えてやるって脅されているんだ.
  B: It's just talk. He doesn't have a case against you.
  口だけよ. 訴訟に持ち込めるようなことなんかないんだから.

Let them talk.
「言わせておけばいいよ」➤うわさなどは気にするなという場合に用いる. 状況に応じて Let him/her talk. などにもなる.

Look who's talking!
「よく言うよ；人のことを言えた義理か」➤「だれが話しているのか見てみなさい」が原義. そう言っている自分を客観的に見て, 反省しなさいということから.

[補足] ジョン・トラボルタ (John Travolta), カースティ・アレイ (Kirstie Alley) 主演のコメディー映画『ベイビー・トーク』(1989) の原題にも使われている.

Now you're talking.
「そうこなくちゃ；いいね；その意気だよ」➤相手がやっと自分の期待するようなことを言った場合などに用いる.「いまあなたは(筋の通ったことを)話している」が原義.
- **Ex.** A: I'm thinking of changing my sedan for a sports car.
  車をセダンからスポーツカーに替えようかと思っているんだ.
  B: Now you're talking! いいんじゃない, それ.

Talk about ...
「まったく…もいいところだ；…とはこのことだ」➤それは典型例のようなものだという場合に用いる.
- **Ex.** A: I'm being so patient. I've been waiting at this clinic for over two hours.
  まったく辛抱強くしていますよ. この医院で2時間以上待っているんですよ.
  B: Talk about being patient. I've been here for close to five hours.
  まさに辛抱強くしているってやつですね. 私なんか5時間近くになりますよ.

Talk is cheap.
「口先のことばに重みはない；口では何とでも言える」➤ ことばではなく行動が大事だという意味.「話は安っぽい」が原義.
- **Ex.** A: He promised to finish this job for us by next week.
    彼は来週までにこの仕事を仕上げるって約束したのよ.
  - B: Talk is cheap.
    口ではどうとでも言えるさ.

Talk to me.
「私に話して；はい, なんでしょう」➤「どういうことか私に言ってみて」という場合などに広く使われるが, 電話で Hello. の代わりのくだけた表現としても用いられる.
- **Ex.** A: Is that Ken? ケンかい.
  - B: Talk to me. はい, なんでしょうか.

We need to talk about something.
「話があるのですが」➤ 相手と相談することがあるという場合に用いる.

We never talk anymore.
「私たち, 会話がなくなっちゃったわね」➤ 特に倦怠(けんたい)期に入ったカップルや夫婦の間でよく交わされることば.

What are you talking about?
「いったい何を言っているの？；それはどういうことだい」➤ 話がよくわからない, またはそれはまったく的外れだというような場合に用いる.
- **Ex.** A: You could have called to say you were running late.
    遅くなるって電話くらいできるでしょう.
  - B: What are you talking about? I'm a half hour early.
    何を言っているのさ. 30分早いじゃないか.

Who do you think you're talking to?
「いったいだれに話をしているつもりだ；そういう口のききかたはないだろう」

Who do you want to talk to?
「どなたとお話になりますか」➤ 電話でだれに出てほしいのかを尋ねる表現.

You're all talk.
「口ばっかりなんだから」

You've no room to talk.
「あなたには(そのようなことを)言う資格はない」
- **Ex.** A: I can't believe you lost $100 betting on horses.
    競馬で100ドルも損したなんて信じられないわ.
  - B: You've no room to talk. Don't you lose $20 every week on the lottery?
    人のことを言えた義理かな. 毎週宝くじで20ドル損しているのはきみだろ.

tall (背が)高い

I feel ten feet tall.
「身長10フィート(約3m)になったようだ」➤ 自信がわいて気分最高だという比喩表現.

[補足] ボビー・ヘブ (Bobby Hebb) の歌「サニー」("Sunny" 1966) にもこの句が出てくる．

tall, dark and handsome
「**背が高くて，黒い髪で，ハンサムな**」➤女性が理想とする男性像．この dark は黒髪を指す．

taste 味；好み；味わう；味がする

Tastes differ.
「**好みは異なる；好みは人それぞれ；たで食う虫も好きずき**」➤ことわざで，「好みの問題だけど，私はあなたとは違う意見だ」という場合に使われることが多い．

Tastes great, less filling.
「**味はすばらしく，おなかにはそれほどたまらない**」➤1970−90年代，ビール醸造会社ミラーブルーイング (Miller Brewing Company) の低カロリービール，ミラーライト (Miller Lite) に使われた宣伝文句．

There's no accounting for tastes.
「**好みに説明はない；好みは人それぞれ**」➤人の好みは理屈ではないから，それについて議論しても始まらないという意味のことわざ．

ta-ta バイバイ（★幼児語）

Ta-ta.
「**バイバイ**」➤単に Ta. ともいう．

[補足] 映画『羊たちの沈黙』(*The Silence of the Lambs*, 1991) の続編『ハンニバル』(*Hannibal*, 2001) でハンニバル・レクターが何度も口にする．ディズニーアニメ『くまのプーさん』(*Winnie the Pooh*) でトラのティガー (Tigger) のせりふ Ta-ta for now. も有名で，TTFNという略語になっている．

teach 教える；懲らしめる

Don't try to teach your grandma to suck eggs.
「**おばあさんに卵の吸い方を教えるな；釈迦(しゃか)に説法をするな**」➤その分野について自分よりも知識・経験が豊富な人に知ったようなことを言うな，という意味のことわざ．Don't teach your grandmother how to suck eggs. ともいう．

That'll teach you!
「**これで懲りただろう**」➤第三者については That'll teach him/her. などという．

Ex. A: I can't believe you slapped me across the face.
　　　ぼくにびんたを食らわせるなんて信じられないな．
　　B: That'll teach you not to be rude to women.
　　　女性に失礼なことをしてはいけないってわかったでしょう．

You can't teach an old dog new tricks.
「**老犬に新しい芸を教えることはできない**」➤老人が新しいことを覚えるのは難しい，または長年の習慣はなかなか変えられないという意味のことわざ．

team チーム

There is no 'I' in team.
「チーム (という語) に I の文字はない」➤団体競技ではチームプレーの精神が大事だ,という意味.コーチが選手によくこういう.

tell 話す;告げる

Didn't I tell you?
「だから私が言ったのに」➤私の言うことにすなおに従っておけばよかったのに,という場合に用いる.「私はそう言わなかったでしょうか,いえ言ったでしょう」という反語.文字どおりに「言ってなかったかしら」の意味でも使われる.

Do tell.
「ぜひ話してください;あっそう;ほーっ」➤文字どおりの意味のほか,そんな話に関心はないというときに皮肉を込めて使われる.

> **Ex.** A: I probably shouldn't talk about my ex-boyfriend.
> 私の元カレのことは話さないほうがいいでしょうね.
> B: Do tell. I want to hear how he treated you.
> ぜひ話してよ.彼がきみをどんなふうに扱っていたのかぜひ聞きたいね.

Don't make me tell you again.
「同じことを何度も言わせないで」➤腹立ちを込めて用いる.Don't make me say it again. とほぼ同じ.

Don't tell anyone. / Don't tell a soul.
「だれにも言わないでね」➤ないしょ話の前や後に用いる.自分から「だれにも言わない」と約束する場合は I won't tell anyone. / I won't tell a soul. などという.

Don't tell me what to do.
「あれこれ指図しないで;うるさく命令しないでよ」

How many times do I have to tell you?
「いったい何回言えばわかるんだ;同じことを何度も言わせるな」➤相手が自分の命じたことをいつまでたってもやらない場合などに用いる.

I can tell.
「わかるよ;それは確かね」➤それは察しがつく,また相手のことばや自分のことばについて,それは間違いないという場合に用いる.

> **Ex.** A: How did you know that I was unhappy with my new job?
> どうしてぼくが新しい仕事に不満だってことがわかったの?
> B: I can tell. それくらいわかるわ.

I told you. / I told you so.
「だから (そう) 言ったじゃないの」➤私の言ったとおりだったでしょう,という場合に用いる.I told you. は「それについてはもう言ったじゃないか」という場合にも使う.
類似 Didn't I tell you? / What did I tell you?

I won't tell if you won't (tell).
「きみが黙っていれば私も黙っているよ」➤これは私たちだけの秘密にしておこうか,という場合に用いる.I won't tell if you don't (tell). ともいう.

If I've told you once, I've told you a thousand times.
「いったい何度言ったらわかるんだ；何度言っても答えは同じ；何度も言うようだけど」 ➤特に親が子どもをしかるときによく用いる．また，しつこく食い下がる相手に対して，さらに自分のことばを念押しするような場合にも使われる．「もし1回言ったら，1000回言ったことになる；1回言っても1000回言っても（私の言うことは）同じ」が原義．

I'll tell you what. / Tell you what.
「じゃあ，こうしよう；こうしたらどうだろう」 ➤提案するときの表現．
Ex. A: Can we please go to the store?
　　　　ねえ，お店に行ってもいいでしょう？
　　　B: I'll tell you what. If you finish all your homework before noon, I'll take you.
　　　　じゃあ，こうしましょう．午前中に宿題が終わったら連れてってあげる．

It's too soon to tell.
「断定するのは早すぎる；まだどうなるかわからない」

Let me tell you something.
「ちょっと言わせてもらおう」 ➤相手に助言や忠告を与えたりするときに使う．
Ex. A: Should I buy a hybrid car?
　　　　ハイブリッドカーを買ったほうがいいかしら．
　　　B: Let me tell you something. With the price of gas rising and emission laws tightening, it would be a wise purchase.
　　　　ぼくに言わせてもらえば，ガソリンが値上がりして排ガス規制法も強化されているから，賢明な買い物だろうね．

Tell it like it is.
「ありのままに言いなさい；率直に言いなさい」

Tell it/that to the Marines!
「ばかばかしい；うそつけ」 ➤そんな話はとても信じられないという場合に用いる．「それは海兵隊員に言え」が原義．

Tell me about it!
「まったくだ；本当にそうね」 ➤強く同意する表現．好ましくないことや腹立たしいことについて用いることが多い．Tell を強く発音する．⇨ **You're telling me.**
Ex. A: Working on New Year's Day sucks.
　　　　元日に仕事なんて嫌になるわね．
　　　B: Tell me about it! まったくよね．

Tell me another (one).
「何を言っているんだ；ばかも休み休み言え」 ➤「そいつは傑作だからもう1つ聞かせてくれ」という皮肉を込めた表現．
Ex. A: Our mayor is more concerned with telling the truth than with being re-elected. 私たちの市長は再選されることよりも本当のことを言うほうに関心があるのよ．
　　　B: Yeah right. Tell me another one. まったく何を言っているんだい．

There's no way to tell.
「まったくわからない」 ➤その質問には答えるすべがない，ということから．

What can I tell you?
「**どんなことでしょうか；返すことばもない**」 ➤「私に何が言えるでしょうか」という意味で，相手に質問があると言われたときの返事や，非難されても申し開きできないという場合などに使う．

What did I tell you?
「**だから言わないことじゃない**」➤私がなんと言ったか覚えていますか，私の言ったとおりでしょうという場合に用いる．What did I say? とほぼ同じ．

Ex. A: That diamond I bought turned out to be fake.
  私が買ったあのダイヤは偽物だってわかったのよ．
  B: What did I tell you? だから言ったのに．

You don't have to tell me twice.
「**1度言えば十分だよ**」➤相手が何か依頼したときなどに「承知したから，同じことを2度言わなくてもよい」という場合に用いる．

You tell me.
「**さあね；こっちが聞きたいよ**」➤「それはあなたが知っていることだから，あなたが話してください」という場合に用いる．それぞれの語を強く発音する．

You're telling me.
「**本当だね；まったくよね**」➤相手の言ったことに強く同意する表現．You're telling ME. と me を強く発音する．Tell me about it! と異なり，好ましいことについて使われることが多い．

Ex. A: That game was really exciting.
  あの試合は本当におもしろかったね．
  B: You're telling me. 本当だね．

---

territory 領土

It comes with the territory.
「**それはつきものだ**」➤その地位や仕事などにはそうした好ましくない要素がついて回るのはしかたがない，という場合に用いる．「それは領土とともに来る」が原義．It goes with the territory. ともいう．territory の代わりに turf も使われる．

Ex. A: I'm so tired. My newborn son kept me up all night.
  もうくたくた．赤ん坊のおかげで一晩じゅう眠れなかったわ．
  B: Yes, it comes with the territory. まあ，それはしかたないね．

---

thank 感謝(する)；お礼のことば(を言う)

A thousand thanks.
「**どうもありがとう**」➤ややくだけた言い方．Many thanks. とほぼ同じ．

I can't thank you enough.
「**いくら感謝しても感謝しきれません；お礼のことばもありません**」➤深く感謝するときのことば．How can I (ever) thank you? (どうお礼を言ったらいいのでしょう) / I don't know how to thank you. (お礼の言いようもありません) も同じように使われる．

Is this the thanks I get?
「これが私に対する感謝か」▶それはあまりにもひどいじゃないかという場合に用いる.
Ex. A: There's too much salt in this soup. このスープは塩を入れすぎね.
B: Is this the thanks I get for spending hours cooking your dinner? 何時間もかけてきみの夕食を作ったお礼がそのことばかい?

Many thanks.
「どうもありがとう」▶ややくだけた言い方. A thousand thanks. とほぼ同じ.

No, thank you. / No, thanks.
「いいえ, 結構です」▶相手の提案や申し出を断るときの表現. No, thank you. のほうが丁寧. 通例, No の後に少し間をおいて発音する.

No thanks to you.
「あなたのおかげではないけどね」▶よかったねなどと言われたときに, あなたは何もしなかったけど, または足を引っ張ってくれたけどねという意味で用いる.
Ex. A: Congratulations on winning the race! レースの優勝おめでとう.
B: No thanks to you. You said I'd never even cross the finish line. きみのおかげじゃないよ. 完走も無理だってきみは言ってたんだからね.

Thank God! / Thank goodness! / Thank heavens!
「それはよかった; やれやれ助かった」
[補足] 信心深い人は Thank God! のような表現は好まないので, Thank goodness! などを使うことが多い. ⇨ **Oh, my God!** (god の見出し参照)

Thank you.
「ありがとう; こちらこそ」▶感謝を表す最も一般的なことば. 「どうもありがとう」と意味を強めるときは Thank you very much. / Thank you so much. などを用いる. また, 相手が Thank you. と言ったときに, 「お礼を言うのはこちらのほうです」という意味でも用いる. この場合は Thank YOU. と you を強く発音する.
[補足] Thank you so much. を女性語としている英和辞典が多いが, 男性もふつうに使う. ⇨ **Thanks.**

Thank you again. / Thanks again.
「重ねてお礼を言います」

Thank you anyway. / Thanks anyway.
「でもありがとう; すみませんでした」▶適当なお礼のことばが見つからないけどお礼を言いますという場合や, こちらの望みを検討してくれたことに対して感謝します, というような場合に用いる. Thank you all the same. / Thank you just the same. や Thanks all the same. / Thanks just the same. もほぼ同じ.
Ex. A: Unfortunately I won't be able to meet you at the airport after all. 残念ながら空港にお迎えすることはできませんが.
B: Don't worry. Thanks anyway.
ご心配なく. どうもすみませんでした.

Thank you, but no thank you. / Thanks, but no thanks.
「せっかくですが遠慮しておきます; いえ結構です」▶誘いや申し出を断る表現.

Thank you for nothing. / Thanks for nothing.
「まったくありがたいこった」▶相手が役に立つことをしなかったような場合に用いる. 「何もないことに対してありがとう; あなたにお礼を言うことは何もない」が原義.

Ex. A: Sure I'll lend you the money. The interest will be 25%.
   もちろんお金は貸すさ. 利子は25%だよ.
B: Thanks for nothing. じゃあ結構だよ.

Thank you in advance. / Thanks in advance.
「**前もってお礼を言っておきます**; よろしくお願いします」➤頼みをするときに最後にそえることば.

Thanks.
「**ありがとう**」➤Thank you.のややくだけた言い方. 意味を強めるときには Thanks very much. / Thanks a lot. / Thanks a bunch. / Thanks a million. / Thanks a ton. / Thanks loads. / Thanks heaps. / Thanks awfully. などという.

[補足] Thanks. とその強意表現 (特に Thanks a lot. など) は「ありがたいこった」と皮肉を込めて使われることも多いので, 文脈や言い方に注意する必要がある. これは Thank you. の場合も同じ.

That's all the thanks I need.
「**それが何よりのお礼です**」➤感謝のことばなどなくても, 自分が役に立ったと知るだけで十分に報われるというような場合に用いる.

Ex. A: How can I ever thank you for all your extra tutoring?
   課外授業までしてくださって本当にお礼の言いようもありません.
B: I enjoyed watching you graduate. That's all the thanks I need. あなたが卒業するのを見られてよかったわ. それが何よりのお礼よ.

that それ; あれ; その; あの

That is that. / That's that.
「**それで終わり**; そういうことだ; それだけよ」➤それ以上言ったりしたりすることはない, という意味の表現. しばしば ... and that's that. (…と言ったら…だ) として文の最後に用いる.

Ex. A: Please, please, please can we go?
   ねえ, ねえ, 行ってもいいでしょう?
B: The tickets are too expensive, and that's that.
   入場料が高すぎるから, 絶対にだめ.

[補足] 過去のことについては That was that. (それでおしまいとなった), 未来のことについては That will be that. (それで終わりでしょう) となる. たとえば, 野球で打者が平凡なゴロやフライを打ったときに解説者が That will be that. (これでこの回はチェンジです) などと言ったりする.

That's it.
「**それだ**; もう我慢ならない」➤それが求めていた答えだという場合や, それで堪忍袋の緒が切れたという場合などに用いる. 後者の意味では That does it. / That tears it. ともいう.

then そのとき; それから; それなら

That was then, this is now.
「あの時はあの時, いまはいまだよ」➤前にはこう言っていたじゃないか, などと追及されたときの返事. That was then, and this is now. や単に That was then. ともいう.
- **Ex.** A: When we dated in high school you were so loud and rude.
  高校時代にデートしたときは, あなたはとてもうるさくて失礼だったわよ.
  - B: That was then, this is now. We've both grown and changed.
  あのころといまは違うよ. お互いに成長して変わったからね.

Till then. / Until then.
「ではまた (その時に)」➤別れのあいさつ. Goodbye till/until then. の省略.

there そこで; そこの

Are you there?
「ねえ, そこにいるの？; ねえ, 聞いているのかい」➤そこにいるのかという意味で, 特に電話で相手の声がしばらく聞こえなかったりしたときに用いる.

[補足] 電話で「ジョンさんいますか」と尋ねる場合には Is John there? などを用いる.

Be there or be square.
「そこにいるか堅物でいなさい」➤パーティーなどへの参加を呼びかけるときに用いる. there と韻を踏む square を使って「堅物と思われるのがいやだったらみな来なさい」という意味を込めたもの.

Because it is there.
「なぜならそれがそこにあるから; そこに山があるから」➤イギリスの登山家ジョージ・マロリー (George Mallory) が「なぜエベレスト山に登ろうとするのか」と聞かれたときの答え.

I'll be right there.
「すぐ行きます」➤ Be right there. ともいう. [類似] I'm coming. / I'm on my way.

I'll be there for you.
「私はあなたのためにそこにいます」➤あなたが必要とするときにはいつでも私は力になります, という意味の表現.

[補足] テレビの人気コメディー『フレンズ』(*Friends*, 1994−2004) のテーマソングの題名として有名 (歌っているのはレンブランツ Rembrandts).

I've been there.
「私にも経験がある」➤私も同じことを経験しているからあなたの言うことはよくわかる, という場合に用いる.「そこにいたことがある」が原義.
- **Ex.** A: I'm finding it so hard to quit smoking. 禁煙は本当に難しいね.
  - B: I've been there. I quit two years ago, and it was the hardest thing I've ever done. 私もそうだったわ. 2年前に禁煙したんだけど, あんな大変な思いは初めてだったわ.

There.
「そこだよ; ほらね」➤そこにあるという場合や, 私の言ったとおりでしょうという場合に用いる.

There it is. / There they are.
「あっ，そこにあった」 ➤捜し物が見つかったときに用いる．

There you are.
「はいどうぞ；そこにいたのか；ほらね；そういうわけだ」 ➤ものを手渡すとき，捜していた人を見つけた場合，私の言ったとおりでしょうという場合などに用いる．また，そういう事情だけど仕方がないというときにも使われる．

Ex. There you are. Enjoy your meal.
　　はいどうぞ．お食事をお楽しみください．

Ex. A: I missed the deadline. 締め切りに遅れちゃったわ．
　　B: There you are. I told you it would take longer than one hour.
　　　ほらね．1時間以上かかるって言ったのに．

There you go.
「はいどうぞ；ほらね；そうその意気だ；またそれだ」 ➤ものを手渡す場合，私の言ったとおりでしょうという場合，その態度でいいと褒める場合などに用いる．また，There you go again. と同じ意味でも使われる．

There you go again.
「またそれだ；また始まった」 ➤相手がいつものように文句を言ったような場合に用いる．第三者について There he/she goes (again). ということもある．

Ex. A: I promise I'll quit smoking and drinking by next month.
　　　来月までにはタバコも酒もやめるよ．
　　B: There you go again. Making promises you can't keep.
　　　またそれだ．守れもしない約束しちゃって．

There, there.
「よしよし；いいからいいから；いい子だ」 ➤特に泣いている子どもを慰めるときによく使われる．

You had to be there.
「その場にいなかった人にはわからないかな」 ➤実際にあったおもしろい話などを人に話して聞かせたとき，相手がそのおもしろさを理解しなかった場合などに用いる．「そこにいるべきだった (そうすればわかるのに)」ということから．

thin　細い；やせた

Nothing tastes as good as thin feels.
「やせた感じほどおいしいものはない」 ➤どんな食べ物も，やせているときに味わう気分にはかなわない，という意味．減量に成功した人がよく用いる．Nothing tastes as good as being thin feels. ともいう．また thin の代わりに skinny, slim なども使われる．

thing　もの；こと

Here's the thing.
「実はこういうことなんだ」 ➤事情を説明するときに用いる．

Ex. A: You owe me $25.00 for your share of the bill.

私が立て替えておいたあなたの分は25ドルよ．

B: Here's the thing. I left my wallet at home. Can I pay tomorrow? 実は財布を家に忘れてきちゃったんだ．あしたでもいいかい．

How are things? / How're things going?

「**調子はどうだい；景気はどうだい**」➤あいさつで，全般的な状態について尋ねる質問．特に「あなたのほうはどうですか」という場合には How're things with you? という．

Ex. A: Welcome back from vacation. 休暇からお帰りなさい．
B: Thanks. How are things? ありがとう．で，どんなようすですか．

One thing led to another.

「**あれやこれやがあって；なんだかんだしているうちに**」➤詳しい経緯を省略する言い方．しばしば One thing led to another and ... として最終的な結果を述べる．

Things are never as bad as they seem.

「**物事は思ったほど悪くはないものだ**」➤どんなに悪く見える場合でも，実際にはそれほどひどくはないという意味で使う．Nothing is as bad as it seems. ともいう．

Things happen.

「**いろいろある；何事もないというわけにはいかない**」➤何があったのか具体的な説明を避ける場合や，予期せぬことは起こるものだという場合などに用いる．

Ex. A: Why are you home from school so late?
学校から帰るのにどうしてこんなに遅くなったの?
B: Things happen. いろいろあるんだよ．

---

think 考える（こと） thinking 考える；思考

Are you thinking what I'm thinking?

「**あなたも私と同じことを考えているのですか；ひょっとしたらひょっとするかしら**」➤その場の状況から想像されることを相手も感じ取っているのかと尋ねる表現．

Ex. A: Paul and Mary have been talking to each other all evening.
ポールとメアリーはずっと2人だけで話しこんでいるね．
B: Are you thinking what I'm thinking?
もしかしたらもしかするのかしら．

Don't even think about it.

「**妙なことは考えないことね；縁起でもないことは考えないで**」➤相手のしようとしていることを察してくぎを刺す場合や，そんな不吉なことは考えるなという場合に用いる．

Ex. A: Tomorrow I'll just call in sick to work and go fishing with Tom.
あしたは具合が悪いから休むって会社に電話して，トムと釣りに行くんだ．
B: Don't even think about it. ばかなことは考えないことね．

First think, then speak.

「**よく考えてからものを言いなさい**」➤ Think before you speak. とほぼ同じ．

Good thinking.

「**いい考えだね；名案だね**」[類似] Good idea.

Ex. A: We should pack our suitcases tonight so we don't have to rush in the morning. あすの朝あわてなくてすむように, スーツケースは今夜のうちに荷造りしてしまいましょうよ.

B: Good thinking. 名案だね.

I think so. ↔ I don't think so.
「私はそう思います↔私はそうは思いません」 ➤ I don't think so. の代わりに I think not. ということもある.

I think, therefore I am.
「**我思う. ゆえに我あり**」 ➤ フランスの哲学者デカルト (Descartes) のことば. ラテン語の Cogito, ergo sum. も使われる.

I thought as much.
「そうだろうと思った; そんなことだろうと思った」

Ex. A: Sally has come down with a cold.
サリーはかぜでダウンしちゃったわ.

B: I thought as much when I saw how she looked yesterday.
きのうのようすからして, そうだろうと思ったよ.

I thought so.
「そうだと思った; やっぱりね」

I wasn't thinking.
「**軽率でした; どうかしていたんだ**」 ➤ よく考えずにものを言ったりやったりしてしまった, と相手に謝罪または説明する場合に用いる.

Ex. A: How could you serve them wine? You know they don't drink alcohol? どうして彼らにワインを出したのよ. アルコールを飲まないのは知っているでしょう.

B: I just wasn't thinking. ついうっかりしていたんだ.

I'm just thinking out loud.
「**独り言だよ; なんでもない, こっちの話**」 ➤ 相手に聞き返されたときの返事.「声に出して考えているだけ」が原義. I was just thinking out loud. と過去形も使う.

It's not what you think.
「**あなたの考えているようなことではない; 誤解しないで**」 ➤ 相手の勘ぐりを否定したり, 浮気の現場など都合の悪いところを見られて言い訳するときなどによく使われる.
[類似] It's not what it looks like.

Ex. A: You seem to spend a lot of time with Susan.
あなたはスーザンといっしょにいることが多いようだけど.

B: It's not what you think. 勘ぐりすぎだよ.

Just as I thought.
「思ったとおりだ; やっぱりね」 ➤ 自分の予想していたとおりの展開だという場合に用いる. That's what I thought. (そうだと思った) より強調的.

Think about it. / Just think about it.
「(考えるだけでも) **考えておいて**」 ➤ 「(それについては) 考えさせてください」という場合には Let me think about it. という.

Think before you speak.
「話す前に考えなさい; よく考えてからものを言いなさい」

Think nothing of it.

「どういたしまして；それくらいなんでもありません」 ➤お礼や謝罪に対する返事．「それについてはなんでもないことと思いなさい」が原義．

What do you think?
「どう思いますか」 ➤意見や感想を尋ねる表現．「それについてどう思うか」は What do you think about it/that? や What do you think of it/that? という．
- **Ex.** A: France would be nice for our next vacation. What do you think? 次のバケーションはフランスなんていいわね．どうかしら．
  - B: I don't know. Neither of us speaks French.
    どうかな．ぼくたち2人ともフランス語を話せないしね．

What makes you think so?
「どうしてそう思うのですか」 ➤Why do you think so? ともいう．

What was I thinking?
「まったくどうかしていたわね；これは気がつきませんで；私としたことが」 ➤われながらどうかしていた，浅はかだった，気配りが足りなかったなどと反省する場合に用いる．
- **Ex.** A: You brought Jill to Jane's party? Don't you know they can't stand each other? ジェーンのパーティーにジルを連れて行ったの？ あの2人は犬猿の仲だってこと知らなかったの？
  - B: Oh dear. What was I thinking? いやあ，まったくどうかしていたね．

[補足] 相手に対しては What were you thinking? (何考えていたのさ)，第三者については What was he/she thinking? (何考えていたのかしら) などという．

What will people think?
「人はどう思うだろう；人はどう言うかしら」 ➤ほかの人がそれを知ったときの反応が気になる，という場合に用いる．

Who would/could have thought?
「これは驚いた；意外や意外だ」 ➤それはだれが考えることができたろうか，いやだれも考えつかなかったような驚くべきことだ，という反語表現．thought の後に目的語を伴うこともある．
- **Ex.** A: He quit his job to do volunteer work in Africa.
    彼はアフリカでボランティアをするために仕事を辞めたよ．
  - B: Who would have thought it? それは驚きね．

You've got another think coming.
「考え直したほうがいいよ」 ➤If that's what you think, you've got another think coming. (もしあなたの考えているのがそういうことだったら，別の考えをやって来させることだ) のように用いる．「別の考えをもって来させなさい」が原義．

[補足] think を名詞として使うのは誤用のように感じられるため，これを修正した You've got another thing coming. という表現もよく使われる．

---

thought　考え；思考；思想；思いやり

Don't give it a second thought.
「それは2度と考えるな；忘れなさい；気にするな」 ➤そんな考えは捨てなさいという場合や，お礼や謝罪に対する返事として用いる．Don't give it another thought. ともいう． Don't give it a thought. (そのことは考えるな) もほぼ同じように使わ

れる.

It's just a thought.
「1つの考えとして言ってみただけよ」➤そういうのもどうかなって思って軽い気持ちでそう言った/聞いただけだ,という場合に用いる.

It's the thought that counts.
「大事なのは気持ちだから; 気は心」➤相手の好意などがよい結果を出さなかったときや,相手からもらった贈り物があまり好ましいものでなかった場合に用いる.

That's a thought. / It's a thought.
「それも考えられるね; それはいいね」➤相手の提案などを評価する場合に用いる.

There's a thought.
「それも考えられる; それはいいね; こうしたらどうだろう」➤That's a thought. と同じ.また,何かアイデアが浮かんだような場合にも用いる.

> **Ex.** A: Why don't you draft two completely opposite proposals and let the client decide?
> 正反対の企画書を2つ書いてクライアントに選ばせたら?
> B: There's a thought. それはいいね.

thousand　1000 (の)

One one thousand, two one thousand, three one thousand, ...
「いーち,にーい,さーん,…; ひとーつ,ふたーつ,みーっつ,…」➤ゆっくり数を数えるときの言い方.one thousand という語句を挿入することによって時間がかかるようにしたもの.One Mississippi, two Mississippi, three Mississippi, … / One hippopotamus, two hippopotamus, three hippopotamus, …ともいう.特にこの数え方で秒数を知ることができると言われていて,実験でもほぼ正確だと確かめられたという.

three　3 (の)

All good things come in threes.
「よいことはみな3つずつやってくる; 2度あることは3度ある」➤よいことは3回続くということわざ.All bad things come in threes. (悪いことはみな3つずつやってくる)ということもある.なお,3を区切りとする考えは,The third time is the/a charm. (3度目の正直)などの表現にも見られる.

tick-tock　チクタク (★時計の音)

Tick-tock.
「早くしてよ」➤ややいらだちを込めた言い方.「時間は刻々と過ぎているよ」ということから.Tick-tock, tick-tock. ともいう.

> **Ex.** A: I'm not finished with my makeup. まだメークが終わらないの.
> B: The guests will be arriving any minute. Tick-tock, tick-tock.

もうお客さんが着く時間だよ. さあ早くしてよ.

time 時間;時;時代;回数;タイム

A good time was had by all.
「**全員が楽しいひと時を過ごした**」➤パーティーなどについて使われる常套表現.

A time to be born and a time to die.
「**生まれる時, 死ぬ時**」➤旧約聖書 (Old Testament) の「コヘレトの言葉」(Ecclesiastes 3:2) のことば. To every thing there is a season, and a time to every purpose under the heaven : A time to be born, and a time to die; a time to plant, and a time to pluck up that which is planted; (何事にも時があり, 天の下の出来事にはすべて定められた時がある. 生まれる時, 死ぬ時, 植える時, 植えたものを抜く時) という文脈で出てくる. ➪ **To every thing there is a season.** (season の見出し参照)

Any time.
「**いつでもどうぞ;どういたしまして;お安い御用です**」➤いつでも構いませんという場合や,「いつでも喜んでお役に立ちます」という意味でお礼に対する返事として用いる. Anytime ともつづる.

Ex. A: Thanks for helping with my math homework.
数学の宿題を手伝ってくれてありがとう.
B: Any time. You always help with me with social studies.
どういたしまして. 社会科はいつも手伝ってもらっているからね.

Do you have time?
「**お時間はありますか**」➤ちょっと相談があるという場合などに用いる.

Don't waste your time.
「**自分の時間を浪費するな;やるだけ時間のむだだよ**」➤「あなたのやっていることは時間のむだだ」と注意するときは You're (just) wasting your time. という. また, Don't waste my time. (くだらないことで人の時間をむだにしないでくれ) という表現もある.

Give it time.
「**もうしばらくようすを見なさい;もう少し待ちなさい**」➤結論を急ぐな, しばらく辛抱しなさいという場合に用いる.「それに時間を与えなさい」が原義.

Have a good time.
「**楽しんできなさい**」➤good の代わりに great/nice/wonderful なども使われる.

Having a wonderful time; wish you were here.
「**すごく楽しい時を過ごしています. あなたもいっしょだといいのに**」➤旅行に行った人が家族などに宛てて出す絵葉書に書く文句.

Is this a bad time?
「**いまは都合が悪いですか;お取り込み中ですか**」➤相手が忙しそうだったときに, いまはおじゃましないほうがいいかと尋ねる表現.

It's about time.
「**やっとその時が来たか;やっとその気になったか**」➤「いまはだいたいその (そうなるべき) 時だ」という意味で, こうなるのは遅いくらいだったという場合に用いる. この後に文

> を続けることもある．About time. ともいう．
>
> **Ex.** A: I'm sorry it took so long to return the sweater I borrowed.
> 借りていたセーターを返すのがずいぶん遅くなってごめんなさい．
> B: It's about time. I was beginning to think you'd forgotten. やっと返してもらえたわね．もう忘れちゃったんじゃないかって思っていたところよ．

It's only a matter of time.
「後は時間の問題だ」➤遅かれ早かれいずれそうなる，という場合に用いる．

Let the good times roll.
「これからお楽しみの始まりだ」➤パーティーなどを始めるときに用いる．「よい時代を動き出させよう」が原義．

Look at the time.
「あ，もうこんな時間だ」➤こんな時間になっているとは気づかなかった，もう帰らなくてはというような場合に用いる．Look at the clock. ともいう．

Maybe next time. / Maybe some other time.
「じゃあ，この次/またの機会ということで」➤飲み会などに誘われて今回は都合が悪いと断るときの表現．逆に，自分から誘って相手に断られたときにも使う．

Ex. I'd really enjoy having lunch with you, but today it's just not possible. Maybe next time.
お昼をいっしょにしたいところなんだけど，きょうは都合が悪いわ．また今度にしましょう．

So much to do and so little time.
「やることはいっぱいあるのに時間は少ししかない」➤So much to do, so little time. ともいう．[類似] There aren't enough hours in the day.

[補足] 双子の人気アイドル，オルセン姉妹（Mary-Kate and Ashley Olsen）主演のテレビコメディー『ふたりはお年ごろ』の原題が *So Little Time*（2001）だった．

Take your time.
「あわてなくていいから」➤ゆっくり時間をかけてやりなさい，という場合に用いる．

The time is ripe.
「機は熟した」

There's a time and a place for everything.
「何事にもしかるべき時と場所がある」➤時と場所をわきまえて行動すべきだ，というような場合に用いる．

Time. / Time out.
「ちょっと待った；タイム；たんま」➤スポーツ以外にも広く一般に使われる．

Ex. A: And another thing, you should have called to apologize this morning. もう1つ，きみはけさ電話して謝るべきだったね．
B: Time out. If you would just give me a chance, I'm sure I can explain everything.
ちょっと待った．機会を与えてくれさえしたら全部ちゃんと説明できるよ．

Time waits for no man.
「時間はだれも待たない；歳月人を待たず」➤時間をむだにするな，または好機を逃すなという意味のことわざ．Time and tide wait for no man.（時と潮はだれも待たない）ともいう（この tide はもとは「時間」の意味だったという）．

Time flies.

「時間/月日がたつのは速い; 光陰矢のごとし」➤意味を強めて How time flies. / My, how time flies. / Time does fly. などともいう. この応用例の Time flies when you're having fun. (楽しいと時間がたつのが速い) はよく使われる.

[補足] 日本でよく知られている Time flies like an arrow. は日本語のことわざ「光陰矢のごとし」の英語訳で, 機械翻訳 (machine translation) などで自然言語を解析する際の困難を示す典型例として持ち出される. 例えば, 構文的には「時間虫 (Time flies) は矢が好きだ」や「ハエを矢のように時間計測せよ」という解釈も成り立つが, この文がそうした意味でないことをいかにして機械に理解させるかが大きな問題になる.

Time heals all wounds.

「時はすべての傷をいやす」➤ことわざ. Time heals. ともいう. Time is a great healer. (時は偉大な治療者だ) もほぼ同じ.

Time is money.

「時は金なり」➤時間はお金と同じように貴重だという意味のことわざ.

Time is of the essence.

「時が肝要だ」➤時間をむだにできない, すぐにまたは期限内に行動しなくてはいけないという場合に用いる. 契約書などで「期限厳守」の意味で使われる.

Time is running out.

「時間が残り少なくなっている; もうあまり時間がない」

Time is up.

「時間です; はいそれまで」➤競技や試験などで, 制限時間の終了を知らせることば. しばしば Time's up. と発音される.

Time marches on.

「時間はどんどん進んでいく」➤時間は容赦なく過ぎていくという意味.

Time will tell.

「時がたてばわかるだろう; いずれわかる」➤ Only time will tell. (それは時がたたないとわからない) ということも多い. [類似] Blood will tell.

Times are changing.

「時代は変わっているんだよ」➤世の中はどんどん変化しているという意味.

What time is it?

「いま何時ですか」➤時間を尋ねる最も一般的な表現. 同じ意味で Do you have the time? や What time do you have? も使われるが, 前者は「時計をお持ち

ですか」，後者は「あなたの時計では何時ですか」という含みがある．いずれの場合も It's three twenty-five. (3時25分です) のように答えてよい．

You can't turn back the hands of time.
「時計の針を逆戻りさせることはできない；時間を元に戻すことはできない」 ➤ You can't turn back the clock. に同じ．

timing タイミング

Timing is everything.
「**タイミングがすべてだ**」 ➤ いつ行動するかを見極めることが肝心だ，という意味のことわざ．It's all about timing. ともいう．

toast トースト；乾杯 (の祝辞)

Let's make a toast.
「**乾杯しましょう**」 ➤ 人の成功や幸せなどを祈って乾杯するときに用いる．

Ex. A: Let's make a toast to friendship. 友情を祝して乾杯しよう．
　　　B: To friendship. 友情に乾杯．

You're toast!
「**ただじゃすまないよ；ひどい目に遭わせてやるからね**」 ➤ そんなことをしたらひどい罰を受けるよ，という忠告または脅しのことば．自分や第三者について I'm toast. / He's toast. などということもある．おそらく，パンがトースターで焼かれるのと同じような思いをすることになる，ということから．

Ex. If you read my diary again, you're toast!
こんど私の日記を見たらただじゃおかないわよ．

today きょう；現代

Today is the first day of the rest of my life.
「**きょうは残りの人生の最初の日だ；きょうからまた新しい日が始まる**」 ➤ きょうからまた出直しだ，という場合に用いる．Tomorrow is the first day of the rest of my life. (あしたからまた出直しだ) ともいう．

tomorrow あした；明日

Don't put off till/until tomorrow what you can do today.
「きょうできることをあすに延ばすな」▶やるべきことは先延ばしにせずにやりなさい、という意味のことわざ．Don't の代わりに Never も使われる．

There's always tomorrow.
「いつでもあしたがある；きょうで終わりというわけじゃない」▶きょうはだめでもまたあしたがある、という場合に用いる．また、きょうはよくてもあしたはどうだからわからない、という意味で使われることもある．

There's no tomorrow.
「あしたはない；もう後がない」▶特にスポーツの勝ち抜き戦で、きょう負ければおしまいだという場合によく使われる．

Tomorrow is another day.
「あしたはまた別の日だ；あしたからまた新しい一日が始まる」▶あしたからまた出直そう、という場合に用いる．

[補足] マーガレット・ミッチェル (Margaret Mitchell) の小説『風と共に去りぬ』(*Gone With the Wind*) およびその映画化作品のラストで、スカーレット・オハラ (Scarlett O'Hara) が言うことばとして有名．

Tomorrow is the first day of the rest of my life.
「あしたは残りの人生の最初の日だ；あしたからまた新しい日が始まる」▶あしたからまた出直しだ、という場合に用いる．Today is the first day of the rest of my life. (きょうからまた出直しだ) ともいう．

Tomorrow will be better.
「あしたはもっとよくなるさ」▶自分や相手を慰めることば．

Who knows what tomorrow will bring?
「あしたがどうなるかだれにもわからない；あしたはあしたの風が吹く」▶「あしたが何をもたらすかだれが知っているだろう、いやだれもしらない」という反語表現．tomorrow will bring の代わりに tomorrow may bring なども使われる．

tongue 舌

Bite your tongue.
「黙りなさい」▶そんなこと言うな、と相手をたしなめる表現．「舌をかめ」が原義．

Ex. A: I'm going to tell your sister that she is too strict with her son. きみのお姉さんは子どもに厳しくしすぎるって言うつもりだよ．
B: Bite your tongue. We don't want any family feuds. 余計なことは言わないで．家族の仲が気まずくなると困るから．

Have you lost your tongue?
「舌がなくなったの?」▶押し黙っちゃってどうかしたのか、という場合に用いる．[類似] Cat got your tongue?

Hold your tongue!
「もう黙れ」▶もうたくさんだ、それ以上言うなという場合に用いる．

Slip of the tongue.
「言い間違えました」➤言おうとしていたことと違うことが口に出てしまったという意味で、日本語の「口を滑らせる」とは少し意味がずれる.

Watch your tongue.
「口に気をつけなさい」➤相手が悪いことば遣いをしたり、生意気な口をきいたりしたときにいう. Watch your language. / Watch your mouth. に同じ.

top 最高部；頂上；上回る

I can't top that.
「こっちのはそれほどでもない；負けた」➤交渉で条件提示をする際やジョークなどを言い合う際に用いる. I can't beat that. とほぼ同じ.

I'm on top of it.
「ちゃんとわかっているから；すぐにやります」➤私は事態をしっかり掌握している（だから心配しないで）、それについてはよく知っているという場合などに用いる. また、仕事などを引き受ける返事としても使う.

Ex. A: The client wants a draft of our report by tomorrow morning.
クライアントはレポートの草稿をあしたの午前中までにほしいって言っているんだけど.
B: I'm on top of it. I already e-mailed you an outline.
だいじょうぶです. すでに概略をメールでそちらに送ってあります.

Top that.
「これよりすごいのを出せるかい；こんなことってあるかい」➤「これを上回ってみせろ」と挑発的に言うことば. また、これは常識外れもいいところだと念を押すような場合にも使う. Beat that. とほぼ同じ.

You can't top that.
「これにはかなわないだろう；こんなのどこにもないよ」➤You can't beat that. とほぼ同じ.

tough かたい；タフな；やっかいな

That's tough. / Tough.
「それは困ったね；それはついてないね；それはお気の毒さま」➤相手に同情するときの表現. また、残念だけどしかたないよ、という場合にも用いる.

Things are tough all over.
「どこを見回しても状況は厳しい；どこもみな大変なのよ」➤大変なのはあなたばかりじゃないよ、という場合に使われることが多い.

Ex. A: We are trying to finance our daughter's college tuition.
うちはもう娘のために大学の学費のお金を準備しようとしているのよ.
B: Things are tough all over. Everyone these days has to borrow to afford private education.
大変なのはどこも同じよ. 最近ではみんな私立の教育のためにローンを組まなくちゃいけない状態だもの.

trash くず；がらくた；ごみ

One man's trash is another man's treasure.
「甲のごみは乙の宝；捨てる神あれば拾う神あり」➤人の好みはそれぞれだから，ある人にとってはごみでしかないものがほかの人にとっては宝物となる，という意味のことわざ．ガレージセールやリサイクル品店などでよく聞かれる．One man's garbage is another man's treasure. などともいう．

travel 旅行（する）

Have ..., will travel.
「…があれば優雅な暮らしができる；…があれば思いのままだ」➤Have money, will travel.（お金があれば思いのままだ）のように用いる．
[補足] 昔のテレビ番組に *Have Gun, Will Travel*（1957-63，邦題『西部の男パラディン』）という西部劇があった．主人公のパラディン (Paladin) は普段はホテルで優雅に暮らし，依頼があればどこにでも出向くガンマンで，Have Gun, Will Travel（銃あり，出向きます）と書いた名刺を持っている．ここから gun の部分を入れ替えて，それがあればパラディンのように優雅に暮らせるという意味で広く一般に使われるようになったものと思われる．

I took the one less traveled by.
「人があまり通ってないほうの道を選んだ」➤アメリカの詩人ロバート・フロスト (Robert Frost) の詩 "The Road Not Taken"（通らなかった道）の最後の連の一節．森の中の道が二股に分かれているのを見て，どちらを行くか迷ったという情景がうたわれている．この句から the road less traveled（人があまり通ってないほうの道；非主流の道）という表現がよく使われる．

trouble 問題；もめごと；悩ます

Don't borrow trouble.
「わざわざめんどうに巻き込まれるな；取り越し苦労はするな」➤人のもめごとに自ら進んでかかわったり，まだ生じていない問題に心を悩ますなという場合に用いる．「問題を借りるな」という原義から，悪徳貸付問題キャンペーンの標語にも使われる．

Don't trouble trouble until trouble troubles you.
「問題に悩まされるまでは問題を悩ますな；取り越し苦労はするな」➤Don't, until の代わりにNever, till も使われる．[類似] Let's cross that bridge when we come to it.

It's not worth the trouble.
「そこまでしなくてもいい；それには及ばない」➤わざわざそうする価値はないという意味で，相手がこうしようかなどと聞いたときの返事にも用いる．

It's no trouble.
「お安い御用です」➤相手の依頼などを快く引き受けるときに用いる．No trouble. ともいう．

Please don't go to any trouble.

「お手を煩わさないでください；どうぞお構いなく」▶相手がこうしてあげましょうか，などと言ったときの返事．Please don't go to any trouble for me. などともいう．「めんどうなことはいっさいしないでください」が原義．

Trouble in paradise.
「楽園に問題発生」▶熱々のカップルに問題が生じたのを見たような場合にいう．しばしば Uh-oh, trouble in paradise.として用いる．Uh-oh, trouble in paradise? (何か問題があったのかい) と聞くことも多い．

> **Ex.** A: Last night Mary and I got in a fight about buying a new car. We usually never argue. ゆうべ新しい車を買うかどうかでメアリーとけんかしてね．けんかなんてめったにしないんだけど．
> B: Uh-oh, trouble in paradise. 甘い結婚生活に問題発生かな．

[補足] エルンスト・ルビッチ (Ernst Lubitsch) 監督の1932年のラブコメディー映画『極楽特急』の原題にも使われている．

Troubles never come singly.
「トラブルは単独では来ない；泣きっ面に蜂(は5)；降れば土砂降り」▶悪いことは重なるという意味のことわざ．Misfortunes never come singly/alone. ともいう．
[類似] It never rains but it pours.

What seems to be the trouble?
「どうしました；何かお困りですか」▶医者が患者を診るときに尋ねる質問．また一般に，困っているようすの人に声をかけるときにも用いる．What seems to be the problem? ともいう．

You're asking for trouble.
「問題が起きるのは目に見えているよ」▶そんなことをしたら大変なことになるよ，という忠告．しばしば If you ... (もし…したら) という句の後 (または前) に用いる．

trust 信用する

Don't trust anyone over 30.
「30歳以上の人間はだれも信用するな」▶ヒッピー文化の中で生まれた表現という．30歳以上 (正確には30歳より上) は既成概念に捕らわれた，体制側の人間だということから．

Trust me.
「私の言うことを信用して；悪いことは言わないから」▶心配しないでという場合や，自分の忠告をすなおに聞いたほうがよいという場合などに用いる．Trust me on this one. (この点は私の言うことに間違いはないよ) ということも多い．

Trust no one.
「だれも信用するな」▶一般に使われる表現だが，特にテレビドラマ『X-ファイル』(*The X-Files*, 1993−2002) のメッセージとして知られる．

truth 真実；真理

Ain't it the truth?
「まったくだね」▶相手に強く同意するときの俗語表現．「それは真実ではないだろう

か(いや, まったく真実だ)」という反語.
> **Ex.** A: Children these days don't know the meaning of hard work.
> 最近の子どもは努力の意味を知らないわね.
> B: Ain't it the truth? まったくそのとおりね.

[補足] ニール・ヤング (Neil Young) ほかの歌の題名にも使われている.

It is a truth universally acknowledged that ...
「…ということは普遍的に認められた真実だ」➤それは世に知られたことだという場合の表現. イギリスの作家ジェーン・オースティン (Jane Austen) の小説『自負と偏見』(*Pride and Prejudice*) の書き出しのことば It is a truth universally acknowledged, that a single man in possession of a good fortune, must be in want of a wife. (大きな財産をもった独身男性は妻を必要としているはずだ, ということは広く認められた真実だ) から.

Nothing could be further from the truth.
「それ以上真実から遠いものはない; それはまったくの言いがかりだ」➤相手のことばなどを強く否定する表現.

Tell the truth and shame the devil.
「本当のことを言って悪魔を恥じ入らせなさい; 正直の頭に神宿る」➤いつでも正直に本当のことを言いなさい, という意味のことわざ. Speak the truth and shame the devil. ともいう.

tell the truth, the whole truth, (and) nothing but the truth
「真実を, すべての真実を, 真実のみを述べる」➤法廷などで証言させるときに誓わせることばの一部.

[補足] 証言台に座った証人は左手を聖書の上に置き, 右手を上げて, Do you swear to tell the truth, the whole truth, (and) nothing but the truth, so help you God? (あなたは真実を包み隠さず話し, 真実のみを述べると誓いますか) と廷吏に尋ねられ, I do. (誓います) と答える.

The truth hurts.
「真実はつらいものだ」➤本当のことを知るのは愉快なことではない, という場合に用いる. Nothing hurts like the truth. (真実ほど傷つくものはない) ともいう.

The truth is out there.
「真実はそこにある」➤テレビドラマ『X -ファイル』(*The X-Files*, 1993−2002) のキャッチコピー. ニュース報道などの見出しによく使われる.

The truth never hurt anyone.
「真実が人を傷つけたことはない」➤人に遠慮せずいつでも正直に本当のことを言うべきだ, という意味のことわざ.

The truth shall make you free.
「真理はあなたたちを自由にする」➤新約聖書 (New Testament) の「ヨハネによる福音書」(John 8:32) にあるイエス・キリスト (Jesus Christ) のことば. 真理や真実を知れば誤った考えなどにとらわれずにすむ, という意味のことわざとしても使われる. この場合 The truth will set you free. という形がよく使われる.

The truth will out. / The truth will come out.
「真実はいつか明らかになる」➤秘密や陰謀などはいずれ露見する, という意味のこ

とわざ．Truth will (come) out. ともいう． 類似 Murder will out.

Truth is stranger than fiction.
「**真実は小説よりも奇なり**」 ➤ Fact is stranger than fiction. (事実は小説よりも奇なり) ともいう．

Truth or dare?
「**本当のことを言うか，それともなんでもするか**」➤私のどんな質問にも本当のことを答えるか，それがいやなら私の命じることをなんでもしなくてはいけない，というゲーム truth or dare で最初の人が切り出すことば．こう言われた相手は Truth. (本当のことを言う) または Dare. (なんでも言うとおりにする) と答える．ゲームに参加する全員がこの質問をされてどちらかを選択しなくてはならない．

You can't handle the truth.
「**きみには真実を扱うことはできない**」➤海軍の軍事法廷を舞台にした映画『ア・フュー・グッドメン』(*A Few Good Men*, 1992) でジャック・ニコルソン (Jack Nicholson) 演じるジェセップ大佐 (Colonel Nathan Jessep) が証言台で言うせりふ．

---

try　試す；試みる；努力する；試し；試み

Don't try this at home.
「**これを家でやらないでください**」➤テレビで危険な芸を見せるときなどに司会者が視聴者に呼びかける注意．Don't try this at home, kids. / Kids, don't try this at home. (よい子の皆さんはまねをしないでください) や Don't try this at home, people. / People, don't try this at home. (皆さん，ご家庭ではまねをしないでください) などという．一般に，「帰ったらうちでやってみようなどと考えないほうがいいよ」という意味でも使われる．

God knows I tried.
「**私は精いっぱいやった；私は最善を尽くした**」➤「神は私が努力したことを知っている」が原義．God の代わりに Heaven/Lord を，また I tried の代わりに I've tried を使うこともある．

I'm trying.
「**私は努力している；一生懸命やっているところだ**」➤相手にがんばれなどと言われたとき，「これでもがんばっているんだよ」という意味で使うことが多い．

Ex. A: Can't you get us there any faster?
　　　　もっと早く着けるようにできないの？
　　　B: I'm trying. いまそうしようとやっているところだよ．

It can't hurt to try.
「**やるだけやってみて悪いことはないでしょ**」➤だめもとでやってみたら，という場合に用いる．It wouldn't/couldn't hurt to try. ともいう．

Just try it.
「**とにかくやってみなさい**」➤どういうものか試しにやってみるように勧める表現．

Keep trying. / Keep on trying.
「**その調子で続けなさい；がんばって**」➤あきらめずに続けなさいという励ましのことば．Don't quit trying. ともいう．

Nice try.
「**試みとしてはいい**; 残念でした」➤相手の試みがうまくいかなかったときに用いる．相手が自分をだまそうとしているのを見破って，「その手は食わないよ」というような場合に使うことが多い．皮肉を込めて「ばかなことをして」という意味で言うこともある．
Ex. A: Mom, can I watch this movie? It's really educational.
　　　　お母さん，この映画見てもいい? すごく勉強になるんだよ．
　　　B: Nice try, but it's already late and you have school tomorrow.
　　　　残念でした．もう遅いし，あしたは学校があるでしょ．

Try and try again.
「**何度でもやりなさい**」➤あきらめずに何度でも挑戦しなさいと励ますことば．

Try harder.
「**もっと努力しなさい**」➤相手が I'm trying.（これでも一生懸命にやっているんだよ）などと言ったときに，「それならもっと一生懸命やれ」という意味で用いる．

Try me.
「**私がどう反応するか試してみなさい**」➤相手が「どうせあなたに言ってもわからないよ」などと言った場合に，「わかるかわからないか，言ってみてよ」というように使う．
Ex. A: Tell me. 私に話してよ．
　　　B: You won't be interested. きみにはおもしろくないよ．
　　　A: Try me. 話してみなければわからないじゃないの．

We try harder.
「**私たちはさらに努力します**」➤レンタカー会社のエイビス（Avis Rent A Car System）の宣伝文句．1962年に始まった We're only No. 2. We try harder.（私たちはナンバーツーでしかありません．さらに努力します）というコピーは広く浸透し，さまざまなところに引用されている．

You can't blame a guy for trying.
「**努力したことで人を責めることはできない**」➤目標を達成できなかった人について，がんばった結果だからそれを責めるわけにはいかない，という場合に用いる．You can't blame them for trying. などということもある．

---

tune　楽曲；同調；調律する；同調させる

Stay tuned.
「**チャンネルはそのままに**」➤テレビでコマーシャルに入る前に司会者などが言うことば．一般に，「続報をお待ちください」という場合にも使われる．類似 Don't go away.

---

turn　回す；裏返す；回転；順番；行い

It will turn up.
「**そのうち出てくるよ**」➤捜し物が見つからないという相手などに用いる．

One good turn deserves another.
「**1つのよい行いはもう1つのよい行いに値する；恩には恩で**」➤恩を受けた人が恩を返す場合に用いることわざ．「やられたからやり返す」という逆の意味で使うこともある．

Whatever turns you on.

「**お好きにどうぞ**；どうぞご勝手に」▶相手がこうしてもよいかと聞いたときに，「それが好きなのならそうしなさい」という場合に用いる．相手にあきれて言う場合もある．

Ex. A: Is it okay if I wear a long dress to the dinner party?
ディナーパーティーにはロングドレスを着ていってもいいかしら．

B: Whatever turns you on. Everyone else will probably wear shorts. 好きにしたら．ほかのみんなは短いのを着ていくと思うけど．

turnabout 方向転換

Turnabout is fair play.

「**交代は公正なことだ**」▶相手と自分の立場を入れ替えて同じことをするのがフェアというものだ，という意味のことわざ．前回はあなたがいい思いをしたから今回は私がいい思いをする番だ，または前にあなたが私にそうしたから今度は私が同じことをしてあげるという場合などに用いる．この turnabout は「2人が交互に何かをすること」という意味の古語．

Ex. A: Do you like teaching your father how to use the computer?
コンピューターの使い方をお父さんに教えるのは楽しいかい．

B: Turnabout is fair play. He is always grilling me on my homework, so it's fun to be the teacher for once.
立場が逆転するのはいいことさ．いつも宿題のことでうるさく言われているから，教える立場になるのはおもしろいよ．

two 2；2つ；2人

It takes two to tango.

「**タンゴを踊るには2人が必要だ**；それは1人だけじゃできない；どっちもどっちだ」▶それは2人の協力や参加がないとできない（だから2人に責任がある），という意味のことわざ．よいことにも悪いことにも使う．似たことわざの It takes two to make a quarrel. (けんかをするには2人が必要だ；けんか両成敗) は，けんかや争いは双方に責任があるという場合に使われることが多い．

Make it two.

「**同じ物を2つね**」▶レストランなどで注文するときのことば．最初に何かを注文した人が「それを2つください」という場合と，次の人が「私にも同じ物をね」という場合がある．後者の場合には I'll have the same. ともいう．

That makes two of us.

「**私も同じだ**；まったく同感だ」▶自分も相手と同じ状態や気持ちだという場合に用いる．その場にいる3人が全員同じ場合は That makes three of us. という．

Ex. A: I haven't eaten anything. 私，まだ何も食べてないわ．

B: That makes two of us. ぼくもさ．

Two can play at that game.

「**そっちがそうくるなら，こっちもやってやろうじゃないか**；目には目をだ」▶相手に仕返しする場合の表現．2人がそのゲームをやれる，つまりあなたがそのゲームをするなら，私もそれをやろうということ．

U, u

umbrella 傘

It's bad luck to open an umbrella inside the house.
「家の中で傘をさすのは縁起が悪い」➤よくいわれる迷信 (superstition). この後に especially if you put it over your head (特に頭の上でさすのはよくない) と続けることが多い. また, Don't open an umbrella inside the house. (家の中では傘を開くな) と注意することもある.

uncle おじ; おじさん

Say uncle.
「**参ったと言え**; 降参しろ」➤けんかして相手を組み伏せたときなどに用いる. 相手が「参った」する場合には Uncle. と答える. 一般に「降参する; 白旗を上げる」という慣用句としても使われる. Cry uncle. などともいう.

understand 理解する; わかる

Do you understand?
「わかったか」➤私の命令などを正しく理解したかと確認するときに用いる. Do you understand me? / Is it understood? / Am I understood? もほぼ同じ.

I don't understand (it).
「わからないわ; どういうことなのかな」➤どうしてそのようなことをするのか理解できない, という場合に用いる. I can't understand (it). もほぼ同じ.

Ex. No matter what time I call her she never picks up the phone. I don't understand. 何時に電話しても彼女は出ないんだ. なぜかな.

I understand.
「わかります; わかりました」➤相手に理解を示す表現. 特に相手がこちらの依頼を断った場合などに「あなたの立場も理解できます」という意味でよく用いる.

Ex. A: I'm really sorry I haven't been able to help you recently. I've just been so incredibly busy.
最近, あまりお手伝いできなくてすみません. ひどく忙しいものですから.
B: That's OK. I understand. いいえ. 事情はわかりますから.

When you get to be my age, you'll understand.
「私の歳になればわかるよ」➤親が子どもによく用いる. When you're older, you'll understand. (大きくなればわかるよ) ということも多い.

underwear 下着

Always wear clean underwear.
「いつでもきれいな下着を着なさい」➤親がよく子どもにする注意. Make sure you wear clean underwear in case you're in an accident. (交通事故に遭ったときのことを考えて, きれいな下着を着るようにしなさい) / Change your underwear every day. (下着は毎日取り替えなさい) などともいう.

[補足] 英和辞典などで wear は命令文には用いないと注記されていることがあるが, この句や If the shoe fits, wear it. (思い当たる節があるでしょう) などからもわかるように, 命令文でもふつうに用いる.

unite 結びつける; 団結させる; 団結する　unity 単一; 合同; 団結

In unity there is strength.
「団結には力がある; 三本の矢」➤みんなが団結すれば個々の人間にはできないような大きな力を発揮することができる, ということわざ.

United we stand, divided we fall.
「団結すれば立ち, 分裂すれば倒れる」➤組織のメンバーが一団となって立ち向かわなければ成功しない, ということわざ.

Workers of the world, unite!
「万国の労働者よ, 団結せよ」➤社会主義者のスローガン. マルクス (Karl Marx) とエンゲルス (Friedrich Engels) の『共産党宣言』(*The Communist Manifesto*, 1848) の最後を締めくくることばに由来する. Workers の語を別の語に替えて広く引用される.

unsaid 言われていない

Some things are better left unsaid.
「言わぬが花ということもある」➤Some things are best left unsaid. ともいう.

[補足] ホール&オーツ (Hall & Oates) の歌の題名にも使われている.

up 上に; 上がって; 立って; 起きて

I'm up to here.
「おなか一杯だよ; もううんざりだ」➤右手でのどのところを水平に打つようにして, 飲み食いしたものやストレスなどがそこまで来ているというジェスチャーを伴う.

Ex. Another piece of cake? I'd love to, but I just couldn't. I'm up to here. ケーキをもう1つですか. 食べたいのはやまやまですが, もうおなか一杯で入りません.

It's up to you.
「それはあなた次第です」

Ex. We can either stay at home and eat or go out to a restaurant. You decide. It's up to you.

家で食べても外に食べに行ってもいいね．きみが決めて．きみ次第だよ．

Never up, never in.
「届かなければ入らない」➤カップに届かないパットは入らないというゴルフの格言．

Up yours!
「くそったれ；ばかやろう」➤非常に下品なののしりことば．

What have you been up to?
「どうしてたの」➤出会ったときなどのあいさつとしてよく用いる．

Ex. Hi, Peter. I haven't seen you for a while. What have you been up to? やあ，ピーター，久しぶり．どうしてたの?

While I'm up, can I get you anything?
「立ったついでに何か飲み物でも持ってこようか」

upsies 高い高い

Upsies.
「高い高い」➤子どもを抱き上げて高く持ち上げてやるときの発声．持ち上げてから下に下げる動作を続けることも多く，この場合は Upsies (and) downsies. という（発音はそれぞれ /ʌ́psìːz/, /dáunzìːz/）．

use 使う

Use it up, wear it out.
「残らず使い，擦り切れるまで着ろ」➤むだを戒めたことば．通例，Use it up, wear it out, make it do or do without. (残らず使い，擦り切れるまで着ろ，それで間に合わせるか，さもなければなしで済ませ) の句で用いる．前半と後半が4拍からなり，out と without が韻を踏んでいる．

used 慣れた

Get used to it.
「慣れなさい；我慢しなさい」➤文句を言う相手に，状況は変わらないからそれに慣れるしかないという場合に用いる．

Ex. So you don't like working here, huh? Well, you applied for the job and they accepted you. Get used to it! ここで働くのは嫌だって? 自分から応募して採用されたんだ．文句を言わずに続けなさい．

It takes some getting used to.
「それは慣れるまでに少し時間がかかる」

usual いつもの (もの)

The usual, please. / Give me the usual.
「いつものやつね」➤バーなどで注文するときの表現．

V, v

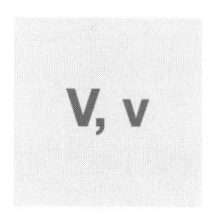

vanity 虚栄；むなしさ

Vanity of vanity; all is vanity.
「**なんという空しさ，すべては空しい**」➤旧約聖書 (Old Testament) の「コヘレトの言葉」(Ecclesiastes 1:2) にあることば．この世の無常を表すことわざとして使われる．

[補足] この部分の聖書の記述は次のとおり．

> Vanity of vanities, saith the Preacher, vanity of vanities; all is vanity. What profit hath a man of all his labour which he taketh under the sun?
>
> コヘレトは言う．なんという空しさ，なんという空しさ，すべては空しい．太陽の下，人は労苦するがすべての労苦も何になろう．

variety 変化；多様性

Variety is the spice of life.
「**変化は人生のスパイスだ**」➤変化があったほうが人生は楽しい (だから新しいことにチャレンジしなさい)，ということわざ．

vengeance 復讐 (ふくしゅう)

Vengeance is mine.
「**復讐はわたしのすること**」➤新約聖書 (New Testament) の「ローマの信徒への手紙」(Romans 12:19-21) で，神のことばとしてパウロが引用しているもの．一般に，「私は復讐する」という場合に使われる．日本語では文語訳の「復讐するは我にあり」がよく使われる．

[補足] この個所の聖書の記述は次のとおり．

> Dearly beloved, avenge not yourselves, but rather give place unto wrath: for it is written, Vengeance is mine; I will repay, saith the Lord.
>
> 愛する人たち，自分で復讐せず，神の怒りに任せなさい．「『復讐はわたしのすること，わたしが報復する』と主は言われる」と書いてあります．

Vengeance is sweet.
「**復讐は甘美なものだ**」➤Revenge is sweet. に同じ．

venture 冒険的企て (をする); 危険を冒す

Nothing ventured, nothing gained.
「危険を冒さなければ何も手に入らない; 虎穴に入らずんば虎児を得ず」 ➤危険を覚悟で何かに取り組むときのことわざ. [類似] No guts, no glory.

victor 勝者

To the victor go the spoils.
「勝者に戦利品がいく」 ➤戦争その他の戦いでは勝った者がうまい汁を吸う, ということわざ. これは The spoils go the victor. の倒置文で主語は spoils という複数形なので動詞は go が正しいが, victor という単数形名詞がすぐ前にあるせいか To the victor goes the spoils. という形もよく見られる. もともとの言い回しは To the victor belong the spoils. (勝者に戦利品は属する)で, これも使われる.

violence 暴力

Violence begets violence.
「暴力は暴力を生む」 ➤Violence breeds violence. ともいう.

Violence never solves anything.
「暴力では決して何も解決しない」

virtue 美徳; 徳行

Virtue is its own reward.
「徳行はそれ自身が報酬だ」 ➤正しいことや人のためになることをするのに外的な報酬は必要ない, ということわざ.

voice 声

Good to hear your voice.
「あなたの声が聞けてよかった」 ➤電話の最初または終わりに使われる. It's good to hear your voice. の省略表現. (I'm) glad to hear your voice. ともいう.

Ex. Hello, who's speaking? Oh, it's you, Betty! Good to hear your voice!
もしもし, どなたですか. まあ, ベティー. あなたの声が聞けてうれしいわ.

The voice of one crying in the wilderness
「荒れ野で叫ぶ者の声」 ➤新約聖書 (New Testament)の「マタイによる福音書」 (Matthew 3:3) ほかにあることばで, イエスが活動を始める前に荒野で教えを説いていた洗礼者ヨハネ (John the Baptist) を指す.

[補足] この個所の聖書の記述は次のとおり.

For this is he that was spoken of by the prophet Esaias, saying, The voice of one crying in the wilderness, Prepare ye the way of the Lord, make his paths straight.

これは預言者イザヤによってこう言われている人である.「荒れ野で叫ぶ者の声がする.『主の道を整え,その道筋をまっすぐにせよ.』」

Use your indoor voice.

「**そんな大きな声を出さないで**」 ➤Keep your voice down. とほぼ同じ.「室内用の声を使いなさい」が原義.

vote 投票(する)

Do I get a vote?

「**私も意見を言っていいですか**」 ➤何かを決める場合に私の意見も考慮してもらえますか,という場合に用いる.「私も1票を投じられるのか」ということから.

> **Ex.** Hi, Mom! Dad told me we're making plans for the summer family vacation. That's nice. Do I get a vote?
>
> ねえ,お母さん.お父さんに聞いたけど,夏休みの家族旅行の計画を立てているんだって? いいね.私の意見も聞いてもらえるのかな.

Every vote counts.

「**どの1票も大事だ;清き1票**」 ➤投票の1票1票の積み重ねで結果が決まるので,各票に重みがある,ということ.

W, w

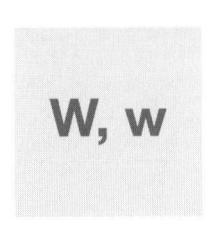

wagon 四輪車; 荷馬車; ワゴン

Hitch your wagon to a star.
「**荷馬車を星につなげ**; 目標は高くもて」➤ことわざ. ラルフ・ウォルドー・エマーソン (Ralph Waldo Emerson) の『社会と孤独』(*Society and Solitude*) が出典. [類似] Aim high.

wait 待つ

All good things come to those who wait.
「**よいことはみな待つ者の所に来る**; 待てば海路の日和あり; 石の上にも三年」➤忍耐の重要性を説いたことわざ. All good things come to he who waits. ともいう.

Don't wait up (for me).
「**先に寝ていていいよ**」➤帰りが遅くなるときなどに用いる. 「起きていて (私を) 待っていなくてよい」が原義.
[補足] サマンサ・フォックス (Samantha Fox) の歌に "Don't Wait Up" がある.

I can't wait.
「**待ちきれないね**」➤それは非常に楽しみだという意味の表現. Can't wait. ともいう. I can't seem to wait. (待ちきれそうもない) もほぼ同じ.
Ex. A: I met this girl, Sally, yesterday. I think you'd like her. Shall I introduce her to you? きのうサリーって子に会ったんだけど, きみのタイプじゃないかな. 紹介しようか.
B: I can't wait. すぐにしてよ.

I'm sorry to have kept you waiting.
「**お待たせしてすみませんでした**; お待ちどうさまでした」➤相手を待たせてしまった場合の謝罪のことば. さらにしばらく待ってもらわなくてはいけないときには I'm sorry to keep you waiting. (お待たせしてすみません) となる. 相手が待っていてくれたことに対して感謝する場合には Thanks for waiting. / Thank you for waiting. という.

I'm waiting for the other shoe to drop.
「**次にどうなるかをじっと待っているところだ**」➤夜中に隣の人が靴を脱ぎ捨てる音で目を覚まし, 早くもう1つの靴も脱ぐ音が聞こえないかと待っているイメージから.
Ex. They told me I did okay in the interview, but I still don't know if I got the job. I hope they don't make me wait too long. I feel

like I'm waiting for the other shoe to drop.
面接ではよかったって言われたけど、まだ採用かどうかわからないんだ。あまり長く待たされないといいけど。宙ぶらりんの状態で待っているところさ。

It can wait.
「それは後でもいい」➤My homework can wait.（私の宿題は後でもいいの）などの表現も使われる。

Just (you) wait. / You (just) wait.
「まあ待っていなさい；いまに見ていなさい；覚えていろよ」➤やがて私の言ったとおりになる、後で思い知らせてやるというような場合に多く用いる。外出時に子どもが聞き分けのない態度をとったときには親が Just wait until we get home.（家に帰ったらただじゃおかないからね）などと脅したりすることもある。

> **Ex.** You think Johnny is useless as a ball player, don't you? Well, it's not true. He's good and he's getting better every day. Just you wait. ジョニーは野球選手としてはだめだと思っているだろう。でも違うよ。筋がよくてさ、日ごとに上達しているよ。まあ、見ていなさい。

Wait a minute/second/moment.
「ちょっと待って」➤相手を待たせるときや相手の話などをさえぎるときなどに用いる。Just a minute/second/moment. ともいう。

Wait and see.
「しばらくようすを見なさい；まあ見てなさい；そのときが来たらわかるわよ」➤Just (you) wait. とほぼ同じ。Just (you) wait and see. / You (just) wait and see. ともいう。Let's wait and see. / We'll wait and see.（しばらくようすを見ましょう）などの表現もある。

Wait up (a minute/second/moment)!
「ちょっと待って」➤相手がどんどん先に行ってしまった場合などに用いる。

What are you waiting for?
「何をぐずぐずしているのさ」➤さっさと始めたらどうだ、と促す表現。What are we waiting for?（さあさっさと始めよう）/ What am I waiting for?（ぐずぐずしている場合じゃないぞ）などの表現も使われる。

wake 起きる；起こす

Wake up.
「目を覚ませ；ぼけっとするな；夢みたいなことを言っているんじゃないよ」➤寝ている人を起こす場合と、比喩的に用いる場合がある。

Wake up and smell the coffee.
「いいかげんに目を覚ませ；しっかりしろ；なに寝言を言っているんだ」➤夢みたいなことを言っている相手に、現実を見つめなさいという意味で用いる。「目を覚ましてコーヒーの香りをかげ」が原義。この表現と Stop and smell the roses.（roseの見出し参照）が混同されて Wake up and smell the roses. という形も広まっている。

[類似] Get a clue. / Get real.

[補足] 人生相談の回答者アン・ランダース（Ann Landers）がこの表現をよく使っていて、同名タイトルの本（*Wake Up and Smell the Coffee!: Advice, Wis-*

dom, and Uncommon Good Sense) も出している.

walk 歩く; 歩かせる; 散歩

I'll walk you home.
「家まで送っていくよ」➤歩いて送っていく場合の表現. 車で送る場合は I'll drive you home. / I'll give you a ride home. などという.

It's not a walk in the park.
「それは簡単ではない」➤「公園を散歩するようなわけにはいかない」ということから.

Take a walk.
「あっちへ行け」➤Take a hike. などに同じ. 「散歩に行け」が原義.

You have to learn to walk before you can run.
「走れるようになる前に歩くことを学ばなければならない」➤基礎的なものから順に段階を踏んだ学習が必要だということ. [類似] You have to learn to crawl before you can walk.

want 欲する; ほしい

If you don't see what you want, just/please ask.
「ほしい物がないようでしたらお尋ねください; 何かご入用の物がありましたらお申しつけください」➤店員やホテル従業員などが客にいう.

Who do you want?
「だれに用ですか; どなたとお話しになりますか」➤特に電話での応対によく使われる. Who do you want to talk/speak to? ともいう.

You want it, you got it.
「お望みどおりにしてあげましょう; 売られたけんかは買おうじゃないか」
[補足] ブライアン・アダムス (Bryan Adams) の歌・アルバムの題名 (邦題『ジェラシー』) にも使われている.

war 戦争

This means war!
「こうなったらとことん戦うまでだ; 徹底抗戦するぞ」➤相手の横暴に耐えかねて対抗手段をとる場合などに用いる.

Ex. What? That company's going into the same line of business as ours? We could lose half our customers. This means war!
なに, あの会社がうちと同じ業種に参入するだって? 顧客の半分をとられてしまうかもしれないな. こうなったら全面対決だ.

War is hell.
「戦争は地獄だ」➤アメリカ南北戦争 (Civil War) 当時の陸軍将軍シャーマン (General William T. Sherman) のことばとされる.

Win the battle and/but lose the war.
「戦闘に勝って戦争に負ける; 試合に勝って勝負に負ける」➤部分的に勝っても全

体としては負けだ，または表面上は勝ちだが実質的には負けだという状況を表す．You can win the battle and/but lose the war. (戦闘に勝っても戦争に負けるね) のように用いる．

warn 警告する　　warning 警告

Don't say I didn't warn you.
「ちゃんと警告しといたからね；後で文句を言っても知らないよ；だから言ったのに」➤自分の忠告を聞き入れない (聞き入れなかった) 相手に用いる．

Let this/that be a warning to you.
「これ/それを警告だと思いなさい；同じ轍(てつ)を踏まないように注意しなさい」➤自分の失敗談などを教訓としなさい，という場合に用いる．Let this/that be a warning to others. (ほかの人はこれ/それを教訓としなさい) という表現もある．
[類似] Let this/that be a lesson to you.

> **Ex.** This is the first accident you've had since getting your driver's license, right? Let that be a warning to you. In the future, keep your speed down! 免許を取ってから初めての事故だね．これを戒めとすることだね．これからはスピードを落としなさい．

wash 洗う (こと)；洗濯がきく

I'll never wash this hand again.
「この手は2度と洗わないんだ」➤あこがれの人と握手したりしたときなどにいう．

It'll all come out in the wash.
「すべてうまくいくよ」➤Everything will work out. などとほぼ同じ意味の慰め．「洗濯されて (すっかりきれいになって) 出てくる」ということから．

> **Ex.** You've been having problems with the boss? Don't worry about it. He's basically a nice guy. It'll all come out in the wash.
> 上司とうまくいっていないのかい．心配ないよ．根はいい人だから．万事丸く収まるよ．

It won't wash.
「それは通用しない」➤おそらく，洗濯すると色落ちしてしまうということから．

> **Ex.** That's an interesting business idea, but it's too risky. Remember — we're still in a recession. It won't wash.
> おもしろいアイデアだけど危険が大きすぎるね．まだ景気後退の最中なのはわかっているだろう．うまくいかないよ．

Where can I wash up?
「どこで手を洗ったらいいですか」➤トイレの場所を尋ねるときによく使われる．

waste 浪費 (する)；むだ (にする)

Waste not, want not.
「むだをしなければ不足することもない」➤倹約のたいせつさを説いたことわざ．

What a waste!

「ひどいむだだ；もったいない話よね」➤ものや時間，才能などについて用いる．

watch 見る；観察する；気をつける；時計

Just watch. / You (just) watch.

「まあ見ててごらん」➤そのうち私の言ったことが正しいとわかるから，というような場合に用いる．

Ex. A: I don't believe Japan can beat Brazil at soccer.
サッカーで日本がブラジルに勝てるとは思わないね．
B: They can and they will, I know it. Just watch.
日本にはその力があるし，勝算もあるよ．まあ見ててよ．

Watch and learn.

「よく見て学びなさい」➤特に，自分が手本を見せるからよく見てやり方を覚えなさい，という場合によく使われる．Observe and learn. ともいう．

Watch it.

「**気をつけなさい**」➤危ないから注意しなさいという場合と，言動を慎みなさいという場合がある．

Watch me.

「見てて；まあ見ていなさい」➤子どもが何か新しいことができるようになったときに親によく言うことば．また，相手に「そんなことできるものか」と言われて「できるかどうか見ていなさい」と挑戦的に使うことも多い．

Ex. You think I'm too scared to punch Johnny in the nose if he starts hitting on my girlfriend again? Watch me.
ジョニーがまたぼくの恋人にちょっかいを出しても，ぼくは怖くてジョニーを張り倒してやることなんかできないと思っているのかい．まあ見ていなさい．

Watch out!

「気をつけて；危ない」➤Look out! ともいう．

Watch this space.

「**この欄にご注目**」➤次号の後続記事をお見逃しなくという場合など，ジャーナリズムや広告でよく使われる．

Watch what we/I do, not what we/I say.

「**私（たち）の言うことではなく，することを見ていなさい**」➤人はことばではなく行動で判断されるべきだ，という意味のことわざ．

Watch where you're going.

「**ちゃんと前見て歩け**」➤よそ見してぶつかった相手をたしなめるときによく用いる．

Watch your p's and q's.

「**細心の注意を払いなさい；礼儀に気をつけなさい**」➤Mind your p's and q's. (mind の見出し参照) に同じ．

water 水

Drink a glass of water from the far side of the glass.

「コップの反対側から水を飲みなさい」➤しゃっくり(hiccups)が止まらないときの対処法として言い伝えられているもの．コップを向こう側に傾けて，遠いほうの縁から飲むとよいとされるが，科学的根拠はないという．

Still waters run deep.
「静かな川は深く流れる」➤表面的に穏やかな人は外からはうかがい知れない深い内面をもっている，ということわざ．口数の少ない人は思慮深い，物静かな人は内心強い情熱を秘めている，または一筋縄ではいかない，などの意味で用いられる．

That's/It's water under the bridge.
「もう過ぎたことだよ；昔の話さ」➤いまとなっては関係ない，状況はすっかり変わったという場合に用いる．That's/It's all water under the bridge. ともいう．

[補足] ハンフリー・ボガート (Humphrey Bogart), イングリッド・バーグマン (Ingrid Bergman) 主演の映画『カサブランカ』(*Casablanca*, 1942) で，バーグマン演じるイルザ (Ilsa) が酒場で昔なじみのピアノ奏者サム (Sam) と会話し，It's been a long time. (ずいぶん久しぶりね) と言ったときにサムが Yes, ma'am. A lot of water under the bridge. (ええ．ずいぶん前になります) と答える場面がある．

Water, water everywhere.
「どこもかしこも水だらけ」➤イギリスの詩人コールリッジ (Samuel Taylor Coleridge) の詩「老水夫行」("The Rime of the Ancient Mariner") の一節．赤道直下で船が止まり，周りは水だらけなのに飲むことができないという状況の描写で，Water, water everywhere, Nor any drop to drink (どこもかしこも水だらけ，なのに一滴も飲むことができない) と続く．一般に，水がはんらんする場面や，周りには欲しいものがあふれているのにそれを手に入れることができない状況を表すときに引用される．

way 道；方法

Get out of my way. / Keep out of my way. / Stay out of my way.
「どいて；私のじゃまをしないで」➤私の行く手をふさぐなという意味で，道を空けろという場合と私のやることを妨害するなという場合がある．一般に，「通行のじゃまにならないようにどきなさい」という場合はGet/Keep/Stay out of the way. またはOut of the way. などという．

Have it your (own) way.
「好きにしなさい；勝手にしろ」➤通例，いらだちを込めて用いる． [類似] Suit yourself.

I have my ways.
「いろいろ方法があってね」➤どうしてそれがわかったのかと聞かれて，答えをぼかすときに用いる．

> **Ex.** A: How did you find where I live? どうやって私の住所がわかったの？
> B: I have my ways. まあ，いろいろとね．

I'm on my way.
「すぐに伺います」➤電話などでこれからすぐにそちらに向かう，という場合に用いる．

「いま向かっている途中です」ではないことに注意.

It's my way or the highway.
「私のやり方でなければだめだ；私について来られないのなら立ち去れ」➤「私の方法が幹線道路だ」つまり「私の方法に従わないのなら立ち去って幹線道路を行きなさい」ということから.

[補足] 映画『ロードハウス/孤独の街』(*Road House*, 1989) でパトリック・スウェイジ (Patrick Swayze) がこう言う.

That's (just) the way I am.
「私はそういう人間なんだ」➤相手や第三者については That's (just) the way you are. や That's (just) the way he/she is. のようにいう.

That's (just) the way it goes.
「そういうものさ」➤そうなるのは定めだからしかたない，というような場合に用いる.

That's (just) the way it is.
「そういうことです；そういうものです」➤それが現状だというような場合に用いる. ニュース番組 *CBS Evening News* のアンカーマンだったウォルター・クロンカイト (Walter Cronkite) が番組終了時に言うことば And that's the way it is. が有名.

> **Ex.** I can't always explain everything to you in words! This is how the Japanese do things, and neither you nor I can change their culture. That's the way it is.
> いつもことばで説明できるわけじゃないわよ．これが日本人のやり方で，あなたも私も日本の文化を変えることはできないのよ．それが現実よ．

[補足] セリーヌ・ディオン (Celine Dion) の歌の題名 ("That's The Way It Is") にも使われている.

There's more than one way to skin a cat.
「**方法はいろいろある**；押してもだめなら引いてみな」➤ことわざ．「猫の皮をはぐ方法は1つより多い」または「猫を痛めつける方法は1つより多い」が原義.

There are no two ways about it.
「**それは間違いない**；それは絶対だ；2つに1つだ」➤口語では There's no two ways about it. ということも多い．「それについては2つの方法はない」が原義.

> **Ex.** A: I think that was the nicest party I've ever been to in my life. Don't you agree?
> ぼくはこれまででいちばんいいパーティーだったと思うけど，そう思わないかい．
> B: I certainly do. There's no two ways about it.
> ええ，思うわ．間違いないわね．

This way, please.
「どうぞこちらのほうへ」➤人を案内するときの表現.

Way to go! / That's the way to go!
「**よくやった**；りっぱ」➤相手をほめる表現．[類似] Good work. / Good going.

---

weather 天気

How do you like this weather?

「この天気はどうですか」➤会話を始めるときのあいさつ．What do you think of/about this weather? ともいう．

How's the weather up there?
「上のほうの天気はどうだい」➤背の高い人をからかっていうことば．しばしば，So, how's the weather up there? という．

Lovely weather for ducks.
「アヒルにはいい天気ですね；あいにくの天気ですね」➤雨の日のあいさつ．

Nice/Lovely/Beautiful weather, isn't it?
「いい天気ですね」➤出会ったときのあいさつ．Nice/Lovely/Beautiful weather we're having. や Nice/Lovely/Beautiful day, isn't it? などともいう．

You can't control the weather.
「天気はコントロールできない；天気には勝てない」➤You can't do anything about the weather. (天気はどうしようもない)ともいう．

wedding 結婚式

Do I hear the wedding bells (ringing)?
「あら，結婚が近いのかしら；めでたくゴールインかしら」➤相手や知り合いがもうじき結婚するのだろうか，という意味．I hear the wedding bell. (結婚間近のようだね)のような表現も用いる．

> **Ex.** That's the third time they've gone on holiday together. Do I hear the wedding bells ringing? あの2人がいっしょに休暇旅行に行くのはこれで3度目よ．もうじきゴールインするのかしら．

weekend 週末

Have a nice weekend.
「よい週末を」➤週の終わりの別れのあいさつ．

How was your weekend?
「週末はどうだった」➤週明けのあいさつとしてよく聞かれる．

welcome 歓迎(する)

I don't want to wear out my welcome.
「おことばに甘えてかえって迷惑になってもいけませんし」➤もっと長くいたら,もっと頻繁に訪ねてきてなどと言われたときに返すことば.「私は歓迎されている状態を消耗したくない」が原義.

Welcome.
「ようこそいらっしゃいました」➤歓迎のあいさつ.Welcome to my house.(わが家へようこそ)や Welcome home.(お帰りなさい)のように前置詞 to や副詞を後に続けることが多い.

You're welcome.
「どういたしまして」➤感謝のことばに対する丁寧な返事.意味を強めるときは You're very/quite/so welcome. や You're more than welcome. などという. 類似 Not at all. / Don't mention it. / My pleasure. / Sure. / No problem.

[補足] You're welcome to use my computer.(私のコンピューターを使ってくださって結構ですよ)のような用法もある.

well よく;十分に;まあ

I hope all goes well.
「すべてうまくいくといいね」➤I hope it goes well. や I hope things go well. などもよく使われる.

I hope you're well.
「元気でお過ごしのことと思います」➤手紙のあいさつとしてよく用いる.

Oh well.
「あらまあ;あーあ;まあまあ」➤少しがっかりしたときに(気持ちを取り直すようにして)いう.

Ex. A: Looks like the weather won't be good enough for a picnic.
天気はピクニックにはあいにくの天気のようだね.
B: Oh well. あらまあ.

[補足] ボーイズⅡメン(Boyz Ⅱ Men)の歌の題名にも使われている.

Very well.
「とてもいいです;結構ですね」➤体調などがよい,または相手のことばに満足だという場合に用いる.

Well?
「で?;どうなの?」➤自分の言ったことについてどう思うのか返事を聞かせてほしい,という場合に(しばしばいらだちを込めて)用いる.

Well done.
「よくやったね;偉い;おめでとう」➤相手をほめることば.強調するときは Very well done. という.

Ex. A: I passed the exam the first time round! 一発で合格したよ.
B: That's wonderful. Very well done. すばらしい.おめでとう.

Well, I'll be.
「へーっ;ほーっ;そうなんだ」➤軽い驚きを表す.Well, I'll be damned. の省略

表現で広く使われる. /wèlaɪlbí:/ と間をおかずに1語のように発音する.

Well, well, well.

「これはこれは；おやまあ」➤ややもったいぶった感じで驚きを表すときに用いる. 1語ずつゆっくり発音する.

> **Ex.** Well, well, well, that IS a smart dress you're wearing. Who are you going to meet this evening, the Queen of England?
> おやまあ, ずいぶんしゃれたドレスを着ているね. 今晩はイギリス女王にでも会うに行くのかい.

west 西 (へ); 西部 (へ)

Go west, young man.

「若者よ, 西部へ行け」➤アメリカ西部開拓時代の19世紀に広まった標語.

what 何 (が); 何を

What is it?

「(それは) 何ですか；どういうことですか」➤広く「それは何か」と尋ねる表現.「お願いがある」などと言われた場合にも用いる. What IS it? と is を強く発音する.

> **Ex.** A: Sorry to bother you, but I need another favor.
> ちょっと悪いんだけど, もうひとつお願いがあるの.
> B: What is it? 何なの?

What of it?

「だから?；それで?；悪いかい」➤それがどうしたというのか, と反発するような表現.

> **Ex.** A: You are going to dye your hair bright red?
> 髪を真っ赤に染めるの?
> B: What of it? 悪い?

What'll it be? / What'll you have? / What's yours?

「何になさいますか」➤特にバーなどで何を飲むか客に尋ねる質問. [類似] Name your poison.

What's it to you?

「それはあなたにとってなんなのか；それがどうしたのか」➤しばしば What of it? と同じように用いる.

What's up?

「どうしたの；元気にやっているかい」➤何があったのかと尋ねる場合と, 相手のようすを尋ねるあいさつとして用いる場合がある.

> **Ex.** A: Hi Tom! I haven't seen you in days.
> やあトム, しばらく顔を見なかったね.
> B: Hey. Jim. What's up? ああ, ジムか. どうしているんだい.

What's with you?

「どうなっているんだい」➤何か問題がありそうだというときの表現. 第三者やものについても What's with him/her? や What's with the computer? (このコンピューターどうしちゃったんだい) などのように用いる.

whatever なんであろうと

Whatever.
「なんでもいいよ；どうでもいいわよ」➤投げやりな返事．

wheel 車輪；車

I don't want to be a third wheel.
「おじゃましちゃ悪いから」➤私たちといっしょに来ないかなどとカップルに誘われて断るときの表現．「3番目の車輪になりたくない」が原義．[類似] Two's company, three's a crowd.

I'm on wheels.
「いま急いでいるんだ」➤文字どおりに，ローラースケートやスケートボードなど車輪のついたものに乗っているという意味もある．

The squeaky wheel gets the oil.
「きしむ車輪は油を差してもらえる；騒いだ者の勝ち；泣く子と地頭には勝てない」➤騒ぎ立てると言うことを聞いてもらえる，という意味の ことわざ．It's the squeaky wheel that gets the grease. ともいう．

The wheels fall off.
「車輪が外れる；空中分解する」➤組織などの結束がなくなって機能しなくなる状況を表す．

where どこに；どこで；どこへ

Where else?
「ほかにどこがありますか；決まっているでしょ」➤純粋な疑問文として用いる場合のほか，「彼はどこに行ったのか」などと聞かれたときに「ほかにどこへ行くでしょうか，いつもの所に決まっているでしょう」という反語として用いる．

Where have you been?
「どこに行っていたんだい」➤文字どおりの意味のほかに，何をとんちんかんなことを言っているのだというような場合にも用いる．⇨ **Where have you been all my life?** (life の見出し参照)
Ex. A: Tina and Doug are dating? ティナとダグはつきあっているのかい．
B: Where have you been? そんなことも知らなかったの？

Where to?
「どこへ行くのですか；どちらまで？」➤行き先を尋ねる表現で，特にタクシー運転手がよく使う．

Where was I?
「何の話をしていたんだっけ；どこまで話していたんだっけ」➤自分の話が中断されて，またそこに戻るときの表現．相手と自分の会話については Where were we? という．

while しばらくの間

It's been a while.
「**久しぶりだね**」 ➤It's been a long time. とほぼ同じ.

who だれ

Who are you to …?
「**…するとはいったい何様のつもりでいるんだい**」 ➤Who are you to tell me what to do? (私に指図するとは何様のつもりだ) のように用いる. 答えを期待する疑問文ではなく, 相手を非難することば.

Ex. A: How dare you date my ex-boyfriend!
よくも私の元カレとデートできたものね.
B: Who are you to tell me who I can and can't date?
私がだれとデートしようとあなたの指図は受けないわよ.

Who do you think you are?
「**いったい自分を何様だと思っているんだ**」 ➤Who do you think I am? (私をだれだと思っているのか; ばかにしないでくれ; なめるなよ) という表現もよく使われる.

Who doesn't? / Who wouldn't?
「**だれだってそうだよ; 決まっているじゃないか**」 ➤相手の質問に対して,「だれかそうでない人がいるだろうか, いやだれだってそうだ」という反語として用いる. Who wouldn't? には,「そのような状況にあればみんなそうするだろう」という仮定の意味合いが含まれる. 相手が be 動詞を使って言った場合には Who isn't? / Who wouldn't be? という.

Ex. A: Next week I get to marry the man of my dreams. I'm so happy! 来週, 理想の男性と結婚するの. もう幸せいっぱいよ.
B: Who wouldn't be? そりゃそうでしょうとも.

Who else?
「**ほかにだれがいるでしょう; 決まっているでしょ**」 ➤純粋な疑問文として用いる場合のほか,「娘はだれと電話しているんだい」などと聞かれたときに「ほかにだれがいるでしょうか, いつもの人に決まっているでしょう」という反語として用いる.

Who is it? / Who's there?
「**どなたですか; だれだ**」 ➤ドアがノックされたり, 物陰に人がいるときなどにする質問. Who IS it? と is を強く発音する.

Who is this?
「**どなたですか**」 ➤電話をかけてきた相手, または電話に出た相手はだれかと尋ねる表現. 電話をかけてきた人に対しては Who's calling, please? と聞くほうが丁寧.

whole 全体 (の)

The whole is more than the sum of the parts.
「**全体は部分の総和以上のものである**」 ➤全体論 (holism) の考え方.

why　なぜ; どうして

Why not?

「どうして; そうだね; そうしようか」➤相手が You can't go there. （そこに行ってはいけない）などと否定形で述べたときに, その理由を尋ねる表現. また,「そうしていけない理由があろうか, いやない」という反語で, 相手の誘いなどに同意する場合にも用いる.

Ex. A: Do you want to go to the concert with me? I've got front row seats.
　　　　コンサートにいっしょに行かないかい. 最前列の席をとってあるんだけど.
　　B: Sure. Why not? いいわよ. 行きましょう.

[補足] 相手が否定形で述べたときに, 単に Why? と尋ねることもある.

wife　妻; 奥さん

How's the wife? / How's your wife?

「奥さんはいかがお過ごしですか」➤家族については How's the family? / How's your family? と尋ねる.

Take my wife, please!

「うちの女房を取れば, お願いだから」➤コメディアンのヘニー・ヤングマン（Henny Youngman）の持ちネタ. Take my wife と言って, 客に Take my wife for instance. （例えばうちの女房ですが）と言うものと思わせておいて, please! と続けて「どうか女房を持っていってくれ」という意味にして笑わせるもの. 彼の著書に *Take My Wife, Please!: Henny Youngman's Giant Book of Jokes* がある.

The wife is always the last to know.

「妻はいつも最後に知る人だ; 知らぬは女房ばかりなり」➤The wife is always the last to find out. ともいう. また, The husband is always the last to know. （知らぬは亭主ばかりなり）という言い回しもある.

will　…でしょう; 意志; 遺言

What will be, will be.

「なるようにしかならない; なるようになる」➤運命には逆らえないという意味のことわざ. Whatever will be, will be. ともいう.

Where there's a will, there's a way.

「意志のあるところ道あり; 精神一到何事かならざらん」➤Where there is a will, there is a way. ともいう.

win　勝利 (する); 勝つ; 勝ち取る

I let you win.

「わざと勝たせてやったんだ」➤負け惜しみのことば.

May the best man win.
「**いちばん強い者が勝つように**」➤ボクシングの試合開始直前に, レフェリーが対戦選手に注意を与えた後に言うことば. 一般に,「正々堂々と勝負をつけよう」という場合にも用いる.

Winning isn't everything.
「**勝つことがすべてではない**」➤同じ趣旨で Winning isn't important. (勝ち負けは重要なことではない) も使われる. 類似 It's not whether you win or lose but how you play the game.

補足 フットボールコーチのビンス・ロンバルディ (Vince Lombardi) またはレッド・サンダース (Red Sanders) のことばとされるものに Winning isn't everything, it's the only thing. (勝利はすべてではない. それは唯一のものだ) がある.

You can't win if you don't enter.
「**参加しなければ勝てない**」➤コンテストなどへの応募を勧める表現.

You can't win them all.
「**すべてに勝つことはできない;人生そうそううまくはいかないよ**」➤試合に負けたり, 何かに失敗した人に対する慰めのことば. 自分に対して用いることもある. You can't win 'em all. とつづることも多い ('em は them の th の音が省略された形).

You win.
「**あんたの勝ちだ;あんたの言うとおりにするよ**」➤言い合いなどで負けを認めるときに用いる.

Win some, lose some. / You win some, you lose some.
「**少し勝って少し負ける;勝つこともあれば負けることもある;うまくいくこともあればいかないこともある**」➤some の代わりに a few が使われることもある.

winner 勝者

Think like a winner.
「**勝者のように考えなさい**」➤If you want to be a winner, you have to think like a winner. (勝者になりたかったら勝者のように考えなくてはならない) ということ.

Winners never quit. / A winner never quits.
「**勝者は絶対に途中でやめない**」➤しばしば Winners never quit and quitters never win. / A winner never quits and a quitter never wins. (勝者は絶対に途中でやめないし, 途中でやめる者は絶対に勝てない) という対句で用いる.
類似 Quitters never win.

We have a winner!
「**勝者が決まりました**」➤クイズ番組で優勝者が決まったときの司会者のことば. 一般に, 議論をしていて決着がついたというような場合に, 第三者がこう宣言したりする.

Winner take all.
「**勝者総どり**」➤ゲームや試合で買ったものが賞金を全部獲得するという仕組みを指す.

[補足] 映画『街の灯』(*City Lights*, 1931) で，チャップリン (Charlie Chaplin) がお金を稼ぐためにボクシングの試合に出ることになる．相手選手とファイトマネーを折半しようという話がついていたが，対戦相手が変更になり，新しい相手に「真剣勝負で勝ったものが全部賞金をとるんだ」と言われる場面でこの字幕が出る．

winter 冬

If Winter comes, can Spring be far behind?

「**冬が来たら春が遠いということがありえようか**；冬来たりなば春遠からじ」➤イギリスの詩人シェリー (Percy Bysshe Shelley) の詩 "Ode to the West Wind" (「西風によせて」) の最終行のことば．

wise 賢い；賢明な

A word to the wise is sufficient.

「**賢者には一言で十分**」➤しばしば A word to the wise. として，「これ以上言わなくてもわかるでしょう」という場合に用いる．

Don't be a wise guy.

「**こざかしいことをするな**；生意気言うな」[類似] Don't get clever (with me).

Ex. A: I'll do as I please!
ぼくはぼくのやりたいようにやるよ．
B: Don't be a wise guy. I'm your father.
生意気を言うんじゃない．オレは父親だぞ．

It is easy to be wise after the event.

「**事件の後で賢くなるのは簡単だ**；げすの後知恵」➤起こってしまったことを後からあれこれ言うのは簡単だ，という意味のことわざ．[類似] Hindsight is always 20/20.

No one will be the wiser. / No one will be any the wiser.

「**だれにも気づかれない**」➤ひそかに何かをたくらむ場合や，何かまずいことをして黙っていればだれにもわからないから黙っていようという場合などに用いる．「だれもいま以上に賢くはならない」つまり「いまはかにだれもこのことを知らないように，将来も知るようにはならないだろう」ということ．

wish 望む；望み；願望　　wishful 望んでいる；願望の

As you wish.

「**お望みどおりにしましょう**；わかりました；お好きなように」➤相手の依頼などに応じたり，どうぞご勝手にという場合などに用いる．[類似] Suit yourself.

Ex. A: I'm not going to go to the party with you after your rude behavior last night.
ゆうべあんな無礼なことをしたから，パーティーへはあなたとは行かないわ．
B: As you wish. I'm happy to go alone.

どうぞご自由に．ぼくは喜んでひとりで行くよ．

Be careful what you wish for.
「願い事をするときは気をつけなさい」▶しばしば Be careful what you wish for, you may get it.（願い事をするときは気をつけなさい．そのとおりになるかもしれないから）として用いる．同じ意味合いで Don't wish too hard.（あまり強く願うな）ということもある．

I wish.
「だったらいいんだけど」▶相手の言ったことが現実ならうれしいのに，という表現．

Ex. A: Wouldn't it be nice if we won the first prize trip to France?
一等賞のフランス旅行が当たったらいいわね．
B: I wish. そうなるといいけどね．

If wishes were horses, (then) beggars would ride.
「望みどおりになるなら人生苦労はない」▶ことわざ．「もし願望が馬なら，物ごいが乗るだろう」，つまり望むだけでほしいものが手に入るなら，働くことをしないで人から恵んでもらう人でもそうするだろう，ということから．単に If wishes were horses. として「それは高望みというものだ」という場合に用いることも多い． [類似] If ifs and ands were pots and pans, there'd be no work/need for tinkers.

[補足] 出典はマザーグース（Mother Goose）として知られる伝承童謡（nursery rhyme）．

> If wishes were horses, beggars would ride.
> If turnips were watches, I would wear one by my side.
> And if "ifs" and "ands" were pots and pans,
> There'd be no work for tinkers!
> もし願望が馬なら，物ごいが乗るだろう
> もしカブが時計なら，私もわきに身につけるだろう
> "もし"や"たら"が深鍋や平鍋であったなら
> 鋳掛け屋の仕事はないだろう

If you make a wish while throwing a coin into a well or fountain, the wish will come true.
「井戸や泉にコインを投げ入れながら願い事をすると願いがかなう」▶迷信（superstition）の1つ．実際に願い事をして井戸にコインを投げ入れる習慣があり，この井戸を wishing well と呼ぶ．映画『グーニーズ』（*The Goonies*, 1985）の子どもたちの冒険もこの wishing well から始まる．

If you tell someone your wish, it won't come true.
「人に話すと願い事はかなわない」▶迷信（superstition）の1つ．Don't tell your wish or it won't come true. ともいう．

It's wishful thinking.
「それは願望というべき考えだ；虫のいい考えだ」▶現実的根拠がないのに都合のいいことを考えている，という場合に用いる．この後に that節や to不定詞を続けることもある．

Ex. It's wishful thinking that by next year you'll make the audition for the symphony. You just started playing last month.
来年までに交響楽団のオーディションに受かろうなんて虫がよすぎるわよ．先

月，楽器を始めたばかりでしょう．

Make a wish.

「**願い事をして**」➤誕生日を迎えた人がケーキのろうそくを吹き消す前に，まわりの人がこう言うことが多い．Make a wish on a shooting star. (流れ星に願いをしなさい) や Make a wish on the first star you see. (最初に見た星に願いをしなさい) などともいう． ⇨ **Star light, star bright** (star の見出し参照)

Wish you were here.

「**きみがここにいたらいいのに**」➤遠く離れた恋人や家族などに送ることば．I wish you were here. の省略表現． ⇨ **Having a wonderful time; wish you were here.** (time の見出し参照)

[補足] ピンクフロイド (Pink Floyd) の歌の題名にも使われている．

You wish.

「**そうだといいけどね；そうは問屋が卸さないよ；ご愁傷さま**」➤それは確かにあなたの望みだろうけど（残念ながら無理だ［そうではない］）という場合に用いる．強調して Don't you wish! ともいう．また第三者について He/She wishes. (彼/彼女はそう願っているでしょうけど) のようにも用いる．

Ex. A: I'll beat you in this race without much effort.
　　　このレースは力を抜いてもきみに勝てるよ．
　　B: You wish. そうは問屋が卸さないよ．

Your wish is my command.

「**あなたのご要望とあらばなんなりと**」➤相手の依頼などに応じることば．

woe 悲痛；苦痛

Woe is me.

「**わたしは不幸なことだ；ああ悲しや；せつないね**」➤旧約聖書 (Old Testament) の「詩編」(Psalms 120:5) ほかに出てくることば．一般に，非常につらい状況だという場合に冗談っぽく使われる．

wolf オオカミ

A wolf in sheep's clothing.

「**羊の皮を身にまとったオオカミ**」➤柔和そうに見えるが実は残忍な人．うわべと違って腹黒い人．He's a wolf in sheep's clothing. のように用いる．新約聖書 (New Testament) の「マタイによる福音書」(Matthew 7:15) にあるイエス・キリストのことばが出典． ⇨ **Beware of false prophets.** (prophet の見出し参照)

Never cry wolf.

「**オオカミだと叫ぶな；オオカミ少年になるな**」➤『イソップ寓話』(Aesop's Fables) のオオカミが来たとうそを言って村人があわてるのを眺めておもしろがっていた羊飼いの少年の話から．

The wolf is at the door.

「**オオカミがドアの所にいる；危険が迫っている；食うにも困る状態だ**」➤It'll keep

the wolf from the door. (それでとりあえず食いつなげるだろう) という表現も使われる.

woman 女；女性

A woman's place is in the home.
「**女の居場所は家庭だ**；女は家にいるものだ」➤女は家にいて，家事・育児に専念すべきだという一昔前の固定観念.

A woman's work is never done.
「**女の仕事は決して終わらない**」➤女性にはいつでも仕事があるという意味のことわざ. Man may work from sun to sun, but woman's work is never done. (男は日の出から日の入りまで働くかもしれないが，女の仕事は決して終わらない) から.

Behind every great man there's a great woman.
「**優れた男の陰にはいつも優れた女がいる**；内助の功」➤男を支える女性の力は大きい，という意味のことわざ. Behind every great man is a great woman. ともいう. また, great の代わりに good も使われる.

I am woman, hear me roar.
「**私は女，私がほえるのを聞きなさい**」➤ヘレン・レディ (Helen Reddy) の歌 "I Am Woman" (1972, 邦題「私は女」) の出だしのことば. 女性としての力強さを歌ったこの歌の文句はフェミニストたちにしばしば引用される.

Never argue with a woman.
「**女とは絶対に言い争うな**」➤女と言い争っても勝ち目はないということ.

Never underestimate the power of a woman.
「**女の力をあなどるな**」➤1883年創刊の女性誌 *Ladies' Home Journal* が1940年から掲げているスローガン. Never underestimate the power of *someone/something*. の形は広く使われる.

Women are second-class citizens.
「**女性は二等市民だ**」➤女性が差別されている状況を表す.

wonder 不思議 (に思う)；驚異

I don't wonder.
「**驚かないね**」➤I'm not surprised. とほぼ同じ.

Just wondering.
「**ただ疑問に思っただけ**」➤どうしてそんなことを聞くのか，などと言われたときの返事. I was just wondering. の省略表現.

No wonder.
「**どうりで；やっぱりね**」➤それは予想されたことなので聞いても驚かない，という場合に用いる. この後に文を続けることも多い.

> **Ex.** A: She hasn't trained for over six months.
> 彼女は半年以上も練習していないのよ.
> B: No wonder she came in last in the bike race.

どうりで自転車レースではびりだったわけだ.

Wonders never cease. / Wonders will never cease.

「**驚くことばかりだね**」➤驚き感心するようなことが続くような場合に用いる.「驚きはけっして尽きない」が原義.

woodchuck　ウッドチャック (★リス科の動物)

How much wood would a woodchuck chuck if a woodchuck could chuck wood?

「ウッドチャックはもし木を投げることができるなら，どれくらいの木を投げることができるだろうか」➤有名な早口ことば (tongue twister) の1つ.

word　単語；ことば；うわさ；話

Don't breathe a word.

「**一言もしゃべってはいけないよ；他言は無用だ**」➤Don't breathe a word of/about this to anyone/anybody. (このことはだれにもないしょだよ) などともいう. また，自分が口外しないという場合は I won't breathe a word (of/about it). などという.

Famous last words.

「**何が；そんなわけないでしょ**」➤相手の言ったようにはならないという場合の表現. また，自分の言ったことについて「それは結果的に大間違いだった」という意味でも用いる. 冗談っぽく使われることが多い.「有名な辞世の句だ」が原義.

Ex. A: I'll only have one beer tonight with the guys after work.
　　　　今夜は仕事の後で仲間とビール1杯だけにしておくよ.
　　　B: Famous last words. またそんなこと言って.

In the beginning was the Word.

「**初めに言があった**」➤新約聖書 (New Testament) の「ヨハネによる福音書」の出だしのことば. In the beginning was … の形はさまざまに引用される.

[補足] この個所の聖書の記述は次のとおり (John 1:1-3).
　　In the beginning was the Word, and the Word was with God, and the Word was God.
　　初めに言があった. 言は神と共にあった. 言は神であった.

It's A's word against B's.

「**Aはそう言っているけど，Bは違うと言っている；水掛け論だ**」➤お互いが自分の都合のいいように主張しているが，どちらにもそれを立証するものがないという場合の表現で，It's your word against mine. (あなたと私がそれぞれの言い分を主張しているだけでしょう) のように用いる. [類似] It's he said, she said.

Mark my words.

「**私の言うことをよく聞きなさい；ほんとうだよ；信用して**」➤Mark my word. ともいう.

Ex. A: I'm not certain that I should marry Harry.
　　　　ハリーと結婚すべきなのかわからないわ.

B: Mark my words. You should settle these doubts before the wedding.
いいこと. 結婚式の前までにそうした疑念は解決しておかなくちゃだめよ.

May I have a word with you?

「ちょっとお話できませんか」➤相談したいことがあるという場合に用いる. May の代わりに Can/Could も使われる. I'd like (to have) a word with you. (お話したいのですが) もほぼ同じ.

Mum's the word.

「だれにも言わないで; だれにも言わないから」➤他言は無用だと人に念を押す場合や, 自分から口外しないと約束する場合に用いる. この mum は唇を閉じて発音する mmm という音を表している. つまり, 発するのは唇を閉じて言う mmm ということばだけだ, という意味.

My word is my bond.

「私のことばは私の証文だ; 私は約束したことは守る; (…に) 二言はない」➤一般的命題として Your word is your bond. (約束は絶対だ) などともいう.

Not in so many words.

「はっきりそう言ったわけではない」➤あの人はそう言ったのですかなどと聞かれたときの返事.「それだけの数のことばで言ったわけではない」が原義.

Say the word.

「はっきり言いなさい」➤どうしてほしいのかはっきり言いなさい (そうすればそのようにするから), というような場合に用いる.

Ex. A: I don't like you teasing me. 私, からかわれるのはいやなの.
B: Just say the word, and I'll stop.
どういうことかはっきり言ってよ. そうしたらやめるから.

Take my word for it.

「私のことばを信用しなさい; ほんとうだよ; 悪いことは言わないから」➤「私のことばをそのものとして受け取りなさい; 額面どおりに受け取りなさい」が原義. [類似] Trust me.

The word is out. / Word is out.

「うわさが広まっている; 秘密がばれた; 真相が明らかになった」

Ex. A: The word is out that you are dating Nora.
あなたがノラとデートしているってうわさよ.
B: We've been out just a few times. ほんの2, 3度だよ.

[補足] カイリー・ミノーグ (Kylie Minogue) の歌に "Word Is Out" がある.

Truer words were never spoken.

「まさにそのとおり」➤相手のことばに強く同意する表現.「それよりもほんとうのことばはこれまでに1度も話されなかった」が原義.

What's the good word?

「やあ, 何かいいことあるかい」➤出会ったときなどのあいさつ.「いい知らせは何か」が原義.

Word of mouth.

「うわさでね; 人づてにね」➤だれに聞いたのかなどと聞かれたときの返事. Just word of mouth. ともいう. 慣用句の word of mouth は「口づて; 口コミ」の

意味. 類似 A little bird told me. / I heard it though the grapevine.

Words fail me.
「ことばが見つからない」▶驚きや怒りなどで何を言っていいかわからない，という場合に用いる．

Words travel fast.
「うわさはすぐに広まる」▶よいうわさについても悪いうわさについても用いる．

You took the words (right) out of my mouth.
「それは私がいま言おうとしていたことです；まったく同感です」▶「私がいま言おうとしていたことばをあなたはとった」が原義．
補足 「あなたの言うのはこういうことでしょう」と相手が勝手に決めつけたような場合には You're putting words into my mouth. (私はそんなことは言っていません) という表現が使われる．

You're only as good as your word.
「人は自分のことばと同じ程度のよさしかない」▶うそを言ったり，口先だけで実行しないのはよくない，という意味のことわざ．

work 働く；勤める；仕事

All work and no play makes Jack a dull boy.
「勉強［仕事］ばかりして遊ばない子はばかになる；よく遊びよく学べ」▶たまには息抜きをしなさい，という場合に使われることわざ．単に All work and no play. ということも多い．Jack は日本の「太郎」のように男子の代表的な名前で，マザーグースなどの伝承童謡 (nursery rhymes) によく登場する．
補足 映画『シャイニング』(*The Shining*, 1980) でジャック・ニコルソン (Jack Nicholson) 演じる主人公の作家が毎日タイプライターで打っていた文がこれだった．

Does it work for you?
「それでいいですか」▶自分の提案などに対して，それで不都合はないかどうか相手に尋ねる表現．

Don't work too hard.
「まあ適当にね；ほどほどにね；がんばって」▶子どもが遅くまで試験勉強をしているときに親がこう言うなど，日本語では「しっかりがんばれ」という状況で使われることが多い．「あまり一生懸命に働くな［勉強するな］」が原義．

Good work. / Nice work.
「よくやった」▶課題をりっぱにやり遂げた人をほめることば．Good job. / Nice job. などともいう．

Hard work never hurt anyone.
「一生懸命に働いて傷ついた人はいない」▶しばしば怠け者をさとす場合に使われることわざ．

Hard work pays off.
「努力は報われる；苦労は報われる」

How was work today?
「きょうは仕事のほうはどうだった？」▶仕事から家に帰った人に尋ねる．How was your day at work? ともいう．類似 How was school today?

I just work here.
「私はただここで働いているだけです」➤客からクレームをつけられたりした店員などが「私にそんなことを言われても困る」という場合に用いる．

I have work to do.
「しなければならない仕事がありますから」➤誘いを断るときなどによく使われる．

If you don't work, you don't eat.
「働かざる者食うべからず」➤ことわざ．No work, no eat. ともいう．

[補足] 新約聖書 (New Testament) の「テサロニケの信徒への手紙二」(2 Thessalonians 3:10) に同じ趣旨のことばがある．

> For even when we were with you, this we commanded you, that if any would not work, neither should he eat.
> 実際，あなたがたのもとにいたとき，わたしたちは，「働きたくない者は，食べてはならない」と命じていました．

Keep up the good work.
「そのいい仕事を維持しなさい；その調子でがんばって」➤相手の仕事ぶりをほめる表現．

My work here is done.
「ここでの私の仕事は終わった；これで私の役目は済んだ」➤古いテレビ西部劇『ローン・レンジャー』(*The Lone Ranger*, 1949-57) の主人公が悪者を退治して，最後に言うせりふから一般に広まった．

Nice work if you can get it.
「そういう仕事を手に入れられたらいいけど；そうそううまくいくかね；うらやましい仕事ね」➤相手の思うようにことは運ばないだろうという場合，またはそれはみんなが望むような恵まれた仕事だという場合に用いる．1937年のガーシュイン (George and Ira Gershwin) の歌の題名から一般に広まった．

Where do you work?
「どこに勤めているのですか」➤相手の勤め先を尋ねる質問．

Ex. A: Where do you work? どちらにお勤めですか．
B: I work for a department store. デパートに勤めています．

Work before play.
「遊びの前に仕事/勉強」➤やるべきことをやってから遊びなさい，ということ．

Work expands (so as) to fill the time available for its completion.
「仕事はその完成に利用できる時間を満たすように拡大する」➤人（特に公務員）は予定より早く終わる場合でも割り当てられた時間いっぱいを使う傾向がある，または割り当てられた時間いっぱいを使うように仕事を増やすという意味．イギリスの歴史家パーキンソン (Cyril Northcote Parkinson, 1909-1993) のことばで，パーキンソンの法則 (Parkinson's Law) と呼ばれる．

Work hard, play hard.
「よく働きよく遊ぶ」➤仕事も遊びも目一杯するというタイプの人のモットー．I work hard, (and) I play hard. （私は仕事も遊びも全力投球だよ）という表現も使われる．

Works for me.

「それでいいよ；賛成だ」➤相手の提案などに異存はない，という場合に用いる．It works for me. の省略表現．

Ex. A: Let's not tell Mom about this.
お母さんにはこのことは黙っていようね．
B: Works for me. いいよ．

world 世界；世の中

How's the world treating you?
「どうしているんだい」➤相手のようすを尋ねるあいさつ．「世の中はあなたをどのように扱っていますか」が原義．
[補足] エルビス・プレスリー (Elvis Presley) などの歌の題名にも使われている．

It's a funny old world.
「おかしな世の中ね」➤イギリスの元首相マーガレット・サッチャー (Margaret Thatcher) が 1990 年の党首選でジョン・メージャー (John Major) に敗れて党首・首相の座を明け渡したときに言ったことば．一般に広く引用される．

It's a whole other world out there.
「そこにあるのはまったくの別世界だ」

O brave new world!
「なんとすばらしい新しい世界でしょう」➤シェークスピア (Shakespeare) の『嵐』(*The Tempest* V. i.) で，主人公のプロスペロー (Prospero) の娘ミランダ (Miranda) がりっぱな身なりをした人たちを初めて見たときに言ったことば O brave new world That has such people in't! (こんな人たちが住んでいるとはなんとすばらしい新しい世界でしょう) から．オルダス・ハクスリー (Aldous Huxley) の著書『すばらしい新世界』(*Brave New World*) の題名もこれからとられている．

That's not the world we live in.
「私たちの住んでいる世界はそのようなものではない；世の中そんなに甘くはないんだよ」➤ほんとうはそうあるべきかもしれないが，実際の世の中はそうではないという場合に用いる．

The world is your oyster.
「何でも思いのままだ」➤カキの口をあけて食べるように世界は自由になる，という意味．自分や第三者について The world is my/his/her oyster. のようにも使う．
[補足] シェークスピア (Shakespeare) の『ウィンザーの陽気な女房たち』(*The Merry Wives of Windsor* II. ii.) が出典．お金は一銭も貸さないとフォルスタッフ (Falstaff) に言われた部下のピストル (Pistol) は Why, then the world's mine oyster, Which I with sword will open. (なに，それなら世界は私のカキも同じ，剣で開けるまでだ) と言う．

Welcome to my world.
「私の世界にようこそ；私なんかいつもそんな感じよ」➤相手がぐちをこぼしたような場合に用いる．[類似] Join the club.

Ex. A: My mom punished me for the whole weekend just for cursing!
私がののしりことばを使ったというだけで，お母さんに週末の間ずっと罰をもらったわ．

B: Welcome to my world. My parents are much stricter than yours. 私なんかいつもそうよ．うちの親はもっとずっと厳しいわ．

worm （ミミズなどの）虫

The worm turns.
「**虫は反撃する；一寸の虫にも五分の魂；窮鼠**(きゅうそ)**猫をかむ**」➤あまりにひどい扱いをするとおとなしい人でも逆襲に転じる，または状況が逆転して攻勢に出るという意味のことわざ．Even a worm will turn. ともいう．

worry 心配（する）　　**worried** 心配した

Don't worry. / No worries. / Not to worry.
「**心配しないで；だいじょうぶ；気にしないで**」➤特に強調する場合には Don't worry about a thing. ともいう．

Don't worry, be happy.
「**心配しないで，元気を出して**」➤インド人グルのアバタル・メヘル・ババ (Avatar Meher Baba) のことばとして1960年代に使われ，1988年に大ヒットしたボビー・マクファリン (Bobby McFerrin) の歌の題名から広く知られるようになった．

Nothing to worry about.
「**心配無用；だいじょうぶ；気にするな**」➤There's nothing to worry about. / You have nothing to worry about. / It's nothing to worry about. などの省略表現で，Don't worry. とほぼ同じ．

You had me worried.
「**心配しちゃったじゃないか**」➤特に強調して You had me worried sick. (ずいぶん心配しちゃったじゃないか) ともいう．

worse より悪い；よりひどく　　**worst** 最悪の

Could be worse.
「**まあまあかな**」➤調子はどうかなどと聞かれたときの返事．I/It/Things could be worse. の省略表現で「もっと悪いこともありえる」が原義．Could be better. の反対．

It could have been worse.
「**それくらいで済んでよかった；不幸中の幸いだ**」➤「それはもっと悪いことになっていた可能性もある」が原義．

I've had worse.
「**もっとひどいこともあった；これはそんなにひどくはない**」➤感想を聞かれたときの返事．「もっと悪いものを経験した」が原義．I've had better. の反対．

I've seen worse.
「**まあまあじゃない**」➤映画などの感想を聞かれたときの返事．「もっと悪いものを見たことがある」が原義．しばしば Seen worse. と省略していう．I've seen better. の反対．

The worst is yet to come.
「最悪の状態はまだ来ていない；これからもっとひどくなる」

worth 価値のある

Anything worth doing is worth doing well.
「いやしくもやる価値のあるものはよくやる価値がある」➤If a thing is worth doing, it's worth doing well. ともいう.

It's not worth it. / It isn't worth it.
「それには及ばないよ」➤相手の提案を却下するときなどの表現.
Ex. A: If I go to the baseball game tonight, I'll probably fail my math exam tomorrow.
もし今夜，野球の試合を見に行けば，たぶんあしたの数学の試験は落としちゃうな.
B: It's not worth it. それほどまでして見に行く価値はないよ.

would …だろう

You would, wouldn't you?
「そうでしょう？」➤あなたがそういう立場におかれたら当然そうするでしょう，という意味の付加疑問文. 第三者について He/She would, wouldn't he/she?（彼/彼女の立場とすれば当然そうするだろう）という表現も使われる.

You wouldn't (do that)!
「まさか (そんなことしはしないでしょうね)」➤You couldn't (do that)! ともいう.
Ex. A: I'm going to tell the teacher that you cheated.
きみがカンニングしたことを先生に言うよ.
B: You wouldn't. まさか.

write 書く；手紙を書く　writing 文書；文字

Can I get that in writing?
「それ一筆書いてもらえますか」➤約束したことの証拠がほしい，という場合に用いる.

Remember to write. / Don't forget to write.
「忘れずに手紙を書いてね」➤旅行に行く人などにかけることば.

wrong 間違った (こと)；不正

If anything can go wrong, it will.
「失敗する可能性のあるものは失敗する」➤マーフィーの法則 (Murphy's Laws) の1つ.

Two wrongs don't make a right.
「2つの間違ったことは1つの正しいことを作らない；だれがやっても悪いことは悪いことだ」➤相手が悪いことをしたからといって自分も仕返しに同じことをするのはいけない,

と親などが子どもに諭す場合によく使われる.

What's wrong?
「どうしたの; 何があったの」➤問題がありそうな場合に尋ねる.

What's wrong with that?
「**それのどこがいけないの?**; 悪いかしら」➤文字どおりにそれのどこが悪いのかと尋ねる場合と, 別にかまわないじゃないかという意味の反語として用いる場合がある.

What's wrong with you?
「どうしたの; どこか具合が悪いのですか; いったい何考えているのよ」➤相手の体調や状況などを気づかって尋ねる場合と,「どうかしているんじゃないの」と非難するように力を込めて言う場合がある.

Where did I/we go wrong?
「**どこが悪かったのだろう**; どこで間違えたのだろう」➤言うことをきかなくなった子どもについて,「どこで育て方を間違ったのかしら」という場合によく使われる. また, プロジェクトの失敗の原因を探るときなどにも使われる.

You can't go wrong.
「(そうしておいて) **間違いはないよ**」➤それが悪い結果をもたらすことはない, という場合の表現.

> **Ex.** A: Should I order the fish or chicken lunch special?
>   魚とチキン, どっちのランチスペシャルを注文したほうがいいかしら.
>   B: You can't go wrong. The food here is always delicious.
>   どっちでもだいじょうぶだよ. ここの料理はいつもおいしいから.

You couldn't be more wrong.
「**大間違いだね**」➤「あなたがそれ以上間違っていることはありえない」ということから.

Y, y

yawn あくび(する)

Yawning is contagious.
「あくびは伝染する」➤一般に言われているだけでなく,実験でも確かめられている.

yeah はい; ええ (★ yes のくだけた言い方)

Oh, yeah?
「あっそうなの?; ヘー,そうかい」➤相手のことばに関心を示す軽い返事として用いる場合と,反発を表して語気を強めて言う場合がある.

Yeah, yeah, yeah.
「わかった,わかった」➤相手の指図などに対する投げやりな返事. Yeah, yeah. ともいう.

Ex. A: Now remember to stop at the doctor's on the way home and get that blood test done. And don't forget we have that dinner tomorrow, so I need you to pick up two gallons of milk and a stick of butter.
　　帰りに医者に寄って血液検査をしてもらうのを忘れないでね.それからあしたは夕食会があるから,牛乳2ガロンとバターも1個買ってきてよ.
B: Yeah, yeah, yeah ... ああ,わかってるよ.

yes はい; ええ

Yes!
「やった; よし」➤望みどおりの結果が出たときの喜びの発声.腕を曲げてぐいと引く動作を伴うことが多い.

Yes siree.
「はい,わかりました; そのとおり」➤強く承諾または肯定するときのややおどけた表現. siree は sir の意味.女性に対しても用いる. Yes siree, Bob. ともいう.

yesterday きのう

It seems like only yesterday.
「まるできのうのことのようね; ついこの間だと思っていたのに」➤Seems like only yesterday. ともいう.

you あなた；きみ；おまえ

How about you? / What about you?
「あなたのほうはどうですか」➤相手が自分にした質問を相手に問い返す場合や，同じ質問を 2 人目にする場合などに用いる．また，ほかの人のことはわかりましたが，あなた自身はどうする（どうなる）のですかと尋ねる場合にも用いる．

I'll be right with you. / I'll be with you in a minute.
「すぐに行きます」➤すぐに相手に応対するという意味で，受付の人が客を少し待たせるような場合によく使われる．

I'm glad it's you and not me.
「私でなくてあなたでよかった；ご苦労なことですね」➤相手の立場が大変で，自分にはちょっとできそうもないというような場合に用いる．

It's for you.
「あなたによ」➤あなたにかかってきた電話ですよ，という場合によく使う．

It's you!
「あなたによく似合っているわね；ぴったりだね」➤服装その他がいかにもあなたの好みや個性と合致している，という場合に用いる．「それはあなただったのね；あなたじゃないの」という意味もある．

The world does not revolve around you.
「きみを中心に世界が回っているわけじゃないんだからね」➤You're not the center of the world. ともいう．

You and who else?
「（へっ）おまえがか；おまえになんかできるものか」➤相手が「おまえなんかやっつけてやる」などと言ったときに，「お前1人ではとても太刀打ちできないだろうが，ほかにだれを連れてくるつもりなのか」という意味で言い返すことば．You and what army? ともいう．

You too.
「あなたもね；そちらこそ」➤相手が自分を思いやるようなことばを言ったときに，同じことばを返しますという意味で用いる．Same to you. ともいう．[類似] Back at you.

Ex. A: Take care of yourself, and try not to work too hard!
じゃあ気をつけて．働きすぎないようにね．
B: You too. See you in a few months!
そちらこそ．じゃあ数か月後に会いましょう．

young 若い　　youth 若さ；青春；若者

I'm not getting any younger.
「いつまでも若くはない；年取っちゃうじゃないか」➤もういい年になってしまった，いつまでも若いつもりでいるわけにはいかない，あるいは私の残りの人生も残り少ないから早くしてほしいというような場合に用いる．相手に対して，また一般に You're not getting any younger. (いつまでも若くはないよ；年を考えなさい)ということもある．「少しも若くはなっていない」が原義．

[補足] ギルバート・オサリバン (Gilbert O'Sullivan) の歌の題名にも使われている．

Stay young at heart.
「気持ちはいつまでも若くいなさい；老け込むな」

While I'm young.
「私の若いうちにね；年を取る前にしてね」➤早く頼むという場合などに用いる．

You're as young as you feel.
「若さは気の持ちよう；若いと思えば若い」

You're only young once.
「若い時は2度ない」➤若いうちに楽しめ，思い切ってやれというような場合に用いる．
[補足] 同名の映画 (1937年) や歌もある．

Youth is wasted on the young.
「若さは若者たちに浪費されている」➤アイルランドの劇作家・批評家ジョージ・バーナード・ショー (George Bernard Shaw) のことばとされる．
[補足] スウェーデンのバンド，シーザーズ (Caesars) の歌の題名にも使われている．

Youth will be served.
「若者は大事にされるべきだ」➤「若者は仕えられるものだ」が原義で，そのような考え方や風潮を指して使われる．

yours あなたのもの　yourself あなた自身

Be yourself. / Just be yourself.
「自分らしくありなさい；いつもどおりにしていなさい」➤人まねをするな，自分を見失うなという場合などに用いる．

Ex. A: I'm so nervous about tomorrow's interview.
あしたの面接のことで緊張しているよ．
B: Don't worry, just be yourself. Trust me. Your personality is going to make a much bigger impression than your answers are.
心配ないわよ．いつもの自分を出せばいいのよ．あなたの人柄は質問の受け答えよりずっと大きな印象を与えるから．間違いないって．

I'm all yours.
「なんでも相手しますよ」➤ほかに用事はないから，話におつきあいしますよという場合などに用いる．「私はすっかりあなたのものです」が原義．

Z, z

zip チャックをする

Zip it (up)!
「**うるさい**; 黙れ」 ➤ 「口にチャックをしろ」という意味の俗語表現. Zip your lip. などともいう.

zoo 動物園

It's a zoo out there.
「そこはまるで**動物園**だ; お祭り騒ぎだ; 油断ならない世界だ」 ➤公序良俗とは無縁の世界だ, という場合に用いる. It's a zoo in there. ともいう. [類似] It's a jungle out there.

和英索引

- この索引には本文から主要なフレーズを厳選して採録した
- ▶の次に記された親見出しに採録してある

あい【愛】
■愛と憎しみは紙一重 There's a fine line between love and hate. ▶ **love**
■愛はすべてを克服する Love conquers all. ▶ **love**
■愛は出会い Love is where you find it. ▶ **love**
■食べちゃいたいほど愛しているよ I love you so much I could eat you up. ▶ **love**

あいかわらず【相変わらず】
■相変わらずだね Same old, same old. ▶ **same**

あいこ【相子】
■これでおあいこだ Now we're even. ▶ **even**

あいそう【愛想】
■少しくらいはお愛想をふりまいたらどうだい Would it kill you to smile? ▶ **smile**

あう【会う】
■お会いできてよかったです Nice meeting you. ▶ **meet**
■こっちはあんまりお目にかかりたくないね Not if I see you first. ▶ **see**
■(近いうちに/いつか)またお目にかかりたいものです I hope to see you again (soon/sometime). ▶ **see**
■どこかでお会いしたことはありませんか Don't/Do I know you from somewhere? ▶ **know**
■前にお会いしていますか/前にお会いしたことはありませんか Have we met (before)? / Haven't we met (before)? ▶ **meet**
■前に(どこかで)お目にかかっていませんか Haven't I seen you (somewhere) before? ▶ **see**
■また会えますか Can I see you again? ▶ **see**
■またお会いできますか Will I see you again? ▶ **see**

あかいいと【赤い糸】
■赤い糸で結ばれていたんだね It was a match made in heaven. ▶ **match**

あかご【赤子】
■赤子の手をひねるようなものだ It's like taking candy from a baby. ▶ **candy**

あきらめ
■あきらめの悪い人だね Some people (just) don't know when to give up. ▶ **give**
| Some people (just) don't know when to quit. ▶ **quit**
| Some people (just) don't know when to stop. ▶ **stop**

あきらめる
■あきらめたら最後だ The only way to fail is to quit. / You only fail if you give up. ▶ **fail**
■あきらめなさい Give it up. ▶ **give**
■絶対にあきらめるな Never say die. ▶ **die**

あきれる
■あきれちゃうね You're something else. ▶ **something**
■まったくあきれた話だよ I ask you! ▶ **ask**

あくじ【悪事】
■悪事千里を走る Bad news travels fast. ▶ **news**

あくせん【悪銭】
■悪銭身につかず Easy come, easy go. ▶ **easy**

あくび
■あくびは伝染する Yawning is contagious. ▶ **yawn**

あさごはん【朝ご飯】
■朝ご飯ができたわよ Breakfast is ready. ▶ **breakfast**
■朝ご飯が冷めちゃうよ Breakfast is getting cold. ▶ **breakfast**
■きょうの朝ご飯は何? What's for breakfast? ▶ **breakfast**
■朝食を抜いてはいけない Don't/Never skip breakfast. ▶ **breakfast**

あさめしまえ【朝飯前】
■朝飯前だ It's a piece of cake. ▶ **cake**

あした
■あしたからまた出直しだ Tomorrow is another day. ▶ **tomorrow**
| Tomorrow is the first day of the rest of my life. ▶ **tomorrow**

■あしたはあしたの風が吹く Who knows what tomorrow will bring? ▶ **tomorrow**
■あすはわが身だ There but for the grace of God go I. ▶ **grace**

あせる【焦る】
■そうあせらないで（辛抱しなさい） Patience, my friend(, patience). ▶ **patience**
■そうあせるな Not so fast. ▶ **fast**
| Hold your horses. ▶ **horse**

あそぶ【遊ぶ】
■よく遊びよく学べ All work and no play makes Jack a dull boy. ▶ **work**

あたま【頭】
■頭にご注意ください Watch your head. / Mind your head. ▶ **head**
■頭の中が真っ白になった I went blank. / My mind went blank. / My head went blank. ▶ **blank**
■頭を上げて（気をつけて） Heads up! ▶ **head**
■頭を使え Use your brain. ▶ **brain**
| Use your head. ▶ **head**
■少しは頭を冷やせ Get real. / Be real. ▶ **real**
■まったく頭が痛いよ Oh, what a headache! ▶ **headache**

あたる【当たる】
■当たって砕けろだ Here goes nothing. ▶ **here**
| Go for broke. ▶ **broke**
| Here goes. ▶ **here**
■買わなければ当たらない You can't win if you don't play. ▶ **play**
■初めて当たったわね For once, you're right! ▶ **right**

あっか【悪貨】
■悪貨は良貨を駆逐する Bad money drives out good. ▶ **money**

あつかましい【厚かましい】
■厚かましいにも程がある The cheek of it. / What a cheek! ▶ **cheek**

あつもの
■あつものに懲りてなますを吹く Once bitten, twice shy. ▶ **shy**

あて【当て】
■当てにしているよ I'm counting on you. ▶ **count**
■それは当てにしないほうがいい Don't count on it/that. ▶ **count**

あてる【当てる】
■当ててみて Take a guess. / Take a wild guess. ▶ **guess**

あと【後】
■後が怖いよ There will be hell to pay. ▶ **hell**
■後で行くよ I'll try to catch you later. ▶ **catch**
■後で大変なことになるよ You're asking for it. ▶ **ask**
■後でまたかけ直します I'll call back later. ▶ **call**
■後で文句を言っても知らないよ Don't say I didn't warn you. ▶ **warn**
■後にしてよ Catch me later. / Catch me some other time. ▶ **catch**
■後は推して知るべしだよ Fill in the blanks. ▶ **fill**
■後は考えればわかるでしょう Do the math. / You do the math. ▶ **math**
■後は野となれ山となれ After me/us the deluge. ▶ **deluge**
■後はみなさんよくご存知のとおりです The rest is history. ▶ **history**
■それは後でもいい It can wait. ▶ **wait**
■もう後がない There's no tomorrow. ▶ **tomorrow**

あなた
■あなたに話しているのよ I'm talking to you! ▶ **talk**
■あなたによ It's for you. ▶ **you**
■あなたによく似合っているわね It's you! ▶ **you**
■あなたの意見など聞いてない Who asked you? ▶ **ask**
■あなたもね Same to you. / The same to you. ▶ **same**
| You too. ▶ **you**
■これ、ちょっとあなたにと思って Here's a little something for you. ▶ **something**

あばた
■あばたもえくぼ Love is blind. ▶ **love**

あぶない【危ない】
■危ない Watch out! ▶ **watch**
| Look out! ▶ **look**
■危ないところだった That was close. ▶ **close**

あまい【甘い】
■甘く見てもらっちゃ困るよ I wasn't born yesterday. ▶ **born**

あめ【雨】
■雨降って地固まる April showers bring May flowers. ▶ **April**
| The course of true love never did run smooth. ▶ **love**

あやしい【怪しい】
■それは怪しいものだね Don't bet on it. ▶

bet
| I wouldn't bet on it. ▶ **bet**
| I doubt that. ▶ **doubt**

あやまち【過ち】
■過ちは人の常、許すは神の業 To err is human, to forgive divine. ▶ **err**
■過ちを改むるにはばかることなかれ It's never too late to mend. ▶ **mend**

あやまる【謝る】
■謝って済む問題ではない Sorry isn't enough. ▶ **sorry**
| (An) apology is not enough. ▶ **apology**
■謝ってもらえればいいんです Apology/Apologies accepted. ▶ **apology**
■謝らなくてはいけません I owe you an apology. ▶ **apologize**
■謝ります I apologize. ▶ **apologize**
■いまさら謝ってもらっても遅いね It's a little late for apologies. ▶ **apology**

ありがたい【有り難い】
■まったくありがたいこった（皮肉に） Thank you for nothing. / Thanks for nothing. ▶ **thank**

ある【有る・在る】
■そういうのはそうざらにあるものじゃない That's something you don't see every day. ▶ **see**
■そんなことあるわけないか Who am I kidding? ▶ **kid**
■そんなのいやと言うほどあるよ If I had a nickel. ▶ **nickel**

あんまり
■あんまり Not much. / Not too much. ▶ **much**

いい【良い】
■ああよかった That's a relief. / What a relief! ▶ **relief**
■いいこと? Do you hear me? / Do you hear? ▶ **hear**
■いいですね（物を勧められたときの返事） Don't mind if I do. ▶ **mind**
■いいというところで言って Say when. ▶ **say**
■いつかいいことがあるよ Your day will come. ▶ **day**
■彼/彼女のどこがいいの What do you see in him/her? ▶ **see**
■それは（もう）いいよ Forget it. / Forget about it. ▶ **forget**
■それはよかった I'm glad to hear that/it. ▶ **hear**
| Thank God! / Thank goodness! / Thank heavens! ▶ **thank**
■だったらいいんだけど I wish. ▶ **wish**
■よかった?（セックスの後で） Was it good for you? ▶ **good**
■よかったじゃない Good for you! ▶ **good**

いいかげん【いい加減】
■いい加減にしなさい Enough is enough. ▶ **enough**
| Enough! / Enough already! ▶ **enough**

いいとこどり【いいとこ取り】
■いいとこ取りだね It's the best of both worlds. ▶ **best**
■両方いいとこ取りはできない You can't have it both ways. ▶ **have**
| You can't have your cake and eat it too. ▶ **cake**

いう【言う】
■あなたがそう言うのなら（そういうことにしておきましょう） If you say so. ▶ **say**
■あなたには（そのようなことを）言う資格はない You've no room to talk. ▶ **talk**
■（いいから）言ってみて Try me. ▶ **try**
■いいから私の言うとおりにして Indulge me. ▶ **indulge**
■言いたいことがあるならはっきりと言いなさい Say what you have to say. ▶ **say**
■言いたいことはわかったよ（だからそれ以上言わなくていい） You made your point. ▶ **point**
■言うことなしだ I couldn't ask for more. ▶ **ask**
■言うことはそれだけか Are you finished? ▶ **finish**
■言うだけ言ってみたの It was worth the shot. ▶ **shot**
■言うだけむだだよ Don't waste your breath. / Save your breath. ▶ **breath**
■言うはやすし、行うはかたし It's easy to say, (but) hard to do. ▶ **easy**
■いくら言ってもむだだよ You're wasting your breath. ▶ **breath**
■1度言えばわかるよ You don't have to ask me twice. ▶ **ask**
| You don't have to tell me twice. ▶ **tell**
■いったい何を言っているの? What are you talking about? ▶ **talk**
■いったい何回言えばわかるんだ How many times do I have to tell you? ▶ **tell**
| If I've told you once, I've told you a thousand times. ▶ **tell**
■言っておきますけどね I have news for you. / I('ve) got news for you. ▶ **news**
■言ってごらん Name it. ▶ **name**
■言わせておけばいいよ Let them talk. ▶ **talk**
■言わぬが花ということもある Some things

■言われたとおりにしなさい Do as you're told. / Do what you're told. ▶ **do**
■(こういうときは)なんて言うんだっけ What do you say? ▶ **say**
■こう言っておこう Let me put it this way. / Let's put it this way. ▶ **put**
■このことはだれにも言いません My lips are sealed. ▶ **lip**
■これ以上私が言うこともないわね I rest my case. ▶ **case**
■最後まで言わせてよ Let me finish. ▶ **finish**
■自分が何を言っているのかわかっているのか Do you hear yourself? ▶ **hear**
｜Are you listening to yourself? ▶ **listen**
■自分のことを棚に上げてよく言うよ Talk about the pot calling the kettle black! ▶ **pot**
■ずいぶんうまいことを言うね I wish I'd said that. ▶ **say**
■それは言うまでもない That goes without saying. ▶ **say**
■それほどまで言うのなら If you insist. ▶ **insist**
■そんなことを言うなんて信じられない I can't believe what I'm hearing. ▶ **hear**
■そんなこと言わないで Don't give me that. ▶ **give**
｜Don't say it. ▶ **say**
■だから言わないことじゃない What did I tell you? ▶ **tell**
■だから(そう)言ったじゃないの I told you. / I told you so. ▶ **tell**
■だからなんだと言うのか What does that prove? ▶ **prove**
■だから私が言ったじゃないの Didn't I tell you? ▶ **tell**
｜What did I say? ▶ **say**
■だったらどうだと言うの? Suppose I do? / Supposing I do? ▶ **suppose**
■だれにも言わないでね Don't tell anyone. / Don't tell a soul. ▶ **tell**
■ちょっと言わせてもらおう Let me tell you something. ▶ **tell**
■つべこべ言うんじゃない No ifs, ands, or buts. ▶ **if**
■でも、って言うんじゃないの I hear/sense a big but coming. ▶ **but**
■何が言いたいの What are you driving at? ▶ **drive**
｜What are you getting at? ▶ **get**
■何を言うかではなく、どう言うかだ It's not what you say, but how you say it. ▶ **say**
■何を言っているのよ Come off it! ▶ **come**
■なんなりとお申し付けください I'm at your command. ▶ **command**
■人ごとだからそんなことが言えるのさ That's easy for you to say. / It's easy for you to say. ▶ **say**
■人はどう言うかしら What will people think? ▶ **think**
■もう1度言ってよ Run that by me again. / Run it by me again. ▶ **run**
■もう少し具体的に言ってもらえませんか Could you be a little more specific? ▶ **specific**
■もうそれ以上言わないで Don't say another word. ▶ **say**
■持って回った言い方はやめなさい Stop beating around the bush. ▶ **beat**
■よく言うよ Look who's talking! ▶ **talk**
｜That's rich. ▶ **rich**
■よく考えてからものを言いなさい First think, then speak. ▶ **think**
｜Think before you speak. ▶ **think**
■よくもそんなことが言えるね How dare you! ▶ **dare**

いえ【家】
■いいお住まいですね Nice place you have here. ▶ **place**
■ここを自分の家と思ってくつろいでください My house is your house. ▶ **house**
■(自分の)うちがいちばんだ There's no place like home. ▶ **home**

いき【意気】
■そうその意気だ That's the attitude. ▶ **attitude**
｜That's the spirit. ▶ **spirit**

いき【息】
■息つく暇もない I don't have time to breathe. ▶ **breathe**
■息を吸って、息を吐いて Breathe in, breathe out. ▶ **breathe**

いきる【生きる】
■生きるべきか、死ぬべきか To be or not to be. ▶ **be**
■かすみを食べて生きてはいけないからね You have to eat. / You got to eat. ▶ **eat**

いく【行く】
■あっちへ行け Beat it! ▶ **beat**
｜Get lost. ▶ **lost**
｜Go away! ▶ **go**
■いま行きます I'm coming! ▶ **come**
■絶対に行くわよ I wouldn't miss it for the world. ▶ **miss**
■そろそろ行かなくちゃ I have to get going. /

I got to get going. ▶ **go**
■もう行かなくちゃ I have to go (now). / I got to go (now). ▶ **go**
| I have to fly (now). / I've got to fly now. ▶ **fly**
| I have to run. / I've got to run. ▶ **run**
■もうおいとましなければなりません I have to say good night. / I must say good night. ▶ **night**
■私も(後に続いて)すぐ行くわ Right behind you. / Behind you. ▶ **behind**

いくら【幾ら】
■いくらだい What's the damage? ▶ **damage**
■いくらですか How much do I owe you? ▶ **owe**
| How much will it set me back? ▶ **set**

いけない
■あら、いけない Silly me. ▶ **silly**
■いけないことしちゃだめだよ Don't do anything I wouldn't do. ▶ **do**
■それはいけないことかね Is that a crime? ▶ **crime**
■ほんとうはこんなことしちゃいけないんだけど I shouldn't be doing this. ▶ **do**

いし【意志】
■意志のあるところ道あり；精神一到何事かならざらん Where there's a will, there's a way. ▶ **will**

いし【石】
■石の上にも三年 All good things come to those who wait. ▶ **wait**

いじ【意地】
■意地を見せてやれ Show them what you've got. ▶ **show**

いしばし【石橋】
■石橋をたたいて渡れ Look before you leap. ▶ **look**

いじょう【以上】
■以上でよろしいでしょうか Is that everything? ▶ **everything**
| Will that be all? ▶ **all**

いそぐ【急ぐ】
■急いで Hurry up! ▶ **hurry**
■急がなくていいよ There's no hurry. ▶ **hurry**
| There's no rush. ▶ **rush**
■急がば回れ Haste makes waste. ▶ **haste**
| More haste, less speed. ▶ **haste**
■いま急いでいるんだ I'm on wheels. ▶ **wheel**
■さあ急いで Chop chop. ▶ **chop**
■何を急いでいるの？；そう急ぐことはないさ What's the hurry? ▶ **hurry**
| What's the rush? ▶ **rush**

いたい【痛い】
■痛い Ouch! ▶ **ouch**
■痛い所を突くね Good question. ▶ **question**
■痛いの痛いの飛んでいけ Kiss it better. ▶ **kiss**
■痛くもかゆくもないわ It's no skin off my nose. / That's no skin off my nose. ▶ **skin**

いただく【頂く】
■もう十分いただきました I've had enough. ▶ **enough**

いち【位置】
■位置について，用意，ドン On your mark. Get set. Go! ▶ **mark**
| Ready, set, go! ▶ **ready**

いちど【一度】
■1度あることは2度ある What happened once/before can happen again. ▶ **happen**

いちなん【一難】
■一難去ってまた一難 Out of the frying pan, into the fire. ▶ **fire**

いちにち【一日】
■一日一歩 One day at a time. ▶ **day**

いつ
■あなたさえよければ私はいつでもいいです Any time you're ready. / I'm ready when you are. ▶ **ready**

いっけん【一件】
■(これにて)一件落着 Case closed. ▶ **case**
| Problem solved. ▶ **problem**

いっしょ【一緒】
■ごいっしょしてもいいですか Can/May/Could I join you? ▶ **join**
■ごいっしょしませんか Would you like/care to join us? ▶ **join**
■人をいっしょにするな Speak for yourself. ▶ **speak**

いっせきにちょう【一石二鳥】
■一石二鳥 Kill two birds with one stone. ▶ **bird**

いっぽ【一歩】
■一歩一歩 One step at a time. ▶ **step**
■一歩踏み出すまでが大変だ The first step is the hardest. / The first step is always the hardest. ▶ **first**

いつも
■いつものやつね The usual, please. / Give me the usual. ▶ **usual**

いないいないばあ

いぬ

■いないいないばあ Peekaboo. / Peek-a-boo. ▶ **peekaboo, peek-a-boo**

いぬ【犬】
■犬も歩けば棒に当たる Even a blind pig can find an acorn. ▶ **pig**
■ほえる犬はかまない Barking dogs never/seldom bite. ▶ **dog**

いのち【命】
■命あっての物種 A living/live dog is better than a dead lion. ▶ **dog**
　| Where there is life, there is hope. / While there's life, there's hope. ▶ **hope**

いのる【祈る】
■この後も何事もないことを祈ろう Knock on wood. ▶ **knock**

いま【今】
■あの時はあの時，いまはいまだよ That was then, this is now. ▶ **then**
■いまが人生最高の時だ I'm having the time of my life. ▶ **life**
■いまがその時だ Now is the time. ▶ **now**
■いましかないよ It's now or never. ▶ **now**
■いまはだめ Not right now. ▶ **now**

いまいち【今一】
■いまいちだ（これまで経験したものと比べて） I've had better. ▶ **better**
　|（これまで見たものと比べて） I've seen better. ▶ **better**
　|（もっとよくなる） Could be better. ▶ **better**

いみ【意味】
■いったいそれはどういう意味ですか What's that supposed to mean? ▶ **mean**
■どういう意味ですか What do you mean? ▶ **mean**

いや【嫌】
■いやとは言わせないよ I won't take no for an answer. ▶ **no**
■いやならやめておくんだね Take it or leave it. ▶ **take**
■いやよいやよもいいのうち When a lady says no, she means perhaps/maybe. ▶ **no**

いりよう【入り用】
■何かご入り用の物がありましたらお申しつけください If you don't see what you want, just/please ask. ▶ **want**

いんが【因果】
■因果は巡る What goes around comes around. ▶ **come**

うかつ
■うかつだった I should have known better. ▶ **know**

うきしずみ【浮き沈み】

■浮き沈みは世の習い What goes up must come down. ▶ **come**

うごく【動く】
■そこを動かないで Stay put. ▶ **put**
■みんな動くな Nobody move! ▶ **move**

うそ
■うそじゃないよ I kid you not. / I'm not kidding. ▶ **kid**
　| I mean it. ▶ **mean**
■うそじゃなく No lie. ▶ **lie**
■うそだろう Say it ain't so. ▶ **say**
■うそっ Get out! / Get out of here! / Get out of town! ▶ **get**
　| No way. ▶ **no**
■うそつけ My eye! ▶ **eye**
　| My foot! ▶ **foot**
■うそでしょう I don't believe it/this! ▶ **believe**
■これがうそだったら針千本飲んでもいいよ If I'm lying, I'm dying. ▶ **lie**
■こんなのうそでしょう I can't believe this is happening. ▶ **happen**
　| This can't be happening. / This isn't happening. ▶ **happen**
■…と言えばうそになる I'd be lying if I said ... ▶ **lie**

うっかり
■ついうっかりしていてね It slipped my mind. ▶ **slip**

うぬぼれる
■うぬぼれないでよ Don't flatter yourself. ▶ **flatter**
■うぬぼれるな Don't let it go to your head. ▶ **head**

うま【馬】
■馬を水のところまで連れていくことはできるが，水を飲ませることはできない You can lead a horse to water, but you can't make him drink. ▶ **horse**

うまい
■そうそううまくいくかね Nice work if you can get it. ▶ **work**
■そうそううまくはいかないわよ You should be so lucky! ▶ **lucky**

うめあわせ【埋め合わせ】
■この埋め合わせは後でするよ I'll make it up to you. ▶ **make**

うら【裏】
■裏なんかないよ There's no catch. ▶ **catch**
■きっと何か裏があるのよ There has to be a catch. / There must be a catch. ▶ **catch**
■この話には裏がある There's a catch to it. ▶ **catch**

■何か裏があるんじゃないの What's the catch? ▶ **catch**

うらめしや【恨めしや】
■うらめしや Boo. ▶ **boo**

うるさい
■うるさい（反発のことば）Bite me! ▶ **bite**
■うるさい（黙れ）Shut up. ▶ **shut** | Zip it (up)! ▶ **zip**
■うるさい（人のことはほっておけ）Get off my back! ▶ **back**
■うるさく言わないでよ Don't push me. ▶ **push**
■まったくうるさいんだから（えり好みが激しい）Picky, picky, picky. ▶ **picky**

うれしい
■そう言ってもらえるとうれしいです I'm flattered. ▶ **flatter**
■私もうれしいよ I'm happy for you. ▶ **happy**

うわさ
■うわさが広まっている The word is out. / Word is out. ▶ **word**
■うわさで聞いた（のだけど）A little bird told me. ▶ **bird** | I heard it through the grapevine. ▶ **hear**
■うわさでね Word of mouth. ▶ **word**
■うわさはすぐに広まる Words travel fast. ▶ **word**
■うわさをすれば影；うわさをすればなんとやら Speak of the devil. ▶ **devil**
■おうわさはかねがね伺っていました I've heard a lot about you. ▶ **hear**
■ちまたでは…ともっぱらのうわさ The buzz on the street is that ... ▶ **buzz**

うんざり
■もううんざりだ I'm fed up. ▶ **feed**

うんてん【運転】
■運転には気をつけてね Drive safely. / Drive carefully. ▶ **drive**

ええい
■ええい，ままよ Here goes nothing. ▶ **here**

えらい【偉い】
■偉いじゃない Good for you! ▶ **good**

えんりょ【遠慮】
■遠慮するよ I'll pass. ▶ **pass**

オオカミ【狼】
■オオカミ少年になるな Never cry wolf. ▶ **wolf**

おおきい【大きい】
■大きいことはいいことだ The bigger, the better. ▶ **big**
■大きくなるのは早いものね They grow so fast. ▶ **grow**
■まあすっかり大きくなっちゃって You've grown like a weed. ▶ **grow**

おおきさ【大きさ】
■大きさは問題ではない Size doesn't matter. ▶ **size**

おおさわぎ【大騒ぎ】
■何を大騒ぎしているのさ What's the big deal? ▶ **deal**

おかどちがい【お門違い】
■お門違いですよ（私はそのような人ではない）You have the wrong customer. ▶ **customer**
|（見当違いの人に文句を言っている）You're barking up the wrong tree. ▶ **bark**

おかみ【お上】
■お上には逆らえない You can't beat the system. ▶ **system**

おきる【起きる】
■起きなさい（目を覚ませ）Wake up. ▶ **wake**
■さあ起きなさい Rise and shine. ▶ **rise**

おくる【送る】
■家まで（歩いて）送っていくよ I'll walk you home. ▶ **walk**

おくれる【遅れる】
■遅れてすみません I'm sorry I'm late. ▶ **late, later**

おことわり【お断り】
■絶対にお断りだ I wouldn't do it for a million dollars. ▶ **million**
| Never in a million/thousand years! ▶ **never**
| Not in a million/thousand years! ▶ **not**

おごる【奢る】
■1杯おごらせてもらえるかい Can I buy you a drink? / May I buy you a drink? ▶ **drink**

おごる【驕る】
■おごれる者は久しからず Pride comes before a fall. / Pride goes before a fall. ▶ **pride**

おしい【惜しい】
■惜しい Close, but no cigar. ▶ **close**

おしまい
■あなたとはおしまいよ I'm done with you. ▶ **done**
■もうおしまいだ We're doomed. ▶ **doom**
■もうおまえはおしまいだ Your days are numbered. ▶ **day**
■私はもうおしまいだ I'm dead meat. / I'm dead. ▶ **dead**

おす【押す】

■押してもだめなら引いてみな There's more than one way to skin a cat. ▶ **way**

おせじ【お世辞】
■お世辞を言ってもむだよ Flattery will get you nowhere. ▶ **flattery**

おそい【遅い】
■遅くなってきましたね It's getting late. ▶ **late, later**
■ずいぶん遅かったじゃないの What took you so long? ▶ **long**

おたがいさま【お互い様】
■お互いさまです The feeling is mutual. ▶ **feeling**
■それはお互いさま It takes one to know one. ▶ **know**

おてんとうさま【お天道様】
■おてんとう様が見ている God sees everything we do. ▶ **god**

おとこ【男】
■男の子は泣かないものよ Boys don't cry. ▶ **boy**
■男はいくつになっても子どもだ Boys will be boys. ▶ **boy**
■男らしく受けてみろ Take it like a man. ▶ **man**
■男らしくしなさい Be a man. / Act like a man. ▶ **man**
■それでも男か So you call yourself a man? ▶ **man**

おとな【大人】
■おとなげないことをするな Act your age. / Be your age. ▶ **age**
■少しはおとなになりなよ Grow up. ▶ **grow**

おどろく【驚く】
■あなたには驚くことばかりね You never cease to amaze me. ▶ **amaze**
■驚かせることがあるの I have a surprise for you. ▶ **surprise**
■驚かないね I don't wonder. ▶ **wonder**
■驚くことばかりだね Wonders never cease. / Wonders will never cease. ▶ **wonder**
■こいつは驚いた Blow me away/down. ▶ **blow**
| How about that! ▶ **how**
■私は驚かない I'm not surprised. ▶ **surprise**

おなか【お腹】
■おなかいっぱいです I'm stuffed. ▶ **stuff**
| I'm full. ▶ **full**
■おなかがぺこぺこです I'm starving. / I'm starved. ▶ **starve**
■もうおなかいっぱいで食べられません I couldn't eat another thing. ▶ **eat**

おなじ【同じ】
■同じことを何度も言わせないで Don't make me say it again. ▶ **say**
| Don't make me tell you again. ▶ **tell**
■同じ轍(てつ)を踏まないように注意しなさい Let this/that be a warning to you. ▶ **warning**
■同じものを2つね Make it two. ▶ **two**
■同じようなものだ It's six of one and half a dozen of another. ▶ **dozen**
■右に同じ Ditto. ▶ **ditto**
■私も同じ思いです The feeling is mutual. ▶ **feeling**
■私も同じだ That makes two of us. ▶ **two**
■私も同じものを I'll have the same. ▶ **same**

おに【鬼】
■鬼のいぬ間の洗濯 When the cat is away, the mice/mouse will play. ▶ **cat**

おはよう
■おはよう Good morning. ▶ **morning**
| Good morning, sunshine. ▶ **morning**

おひるごはん【お昼ご飯】
■お昼ご飯が冷めちゃうわよ Lunch is getting cold. ▶ **lunch**
■お昼ご飯ができたよ Lunch is ready. ▶ **lunch**
■お昼ご飯でも食べていったらどうですか Why don't you stay for lunch? ▶ **lunch**
■きょうのお昼ご飯は何? What's for lunch? ▶ **lunch**

おぼえる【覚える】
■覚えておくわ I'll keep that/it in mind. ▶ **mind**

おぼれる
■おぼれる者はわらをもつかむ A drowning man will catch/clutch at a straw. ▶ **drown**

おまえ
■ (へっ,) おまえがか You and what/whose army? ▶ **army**
| You and who else? ▶ **you**

おめでとう
■おめでとう Congratulations! ▶ **congratulation**
| Good for you! ▶ **good**

おもいあたる【思い当たる】
■思い当たる節があるでしょう If the shoe fits, wear it. ▶ **shoe**
■何か思い当たることはありませんか Does it ring a bell? ▶ **bell**

おもいしる【思い知る】
■思い知ったか Take that! ▶ **take**

おもいだす【思い出す】
■いやなことを思い出させないでよ Don't remind me. ▶ **remind**
■思い出させないでよ Don't make me relive it. ▶ **relive**
■これで私を思い出してね Here's something to remember me by. ▶ **remember**
■それで思い出した That reminds me. ▶ **remind**

おもいたつ【思い立つ】
■思い立ったが吉日 No time like the present. ▶ **present**

おもいちがい【思い違い】
■もし…と思っているのなら，とんだ思い違いよ If you think ..., you are sadly mistaken. ▶ **mistake**

おもう【思う】
■おまえのことを思えばこそこうするんだ It's for your own good. / This is for your own good. ▶ **good**
■思ったとおりだ I knew it. ▶ **know**
| Just as I thought. ▶ **think**
■こうなるとは思わなかった I didn't see it coming. ▶ **see**
■そうだと思った I thought so. ▶ **think**
■そうだろうと思った I thought as much. ▶ **think**
■どう思うかはその人の自由だからね Everyone is entitled to their (own) opinion. ▶ **opinion**
■悪く思わないでね No hard feelings. ▶ **feeling**
■我思う．ゆえに我あり I think, therefore I am. ▶ **think**

おもしろい【面白い】
■おもしろがっていつまでもやっていると後で痛い目に遭うよ It's all fun and games until somebody/someone loses an eye. ▶ **fun**
■だんだんおもしろくなってきたわね The plot thickens. ▶ **plot**

おもて【表】
■表に出ろ Step outside. ▶ **step**

おや【親】
■親は選べない You can't choose/pick your parents. ▶ **parent**
■親を見れば子がわかる The/An apple doesn't fall far from the tree. ▶ **apple**

おやすいごよう【お安い御用】
■お安い御用です It doesn't bother me at all. ▶ **bother**
| It's no bother at all. ▶ **bother**
| It's no trouble. ▶ **trouble**

おやすみなさい【お休みなさい】
■お休みなさい Good night. ▶ **night**
| Night, night. / Nighty night. ▶ **night**
| (いい夢が見られますように) Sweet dreams. / Pleasant dreams. ▶ **dream**

およばない【及ばない】
■それには及ばない It's not worth the trouble. ▶ **trouble**
| It's not worth it. / It isn't worth it. ▶ **worth**

おわる【終わる】
■終わった I'm done. ▶ **done**
■終わったことは終わったことだ The past is past. / What's past is past. ▶ **past**
■終わりよければすべてよし All's well that ends well. ▶ **all**
■そろそろ終わりにしよう Time to call it a day. ▶ **day**

おん【恩】
■恩には恩で One good turn deserves another. ▶ **turn**
■恩をあだで返すようなことはするな Don't bite the hand that feeds you. ▶ **bite**

おんのじ【御の字】
■そうなれば御の字だ That's as much as I can ask (for). ▶ **ask**

がいけん【外見】
■外見に惑わされるな Don't judge a book by its cover. ▶ **book**

かいふく【快復】
■1日も早い快復をお祈り申し上げます Best wishes for a speedy recovery! ▶ **recovery**

かえる【蛙】
■蛙の子は蛙 Like begets like. ▶ **like**
| Like father, like son. ▶ **father**
| Like mother, like daughter. ▶ **mother**

かえる【帰る】
■いま帰ったよ I'm home! ▶ **home**
■お帰りなさい Welcome back. ▶ **back**
■早く帰ってきてよ Don't be gone too long. / Don't be long. ▶ **go**
■もうお帰りですか Are you leaving already? / Are you leaving so soon? ▶ **leave**

かお【顔】
■あの顔を見せてやりたかったよ You should have seen the look on *his*/*her* face. ▶ **look**
■顔から火が出そうだ Boy, is my face red! / My face is red. ▶ **face**
■顔に書いてある It's written all over your face. ▶ **face**

かく

- これからもときどき顔を見せてよ Don't be a stranger. ▶ **stranger**
- もっと頻繁に顔を見せてね Don't stay away so long. ▶ **stay**
- よくも私と顔を合わせることができるね How can you face me? ▶ **face**

かく【書く】

- それ一筆書いてもらえますか Can I get that in writing? ▶ **writing**

かくご【覚悟】

- それは覚悟の上です I'll take the risk. ▶ **risk**

がくもん【学問】

- 学問に王道なし There is no royal road to learning. ▶ **learning**

かくれる【隠れる】

- いままでどこに隠れていたのよ Where have you been hiding yourself? ▶ **hide** | Where have you been keeping yourself? ▶ **keep**

かける【賭ける】

- なんなら賭けるかい Do you want to bet? / Do you want a bet? ▶ **bet**
- よし、賭けよう It's a bet. / You got yourself a bet. ▶ **bet**

かこ【過去】

- それはもう過去のことだ It's all in the past. ▶ **past**

かし【貸し】

- これは貸しね You owe me one. ▶ **owe**

かしかり【貸し借り】

- 貸し借りはするな Neither a borrower, nor a lender be. ▶ **borrower**
- これで貸し借りなしだ Now we're even. ▶ **even**

かぞく【家族】

- 家族を選ぶことはできない You can't choose/pick your family. ▶ **family**
- ご家族の方はどうしていますか How's the/your family? ▶ **family**

かち【勝ち】

- あんたの勝ちだ You win. ▶ **win**

かつ【勝つ】

- 勝つことがすべてではない Winning isn't everything. ▶ **win**
- 勝つこともあれば負けることもある Win some, lose some. / You win some, you lose some. ▶ **win**
- もう勝ったも同然だ It's all over but/bar the shouting. ▶ **over**

かつぐ

- かついでいるんでしょ You're putting me on. ▶ **put**

かっこう【格好】

- 格好つけるな Don't be/get cute. ▶ **cute**
- この格好どう? How do I look? ▶ **look**

がっこう【学校】

- あしたは学校でしょ It's a school night. ▶ **school**
- 学校のほうはどうだい How do you like school? ▶ **school**
- きょう、学校はどうだった How was school today? ▶ **school**

かって【勝手】

- 勝手にしろ Have it your (own) way. ▶ **way**
- 勝手に飲み食いしてください Help yourself. ▶ **help**

かね【金】

- お金がすべてじゃないわよ Money isn't everything. ▶ **money**
- お金で幸せは買えない Money can't buy happiness. ▶ **happiness**
- お金に色はない Money has no smell. ▶ **money**
- お金はあの世へは持っていけない You can't take it with you. ▶ **take**
- お金は問題ではない; 金に糸目はつけない Money is no object. ▶ **money**
- お金を稼ぐのは大変だ Money is hard to come by. ▶ **money**
- 金が金を生む Money makes money. / Money begets money. ▶ **money**
- 金遣いが荒い Money burns a hole in *someone's* pocket. ▶ **money**
- 金は諸悪の根源だ Money is the root of all evil. ▶ **money**
- 金は天下の回り物 Money comes and goes. ▶ **money**
- 地獄の沙汰(さた)も金次第 Every man has his price. ▶ **price** | Money makes the world go round. ▶ **money** | Money talks. ▶ **money**

かまう【構う】

- お構いなく Don't bother. ▶ **bother**
- 構いませんよね I hope you don't mind. ▶ **mind**
- 構うもんか Who cares? ▶ **care**
- そんなことは構わない I don't care. ▶ **care**
- どうぞお構いなく Please don't go to any trouble. ▶ **trouble**
- 人のことなど構ってはいられない Every man for himself. / It's every man for himself. ▶ **every**
- 私のことはお構いなく Don't mind me. ▶

mind
■私はそれで構わない I have no problem with that. ▶ **problem**

がまん【我慢】
■我慢しなさい Get used to it. ▶ **used**
■それくらい我慢しろ Suck it up. ▶ **suck**
■もう我慢ならない That does it. ▶ **do**
| That's it. ▶ **that**
| That's the last straw! ▶ **straw**
| You pushed me too far. ▶ **far**

かみ【神】
■神様っているのね There is a God. ▶ **god**
■神のみぞ知る；だれにもわからない God/Heaven/Lord only knows. ▶ **know**
■触らぬ神にたたりなし Let sleeping dogs lie. ▶ **dog**
■捨てる神あれば拾う神あり One man's trash is another man's treasure. ▶ **trash**
| When one door closes, another one opens. ▶ **door**

かむ
■かみつきはしないよ Someone won't bite (you). ▶ **bite**

からだ【体】
■体が覚えている It's like riding a bike. ▶ **bike**

かり【借り】
■ひとつ借りができたね I owe you one ▶ **owe**

かわいそう
■かわいそうに What a pity! ▶ **pity**
| What a shame! ▶ **shame**

かわる【変わる】
■変わったことがあればあるものだ That's a change. ▶ **change**
■そろそろ変わらなきゃ It's time for a change. ▶ **change**
■世の中変わっているんだよ Things change. ▶ **change**

かんおけ【棺桶】
■棺桶に片足突っ込んでいる Someone has one foot in the grave. ▶ **foot**

かんがえる【考える】
■いったい何考えているんだい Where's your head? ▶ **head**
■考えておいて Think about it. / Just think about it. ▶ **think**
■考え直したほうがいいよ You've got another think coming. ▶ **think**
■考えることはみな同じだね Great minds think alike. ▶ **great**
■そう大げさに考えないで Don't make a big deal out of it. ▶ **deal**

■そのときが来たら考えることにしよう Let's cross that bridge when we come to it. ▶ **bridge**
■そのようなことはまったく考えていない［いなかった］Nothing could be further from my mind. / Nothing is further from my mind. ▶ **mind**
■何を考えているんだ Where's your brain? ▶ **brain**
■一晩じっくり考えさせて Let me sleep on it. / I'll sleep on it. ▶ **sleep**
■妙なことは考えないことね Don't even think about it. ▶ **think**

かんしゃ【感謝】
■感謝します I appreciate it. ▶ **appreciate**
■これが私に対する感謝か Is this the thanks I get? ▶ **thank**

かんじょう【勘定】
■お勘定は別々でお願いします Separate checks, please. ▶ **check**
■お勘定をお願いします Check, please. ▶ **check**
| May/Could I have the bill(, please)? ▶ **bill**

かんたん【簡単】
■簡単だよ There's nothing to it. ▶ **nothing**
■口で言うほど簡単ではない Easier said than done. ▶ **easy**

かんねん【観念】
■観念しろ The jig is up. ▶ **jig**

かんぱい【乾杯】
■乾杯 Bottoms up. ▶ **bottom**
| Cheers. ▶ **cheer**
| Here's to you. ▶ **here**
■乾杯しましょう Let's make a toast. ▶ **toast**

がんばる【頑張る】
■がんばって More power to you. ▶ **power**
|（役者などに）Break a leg! ▶ **leg**
■がんばれ Go for it! ▶ **go**
■がんばればできるから You can do it. ▶ **do**
■くじけずにがんばって Keep your spirits up. / Keep up your spirits. ▶ **spirit**

き【機】
■機は熟した The time is ripe. ▶ **time**

き【気】
■いい気になるな Don't let it go to your head. ▶ **head**
■以後気をつけなさい Don't let it happen again. ▶ **happen**
■以後気をつけます It won't happen again. / That won't happen again. ▶ **happen**

■気がきくわね Nice gesture. ▶ **gesture**
■気に入ってもらえるといいのですが I hope you like it. / I hope you'll like it. ▶ **like**
■気にしないで Don't let it get you down. ▶ **get**
| Don't let it/that bother you. ▶ **bother**
|(無視していなさい) Pay no attention. ▶ **attention**
■気のせいだよ It's just your imagination. / It's only your imagination. ▶ **imagination**
| You're imagining things. ▶ **imagine**
■気のせいでしょう It's all in the head. ▶ **head**
■気の抜けたビールみたいなものだ It's like kissing your sister. ▶ **kiss**
■気は心 It's the thought that counts. ▶ **thought**
■気を遣わなくてもいいのに You shouldn't have. ▶ **should**
■気をつけて Be careful. ▶ **careful**
| Take care. ▶ **care**
■気を悪くしないでもらいたいのだけど No offense (intended). ▶ **offense**
■くれぐれも気をつけて Mind your back. ▶ **back**
■人が気にしていることをあまり言わないで Don't rub it in. ▶ **rub**
■要は気の持ちよう Attitude determines altitude. ▶ **attitude**

きあい【気合】
■気合を入れてやれ Put your back into it. ▶ **back**

きく【聞く】
■いったいだれに聞いたのよ Where did you get that idea? ▶ **idea**
■いやというほど聞かされる *Someone* will never hear the end of it. ▶ **hear**
■おまえの言うことを聞く義務はない You're not the boss of me! ▶ **boss**
■聞かないで Don't ask. ▶ **ask**
■聞くだけ聞いてみたら It never hurts to ask. / It doesn't hurt to ask. ▶ **ask**
■聞くだけやぼよ Is the Pope Catholic? / Is the Pope a Catholic? ▶ **Pope**
■こっちが聞きたいよ You tell me. ▶ **tell**
■最後までちゃんと聞いてよ Hear me out. ▶ **hear**
■ぜひ聞きたいから話してよ I'm all ears. ▶ **ear**
■そういうのはほかの人に聞いてもらってよ Tell someone who cares. ▶ **care**
■それは前にも聞いたよ I've heard that one before. ▶ **hear**
■そんなこと聞くなんて奇遇ね Funny you should ask. ▶ **ask**
■そんなことは聞きたくない Talk to the hand. ▶ **hand**
■ただ聞いてみただけ Just asking. ▶ **ask**
■どこかで聞いたような話ね That sounds familiar. ▶ **familia**r
■ねえ，聞いた？ Did you hear? / Have you heard? ▶ **hear**
■ねえ，聞いてよ Guess what? ▶ **guess**
| Listen. ▶ **listen**
■まあ我慢して聞いてくれ Bear with me. ▶ **bear**
■よし，聞こうじゃないの Let me have it. / Let's have it. ▶ **have**
■よし，話を聞こうじゃないか Let's hear it. ▶ **hear**
■私に聞かないでよ Don't ask me. ▶ **ask**
■私の言うことをよく聞きなさい Mark my words. ▶ **word**
■私の言ったことが聞こえたでしょう（だからきっさと言われたとおりにしなさい） You heard me. ▶ **hear**

きぐう【奇遇】
■これは奇遇だね Fancy/Imagine meeting you here! ▶ **meet**
| It's a small world. / What a small world! ▶ **small**
| What a coincidence! ▶ **coincidence**

きそく【規則】
■規則は規則ですから Rules are rules. ▶ **rule**
■規則は破られるためにある Rules are made to be broken. / Rules are there to be broken. ▶ **rule**

きたい【期待】
■期待しているよ Don't disappoint me. ▶ **disappoint**
■期待してもむだだよ Don't hold your breath. ▶ **breath**
■きっとご期待にこたえてみせます I won't disappoint you. ▶ **disappoint**

きづかい【気遣い】
■お気遣いありがとうございます It's very considerate of you. ▶ **considerate**
| Thank you for caring. ▶ **care**
| Thank you for your concern. ▶ **concern**

きのう
■まるできのうのことのようね It seems like only yesterday. ▶ **yesterday**

きのどく【気の毒】

■(それは)お気の毒さま That's tough. / Tough. ▸ **tough**
| Tough bananas. ▸ **banana**
■(それは)お気の毒に I feel for you. ▸ **feel**
| I'm sorry to hear that. ▸ **hear**
| My heart bleeds for you. ▸ **heart**
| That's too bad. / Too bad. ▸ **bad**

きびしい【厳しい】
■厳しい状況になってきた The heat is on. ▸ **heat**

きぼう【希望】
■ここから入る者はいっさいの希望を捨てよ Abandon all hope, ye who enter here. ▸ **hope**

きまる【決まる】
■決まっているでしょ What else can/do you expect? ▸ **expect**
| (ほかにだれがいるでしょう) Who else? ▸ **who**
| (ほかにどこがありますか) Where else? ▸ **where**

きめる【決める】
■それは私が決めます I'll be the judge (of that). ▸ **judge**

きもち【気持ち】
■お気持ちはお察しします I know how you feel. ▸ **feel**
■気持ちはいつまでも若くいなさい Stay young at heart. ▸ **young**
■自分の気持ちに正直に Follow your heart. ▸ **heart**
■その気持ちはよくわかります I know the feeling. ▸ **feeling**
■大事なのは気持ちだから It's the thought that counts. ▸ **thought**

ぎもん【疑問】
■それに疑問の余地はない There's no question about it. ▸ **question**

きょう【今日】
■きょうからまた新しい日が始まる Today is the first day of the rest of my life. ▸ **today**
■きょうで終わりというわけじゃない There's always tomorrow. ▸ **tomorrow**
■きょうできることをあすに延ばすな Don't put off till/until tomorrow what you can do today. ▸ **tomorrow**
■きょうはこの辺にしておこう Let's call it a day. ▸ **day**
■きょうはどうだった How was your day? ▸ **day**

きょうくん【教訓】
■これ/それを教訓にしなさい Let this/that be a lesson to you. ▸ **lesson**

きる【切る】
■(電話で)もう切らなくちゃ I have to go (now). / I got to go (now). ▸ **go**

きろく【記録】
■記録は破られるためにある Records are made to be broken. / Records are there to be broken. ▸ **record**

ぎろん【議論】
■それについては議論の余地はない There's no discussion about it/that/this. ▸ **discussion**

きんむ【勤務】
■勤務時間中です I'm on the clock. ▸ **clock**

く【苦】
■苦あれば楽あり Every cloud has a silver lining. ▸ **cloud**
■苦は楽の種 No pain, no gain. ▸ **gain**

くうふく【空腹】
■空腹にまずいものなし Hunger is the best sauce. ▸ **hunger**

くしゃみ
■きっと今ごろくしゃみをしているよ *Someone's* ears are burning. / *Someone's* ears must be burning. ▸ **ear**

ぐずぐず
■何ぐずぐずしているのかしら What's keeping *someone*? ▸ **keep**
■何をぐずぐずしているのさ What are you waiting for? ▸ **wait**

くたばる
■くたばれ Drop dead! ▸ **dead**
| Go to hell! ▸ **hell**
| Rot in hell! ▸ **hell**

くだらない
■くだらない That's for the birds. ▸ **bird**
■くだらないことなら怒るよ It better be good. / This better be good. ▸ **good**
| It/This better be important. ▸ **important**
■くだらないことを聞いてもいいですか Can I ask a stupid question? ▸ **question**

くち【口】
■口で言っているだけだ It's just talk. ▸ **talk**
■口では何とでも言える Talk is cheap. ▸ **talk**
■口に気をつけなさい Watch your mouth. ▸ **mouth**
| Watch your tongue. ▸ **tongue**
■口ばっかりなんだから You're all talk. ▸ **talk**
■口は災いのもと Loose lips sink ships. ▸

lip
- 口は悪いけど根は悪い人ではない His/Her bark is worse than his/her bite. ▶ **bark**
- 口を慎みなさい Watch your language. / Mind your language. ▶ **language**

ぐち【愚痴】
- 愚痴は聞きたくないね Call someone who cares. ▶ **care** | Tell someone who cares. ▶ **care**

くちごたえ【口答え】
- 口答えするんじゃない Don't talk back. ▶ **talk**

くちさき【口先】
- 口先ばかりなんだから Promises, promises. ▶ **promise**

くつろぐ
- くつろいでいる I'm just chilling. ▶ **chill**

くやしがる【悔しがる】
- せいぜい悔しがるんだね Eat your heart out. ▶ **heart**

くらい【暗い】
- 夜明け前が最も暗い It's always darkest before the dawn. ▶ **dawn**

くらべる【比べる】
- それは比べようがない It's like comparing apples and oranges. ▶ **apple**

くる【来る】
- これに懲りずにまたお越しください Come back and see us/me. ▶ **come**
- ちょっと近くに来たものだから I was (just) in the neighborhood. ▶ **neighborhood**
- また来てください Come again. ▶ **come**
- また来るよ I'll be back. ▶ **back**
- ようこそおいでくださいました It's good/nice to have you here. ▶ **have**

くろう【苦労】
- ご苦労なことですね I'm glad it's you and not me. ▶ **you**

けいかく【計画】
- 何事も計画どおりにいくことはない Nothing ever goes according to plan. ▶ **plan**
- 前もって計画を立てなさい Plan ahead. ▶ **plan**

げいじゅつ【芸術】
- 芸術は長く、人生は短い Art is long, life is short. ▶ **art**

けいぞく【継続】
- 継続は力なり Slow and steady wins the race. ▶ **slow**

げす
- げすの後知恵 Hindsight is better than foresight. ▶ **hindsight** | It is easy to be wise after the event. ▶ **wise**

けち
- けちをつけるな Don't knock it. ▶ **knock**

けっかろん【結果論】
- 結果論だ Hindsight is always 20/20 (twenty-twenty). ▶ **hindsight**

けっこん【結婚】
- あら、結婚が近いのかしら Do I hear the wedding bells (ringing)? ▶ **wedding**

けんえん【犬猿】
- 犬猿の仲だ There's no love lost between A and B. ▶ **love**

けんかい【見解】
- 見解の相違です That's a matter of opinion. ▶ **opinion**

げんき【元気】
- 元気でお過ごしのことと思います I hope you're well. ▶ **well**
- 元気ですか How are you doing? ▶ **how** | How are you? ▶ **how**
- 元気を出して Brighten up. ▶ **brighten** | Cheer up. ▶ **cheer**

けんそん【謙遜】
- またまたご謙遜を Don't be so modest. / You're too modest. ▶ **modest**

げんど【限度】
- (ものには)限度というものがある There is a limit. / There are limits. ▶ **limit**

けんりょく【権力】
- 権力は腐敗する．そして絶対的権力は絶対的に腐敗する Power corrupts, and absolute power corrupts absolutely. ▶ **power**

こ【子】
- かわいい子には旅をさせよ Spare the rod and spoil the child. / Spare the rod, spoil the child. ▶ **rod**
- 子は親に似る Like father, like son. ▶ **father** | Like mother, like daughter. ▶ **mother**

こい【恋】
- 恋して失恋したほうが1度も恋したことがないよりはよい It's better to have loved and lost than never to have loved at all. ▶ **love**
- 恋は気まぐれ Love comes and goes like the wind. ▶ **love**
- 恋は盲目 Love is blind. ▶ **love**

こう
- こうしたらどうだろう I'll tell you what. / Tell you what. ▶ **tell**
- こうするのがいちばんなのよ It's (all) for the best. / This is (all) for the best. ▶ **best**

■つまりこういうことですか Let me get this straight. ▶ **straight**
■(では)こうしよう Here's the deal. ▶ **deal**

ごう【郷】
■郷に入っては郷に従え When in Rome, do as the Romans do. ▶ **Rome**

こういん【光陰】
■光陰矢のごとし Time flies. ▶ **time**

こうげき【攻撃】
■攻撃は最大の防御 Attack is the best defense. ▶ **attack**
| Offense is the best defense. ▶ **offense**

こえ【声】
■そんな大きな声を出さないで Keep it down. ▶ **keep**
| Use your indoor voice. ▶ **voice**

ゴーサイン
■ゴーサインが出た It's a go. ▶ **go**

コーヒー
■コーヒーでもいかがですか Would you like some coffee? ▶ **coffee**
■コーヒーはどのようにお飲みになりますか How do/would you like your coffee? ▶ **coffee**

ごかい【誤解】
■誤解があるようだから言っておきます Let me set the record straight. ▶ **record**
■誤解しないでね Don't get the wrong idea. ▶ **idea**

こけつ【虎穴】
■虎穴に入らずんば虎児を得ず Nothing risked, nothing gained. ▶ **risk**
| Nothing ventured, nothing gained. ▶ **venture**

こころ【心】
■本人のことを思えばこそ心を鬼にして厳しくしなくてはいけないこともある You have to be cruel to be kind. ▶ **cruel**
■もっと心を広く持ちなさい Be a bigger person. ▶ **big**

こしゃく
■何をこしゃくな None of your cheek. ▶ **cheek**
| None of your lip. / Don't give me any of your lip. ▶ **lip**

こじん【個人】
■別に個人的な恨みがあるというわけじゃないよ Nothing personal. ▶ **personal**

こぜに【小銭】
■小銭はありますか; 小銭にくずせますか Do you have change? ▶ **change**

ことづけ
■ことづけをお願いできますか Could I leave a message? ▶ **message**
■何かことづけはありますか Can I take a message? ▶ **message**

ことば【言葉】
■いまのことばは取り消せ Take it back. ▶ **take**
■ことばが見つからない I'm speechless. ▶ **speechless**
| Words fail me. ▶ **word**
■ことばに気をつけなさい Watch your language. / Mind your language. ▶ **language**

こども【子供】
■子どもは子どもだ Kids will be kids. ▶ **kid**
■子どもは未来のおとな The child is (the) father of the man. ▶ **child**
■子どもみたいなまねはやめなさい Stop acting like a child. ▶ **child**
■そんな子どもみたいなことを言わないで Don't be a baby. / Don't be such a baby. ▶ **baby**
■やっぱり子どもですからね You know how children are. ▶ **child**

ことわる【断る】
■絶対にお断りだ Not in a million/thousand years! ▶ **not**
■百万年/千年たっても絶対にお断りだ Never in a million/thousand years! ▶ **never**

このみ【好み】
■好みは人それぞれ Tastes differ. ▶ **taste**
| There's no accounting for tastes. ▶ **taste**

ごめん【御免】
■2度とごめんだ Never again. ▶ **again**
■まっぴらごめんだ I need that like I need a hole in my head. ▶ **need**
| Not for love or/nor money. ▶ **love**

こりる【懲りる】
■こりない人だね You never learn. ▶ **learn**
■これでこりただろう That'll teach you! ▶ **teach**
■もうこりた I learned a lesson. ▶ **lesson**

これ
■これはこれは Well, well, well. ▶ **well**

ころぶ【転ぶ】
■転ばぬ先のつえ An ounce of prevention is worth a pound of cure. ▶ **prevention**

こんにちは【今日は】
■こんにちは Good day. ▶ **day**

こんばんは【今晩は】
■こんばんは Good evening. ▶ **evening**

こんや【今夜】
■今夜はこの辺にしておこう Let's call it a night. ▶ **night**

さい【賽】
■さいは投げられた The die is cast. ▸ **die**
さいげつ【歳月】
■歳月人を待たず Time waits for no man. ▸ **time**
さいぶ【細部】
■神は細部に宿る God is in the details. ▸ **detail**
■細部の詰めがやっかいだ The devil is in the details. ▸ **detail**
さき【先】
■あなたから（先に）どうぞ You first. / You go first. ▸ **first**
｜You go ahead. ▸ **go**
■お先にどうぞ After you. ▸ **after**
さけ【酒】
■酒は何にする？ Name your poison. / What's your poison? ▸ **poison**
ざっくばらん
■ざっくばらんにいきましょう Let's get the formalities out of the way. ▸ **formality**
さっさと
■さっさとしろ Move it. ▸ **move**
■さっさとやってしまおう Let's get this/it over with. ▸ **get**
ざま
■ざまあ見ろ In your face! ▸ **face**
｜（当然の報いだ）Serves you right. ▸ **serve**
さる【去る】
■去る者は日々に疎し Long absent, soon forgotten. ▸ **absent**
｜Out of sight, out of mind. ▸ **sight**
さるまね【猿真似】
■猿真似（もいいところ）Monkey see, monkey do. ▸ **monkey**
さようなら
■さいなら（こっけいな言い回し）See you later, alligator. ▸ **alligator**
■さようなら Goodbye. ▸ **goodbye**
｜Good day. ▸ **day**
｜So long. ▸ **long**
｜（今生の別れで）Have a nice life. ▸ **life**
｜（今生の別れで）See you in the next life. ▸ **life**
｜（昼間のあいさつ）Have a good/nice day. ▸ **day**
■じゃあまた I'll see you. / See you. ▸ **see**
■じゃあまた後で Catch you later. / I'll catch you later. ▸ **catch**
さわぐ【騒ぐ】
■騒いだ者の勝ち The squeaky wheel gets the oil. ▸ **wheel**

さん【三】
■3度目の正直だ The third time is the/a charm. ▸ **charm**
■3人寄れば文殊の知恵 Two heads are better than one. ▸ **head**
さんしょう【山椒】
■山椒は小粒でもぴりりと辛い Good things come in small packages. ▸ **small**
ざんねん【残念】
■残念でした Nice try. ▸ **try**
しあわせ【幸せ】
■お金で幸せは買えない Money can't buy happiness. ▸ **happiness**
■最高に幸せだよ I couldn't be happier. ▸ **happy**
■幸せなら手をたたこう If you're happy and you know it, clap your hands. ▸ **happy**
しかた【仕方】
■しかたがないでしょ What choice do I have? ▸ **choice**
■しかたないよ It can't be helped. ▸ **help**
｜No choice. ▸ **choice**
■しょうがないよ I can't help it. ▸ **help**
■やってしまったものはしかたない（どうしようもない）What's done is done. ▸ **done**
じかん【時間】
■あ、もうこんな時間だ Look at the clock. ▸ **clock**
｜Look at the time. ▸ **time**
■後は時間の問題だ It's only a matter of time. ▸ **time**
■お時間はありますか Do you have time? ▸ **time**
■時間がいくらあっても足りゃしない There aren't enough hours in the day. ▸ **hour**
■時間がたつのは速いね Time flies. ▸ **time**
■時間です（はいきれまで）Time is up. ▸ **time**
■時間を元に戻すことはできない You can't turn back the clock. ▸ **clock**
■ちょっとお時間をいただけますか Do you have a minute? ▸ **minute**
｜Do you have a second? ▸ **second**
■やるだけ時間のむだだよ Don't waste your time. ▸ **time**
じき【時期】
■そういう時期なのよ It's just a phase. ▸ **phase**
｜It's just a stage. ▸ **stage**
■そういう時期を経ておとなになるのよ It's (all) part of growing up. ▸ **grow**
しきゅう【至急】
■大至急ね I need it yesterday. ▸ **need**
｜Yesterday wouldn't be too soon. ▸

じごうじとく【自業自得】
■自業自得 As you make your bed, so you must lie on it. ▶ **bed**
| The chickens come home to roost. ▶ **chicken**
| You asked for it. ▶ **ask**

しごと【仕事】
■いっしょに仕事ができて光栄です It was a pleasure doing business with you. ▶ **business**
■うらやましい仕事ね Nice work if you can get it. ▶ **work**
■お仕事は何ですか What do you do for a living? ▶ **living**
■きょうは仕事のほうはどうだった? How was work today? ▶ **work**
■これが私の仕事ですから I'm just/only doing my job. ▶ **job**
■仕事と遊びをいっしょにするな Don't mix business with pleasure. ▶ **business**
■しなければならない仕事がありますから I have work to do. ▶ **work**

じじつ【事実】
■事実は事実だ Facts are facts. ▶ **fact**
■事実は小説よりも奇なり Fact is stranger than fiction. ▶ **fact**

しずか【静か】
■静かにしなさい Be quiet. / Quiet. ▶ **quiet**
| Keep it down. ▶ **keep**

しぜん【自然】
■自然に帰れ Go back to nature. ▶ **nature**
■自然に任せよう Let nature take its course. ▶ **nature**

じたばた
■じたばたするな Don't fight it. ▶ **fight**
| Go with it. ▶ **go**

しつ【質】
■品質第一 Quality first. ▶ **quality**
■量より質 Quality before quantity. ▶ **quality**

じつ【実】
■実はこういうことなんだ Here's the thing. ▶ **thing**

しっかり
■しっかりしなさい Get a clue. ▶ **clue**
| Get a grip. / Get a grip on yourself. ▶ **grip**
| Get smart. ▶ **smart**
| Pull yourself together. ▶ **pull**
■しっかり頼んだわよ Don't disappoint me. ▶ **disappoint**

しっぱい【失敗】
■失敗は成功のもと Live and learn. ▶ **live**

じつりょく【実力】
■実力の程を見せてやれ Show them what you've got. ▶ **show**

しつれい【失礼】
■失礼くらい言いなさいよ Excuse yourself. ▶ **excuse**
■失礼させてもらっていいですか Could I be excused? / May I be excused? ▶ **excuse**
■失礼しちゃうわね How rude! ▶ **rude**
■失礼ですが,どちらさまでしょうか(電話で) May I ask who's calling? ▶ **call**
| Who shall I say is calling? ▶ **call**
■ちょっと失礼させてもらえますか If you'll excuse me. ▶ **excuse**

しにん【死人】
■死人に口なし Dead men tell no tales. ▶ **dead**

しぬ【死ぬ】
■死ぬわけじゃあるまいし It's not the end of the world. ▶ **end**
■死んでもいやだ I wouldn't be caught dead. ▶ **dead**

じぶん【自分】
■自分の力でやって You're on your own. ▶ **own**
■自分らしくありなさい Be yourself. / Just be yourself. ▶ **yourself**
■自分を知れ Know yourself. / Know thyself. ▶ **know**
■自分を責めないで Don't blame yourself. ▶ **blame**

しまつ【始末】
■自分の始末は自分でしなさい You've made your bed, now lie in it. ▶ **bed**

じゃ【蛇】
■蛇の道は蛇(へび) Diamond cuts diamond. ▶ **diamond**

しゃきっと
■しゃきっとして Look alive! ▶ **alive**

じゃじゃーん
■じゃじゃーん Ta-da! ▶ **ta-da, ta-dah**

じゃま【邪魔】
■おじゃましちゃ悪いから I don't want to be a third wheel. ▶ **wheel**
■おじゃましてすみません I'm sorry to disturb you. ▶ **disturb**
■おじゃまして申しわけありませんが… I'm sorry to interrupt you, but … ▶ **interrupt**
■おじゃまですか Am I interrupting something? ▶ **interrupt**
| Am I disturbing you? ▶ **disturb**

じゃんけん

■じゃましないでください Do not disturb. / Please do not disturb. ▶ **disturb**
■じゃまだ，どけ Get out of the road. ▶ **road**

じゃんけん
■じゃんけんで決める? Rock, paper, scissors? ▶ **rock**

じゃんじゃん
■じゃんじゃん持ってきて Keep it coming. ▶ **come**

じゆう【自由】
■何しようとあなたの自由だ It's a free country. ▶ **free**
■何しようと自由だろ It's a free country. ▶ **free**
■我に自由を，さもなくば死を Give me liberty or give me death! ▶ **liberty**

しゅうかん【習慣】
■長年の習慣はなかなか直らない Old habits die hard. / Old habits are hard to break. ▶ **habit**

じゅうにんといろ【十人十色】
■十人十色 Different strokes for different folks. ▶ **different**
| Each to his own. / To each his own. ▶ **each**
| One man's meat is another man's poison. ▶ **meat**

じゅうぶん【十分】
■いまのところはもう十分です That's enough for now. ▶ **enough**

じゅんじょ【順序】
■ものには順序ってものがあるからね First things first. ▶ **first**

じゅんちょう【順調】
■これまでのところは順調だ So far, so good. ▶ **far**

じゅんび【準備】
■準備万端だよ All set. ▶ **set**
■すべて準備完了 All systems go. / All systems are go. ▶ **system**

しょうじき【正直】
■正直に言ってもいいかい Can I be honest? ▶ **honest**
■正直は最良の策 Honesty is the best policy. ▶ **honesty**

じょうしき【常識】
■そんなのは常識だ It's common courtesy. ▶ **courtesy**
| It's common knowledge. ▶ **knowledge**
| It's common sense. ▶ **knowledge**

しょうじん【小人】
■小人閑居して不善をなす The devil makes work for idle hands. ▶ **idle**

じょうだん【冗談】
■ご冗談でしょ You're joking. / You're joking, right? / You must be joking. / You've got to be joking. ▶ **joke**
■これは冗談ではない It's no joke. ▶ **joke**
■これは何かの冗談のつもりなの? Is this a joke? / Is this some kind of joke? ▶ **joke**
■冗談じゃない Give me a break. ▶ **break**
■冗談だよ Just kidding. ▶ **kid**
■冗談でしょう You're kidding (me). / You've got to be kidding (me). ▶ **kid**
■冗談を言ってはいけない Let's not kid ourselves. ▶ **kid**
| Who are you kidding? / Who do you think you're kidding? ▶ **kid**
■それは冗談で言っているのでしょうね Smile when you say that. ▶ **smile**
■ただの冗談よ I'm just/only joking. ▶ **joke**
■またまたそんな冗談を You're such a kidder. ▶ **kidder**

しょうち【承知】
■承知した Consider it done. ▶ **consider**
| Done. ▶ **done**
| I got it. ▶ **get**
| It's a done deal. ▶ **deal**

じょうとう【上等】
■上等じゃない Fine! ▶ **fine**

しょうねん【少年】
■少年老いやすく学成りがたし We grow too soon old and too late smart. ▶ **old**

しょうぶ【勝負】
■勝負はげたを履くまでわからない It ain't over till it's over. ▶ **over**
■勝負はこれからだ The game has just begun. ▶ **game**
■勝負はついた It's game, set and match. ▶ **game**

しょぎょうむじょう【諸行無常】
■諸行無常 Sic transit gloria mundi. ▶ **sic**

しょくじ【食事】
■食事の用意ができたよ Soup's on! ▶ **soup**
■では（ごゆっくり）お食事をお楽しみください Enjoy your meal. ▶ **meal**

ショック
■ショックを受けるなよ Brace yourself. ▶ **brace**

じょのくち【序の口】
■これはほんの序の口だ This is only the beginning. ▶ **beginning**
■こんなのはまだ序の口だ You ain't seen

nothing yet. ▶ **see**
しらぬ【知らぬ】
■知らぬが仏 Ignorance is bliss. ▶ **ignorance**
■知らぬが仏と言うから What *someone* doesn't know won't/can't hurt *them*. ▶ **know**
■知らぬは亭主ばかりなり The husband is always the last to know. ▶ **husband**
■知らぬは女房ばかりなり The wife is always the last to know. ▶ **wife**
しらばくれる
■しらばくれるな Don't play dumb (with me). ▶ **dumb**
しる【知る】
■何も知らないくせに What do you know? ▶ **know**
| You don't know anything. ▶ **know**
■人のことなど知ったことか The devil take the hindmost. ▶ **devil**
■私の知ったことではない It's none of my business. ▶ **business**
■私の知っている人? Anybody/Anyone I know? ▶ **know**
しんけい【神経】
■どういう神経だい Some nerve! / What nerve! / Of all the nerve! ▶ **nerve**
じんじ【人事】
■人事を尽くして天命を待つ All you can do is the best you can (do). ▶ **do**
| Man proposes, God disposes. ▶ **god**
しんじつ【真実】
■真実は小説よりも奇なり Truth is stranger than fiction. ▶ **truth**
■真実はそこにある The truth is out there. ▶ **truth**
■真実を、すべての真実を、真実のみを述べる tell the truth, the whole truth, (and) nothing but the truth ▶ **truth**
じんせい【人生】
■人生いろいろ Live and let live. ▶ **live**
■人生こうでなくちゃね This is the life! ▶ **life**
■人生そうそううまくはいかないよ You can't win them all. ▶ **win**
■人生は1度だけだ You only live once. ▶ **live**
■人生はうたかたの夢 Life is but a dream. ▶ **life**
■人生は自分で切り開くものだ Life is what you make it. / Life is what you make of it. ▶ **life**♦**lifetime**
■人生はまだ長いのよ Life goes on. ▶ **life**

■人生は短い Life is short. / Life is too short. ▶ **life**
■人生は山あり谷あり Life has its ups and downs. ▶ **life**
| You have to take the good with the bad. ▶ **good**
■人生は楽じゃない Life is hard. ▶ **life**
■人生ままならない C'est la vie. ▶ **c'est la vie**
| That's life. / Such is life. ▶ **life**
| That's the way the ball bounces. ▶ **ball**
| That's the way the cookie crumbles. ▶ **cookie**
| That's the way the mop flops. ▶ **mop**
■人生楽あれば苦ありだ Take the bitter with the sweet. ▶ **bitter**
■人生わからないものだね Life is full of surprises. ▶ **life**
■人生を楽しみなさい Live it up. ▶ **live**
しんせつ【親切】
■それはどうもご親切に That's very kind of you. ▶ **kind**
しんねん【信念】
■信念を貫きなさい Keep the faith. ▶ **faith**
| Stick to your guns. ▶ **gun**
しんぱい【心配】
■心配しちゃったじゃないか You had me worried. ▶ **worried**
■心配しないで Don't worry. / No worries. / Not to worry. ▶ **worry**
■心配無用 Nothing to worry about. ▶ **worry**
しんぼう【辛抱】
■いましばらくの辛抱だよ Hang in there. / Hang on in there. ▶ **hang**
■辛抱が肝心だよ Patience, my friend (, patience). ▶ **patience**
しんよう【信用】
■少しは私を信用してよ Give me some credit. ▶ **credit**
ずうずうしい
■ずうずうしいにもほどがある Enough of your cheek. ▶ **cheek**
すき【好き】
■お好きなだけどうぞ Knock yourself out. ▶ **knock**
■お好きなように As you wish. ▶ **wish**
| Suit yourself. ▶ **suit**
| Whatever floats your boat. ▶ **boat**
| Whatever turns you on. ▶ **turn**
■好きなものを選んで Take your pick. ▶ **pick**

すぐ

■好きにしたら Please yourself. ▶ **please**

すぐ
■すぐ行きます I'll be right there. ▶ **there**
| I'll be right with you. / I'll be with you in a minute. ▶ **you**
| I'm on my way. ▶ **way**
■すぐやります I'm on it. ▶ **on**
| I'll get right on it. ▶ **get**
| Right away. ▶ **right**

すこし【少し】
■少しでも何もないよりはまし Something is better than nothing. ▶ **something**

すばらしい【素晴らしい】
■それはすばらしい（いい知らせだ） That's music to my ears. ▶ **music**

すむ【済む】
■済んだことは水に流そう Let bygones be bygones. ▶ **bygone**
■それくらいで済んでよかった It could have been worse. ▶ **worse**
■そんなことしてただじゃすまないよ You'll never get away with it. ▶ **get**

する
■それくらいしてくれてもいいでしょう Is that too much to ask? ▶ **ask**
■なんとかしなさい Do something! ▶ **do**

ずるい
■隅におけないやつだ You sly dog. ▶ **sly**
■ずるいやつだな You sly dog. ▶ **sly**
■ずるいよ No fair! ▶ **fair**

すわる【座る】
■おかけください Have a seat. / Take a seat. ▶ **seat**
■お座りください Be seated. ▶ **seat**
■さあかけて Grab a chair. / Pull up a chair. ▶ **chair**

せい
■だれのせいでもない，みんな私が悪いんです It's nobody's fault but mine. ▶ **fault**
■人のせいにしないで Don't blame it on me. ▶ **blame**

せいこう【成功】
■無事成功 The eagle has landed. ▶ **eagle**

せいじ【政治】
■人民の，人民による，人民のための政治 government of the people, by the people, for the people ▶ **government**

せいしん【精神】
■精神一到何事かならざらん Faith can/will move mountains. ▶ **faith**
| Where there's a will, there's a way. ▶ **will**

せいせい
■いなくなってせいせいしたよ Good riddance (to bad rubbish). ▶ **riddance**

せかす
■せかさないでよ Don't rush me. ▶ **rush**

せき【席】
■この席は空いてますか Is this seat taken? ▶ **seat**
| Is this taken? ▶ **take**

せきにん【責任】
■共同責任は無責任 Everybody's business is nobody's business. ▶ **business**
■最終的な責任は私がとる The buck stops here. ▶ **buck**
■責任をほかに押し付けるな Don't pass the buck. ▶ **buck**

せけん【世間】
■世間は狭いね It's a small world. / What a small world! ▶ **small**

ぜっこうちょう【絶好調】
■絶好調 Couldn't be better. ▶ **better**
| I've never been/felt better. ▶ **better**

せっしょう【殺生】
■そんな殺生な You break my heart. ▶ **heart**

ぜったい【絶対】
■それは絶対です It's a must. ▶ **must**

ぜひ【是非】
■ぜひそうさせてください I insist. ▶ **insist**
■ぜひそうしてください By all means. ▶ **means**

せわ【世話】
■だれも世話してくれはしない No one owes you a living. ▶ **living**
■余計なお世話だ It's none of your business. ▶ **business**

ぜんしん【前進】
■一歩前進，二歩後退 One step forward, two steps back. ▶ **step**
■二歩前進，一歩後退 Two steps forward, one step back. ▶ **step**

ぜんぜん【全然】
■全然 Not a bit. ▶ **bit**
| Not at all. ▶ **all**

せんちゃく【先着】
■先着順です First come, first served. ▶ **first**

せんどう【船頭】
■船頭多くして船山に登る Too many cooks spoil the broth. ▶ **cook**

ぜんにん【善人】
■善人は早死にをする Only the good die young. / The good die young. ▶ **die**

せんり【千里】
■千里の道も一歩から A journey of a thousand miles begins with a single step. ▶ **journey**

そう
■あっそうなの? Oh, yeah? ▶ **yeah**
■いつもそうなんだ It never fails. ▶ **fail**
■そういうこと That's the idea. / That's the whole idea. ▶ **idea**
■そういうことか That explains it. ▶ **explain**
■そういうことです That's (just) the way it is. ▶ **way**
■そういうことにはならないよ It's not gonna happen. / That's not gonna happen. ▶ **happen**
■そういうこともあるよ It happens. ▶ **happen**
■そういうものさ That's (just) the way it goes. ▶ **way**
■そうかもしれないし、そうでないかもしれない Maybe and maybe not. ▶ **maybe**
■そうかもね Could be. ▶ **could**
■そうこなくちゃ Now you're talking. ▶ **talk** | That's more like it. ▶ **like**
■そうしたほうがいいね You better. ▶ **better**
■そうだそうだ Hear, hear. ▶ **hear**
■そうでしょうとも Oh, sure! ▶ **sure**
■そうは問屋が卸さないよ You wish. ▶ **wish**
■それもそうだね You've got a point (there). / You got a point (there). ▶ **point**
■…はそうそうあることじゃない It's not every day (that) ... ▶ **day**

そうぞう【想像】
■ご想像にお任せします I'll leave it to your imagination. ▶ **imagination**

そうっと
■そうっとね Easy does it. ▶ **easy** | Nice and easy. ▶ **nice**

そちら
■そちらこそ Back at you. / Right back at you. ▶ **back** | Same to you. / The same to you. ▶ **same** | You too. ▶ **you**

そっちょく【率直】
■率直に言ってください Give it to me straight. ▶ **straight**

そなえ【備え】
■備えあれば憂いなし Better safe than sorry. ▶ **safe**

そのとおり【その通り】
■まったくそのとおり I couldn't agree more. ▶ **agree** | You can say that again. ▶ **say** | You said it! ▶ **say**

そのまま
■そのままにしておきなさい Let it be. ▶ **let** | Let it ride. ▶ **ride**

そらみみ【空耳】
■空耳だよ You're hearing things. ▶ **hear**

それ
■それだけじゃないのよ That's not the whole story. ▶ **story**
■それならそれでいい So be it. ▶ **so**

それまで
■はいそれまでよ So much for that. ▶ **much**

そんな
■そんなことだろうと思った Just as I expected. ▶ **expect**
■そんなところだ That's about it. ▶ **about**
■だいたいそんなところです That's about the size of it. ▶ **size**

だいじ【大事】
■お大事に Take care of yourself. ▶ **care**

たいした【大した】
■大したことない It's nothing to write home about. ▶ **nothing**
■大したことないよ It's no big deal. ▶ **deal**
■大した人ね You're something else. ▶ **something**

だいじょうぶ【大丈夫】
■いまならだいじょうぶだ The coast is clear. ▶ **coast**
■だいじょうぶ Don't sweat it. ▶ **sweat** | No problem. ▶ **problem** | No sweat. ▶ **sweat**
■だいじょうぶですか Are you OK? ▶ **OK, okay**

たいへん【大変】
■どこもみな大変なのよ Things are tough all over. ▶ **tough**

たかい【高い】
■高い高い Upsies. ▶ **upsies**

たげい【多芸】
■多芸は無芸 Jack of all trades, master of none. ▶ **Jack**

たごん【他言】
■他言は無用 Don't breathe a word. ▶ **word** | Keep it quiet. / Keep quiet about it. ▶ **quiet** | Mum's the word. ▶ **word**

たざん【他山】
■他山の石としなさい Learn from my mistakes. / Learn from the mistakes of oth-

たすける【助ける】
■お互いに助け合おうじゃないか Scratch my back and I'll scratch yours. ▶ **back**

たずねる【尋ねる】
■ご遠慮なくお尋ねください Please don't hesitate to ask. ▶ **hesitate**

たずねる【訪ねる】
■訪ねて来てください Please stop by. ▶ **stop**

ただ
■ただではすまないよ It's/That's gonna cost you. ▶ **cost**
■ただほど高いものはない There is no free lunch. / There is no such thing as a free lunch. ▶ **lunch**

ただいま【ただ今】
■ただいま（帰ったよ）I'm home. ▶ **home**
■はい、ただいま In a bit. ▶ **bit**
| In a minute. ▶ **minute**
| In a second. ▶ **second**
| Right now. ▶ **now**
|（料理の注文を受けて）Coming up. ▶ **come**

たたかい【戦い】
■戦いはこれからだ I have not yet begun to fight. ▶ **fight**

たたかう【戦う】
■こうなったらとことん戦うまでだ This means war! ▶ **war**

たつ【立つ】
■立ったついでに何か飲み物でも持ってこようか While I'm up, can I get you anything? ▶ **up**

たぬき【狸】
■とらぬ狸の皮算用はするな Don't count your chickens before/until they hatch. ▶ **chicken**

たのしみ【楽しみ】
■これからお楽しみの始まりだ Let the good times roll. ▶ **time**

たのしむ【楽しむ】
■少しくらいは楽しみなさいよ Live a little. ▶ **live**
■楽しんできなさい Have a good time. ▶ **time**
| Have fun. ▶ **fun**

たべる【食べる】
■さあ、来て食べて Come and get it. ▶ **come**
■さあ食べましょう Let's eat. ▶ **eat**
■さあ（どんどん）食べて Dig in. ▶ **dig**
| Dive in. ▶ **dive**
| Eat up. ▶ **eat**
■出されたものを食べなさい Eat what is (put) in front of you. ▶ **eat**
■まるで食べに来たみたいで悪いのだけど… I hate to eat and run, but ... ▶ **eat**
■もっと召し上がれ Have some more. ▶ **more**
■よくかんでから食べるのよ Chew well before swallowing. ▶ **chew**

たまご【卵】
■卵が先か鶏が先か Which/What came first, the chicken or the egg? ▶ **chicken**

だます
■一部の人をずっとだまし続けることも、またすべての人を一時的にだますこともできるが、すべての人をずっとだまし続けることはできない You can fool some of the people all of the time, and all of the people some of the time, but you can not fool all of the people all of the time. ▶ **fool**
■世の中にはだまされやすい人が多い There's a sucker born every minute. ▶ **sucker**

だまる【黙る】
■きみが黙っていれば私も黙っているよ I won't tell if you won't (tell). ▶ **tell**
■黙っていなさい Keep your mouth shut. ▶ **mouth**
■黙れ Shut your mouth. / Hush your mouth. ▶ **mouth**
■何を押し黙っているの Cat got your tongue? ▶ **cat**
| Have you lost your tongue? ▶ **tongue**
■もう黙れ Hold your tongue! ▶ **tongue**

だめ【駄目】
■絶対にだめ Absolutely not. ▶ **absolutely**
| No way. ▶ **no**
■だめだ No dice. ▶ **dice**
■だめだった No such luck. ▶ **luck**
■だめだね No can do. ▶ **no**
■だめでもともと Here goes nothing. ▶ **here**
| It couldn't hurt. / It wouldn't hurt. ▶ **hurt**
| What do I/we/you have to lose? ▶ **lose**
■だめと言ったらだめ "No" means "no"! ▶ **no**
■だめもとでやってみろ Go for broke. ▶ **broke**
■どんなことがあってもだめ Not under any circumstances. ▶ **circumstance**
■もうだめだ（後は泣くだけだ）It's all over but the crying. ▶ **over**

たより【便り】
■便りのないのはよい便り No news is good

だれ
■いったいだれに話をしているつもりだ Who do you think you're talking to? ▶ **talk**
■おやおやだれかと思ったら Look what/who the cat dragged in. ▶ **cat**
｜ Look who's here. ▶ **look**
■だれかがやるだろう Let George do it. ▶ **George**
■だれがそう言っているのさ Says who? ▶ **say**
■だーれだ Guess who? ▶ **guess**
■だれだってそうだよ Who doesn't? / Who wouldn't? ▶ **who**

ち【血】
■血は争えない Blood will tell. ▶ **blood**
■血は血を呼ぶ Blood will have blood. ▶ **blood**
■血は水よりも濃い Blood is thicker than water. ▶ **blood**

チーズ
■はい，チーズ Say cheese. ▶ **cheese**

ちかう【誓う】
■誓うよ I swear. ▶ **swear**

ちがう【違う】
■これは違うからね It's not what it looks like. ▶ **look**

ちかづき【近づき】
■お近づきになれて光栄です I'm glad/delighted to make your acquaintance. ▶ **acquaintance**

チャンス
■チャンスを逃すな Don't miss the boat. ▶ **boat**

ちゃんちゃらおかしい
■ちゃんちゃらおかしい That's a laugh. ▶ **laugh**
｜ You make me laugh. ▶ **laugh**

ちゅうもん【注文】
■いつものやつね The usual, please. / Give me the usual. ▶ **usual**
■同じものを2つね Make it two. ▶ **two**
■お持ち帰りですか，それともここでお召し上がりになりますか To go or to stay? ▶ **go**
■ご注文はお決まりでしょうか May I take your order? ▶ **order**
■ご注文は何になさいますか How may I serve you? / How can I serve you? ▶ **serve**
■じゃんじゃん持ってきて Keep it coming. ▶ **come**
■注文は決まりましたか Are you ready to order? ▶ **order**
■何にしますか；何を頼む? What are you having? ▶ **have**
■何になさいますか What'll it be? / What'll you have? / What's yours? ▶ **what**

ちょうし【調子】
■いつもこの調子さ That's the story of my life. / It's the story of my life. ▶ **story**
■その調子でがんばって Keep up the good work. ▶ **work**
■その調子でがんばれ Keep it up. ▶ **keep**
■調子に乗らないで Don't push it. ▶ **push**
■調子に乗らないほうがいいよ Don't push your luck. ▶ **luck**
■無理に調子を合わせないでよ Don't humor me. ▶ **humor**

ちんもく【沈黙】
■沈黙は金なり Silence is golden. ▶ **silence**

つぎ【次】
■じゃあ，この次の機会ということで Maybe next time. ▶ **time**
■次の方，どうぞ Next, please. ▶ **next**
■次はなんだい；次は何があるのだろう What's next? ▶ **next**

つきもの【付き物】
■そうしたものはつきものだ It's all part of the game. / It's all in the game. ▶ **game**

つく【着く】
■さあ着いたよ Here we are. ▶ **here**

つく
■きみはついているね Lucky you. ▶ **lucky**
■ついてないね Bad luck. / Hard luck. / Tough luck. ▶ **luck**
■ついてやがるな You lucky dog. ▶ **lucky**
■まったくついてないよ Damn my luck. / Damn the luck. ▶ **luck**
｜ Just my luck. ▶ **luck**

つけあがる【付け上がる】
■ちょっと甘くすると付け上がる Give an inch, take a mile. / Give them an inch and they'll take a mile. ▶ **inch**

つごう【都合】
■いまは都合が悪いですか Is this a bad time? ▶ **time**
■いまは都合が悪いんですが I'm in the middle of something. ▶ **middle**
｜ Now isn't a good time. ▶ **now**

つづき【続き】
■この続きはまた後でしましょう Let's continue this later. ▶ **continue**

つとめる【勤める】
■どこに勤めているのですか Where do you work? ▶ **work**

つめたい【冷たい】

■そんな冷たいこと言わないで Have a heart. ▶ **heart**
■冷たいじゃないか Are you made of stone? ▶ **stone**
| Where's your heart? ▶ **heart**

つめる【詰める】
■後ろのほうに詰めてください Move on back. ▶ **move**
■ちょっと詰めて Get over. ▶ **get**
| Move over. ▶ **move**

つよがり【強がり】
■そんな強がり言わないで Don't be brave. ▶ **brave**

つり【釣り】
■釣り銭のないようにお願いします Exact change, please. ▶ **change**
■釣りはとっておいていいよ Keep the change. ▶ **change**
■はい、お釣りです Here's your change. ▶ **change**

て【手】
■手の冷たい人は心が温かい Cold hands, warm heart. ▶ **hand**

ていっぱい【手一杯】
■いまは手いっぱいです My plate is full. ▶ **plate**

ておくれ【手遅れ】
■ちょっと手遅れだね It's a little late for that. ▶ **late, later**

てき【敵】
■敵の敵は味方 The enemy of my enemy is my friend. ▶ **enemy**

できる【出来る】
■その気になればなんでもできる You can do anything if you set your mind to it. ▶ **mind**
■そんなことはできないよ That's where I draw the line. ▶ **line**
■そんなのは目をつぶっていてもできる I can do it blindfold. ▶ **can**
■よくもそんなことができるわね How dare you! ▶ **dare**
■よくもまあそんなことができたものね How could you? ▶ **could**
■私にはどうしようもできない My hands are tied. ▶ **hand**

でたらめ
■でたらめ言いやがって You're full of it. ▶ **full**
■でたらめを言うんじゃない Cut the crap. ▶ **crap**

てつ【鉄】
■鉄は熱いうちに打て Strike while the iron is hot. ▶ **iron**

てつだい【手伝い】
■何かお手伝いできることはありますか What can I do to help? ▶ **help**

てつだう【手伝う】
■手伝いましょうか Do you need any help? ▶ **help**

てぶら【手ぶら】
■手ぶらで来てください Just bring yourself. ▶ **bring**

てみじか【手短】
■手短にね Make it brief. ▶ **brief**
| Make it quick. / Better make it quick. ▶ **quick**

でも
■でももへちまもない No buts (about it). ▶ **but**

でる【出る】
■そのうち出てくるよ It will turn up. ▶ **turn**

てんき【天気】
■いい天気ですね Beautiful day, isn't it? ▶ **day**
| Nice/Lovely/Beautiful weather, isn't it? ▶ **weather**
■天気には勝てない You can't control the weather. ▶ **weather**

てんさい【天才】
■天才と狂気は紙一重 There's a fine line between genius and madness. / There's a thin line between genius and insanity. ▶ **genius**

でんわ【電話】
■後で電話させましょうか Shall I have him/her call you back? ▶ **call**
■折り返し電話します I'll call back later. ▶ **call**
■少々お待ちいただけますか Can you hold, please? ▶ **hold**
■少々お待ちください Hold the line, please. ▶ **hold**
■電話してね Give me a call. / Call me. ▶ **call**
■電話をどうもありがとう Thanks for the phone call. / Thank your for the phone call. ▶ **phone**
| Thank you for calling. ▶ **call**
■…と電話を代わってください Put *someone* on the phone. ▶ **phone**
■どなたとお話しになりますか Who do you want to speak to? ▶ **speak**
| Who do you want to talk to? ▶ **talk**
■はい私です Speaking. ▶ **speak**
■わざわざお電話をくださりありがとうございます

Thank you for returning my call. ▶ **call**

どう
■それがどうしたというの What does it matter? ▶ **matter**
■そんなことはどうでもいいでしょ What do you care? ▶ **care**
■どうしました What seems to be the problem? ▶ **problem**
| What seems to be the trouble? ▶ **trouble**
■どうだった？（うまくいったか）Any luck? ▶ **luck**
|（セックスの後で）How was it for you? ▶ **how**
|（どのように展開したか）How did it go? ▶ **go**
■どうってことありません It's nothing. / It was nothing. ▶ **nothing**
|（実害はなかった）No harm done. ▶ **harm**
■どうでもいいわよ I couldn't care less. ▶ **care**
■ねえ，(こういうのは)どうかしら What do you say? ▶ **say**

どういたしまして
■どういたしまして Don't mention it. ▶ **mention**
| No problem. ▶ **problem**
| Not at all. ▶ **all**
| You're welcome. ▶ **welcome**

どうか
■どうかしていたんだ I wasn't thinking. ▶ **think**
■まったくどうかしていたわ What was I thinking? ▶ **think**

どうかん【同感】
■まったく同感です My sentiments exactly. ▶ **sentiment**
|（それは私がいま言おうとしていたことです）You took the words (right) out of my mouth. ▶ **word**
■まったくよね You're telling me. ▶ **tell**
■私も同感よ You're not alone. ▶ **alone**

どうしても
■どうしても Because! ▶ **because**

どうしようもない
■あなたってどうしようもない人ね You're impossible. ▶ **impossible**

とうぜん【当然】
■当然だよ（当たり前のことを聞くな）Does a bear shit in the woods? ▶ **bear**
| Is the Pope Catholic? / Is the Pope a Catholic? ▶ **Pope**

■当然でしょ（だれだってそうだ）Who doesn't? / Who wouldn't? ▶ **who**

どうぞ
■はいどうぞ Here you are. ▶ **here**
| Here you go. ▶ **here**
| There you are. ▶ **there**
| There you go. ▶ **there**

どうびょう【同病】
■同病相哀れむ Misery loves company. ▶ **misery**

とおす【通す】
■通してください Coming through. ▶ **come**

とき【時】
■時は金なり Time is money. ▶ **time**

どく【毒】
■毒を食らわば皿まで In for a penny, in for a pound. ▶ **penny**
■毒をもって毒を制す Like cures like. ▶ **like**

どっち
■どっちもどっちだ It takes two to tango. ▶ **two**

とっておく【取っておく】
■私の分も1つ/少し取っておいて Save one/some for me. ▶ **save**

となり【隣】
■隣の芝生は青い The grass is always greener on the other side (of the fence). ▶ **grass**

とぼける
■とぼけるんじゃない Don't play dumb (with me). ▶ **dumb**

ともだち【友達】
■そのための友だちでしょう That's what friends are for. ▶ **friend**
■友だちでいましょう Let's stay friends. ▶ **friend**
■友だちに教えてね Tell a friend. ▶ **friend**
■友だちはいくらいても困らない You can't have too many friends. ▶ **friend**
■友だちは一生の宝 Friends are forever. ▶ **friend**
■何言ってるの，友だちじゃないの What are friends for? ▶ **friend**
■まさかの友こそ真の友 A friend in need is a friend indeed. ▶ **friend**
■まったくたいした友だちね Some friend you are. ▶ **friend**

とりかえし【取り返し】
■いまさら取り返しはつかない The damage is done. ▶ **damage**
| You can't unring a/the bell. ▶ **bell**

とりこみ【取り込み】

■お取り込み中すみませんが I'm sorry to interrupt you, but ... ▶ **interrupt**
■お取り込み中ですか Am I interrupting something? ▶ **interrupt**
| Am I disturbing you? ▶ **disturb**
| Is this a bad time? ▶ **time**

どりょく【努力】
■努力は報われる Hard work pays off. ▶ **work**

どれ
■どれにしようかな，神様の言うとおり Eenie meenie minie moe ▶ **eenie meenie minie moe**

とんでもない
■とんでもない Far from it. ▶ **far**

どんな
■どんなもんだい In your face! ▶ **face**

ないしょ【内緒】
■私がこう言ったってことはないしょよ You didn't hear it from me. ▶ **hear**

なおさら
■だったらなおさらよ All the more reason. ▶ **reason**

なおす【直す】
■壊れていないものを直すな If it ain't broke, don't fix it. / If it's not broken, don't fix it. ▶ **fix**

ながい【長い】
■長い物には巻かれろ If you can't beat them, join them. ▶ **beat**

なきごと【泣き言】
■なに泣きごと言っているんだ Cry me a river. ▶ **cry**

なく【泣く】
■泣きっ面に蜂 (はち) Troubles never come singly. ▶ **trouble**
■泣くのをやめないと，いやでも泣かせてやる Stop crying or I'll give you something to cry about. ▶ **cry**

なつかしい
■なつかしいわ It brings back memories. ▶ **memory**

なに【何】
■いったい何をしているのよ；いったい何のまねだ What do you think you are doing? ▶ **do**
■何が My eye! ▶ **eye**
| My foot! ▶ **foot**

なにさま【何様】
■いったい自分を何様だと思っているんだ Who do you think you are? ▶ **who**
■…するとはいったい何様のつもりでいるんだい Who are you to …? ▶ **who**

なまいき【生意気】
■生意気なことを言うな Don't get clever (with me). ▶ **clever**
| Don't get smart (with me). ▶ **smart**

なまえ【名前】
■お名前はなんて言いましたっけ I didn't catch your name. / I didn't catch the name. ▶ **name**
| What's your name again? / What was your name again? ▶ **name**
■お名前はなんですか What's your name? ▶ **name**
■その名のとおりだ The name says it all. ▶ **name**

なまびょうほう【生兵法】
■生兵法はけがのもと A little knowledge is a dangerous thing. ▶ **knowledge**
| A little learning is a dangerous thing. ▶ **learning**

ならう【習う】
■習うより慣れろ Practice makes perfect. ▶ **practice**

なりふりかまわず【なりふり構わず】
■こうなったらなりふり構わずだ Desperate times call for desperate measures. ▶ **desperate**
| Drastic times call for drastic measures. ▶ **drastic**

なる
■そんなことになるわけないよ That'll happen. ▶ **happen**
■なせばなる Nothing is impossible to a willing heart. ▶ **impossible**
■なるようになる What will be, will be. ▶ **will**
| Whatever happens happens. / What happens happens. ▶ **happen**

なるほど
■なるほど I see. ▶ **see**
■なるほどそういうことか It figures. / That figures. ▶ **figure**

なれる【慣れる】
■じきに慣れるよ You'll get onto it. ▶ **get**

なんでも【何でも】
■何でもありだ Anything goes. ▶ **anything**

なんとか
■なんとかやっているよ Hanging in there. ▶ **hang**

にくまれっこ【憎まれっ子】
■憎まれっ子世にはばかる The devil looks after his own. ▶ **devil**

にげる【逃げる】
■三十六計逃げるにしかず He who fights and runs away, may live to fight another

day. ▶ **fight**
■逃げろ Run! ▶ **run**
にごん【二言】
■(…に) 二言はない My word is my bond. ▶ **word**
■二言もない What can I say? ▶ **say**
にぶい【鈍い】
■鈍い人だね Take a/the hint. ▶ **hint**
ニュース
■犬が人をかんでもニュースにはならないが、人間が犬をかめばニュースになる When a dog bites a man that is not news, but when a man bites a dog that is news. ▶ **news**
■大ニュースよ You're not going to believe this. ▶ **believe**
にんげん【人間】
■きみも人間だってことさ You're a human. / You're only human. ▶ **human**
■しょせんみな人間だ We're only human. ▶ **human**
■人間は万物の尺度である Man is the measure of all things. ▶ **man**
■私はそういう人間なんだ That's (just) the way I am. ▶ **way**
にんじょう【人情】
■それが人情というものだ It's only human nature. ▶ **human**
ねがい【願い】
■お願いがあるのですが May I ask you a favor? / Would you do me a favor? ▶ **favor**
■お願いだから Don't make me beg. ▶ **beg**
| I'm begging you. ▶ **beg**
|(私を喜ばせるためにやってよ) Humor me. ▶ **humor**
ねがう【願う】
■そう願いたいね Let's hope. / Let's hope so. ▶ **hope**
ねこ【猫】
■猫の手も借りたいくらいだ I could use all the help I could get. ▶ **help**
ねざめ【寝覚め】
■寝覚めが悪くないかい How do you sleep? ▶ **sleep**
ねる【寝る】
■先に寝てていいよ Don't wait up (for me). ▶ **wait**
■寝た子を起こすな Let sleeping dogs lie. ▶ **dog**
ねん【念】
■念には念を入れてね It is better/best to be on the safe side. ▶ **safe**
| You can't be too careful. ▶ **careful**

のぞみ【望み】
■お望みどおりにしてあげましょう You want it, you got it. ▶ **want**
■お望みどおりにしましょう As you wish. ▶ **wish**
ノック
■ノックくらいしたらどうなのよ Don't you ever knock? / Don't you know how to knock? ▶ **knock**
のみもの【飲み物】
■何かお飲み物はいかがですか Can I get you something to drink? ▶ **drink**
のむ【飲む】
■何をお飲みになりますか; お飲み物は何になさいますか What would you like to drink? ▶ **drink**
■飲んだら乗るな Don't drink and drive. ▶ **drink**
のる【乗る】
■さあ乗って Hop in. / Hop on. ▶ **hop**
■その話に乗った You're on. ▶ **on**
のろう
■人をのろわば穴2つ Curses, like chickens, come home to roost. ▶ **curse**
ばか
■そんなばかじゃないだろう You know better. / You know better than that. ▶ **know**
■そんなばかな That's impossible. ▶ **impossible**
■ばか言わないで Don't be stupid. / Don't be so stupid. ▶ **stupid**
| Don't be silly. ▶ **silly**
■ばかにするのもいい加減にしてよ How dumb do you think I am? ▶ **dumb**
■ばかにつける薬はない You can't fix stupid. ▶ **stupid**
■ばかも休み休み言え Tell me another (one). ▶ **tell**
■ばかを言っちゃいけない Don't kid yourself. ▶ **kid**
ばかばかしい
■ばかばかしい That's for the birds. ▶ **bird**
はくじょう【白状】
■白状しなければならないことがあるんです I have a confession to make. ▶ **confession**
■白状しなさい Come clean. ▶ **clean**
はくじょう【薄情】
■薄情なものね How quickly they forget. ▶ **forget**
はじ【恥】
■恥を知りなさい Shame on you! ▶ **shame**
はじめ【初め】
■初めよければ終わりよし A good beginning

makes a good ending. ▶ **beginning**

はじめて【初め】
■こんなの初めてね This is a first. / That's a first. ▶ **first**

はじめる【始める】
■さあ始めよう Let's get cracking. ▶ **crack**
| Let's roll. / Let's get rolling. ▶ **roll**
| Let's get started. ▶ **start**

バス
■バスに乗り遅れるな Don't miss the bus. ▶ **bus**

はずかしい【恥ずかしい】
■恥ずかしいからやめてよ Don't embarrass me. ▶ **embarrass**
■恥ずかしいったらありゃしない Boy, is my face red! / My face is red. ▶ **face**
■恥ずかしがらないで Don't be shy. ▶ **shy**
■まったく恥ずかしくないの You should be ashamed of yourself. ▶ **ashamed**
■私のことが恥ずかしいの? Do I embarrass you? ▶ **embarrass**

はずれ【外れ】
■大外れ Not even close. ▶ **close**

はたらく【働く】
■働かざるもの食うべからず If you don't work, you don't eat. ▶ **work**
■よく働きよく遊ぶ Work hard, play hard. ▶ **work**

ばち【罰】
■これ以上欲を言ったら罰が当たるよ What more could I ask for? ▶ **ask**
■罰が当たったのよ Serves you right. ▶ **serve**

はっきり
■はっきり言いなさい Say the word. ▶ **word**
■はっきり言っておく Make no mistake. ▶ **mistake**
■はっきりしたことは言えない I can't say for sure. / I can't rightly say. ▶ **say**
■はっきりしなさい Make up your mind. / Make your mind up. ▶ **mind**
■はっきりそう言ったわけではない Not in so many words. ▶ **word**

はつみみ【初耳】
■それは初耳だ I've never heard of such a thing. / I never heard of such a thing. ▶ **hear**
| That's news to me. / It's news to me. ▶ **news**

はなし【話】
■お話できてよかったです It's been nice/good talking to you. ▶ **talk**
■こうなってはまったく話が違います It's a (whole) new/different ball game. ▶ **ball game**
■ここだけの話だよ This doesn't go beyond/outside this room. ▶ **room**
■知らない人と話をしちゃだめよ Don't talk to strangers. / Never talk to strangers. ▶ **stranger**
■ずいぶん話がうまくできているわね How convenient! ▶ **convenient**
■そういう話じゃないんだよ You missed the point. ▶ **point**
■そういう話ではない That's a horse of a different color. ▶ **horse**
■その話はもういいよ Drop the subject. ▶ **subject**
■それどころの話ではない You don't know the half of it. ▶ **know**
■それは私が聞いた話と違う That ain't the way I heard it. / That's not the way I heard it. ▶ **hear**
■そんな話は聞いてない I didn't get the memo. ▶ **memo**
■ちょっとお話できませんか May I have a word with you? ▶ **word**
■積もる話があるからね We have a lot of catching up to do. ▶ **catch**
■なんでもない、こっちの話 I'm just thinking out loud. ▶ **think**
■何の話をしていたんだっけ Where was I? ▶ **where**
■話がうますぎる It's too good to be true. ▶ **good**
■話はそれで決まり; これにて一件落着 Case closed. ▶ **case**
■話はまだ終わってない I'm not finished. ▶ **finish**
■話半分に聞いておくことね Take it with a grain/pinch of salt. ▶ **salt**
■話をそらさないでよ Don't change the subject. ▶ **subject**
■人の話をうのみにしてはいけない Don't believe everything you hear. ▶ **believe**
■もうその話はよしなさいよ Let it go. ▶ **go**
■私もその話に乗ります I'm in. ▶ **in**

はなす【話す】
■洗いざらいしゃべっちゃいな Spill your guts. ▶ **gut**
■さっさと肝心なことを話してよ Cut to the chase. ▶ **chase**
■しゃべってしまいなさい Out with it. ▶ **out**
■ぜひ話してください Do tell. ▶ **tell**
■それは話題にしないほうがいいよ Don't go there. ▶ **go**

■どなたとお話しになりますか Who do you want to speak to? ▶ **speak**
| Who do you want to talk to? ▶ **talk**
■話があるのですが We need to talk about something. ▶ **talk**
■話せば長くなるから It's a long story. ▶ **story**
■ものをかみながらしゃべるんじゃないの Don't talk with your mouth full. ▶ **talk**

はめ【羽目】
■あんまりはめを外さないようにね If you can't be good, be careful. ▶ **careful**
■はめを外そうぜ Let's get silly. ▶ **silly**

はやい【早い】
■早い者勝ちです First come, first served. ▶ **first**
■早い者勝ちよ It's up for grabs. ▶ **grab**
■早くしてね Make it snappy. ▶ **snappy**
■早くしてよ Tick-tock. ▶ **tick-tock**
■早いに越したことはない The sooner the better. ▶ **soon**

はやおき【早起き】
■早起きは三文の得 The early bird catches/gets the worm. ▶ **bird**

はやがてん【早合点】
■早合点しないで Don't jump to conclusions. ▶ **conclusion**
■早合点は禁物 One swallow does not make a summer. ▶ **summer**

はら【腹】
■腹が減っては戦はできぬ An army marches/travels on its stomach. ▶ **army**
■腹ぺこだ I could eat a horse. ▶ **eat**

はらう【払う】
■ここは私に払わせてください Let me pay the bill. ▶ **bill**
■これは私が払います It's on me. / This one's on me. ▶ **on**

ばれる
■ばれたか You found me out. ▶ **find**
| Busted. ▶ **bust**
■もうばれている The cat is out of the bag. ▶ **cat**

パン
■パンがないならケーキをお食べ Let them eat cake. ▶ **cake**

ばんじ【万事】
■万事休すだ The game is up. ▶ **game**

ひ【火】
■火のないところに煙は立たない Where there's smoke, there's fire. ▶ **smoke**
■火はありますか Got a light? / Have you got a light? / You got a light? ▶ **light**

ひ【日】
■日が暮れちゃうじゃないの I don't have all day. / I haven't got all day. ▶ **day**

ひあそび【火遊び】
■火遊びするとやけどする If you play with fire, you'll get burned. ▶ **fire**

ひさしぶり【久しぶり】
■(ずいぶん) 久しぶりだね I haven't seen you in a long time. ▶ **see**
| It's been so long. / It's been a long time. ▶ **long**
| Long time no see. ▶ **see**

ひっかかる【引っかかる】
■わあい引っかかった I got you. ▶ **get**
| Made you look. ▶ **look**

ひっこむ【引っ込む】
■引っ込んでろ Back off. ▶ **back**

ひつよう【必要】
■その必要はないよ There is no need. ▶ **need**
■必要は発明の母 Necessity is the mother of invention. ▶ **necessity**

ひまじん【暇人】
■このひま人め Get a life! ▶ **life**

ひみつ【秘密】
■あなた、秘密を守れる? Can you keep a secret? ▶ **secret**
■それは公然の秘密だ It's an open secret. ▶ **secret**
■それ/これは秘密だよ Keep it/this a secret. ▶ **secret**
■秘密はだれにも漏らしません Your secret is safe with me. ▶ **secret**

ひゃくぶん【百聞】
■百聞は一見にしかず A picture is worth a thousand words. ▶ **picture**
| Seeing is believing. ▶ **see**

ひょうばん【評判】
■評判がた落ちだ *Someone's* name is mud. ▶ **name**

ひょっとしたら
■ひょっとしたらひょっとするのかしら Are you thinking what I'm thinking? ▶ **think**

ひらく【開く】
■開け、ごま Open, sesame! ▶ **open**

びんぼう【貧乏】
■貧乏暇なし No rest for the wicked. ▶ **rest**

ピンポーン
■ピンポーン Ding, ding, ding. ▶ **ding**

フォロー
■少しもフォローになってないわよ You're not helping. ▶ **help**

ふくしゅう

- ナイスフォロー Nice recovery. ▶ **recovery**
  | Nice save. ▶ **save**

ふくしゅう【復讐】
- 復讐するは我にあり Vengeance is mine. ▶ **vengeance**

ふくすい【覆水】
- 覆水盆に返らず Don't cry over spilled/spilt milk. ▶ **cry**
  | It's no use crying over spilt/spilled milk. ▶ **cry**
  | You can't unscramble an egg. ▶ **egg**

ふこう【不幸】
- 不幸中の幸いだ It could have been worse. ▶ **worse**

ふざける
- ふざけたことを言うな；ふざけたまねをするな Don't get funny (with me). ▶ **funny**
- ふざけた話さ It's a joke. ▶ **joke**
- ふざけるな Get stuffed! ▶ **stuff**

ふむ【踏む】
- 踏んだり蹴ったりだよ If it's not one thing, it's another. ▶ **another**

ふゆ【冬】
- 冬来たりなば春遠からじ If Winter comes, can Spring be far behind? ▶ **winter**

ふる【降る】
- 降れば土砂降り It never rains but it pours. ▶ **rain**
  | Troubles never come singly. ▶ **trouble**

へーっ
- へーっ Well, I'll be. ▶ **well**

へた【下手】
- へたくそだね Don't quit your day job. / Keep your day job. ▶ **job**
- へな鉄砲も数打ちゃ当たる Even a blind pig can find an acorn. ▶ **pig**

へらずぐち【減らず口】
- 減らず口をたたくな Don't get clever (with me). ▶ **clever**
  | Don't get smart (with me). ▶ **smart**

ペン
- ペンは剣よりも強し The pen is mightier than the sword. ▶ **pen**

べんきょう【勉強】
- いい勉強になった I learned a lesson. ▶ **lesson**

ほうっておく
- ほっといてよ Leave me alone. / Let me alone. ▶ **alone**

ぼうりょく【暴力】
- 暴力では決して何も解決しない Violence never solves anything. ▶ **violence**
- 暴力は暴力を生む Violence begets violence. ▶ **violence**

ほか【他】
- ほかに（できることは）何かありますか What else can I do for you? ▶ **else**
- ほかに何かありますか Is there anything else? ▶ **else**
- ほかにもすてきな人はたくさんいるさ There are plenty of fish in the sea. ▶ **fish**

ぼちぼち
- ぼちぼちというところね I'm just getting by. ▶ **get**

ほどほど
- ほどほどにね Don't work too hard. ▶ **work**

ほめる【褒める】
- それはほめているのですか Is that a compliment? ▶ **compliment**

ぼやっと
- ぼやっとしてないで Get busy. ▶ **busy**

ほんだい【本題】
- さっそく本題に入りましょう Let's get down to business. ▶ **business**
  | Let's get down to it. ▶ **get**

ほんとう【本当】
- うそみたいだけどほんとうの話だよ You can't make this stuff up. ▶ **stuff**
- 誓ってほんとうだ Cross my heart (and hope to die). ▶ **cross**
  | Honest to God! ▶ **honest**
- ほんとうだよ Take my word for it. ▶ **word**
  | You('d) better believe it. ▶ **believe**
  | Believe me. / Believe you me. ▶ **believe**

まあ
- まあね Kind of. ▶ **kind**
  | Sort of. ▶ **sort**

まあまあ
- まあまあだね So-so. ▶ **so-so**
  | (もっと悪いのを見た) I've seen worse. ▶ **worse**
  | (もっと悪くなる可能性もある) Could be worse. ▶ **worse**

まいど【毎度】
- 毎度のことさ Same old story. ▶ **story**
  | What else is new? ▶ **new**

まかせる【任せる】
- お任せするよ Surprise me. ▶ **surprise**
- 私に任せてください I'm your man. ▶ **man**

まご【馬子】
- 馬子にも衣装 Clothes make the man. ▶ **clothes**
  | Fine feathers make fine birds. ▶ **fine**

まさか
- まさか You can't mean that! ▶ **mean**
 | No kidding! ▶ **kid**
 | (そんなことはしないでしょうね) You couldn't (do that)! ▶ **could**
 | You wouldn't (do that)! ▶ **would**
- まさかそんなことあるはずないわ It can't be possible. / That can't be possible. ▶ **possible**

また
- ではまた Till we meet again. / Until we meet again. ▶ **meet**
- またかよ Not again. ▶ **again**
- またそれだ Here we go again. ▶ **here**
 | There you go again. ▶ **there**

まちがい【間違い】
- 大間違いだね You couldn't be more wrong. ▶ **wrong**
- だれにも間違いはある Everyone makes mistakes. ▶ **mistake**

まちがう【間違う】
- どこで間違えたのだろう Where did I/we go wrong? ▶ **wrong**
- 間違っていたら言ってください Correct me if I'm wrong. ▶ **correct**

まつ【待つ】
- 当てにしないで待っていて Expect me when you see me. ▶ **expect**
- お待たせしてすみませんでした; お待ちどうさまでした I'm sorry to have kept you waiting. ▶ **wait**
- 少々お待ちいただけますか Can you hold, please? ▶ **hold**
- 少々お待ちください Hold the line, please. ▶ **hold**
 | One moment, please. ▶ **moment**
- 楽しみに待っているよ I'm holding my breath. ▶ **breath**
- ちょっと待った Hold it. ▶ **hold**
- ちょっと待って Hang on. ▶ **hang**
 | Hold on. ▶ **hold**
 | Just a minute. / Wait a minute. ▶ **minute**
 | (先に行かないで) Wait up (a minute/second/moment)! ▶ **wait**
- 待ちきれないね I can't wait. ▶ **wait**
- 待つ身は長い A watched pot never boils. ▶ **pot**
- 待てば海路の日和あり All good things come to those who wait. ▶ **wait**

まったくだ
- まったくだ Tell me about it! ▶ **tell**

まね【真似】
- いったい何のまねだ What's the idea? / What's the big idea? ▶ **idea**
- まねされるのは光栄なこと Imitation is the sincerest form of flattery. ▶ **imitation**

まねく【招く】
- お招きいただきありがとうございます Thanks for having me. / Thank you for having me. ▶ **have**
 | Thank you for inviting me. ▶ **invite**

まんぞく【満足】
- さぞ満足でしょうね (皮肉に) I hope you're happy. ▶ **happy**

みかけ【見掛け】
- 見かけがすべてではない; 人は見かけではない Looks aren't everything. ▶ **look**
- 見かけだけだ; 見かけ倒しだ It's all flash. ▶ **flash**
- 見かけで判断するな Never judge from/by appearances. ▶ **appearance**
- 見かけは当てにならない; 人は見かけによらぬもの Appearances can be deceiving/deceptive. ▶ **appearance**
 | Looks are deceiving/deceptive. ▶ **look**

みず【水】
- 水と油だ Oil and water don't mix. ▶ **oil**

みずかけろん【水掛け論】
- 水掛け論だ It's A's word against B's. ▶ **word**
 | It's he said, she said. ▶ **say**

みっかぼうず【三日坊主】
- まったく三日坊主なんだから You never finish anything (you start). ▶ **finish**

みつご【三つ子】
- 三つ子の魂百まで The boy is father to the man. ▶ **boy**
 | The child is (the) father of the man. ▶ **child**

みっともない
- みっともないよ You're embarrassing yourself. ▶ **embarrass**

みとおす【見通す】
- あなたは何でもお見通しね Nothing gets by you. ▶ **nothing**

みのがす【見逃す】
- お見逃しなく Don't miss it. ▶ **miss**

みのほど【身の程】
- 身の程知らずだね You're out of your league. ▶ **league**
- 身の程をわきまえろ Know your limits. ▶ **limit**

みみ【耳】
- 壁に耳あり Walls have ears. ▶ **ear**

■ちょっと耳を貸してよ Lend me your ear. ▶ **ear**
■右の耳から左の耳だ In one ear and out the other. ▶ **ear**
■耳を疑うとはこのことだ I can't believe my ears. ▶ **ear**

みる【見る】
■いまに見ていなさい Just (you) wait. / You (just) wait. ▶ **wait**
■ご覧のとおりです What you see is what you get. ▶ **see**
■ぜひ見せてよ I'm all eyes. ▶ **eye**
■ちゃんと前見て歩け Watch where you're going. ▶ **watch**
■ちゃんと前を見て運転してよ Keep your eyes on the road. ▶ **road**
■ちゃんと私のほうを見なさい Look at me. ▶ **look**
■まあ見てなさい Watch me. ▶ **watch**
| Just watch. / You (just) watch. ▶ **watch**
| Wait and see. ▶ **wait**
■見ざる，聞かざる，言わざる See no evil, hear no evil, speak no evil. / Hear no evil, see no evil, speak no evil. ▶ **evil**
■見せっこしようよ Show me yours, I'll show you mine. ▶ **show**
■見ているだけです I'm just looking. / I'm only looking. ▶ **look**
■見るくらいいいでしょう A cat may look at a king. ▶ **cat**

むかし【昔】
■あのころはよかったね Those were the days. ▶ **day**
■それは昔の話だ That's (ancient) history. ▶ **history**
| Some things never change. ▶ **change**
■昔とった杵柄(きねづか) It's like riding a bike. ▶ **bike**
■昔の話さ That's/It's water under the bridge. ▶ **water**

むざい【無罪】
■人は有罪が証明されるまでは無罪である A person is innocent until proven guilty. ▶ **innocent**

むし【虫】
■一寸の虫にも五分の魂 The worm turns. ▶ **worm**
■虫のいい考えだ It's wishful thinking. ▶ **wishful**

むずかしい【難しい】
■それほど難しいことではない It's not rocket science. ▶ **rocket**

むね【胸】
■それ/これは自分の胸に秘めておきなさい Keep it/this to yourself. ▶ **keep**

むり【無理】
■いいところを見せようとして無理をするな Don't be a hero. ▶ **hero**
■きみには無理だ You're out of your league. ▶ **league**
■それは無理だね No chance. / Not a chance. / There's no chance. ▶ **chance**
■まず無理だね Chance would be a fine thing. ▶ **chance**
■無理もないよ I don't blame you. ▶ **blame**

め【目】
■いいかげんに目を覚ませ Wake up and smell the coffee. ▶ **wake**
■自分の目で確かめたら See for yourself. ▶ **see**
■目から火花が出た I saw stars. ▶ **star**
■目にごみが入っちゃった；目にごみが入っただけだよ I got something in my eyes. ▶ **eye**
■目には目をだ Two can play at that game. ▶ **two**
■目は心の窓 The eyes are the windows/window to the soul. ▶ **eye**
■目を覚ませ Wake up. ▶ **wake**
■わが目を疑うね I can't believe my eyes. ▶ **eye**
■私の目の届くところにいるのよ Stay where I can see you. ▶ **stay**
■私の目を見なさい Look into my eyes. / Look me in the eye(s). ▶ **eye**

めいれい【命令】
■これは命令だ I don't mean maybe. ▶ **maybe**
| That's an order. ▶ **order**

めっそうもない【滅相】
■めっそうもない God/Heaven forbid. ▶ **forbid**

もくてき【目的】
■目的が手段を正当化する The end justifies the means. / The ends justify the means. ▶ **end**

もくひょう【目標】
■目標を高くもて Hitch your wagon to a star. ▶ **wagon**
| Aim high. ▶ **aim**

もし
■もしそうだとしたらどうだって言うのさ What if I do? ▶ **if**

もしかしたら
■もしかしたらもしかするのかしら Are you

thinking what I'm thinking? ▶ **think**
もちかえる【持ち帰る】
■お持ち帰りですか, それともここでお召し上がりになりますか To go or to stay? ▶ **go**
もつ【持つ】
■何かお持ちしましょうか Can I get you anything/something? ▶ **get**
■持ちつ持たれつ No man is an island. ▶ **island**
■世の中には持てる者と持たざる者がいる Some of us have it and some of us don't. ▶ **have**
もったいない
■もったいない話よね What a waste! ▶ **waste**
もと【元】
■元も子もなくすようなことはするな Don't kill the goose that lays the golden egg. ▶ **goose**
| Don't throw the baby out with the bathwater. ▶ **baby**
もどる【戻る】
■戻ったよ I'm back. ▶ **back**
もの【物】
■ものは試し The proof of the pudding is in the eating. ▶ **pudding**
もりあがる【盛り上がる】
■大いに盛り上がろうぜ Let's party! ▶ **party**
もんく【文句】
■何か文句ある? You got a problem with that? / Do you have a problem with that? ▶ **problem**
■文句は言えない I can't complain. ▶ **complain**
もんだい【問題】
■問題外だ Out of the question. ▶ **question**
もんどうむよう【問答無用】
■問答無用 End of story. ▶ **story**
やく【役】
■何かお役に立てることはありますか Is there anything I can do to help? ▶ **help**
やくしょ【役所】
■お役所には勝てないよ You can't fight city hall. ▶ **city hall**
やくそく【約束】
■約束します I promise. / That's a promise. ▶ **promise**
■約束はできないよ I can't promise anything. ▶ **promise**
■約束は約束だ A promise is a promise. ▶ **promise**
■私は約束したことは守る My word is my bond. ▶ **word**
やけいし【焼け石】
■いまとなっては焼け石に水だ It's too little, too late. ▶ **little**
やすむ【休む】
■休むとさびついてしまう If you rest, you rust. ▶ **rest**
やすもの【安物】
■安物買いの銭失い You get what you pay for. ▶ **pay**
やつあたり【八つ当たり】
■私に八つ当たりしないで Don't take it out on me. ▶ **take**
やっかいばらい【厄介払い】
■いいやっかい払いができてせいせいするよ Goodbye and good riddance. ▶ **goodbye, good-bye**
やめる【止める】
■その辺でやめておきなさい That's enough! ▶ **enough**
■やめてよ Cut it out. ▶ **cut**
| Knock it off. ▶ **knock**
やる
■思い切ってやってみなさい Take the plunge. ▶ **plunge**
■そこまでやるか Is nothing sacred? ▶ **sacred**
■そんなのとっくにやっているよ Been there, done that. / Done that, been there. ▶ **been**
■また(いつか)やりましょう Let's do this again (sometime). ▶ **do**
■やったね More power to you. ▶ **power**
■やられたらやり返せ Fight fire with fire. ▶ **fire**
■やるだけやってみたら It could only help. ▶ **help**
■やるだけやってみて悪いことはないでしょ It can't hurt to try. ▶ **try**
■やるだけやってみましょう I'll see what I can do. / Let me see what I can do. ▶ **see**
■やれるものならやってみな Go ahead, make my day. ▶ **day**
ゆうごはん【夕ご飯】
■きょうの夕ご飯は何? What's for dinner? ▶ **dinner**
■夕ご飯が冷めちゃうわよ Dinner is getting cold. ▶ **dinner**
■夕ご飯ができたよ Dinner is ready. ▶ **dinner**
■夕ご飯でも食べていったらどうですか Why don't you stay for dinner? ▶ **dinner**
ゆだん【油断】

ゆびきりげんまん

- 油断大敵 You snooze, you lose. / If you snooze, you lose. ▶ **snooze**

ゆびきりげんまん【指切りげんまん】

- 指切りげんまんする? Pinkie swear? / Pinky swear? ▶ **pinkie, pinky**

ゆめ【夢】

- せいぜい夢でも見ていなさい In your dreams! ▶ **dream**
- まるで夢みたい; 話がうますぎる It's too good to be true. ▶ **good**
- 夢は逆夢 Dreams go by contraries. ▶ **dream**
- 夢みたい Pinch me. ▶ **pinch**

ゆるす【許す】

- そんなことは絶対に許さない Over my dead body! ▶ **body**
- どうかお許しください Please accept my apology/apologies. ▶ **apology**

よいのくち【宵の口】

- まだ宵の口だよ The evening is still young. ▶ **evening**
  | The night is young. / The night is still young. ▶ **night**

よう【用】

- ご用は承っておりますでしょうか Are you being served? ▶ **serve**
- だれに用ですか Who do you want? ▶ **want**
- どういったご用件でしょうか Can I help you? ▶ **help**

ようこそ

- ようこそ拙宅へおいでくださいました Welcome to my house. ▶ **house**
- ようこそわが社［チーム、劇団など］に Welcome aboard. ▶ **aboard**

ようじん【用心】

- 用心するに越したことはない It is better/best to be on the safe side. ▶ **safe**
  | You can't be too careful. ▶ **careful**

ようす【様子】

- もうしばらくようすを見なさい Give it time. ▶ **time**

ようてん【要点】

- 要点を言ってくれ Get to the point. / What's your point? ▶ **point**

よかん【予感】

- なんか予感がする I have this feeling. ▶ **feeling**
- なんだかいやな予感がする I have a bad feeling about this. ▶ **feeling**

よく【欲】

- 欲を言えばきりがない You can't have everything. ▶ **everything**

よく【良く】

- よくやった Good job. / Nice job. ▶ **job**
  | Good work. / Nice work. ▶ **work**
  | Way to go! / That's the way to go! ▶ **way**

よけい【余計】

- 余計なおせっかいだよ Mind your own business. ▶ **business**
- 余計な口出しはしないで Stay out of this. ▶ **stay**
  | Keep out of this. ▶ **keep**

よしあし【良し悪し】

- そういうのもよしあしだ It's a gift and a curse. ▶ **gift**

よてい【予定】

- 一応, 予定に入れておきましょう I'll pencil it in. / I'll pencil you in. ▶ **pencil**
- 予定どおりにいくものなどない Nothing ever goes according to plan. ▶ **plan**

よのなか【世の中】

- おかしな世の中ね It's a funny old world. ▶ **world**
- 世の中甘くない Life is hard. ▶ **life**
- 世の中そんなに甘くはないんだよ That's not the world we live in. ▶ **world**
- 世の中そんなものだ That's life. / Such is life. ▶ **life**
  | That's the way the ball bounces. ▶ **ball**
  | That's the way the cookie crumbles. ▶ **cookie**
  | That's the way the mop flops. ▶ **mop**
- 世の中にはいろんな人がいるものだ It takes all kinds (of people) to make a world. ▶ **kind**
  | It takes all sorts. ▶ **sort**

よる【寄る】

- たまには寄ってね Drop by sometime. / Drop in sometime. / Drop over sometime. ▶ **drop**

よる【夜】

- 明けない夜はない There's always a light at the end of the tunnel. ▶ **light**

よろしく

- よろしくお願いします（頼み事をする場合）Thank you in advance. / Thanks in advance. ▶ **thank**

らく【楽】

- どうぞ楽にしてください Make yourself at home. ▶ **home**
- 楽あれば苦あり You have to take the rough with the smooth. ▶ **rough**
- 楽にしてください Don't stand on ceremo-

わかる

ny. ▶ **ceremony**
| Make yourself comfortable. ▶ **comfortable**
■楽は苦の種 You play, you pay. / If you play, you pay. ▶ **play**

りょう【量】
■量より質 Quality before quantity. ▶ **quality**

りょうかい【了解】
■了解 Roger. / Roger Wilco. ▶ **roger**

るい【類】
■類は友を呼ぶ Birds of a feather flock together. ▶ **bird**

るす【留守】
■お留守ですか Anybody home? ▶ **home**

れい【礼】
■お礼のことばもありません I can't thank you enough. ▶ **thank**
■重ねてお礼を言います Thank you again. / Thanks again. ▶ **thank**
■それが何よりのお礼です That's all the thanks I need. ▶ **thank**

れいがい【例外】
■例外があるのは規則のある証拠 The exception proves the rule. ▶ **exception**
■例外のない規則はない There is an exception to every rule. ▶ **exception**

れいぎ【礼儀】
■親しき仲にも礼儀あり Familiarity breeds contempt. ▶ **familiarity**

れきし【歴史】
■歴史から学ばない者は歴史を繰り返すことになる Those who do not learn from history are doomed to repeat it. ▶ **history**
■歴史は繰り返す History repeats itself. ▶ **history**

れんらく【連絡】
■こっちに出てきたときは連絡してね Look me up when you're in town. ▶ **look**

ローマ
■すべての道はローマに通じる All roads lead to Rome. ▶ **road**
■ローマは一日にしてならず Rome wasn't built in a day. ▶ **Rome**

ろくじゅう【六十】
■六十の手習い It's never too late to learn. ▶ **learn**

ろん【論】
■論より証拠 A picture is worth a thousand words. ▶ **picture**

わかい【若い】
■いつまでも若くはない I'm not getting any younger. ▶ **young**
■若いと思えば若い You are only as old as you feel. ▶ **old**
■若い時は2度ない You're only young once. ▶ **young**

わかる【分かる】
■行けばすぐにわかるよ You can't miss it. ▶ **miss**
■いずれわかる Time will tell. ▶ **time**
| You'll see. / We'll see. ▶ **see**
■大きくなればわかるよ You'll understand when you're older. ▶ **old**
■こうなることくらいわかっていなきゃいけないのに I should have known. ▶ **know**
■これだけ言えばわかるでしょう Need I say more? ▶ **say**
■さっぱりわからない I don't have a clue. ▶ **clue**
| I have no idea. ▶ **idea**
| It's (all) Greek to me. ▶ **Greek**
■それくらいはだれにでもわかる It doesn't take a genius to ... ▶ **genius**
■だれにもわからない It's anybody's guess. ▶ **guess**
■どうしてそうだとわかるの How do you know? ▶ **know**
■はいはい，わかりました You're the boss. ▶ **boss**
■はいわかりました Yes siree. ▶ **yes**
■まだどうなるかわからない It's too soon to tell. ▶ **tell**
■まだわからないわ Don't speak too soon. ▶ **speak**
■まったくわからない It's anyone's/anybody's call. ▶ **call**
| There's no way to tell. ▶ **tell**
■もうわかったよ All right already! ▶ **right**
■（やってみなければ）わからないでしょう Who knows? ▶ **know**
■やっとわかってきたようだね Now you're catching on. ▶ **catch**
■わかった All right. ▶ **right**
| I get it. ▶ **get**
■わかったか Do you understand? ▶ **understand**
| Is that clear? ▶ **clear**
■わかったよ I can take a hint. / I get the hint. ▶ **hint**
■わかってないね You don't get it. / You just don't get it. ▶ **get**
■わからない Beats me. ▶ **beat**
| Search me. ▶ **search**
■わからないのかい Can't you see? / Don't you see? ▶ **see**

■私にもわかりません Your guess is as good as mine. ▶ guess
■私にわかるわけないでしょ How should I know? ▶ know
■私の年になればわかるよ When you get to be my age, you'll understand. ▶ understand

わけ【訳】
■これにはわけがあるんだ I can explain. / I can explain this. ▶ explain
■そんなわけないでしょ Famous last words. ▶ word

わざと
■わざとやったわけじゃないから Accidents (will/can) happen. ▶ accident
｜ It's an honest mistake. ▶ mistake

わざわい【災い】
■災い転じて福となす It's a blessing in disguise. ▶ blessing

わすれる【忘れる】
■いけない, 忘れるところだった I almost forgot. ▶ forget
■このことは忘れましょう Let's just forget about this. ▶ forget
■過ぎたことは忘れなさい Let the past be past. ▶ past
■すぐに忘れちゃうんだよね I keep forgetting. ▶ forget
■何か忘れてない？ Aren't you forgetting something? ▶ forget
■もうそのことは忘れなさい Let it go. ▶ go
■もう忘れなさい Get over it. ▶ get
■忘れた I forget. ▶ forget
■忘れてたら言ってね Remind me. ▶ remind
■忘れようったって忘れられないよ How can I forget? ▶ forget

わたし【私】
■私がそう決めたからよ Because I said so! ▶ because
■私がそんなことしないことは知っているでしょう You know me better than that. ▶ know
■私がそんなことを信じるとでも思っているのではないでしょうね Do you expect me to believe that? ▶ believe
■私がついている I've got your back. ▶ back
■私がとやかく言う筋合いではない I'm not here to judge. / It's not for me to judge. / It's not my place to judge. ▶ judge
■私です It's me. ▶ me
■私としたことが What was I thinking? ▶ think
■私なんかいつもそんな感じよ Welcome to my world. ▶ world

わらう【笑う】
■最後に笑った者の勝ち He who laughs last, laughs best. ▶ laugh
■笑いごとではない It's no laughing matter. ▶ laugh
■笑う門には福来たる Laughter is the best medicine. ▶ laugh
■笑っちゃうね That's a laugh. ▶ laugh
■笑ってこらえろ Grin and bare it. ▶ grin
■笑わせてくれるじゃないか You make me laugh. ▶ laugh
■笑わせないでくれ Don't make me laugh. ▶ laugh

わりかん【割り勘】
■割り勘にしよう Let's go Dutch. ▶ Dutch
｜ Let's split the bill. ▶ bill

わるあがき【悪あがき】
■悪あがきはよしなさい Don't fight it. ▶ fight

わるい【悪い】
■かえって悪いわね You shouldn't have. ▶ should
■そんなことしてもらっては悪いわ I couldn't ask you to do that. ▶ ask
■悪いかしら What's wrong with that? ▶ wrong
■悪いことしちゃだめだよ Be good. ▶ good
■悪いことは言わないから Take it from me. ▶ take
｜ Take my word for it. ▶ word
｜ Trust me. ▶ trust
■悪い人ね You are a devil. ▶ devil
■悪うございましたね Excuse me for living! / Excuse me for breathing! ▶ excuse
｜ Pardon me for breathing! / Pardon me for living! ▶ pardon
■悪かったね Sue me. / So sue me. ▶ sue
■悪く思わないでで Don't take it personally. ▶ personally

聖書からの引用句

■わたしに味方しない者はわたしに敵対している He that is not with me is against me. ▶ **against**

■わたしはアルファであり、オメガである I am Alpha and Omega, the first and the last. ▶ **alpha**

■求めなさい．そうすれば、与えられる Ask, and it shall be given you. ▶ **ask**

■初めに、神は天地を創造された In the beginning God created the heavens and the Earth. ▶ **beginning**

■心の貧しい人々は、幸いである Blessed are the poor in spirit. ▶ **blessed**

■あなたのパンを水に投げ入れなさい Cast thy bread upon the waters ▶ **bread**

■わたしは弟の番人でしょうか Am I my brother's keeper? ▶ **brother**

■皇帝のものは皇帝に返しなさい Render unto Caesar the things which are Caesar's. ▶ **Caesar**

■もう一方のほおも出しなさい Turn the other cheek. ▶ **cheek**

■招かれる人は多いが、選ばれる人は少ない Many are called but few are chosen. ▶ **choose**

■悪い仲間とつきあうと悪影響を受ける；朱に交われば赤くなる Evil communications corrupt good manners. ▶ **communication**

■死者は死者に葬らせなさい Let the dead bury their dead. ▶ **dead**

■死の陰の谷を行くときも、わたしは災いを恐れない Yea, though I walk through the valley of the shadow of death, I will fear no evil. ▶ **death**

■自分が人にしてもらいたいと思うことをほかの人にしてあげなさい Do unto others as you would have them do unto you. ▶ **do**

■犬に注意しなさい Beware of dogs. ▶ **dog**

■塵にすぎないお前は塵に返る Dust thou art, and unto dust shalt thou return ▶ **dust**

■敵を愛せ Love your enemies. ▶ **enemy**

■目には目を（歯には歯を）An eye for an eye (and a tooth for a tooth). ▶ **eye**

■天におられるわたしたちの父よ Our Father which art in heaven ▶ **father**

■父よ、彼らをお赦しください．自分が何をしているのか知らないのです Father, forgive them, for they know not what they do. ▶ **forgive**

■わたしの神よ、わたしの神よ、なぜわたしをお見捨てになるのか My God, my God, why hast thou forsaken me? ▶ **forsake**

■あなたがたはその実で彼らを見分ける By their fruits ye shall know them. ▶ **fruit**

■狭い門から入りなさい Enter ye in at the strait gate. ▶ **gate**

■右の手のすることを左の手に知らせてはならない Let not thy left hand know what thy right hand doeth. ▶ **hand**

■壁に手書き文字が書いてある；先が見えている The handwriting is on the wall. ▶ **handwriting**

■聞く耳のある者は聞きなさい He that hath ears to hear, let him hear. ▶ **hear**

■父と母を敬え Honor thy father and thy mother. ▶ **honor**

■私はあるものである I am what I am. ▶ **I**

■神は御自分にかたどって人を創造された God created man in his own image. ▶ **image**

■この人の血について、わたしには責任がない I am innocent of the blood of this just person. ▶ **innocent**

■人を裁くな．あなたがたも裁かれないようにするためである Judge not, that ye be not judged. ▶ **judge**

■殺してはならない；汝、殺すなかれ Thou shalt not kill. ▶ **kill**

■たたきなさい．そうすれば開けてもらえるだろう Knock, and it shall be opened unto you. ▶ **knock**

■乳と蜜(みつ)の流れる土地 a land flowing with milk and honey ▶ **land**

■後にいる者が先になる The last shall be first. ▶ **last**

■人は必ず欺く All men are liars. ▶ **liar**

■光あれ Let there be light. ▶ **light**

■野の花を注意して見なさい Consider the lilies of the field. ▶ **lily**

■人はパンだけで生きるものではない Man shall not live by bread alone. ▶ **live**

■主が与えて、主が奪われた The Lord gave, and the Lord hath taken away. ▶ **lord**

■主は羊飼い、わたしには何も欠けることがない The Lord is my shepherd; I shall not want. ▶ **lord**

■あなたの神,主の名をみだりに唱えてはならない Thou shalt not take the name of the Lord thy God in vain. ▶ **lord**
■自分のように隣人を愛しなさい Love your neighbor as yourself. / Love thy neighbor as thyself. ▶ **love**
■柔和なものは地を受け継ぐだろう The meek shall inherit the earth. ▶ **meek**
■名はレギオン.大勢だから My name is Legion: for we are many. ▶ **name**
■太陽の下に新しいことなし There's nothing new under the sun. ▶ **new**
■豚の前に真珠を投げるな Don't cast your pearls before swine. / Cast not pearls before swine. ▶ **pearl**
■私の民を去らせなさい Let my people go. ▶ **people**
■医者よ,汝(なんじ)自身を治せ Physician, heal thyself. ▶ **physician**
■預言者が敬われないのは,その故郷だけである A prophet is not without honor, save in his own country. ▶ **prophet**
■偽預言者を警戒しなさい Beware of false prophets. ▶ **prophet**
■金持ちが神の国に入るよりも,らくだが針の穴を通る方がまだ易しい It is easier for a camel to go through the eye of a needle, than for a rich man to enter into the kingdom of God. ▶ **rich**
■あなたがたは地の塩である Ye are the salt of the earth. ▶ **salt**
■サタン,引き下がれ Get thee behind me, Satan. ▶ **Satan**
■何事にも時期がある To every thing there is a season. ▶ **season**
■探しなさい.そうすれば見つかるだろう Seek, and ye shall find. ▶ **seek**
■だれも,二人の主人に仕えることはできない No man can serve two masters. ▶ **serve**
■神と富とに仕えることはできない You cannot serve God and mammon. ▶ **serve**
■文字は殺しますが,霊は生かします The letter killeth, but the spirit giveth life. ▶ **spirit**
■心は燃えても,肉体は弱い The spirit is willing, but the flesh is weak. ▶ **spirit**
■罪を犯したことのない者が最初の石を投げなさい Let him who is without sin cast the first stone. ▶ **stone**
■一切誓いを立ててはならない Swear not at all. ▶ **swear**
■剣に生きるものは剣に滅ぶ Live by the sword, die by the sword. ▶ **sword**
■生まれる時,死ぬ時 A time to be born and a time to die ▶ **time**
■何事にもしかるべき時と場所がある There's a time and a place for everything. ▶ **time**
■真理はあなたたちを自由にする The truth shall make you free. ▶ **truth**
■なんという空しさ,すべては空しい Vanity of vanity; all is vanity. ▶ **vanity**
■復讐はわたしのすること Vengeance is mine. ▶ **vengeance**
■荒れ野で叫ぶ者の声 The voice of one crying in the wilderness ▶ **voice**
■わたしは不幸なことだ Woe is me. ▶ **woe**
■羊の皮を身にまとったオオカミ A wolf in sheep's clothing. ▶ **wolf**
■初めに言があった In the beginning was the Word. ▶ **word**

英国国教会祈禱書からの引用句

■死が2人を分かつまで till death do us part / till death us do part ▶ **death**
■土は土に,灰は灰に,塵は塵に earth to earth, ashes to ashes, dust to dust ▶ **earth**
■生のただ中にあって私たちは死の中にいる In the midst of life we are in death. ▶ **life**
■この指輪をもって私はあなたと結婚します With this ring, I thee wed. ▶ **ring**
■今申し出なさい.さもなければ今後永久に沈黙を守りなさい Let him now speak, or else hereafter for ever hold his peace. ▶ **speak**

シェークスピアからの引用句

- 生きるべきか，死ぬべきか To be or not to be. ▶ **be**
- 三月のイデスの日（15日）に注意せよ Beware the ides of March. ▶ **beware**
- 簡潔は機知の精髄 Brevity is the soul of wit. ▶ **brevity**
- 白状して絞殺される Confess and be hanged. ▶ **confess**
- 分別はだれをも臆病(おくびょう)者にする Conscience makes cowards of us all. ▶ **conscience**
- 臆病者は死ぬ前に何度も死ぬ Cowards die many times before their death. ▶ **coward**
- さいは投げられた The die is cast. ▶ **die**
- 退くも勇気；逃げるが勝ち Discretion is the better part of valor. ▶ **discretion**
- 倍になれ，倍になれ，苦労と困難 Double, double toil and trouble ▶ **double**
- ブルータス，おまえもか Et tu, Brute? ▶ **et tu**
- 弱きもの，汝の名は女なり Frailty, thy name is woman! ▶ **frailty**
- 天と地にはもっと多くのものがある There are more things in heaven and Earth. ▶ **heaven**
- 馬の代わりに余の王国をやるぞ My kingdom for a horse! ▶ **horse**
- 真の愛が波風なく進行することはなかった；雨降って地固まる The course of true love never did run smooth. ▶ **love**
- 慈悲の本質は強制されないことだ The quality of mercy is not strained. ▶ **mercy**
- 名前がなんだというの What's in a name? ▶ **name**
- 尼寺へ行け Get thee to a nunnery. ▶ **nunnery**
- 別れはこんなにも甘い悲しみなのね Parting is such sweet sorrow. ▶ **parting**
- 過去は序曲だ What's past is prologue. ▶ **past**
- あの女性は強く断言しすぎだと思うわ The lady doth protest too much, methinks. ▶ **protest**
- デンマークの国では何かが腐っている Something is rotten in the state of Denmark. ▶ **rotten**
- そこが問題だ；そこが困ったところだ There's the rub. ▶ **rub**
- 落ちろ，このいまわしいしみめ Out, damned spot! ▶ **spot**
- この世はすべて1つの舞台だ All the world's a stage. ▶ **stage**
- なんとすばらしい新しい世界でしょう O brave new world! ▶ **world**

アメリカ人ならだれでも知っている

英語フレーズ4000

| 2005年11月 1日 | 初版第1刷発行 |
| 2013年10月20日 | 初版第6刷発行 |

著者	山　田　詩　津　夫
発行者	星　野　　　守
発行所	〔郵便番号101-8001〕 東京都千代田区一ツ橋2-3-1 株式会社　小　学　館 電話　　編集　03-3230-5169 　　　　販売　03-5281-3555
印刷所	大日本印刷株式会社
製本所	株式会社若林製本工場

造本には十分注意しておりますが、印刷、製本など製造上の不備がございましたら、「制作局コールセンター」(フリーダイヤル 0120-336-340) にご連絡ください。
(電話受付は、土・日・祝休日を除く 9:30～17:30)

Ⓡ〈公益社団法人日本複製権センター委託出版物〉
本書を無断で複写(コピー)することは、著作権法上の例外を除き、禁じられています。
本書をコピーされる場合は、事前に公益社団法人日本複製権センター(JRRC)の許諾を受けて下さい。
JRRC〈http://www.jrrc.or.jp　e-mail:jrrc_info@jrrc.or.jp
　電話03-3401-2382〉

本書の電子データ化等の無断複製は著作権法上の例外を除き禁じられています。代行業者等の第三者による本書の電子的複製も認められておりません。

★小学館外国語編集部のウェブサイト『小学館ランゲージワールド』
　http://www.l-world.shogakukan.co.jp/

©Shizuo YAMADA 2005
Printed in Japan　　　　　　ISBN4-09-505091-8